L'EXPRESSION MÉTAPHORIQUE DANS LA COMÉDIE HUMAINE

Cet ouvrage a été publié
avec le concours du Ministère
de l'Éducation nationale

LUCIENNE FRAPPIER-MAZUR

L'EXPRESSION MÉTAPHORIQUE DANS LA COMÉDIE HUMAINE

DOMAINE SOCIAL ET PHYSIOLOGIQUE

PARIS
LIBRAIRIE C. KLINCKSIECK

ISBN 2-252-01843-7

BIBLIOTHÈQUE FRANÇAISE ET ROMANE
publiée par le
Centre de Philologie et de Littératures romanes
de l'Université des Sciences Humaines de Strasbourg
Directeur : Georges STRAKA
Série C : ÉTUDES LITTÉRAIRES

58

Déjà parus :

1. — *Saint-John Perse et quelques devanciers* (*Etudes sur le poème en prose*), par Monique PARENT, 1960, 260 p., 4 pl.
2. — *L' « Ode à Charles Fourier »*, d'André BRETON, éditée avec introduction et notes par Jean GAULMIER, 1961, 100 p., 6 pl.
3. — *Lamennais, ses amis et le mouvement des idées à l'époque romantique* (1824-1834), par Jean DERRE, 1962, 768 p. (épuisé.)
4. — *Langue et techniques poétiques à l'époque romane* (*XI*e*-XIII*e *siècles*), par Paul ZUMTHOR, 1963, 226 p. (épuisé.)
5. — *L'humanisme de Malraux*, par Joseph HOFFMANN, 1963, 408 p.
6. — *Recherches claudéliennes*, par M.-F. GUYARD, 1963, 116 p.
7. — *Lumières et Romantisme, énergie et nostalgie de Rousseau à Mickiewicz*, par Jean FABRE, 1963 (en réimpression).
8. — *Amour courtois et « Fin'Amors » dans la littérature du XII*e *siècle*, par Moshé LAZAR, 1964, 300 p. (épuisé).
9. — *Nouvelles recherches sur la littérature arthurienne*, par Jean MARX, 1965, 324 p. (épuisé).
10. — *La religion de Péguy*, par Pie DUPLOYE, 1965, 742 p. (épuisé).
11. — *Victor Hugo à l'œuvre : le poète en exil et en voyage*, par Jean-Bertrand BARRÈRE, 1965 (nouveau tirage 1970), 328 p., 13 pl.
12. — *Agricol Perdiguier et George Sand (correspondance inédite)*, publiée par Jean BRIQUET, 1966, 152 p., 6 pl.
13. — *Autour de Rimbaud*, par C.-A. HACKETT, 1967, 104 p., 3 pl.
14. — *Le thème de l'arbre chez P. Valéry*, par P. LAURETTE, 1967, 200 p.
15. — *L'idée de la gloire dans la tradition occidentale (Antiquité, Moyen Age occidental, Castille)*, par M.-R. LIDA DE MALKIEL, traduit de l'espagnol (Mexico, 1952), par S. ROUBAUD, 1968, 320 p.
16. — *Paul Morand et le cosmopolitisme littéraire*, par Stéphane SARKANY, 1968, 291 p., 3 pl.
17. — *Vercors écrivain et dessinateur*, par R. KONSTANTINOVITCH, 1969, 216 p., 16 pl.
18. — *Homère en France au XVII*e *siècle*, par N. HEPP, 1968, 864 p., 8 pl.
19. — *Philosophie de l'art littéraire et socialisme selon Péguy*, par J. VIARD, 1969, 415 p.
20. — *Rutebeuf poète satirique*, par Arié SERPER, 1969, 183 p.

21. — *Romain Rolland et Stefan Zweig*, par Dragan NEDELKOVITCH, 1970, 400 p.

22. — *J.-K. Huysmans devant la critique en France*, par M. ISSACHAROFF, 1970, 207 p.

23. — *Victor Hugo publie « Les Misérables » (Correspondance avec Albert Lacroix*, 1861-1862*)*, par B. LEUILLIOT, 1970, 426 p.

24. — *Cohérence et résonance dans le style de « Charmes » de Paul Valéry*, par Monique PARENT, 1970, 224 p.

25. — *Le destin littéraire de Paul Nizan et ses étapes successives* (*Contribution à l'étude du mouvement littéraire en France de 1920 à 1940*), par Jacqueline LEINER, 1970, 301 p., 8 pl.

26. — *Paul Valéry linguiste dans les « Cahiers »*, par Jürgen SCHMIDT-RADEFELT, 1970, 203 p.

27. — *Le thème de la mort chez Roger Martin du Gard*, par Melvin GALLANT, 1971, 299 p.

28. — *La poésie des Protestants de langue française, du premier synode national jusqu'à la proclamation de l'Edit de Nantes* (1559-1598), par Jacques PINEAUX, 1971, 524 p.

29. — *Traditions orphiques et tendances mystiques dans le Romantisme français* (1800-1855), par Brian JUDEN, 1971, 806 p.

30. — *La réflexion sur l'Art d'André Malraux, origines et évolution*, par Pascal SABOURIN, 1972, 240 p.

31. — *Victor Hugo et les Américains* (1825-1885), par Monique LEBRETON-SAVIGNY, 1971, 341 p.

32. — *La fantaisie de Victor Hugo, tome II* (1825-1885), par Jean-Bertrand BARRÈRE, 1972, 516 p.

33. — *Les « Christophe Colomb » de Paul Claudel*, par Jacqueline de LABRIOLLE, 1972, 247 p.

34. — *La dynamique théâtrale d'Eugène Ionesco*, par Paul VERNOIS, 1972, 319 p.

35. — *Le thème de l'amour dans l'œuvre romanesque de Gomberville*, par Séro KEVORKIAN, 1972, 252 p.

36. — *Le hors-venu ou le personnage poétique de Supervielle*, par Paul VIALLANEIX, 1972, 176 p.

37. — *Le théâtre et le public à Paris, de* 1715 *à* 1750, par Henri LAGRAVE, 1972, 720 p., 22 pl. h. t.

38. — *Musique et structure romanesque dans la « Recherche du temps perdu »*, par Georges MATORE et Irène MECZ, 1972, 355 p.

39. — *La spiritualité de Bossuet*, par Jacques LE BRUN, 1972, 817 p.

40. — *Gaston Baty, théoricien du théâtre*, par Arthur SIMON, 1972, 264 p., 15 pl. h. t.

41. — *L'inscription du corps, pour une sémiotique du portrait balzacien*, par Bernard VANNIER, 1972, 198 p.

42. — *« L'Avenir » de La Mennais, son rôle dans la presse de son temps*, par Ruth L. WHITE, 1974, 240 p.

43. — *Histoire d'une amitié : Pierre Leroux et George Sand, d'après une correspondance inédite (104 lettres de 1836 à 1866)*, texte établi, présenté et commenté par Jean-Pierre LACASSAGNE, 1974, 368 p.

44. — *La fantaisie de Victor Hugo, tome* 1 (1802-1851), par Jean-Bertrand BARRÈRE, 1974, 447 p.

45. — *La fantaisie de Victor Hugo, tome 3* (*Thèmes et motifs*), par Jean-Bertrand BARRÈRE, 1974, 298 p.

46. — *Henri Bosco et la poétique du sacré*, par Jean-Pierre CAUVIN, 1974, 293 p.

47. — *Littérature française et pensée hindoue des origines à 1950*, par Jean BIES, 1974, 683 p.

48. — *Approches des Lumières, Mélanges offerts à Jean Fabre*, 1974, 604 p.

49. — *La crise de conscience catholique dans la littérature et la pensée françaises à la fin du XIXe siècle,* par Robert BESSEDE, 1975, 639 p.

50. — *Paul Claudel en Italie, avec la correspondance Paul Claudel-Piero Jahier,* publiée par Henri GIORDAN, 1975, 168 p.

51. — *Le Théâtre national en France de 1800 à 1830,* par Michel JONES, 1975, 169 p.

52. — *Grimoires de Saint-Simon, nouveaux inédits établis, présentés et annotés,* par Yves COIRAULT, 1975, 320 p.

53. — *Mythes et réalités : enquête sur le roman et les mémoires (1660-1700),* par Marie-Thérèse HIPP, 1975.

54. — *Les univers de signification chez Albert Camus,* par Paul A. FORTIER, 1975.

55. — *Les thèmes amoureux dans la poésie française, 1570-1600,* par Gisèle MATHIEU-CASTELLANI, 1975, 524 p.

56. — « *Adolphe* » *et Constant, une étude psychocritique,* par Han VERHOEFF, 1975, 136 p.

57 — *Merveilleux, mythes et légendes dans la poésie française de 1840 à 1860,* par Anny DETALLE, 1976, 456 p.

A MA MÈRE

AVANT-PROPOS

Les pages qui suivent constituent une version remaniée de ma thèse de doctorat d'Etat, soutenue à Paris en 1973. Les études sur la métaphore de jeu et sur la métaphore théâtrale avaient été publiées sous forme d'article en 1969 et en 1970. Elles ont également été remaniées.

Ma profonde gratitude va à M. Pierre-Georges Castex, pour avoir bien voulu accepter de diriger ma thèse, et pour les précieux conseils et les encouragements qu'il m'a inlassablement prodigués. Sans sa science et sa générosité, ce travail n'aurait pu être achevé. Mes révisions doivent beaucoup à ses remarques bienveillantes lors de la soutenance, et à celles des éminents spécialistes qu'il avait réunis à ses côtés : Mlle Madeleine Fargeaud, M. Pierre Citron, M. Henri Mitterand. Qu'ils veuillent bien trouver ici l'expression de ma vive reconnaissance.

Je ne remercie pas moins Frank Paul Bowman et Carlos Lynes, pour leurs encouragements amicaux et leurs conseils érudits et éclairés, qui m'ont été d'une aide inappréciable.

L'Université de Pennsylvanie m'a accordé à plusieurs reprises des bourses d'études qui ont facilité les conditions matérielles de mon travail.

SIGLES

I. La Comédie humaine.

Sauf indication contraire, les références à *La Comédie humaine* renvoient à l'édition de la Pléiade de Marcel Bouteron, dont nous utilisons les sigles, tels qu'ils sont notés au Tome XI, p. 1129-1130.

Toutes les autres références à Balzac comportent la mention de l'édition.

II. Périodiques.

AB	L'Année balzacienne
Cahiers de l'AIEF ou *CAIEF*	Cahiers de l'Association Internationale des Etudes Françaises
RHLF	Revue d'Histoire littéraire de la France
RLC	Revue de Littérature comparée
RSH	Revue des Sciences humaines

INTRODUCTION

Pendant longtemps, les études sur l'image se sont réparties en deux grandes catégories : celles, théoriques, qui approfondissent la connaissance de son fonctionnement, et celles qui, consacrées à un écrivain individuel, se concentrent la plupart du temps sur le contenu et ne font que survoler les mécanismes linguistiques.

Cette tendance à accorder au signifié la plus belle part a provoqué des objections. On reproche aux études consacrées à un auteur particulier de négliger trop souvent la structure de l'image et les problèmes qui s'y rattachent. On ajoute que la lecture par les images est une lecture taxinomique et fragmentaire, qui découpe le texte et laisse de côté des pans entiers de l'œuvre.

Si l'on veut étudier le contenu de l'image balzacienne, le recours à un classement par catégories est inévitable à cause de la masse des matériaux à considérer dans *La Comédie humaine.* Il se justifie dans la mesure où il reflète la propre démarche de Balzac, qui relève encore en partie, tout en la dépassant, d'une représentation taxinomique. Reste le risque d'un dualisme artificiel de la forme et du fond. Nous avons procédé à des classifications, tout en refusant le point de vue dualiste. D'une part, l'étude de la physiologie de l'image nécessite une analyse sémantique. D'autre part, au niveau des signifiés, l'image fait appel à des codes préexistants qui s'organisent de façon unique à l'intérieur d'une œuvre individuelle et dont l'actualisation dépend des propriétés linguistiques de l'image. L'interdépendance de ces deux facteurs ressort de notre analyse théorique.

Quant à la lecture par les images, elle permet de dégager des sens qui resteraient autrement à l'état virtuel. Aucun élément du texte ne se prête aussi bien à une lecture polysémique que l'image, qui renvoie à plusieurs codes et multiplie les connotations. Loin de constituer un cadre arbitraire et limitatif, elle débouche sur de multiples possibles du texte. Elle se prête à une forme de lecture, en un sens ingrate parce que périlleuse et impossible à épuiser, mais qui réserve aussi des résultats féconds.

L'étude proprement linguistique est nécessaire, et on l'a trop négligée. S'il est parfois difficile de distinguer entre les propriétés de l'image en général, et les traits propres aux images d'un auteur donné, certains aspects, sans être forcément particuliers à Balzac, présentent chez lui un développement et une fréquence qui les rendent significatifs. D'autre part, les récents travaux théoriques sur la structure de l'image demandent à être appliqués et vérifiés. Deux considérations ont donc dirigé notre étude sur la physiologie de l'image balzacienne. Tout d'abord, comment se situe Balzac par rapport à la rhétorique classique ? A-t-il introduit des innovations, ou simplement accentué certaines tendances et renoncé à d'autres ? Ensuite, comment le fonctionnement de l'image balzacienne est-il éclairé par les récents apports qui ont été faits à la théorie descriptive ? Dans les deux cas, nous avons cherché à mettre en relief les mécanismes qui se révèlent comme des faits de style propres à Balzac. Mais nous avons aussi considéré des éléments descriptifs plus généraux dont le rappel nous paraissait utile pour une présentation cohérente de la forme et de la fonction de l'image dans *La Comédie humaine.*

L'examen des signifiés constitue la partie la plus longue de notre travail. En tentant de suivre les multiples directions indiquées par les comparants, nous avons rencontré des faces contradictoires de l'œuvre, dont quelques-unes étaient passées inaperçues, ou presque, jusque-là. Pour les étudier, l'exploration des origines culturelles, anthropologiques et psychanalytiques de l'image s'est révélée indispensable.

Chapitre Premier

PHYSIOLOGIE DE L'IMAGE BALZACIENNE

A. *DÉFINITIONS GÉNÉRALES*

Notre étude avait pris pour point de départ l'image en tant qu' « expression linguistique d'une analogie [1] », comportant un ou plusieurs comparants et un ou plusieurs comparés, lesquels peuvent être exprimés ou non [2]. Cette définition préliminaire, ainsi que l'idée de représentation et de *mimesis* associée au terme d'image [3], désignent en premier lieu celle-ci comme une figure de ressemblance. La ressemblance elle-même affecte, de manière en quelque sorte objective, les deux termes comparés, mais elle dépend surtout de l'attitude identique adoptée à leur égard par le sujet parlant [4]. Dans les deux cas, la définition a l'avantage d'englober à la fois la métaphore et la comparaison. On sait que la rhétorique traditionnelle classe la première parmi les tropes, ou figures de mots, et la seconde parmi les figures de style [5], car si toutes deux sont fondées sur le même rapport d'analogie, seule la métaphore repose sur le changement de signifié, tandis que, dans la comparaison, les comparants gardent leurs signifiés habituels. Cette distinction ancienne se retrouve dans la distinction actuelle entre rapport paradigmatique, par substitution (métaphore) et rapport syntagmatique, par addition (toutes les formes où le comparé est exprimé). Mais en réalité, une opposition aussi tranchée ne résiste pas à l'analyse [6].

C'est par une extension du sens, d'ailleurs très courante, que nous avons aussi appliqué le terme d'image à la métonymie (couronne pour roi), et à la synecdoque (épi pour blé), tropes respectivement fondés sur les rapports de contiguïté et d'inclusion. En effet, ces deux classes *repré-*

---

(1) Ullmann, « L'Image littéraire - Quelques questions de méthode », *Langue et Littérature*, Actes du VIIIe Congrès de la Fédération Internationale des Langues et Littératures modernes, Liège, 1961, p. 43.

(2) Du moins en français, les termes de *comparé* et de *comparant* nous paraissent préférables à ceux de *teneur* et de *véhicule* introduits par I. A. Richards, *The Philosophy of Rhetoric*, New York, 1936, p. 96.

(3) G. Genette, « La rhétorique restreinte », *Communications* n° 16, 1970, p. 169, repris dans *Figures III*, Seuil, 1972 : cf. p. 36. C'est à cette édition que nous renvoyons par la suite.

(4) Cf. Richards, p. 118.

(5) Du moins Fontanier (1821-1827). Cf. *les Figures du discours*, Intr. G. Genette, Flammarion, 1968. Dumarsais (1729) ne fait pas la distinction avec la même clarté.

(6) Cf. *infr.*, p. 23, et « Sélection réciproque », p. 42-46.

sentent non moins que la métaphore et la comparaison, en même temps qu'elles rapprochent un comparant et un comparé, ce dernier le plus souvent implicite. Mais elles possèdent cette particularité de conserver leur signifié usuel, comme la comparaison, tout en manifestant un transfert de sens, comme la métaphore : si je dis voile pour bateau, je désigne encore la voile en désignant le bateau. Par ailleurs, il est rare chez Balzac que métonymie et synecdoque ne se développent pas en métaphore ou en comparaison, faisant alors entrer en jeu le rapport d'analogie. Nous allons donner des exemples de ces diverses possibilités et les approfondir.

Il faut d'abord examiner s'il est possible d'assigner quelque place, dans une définition de l'image, à la notion d'écart par rapport à la norme linguistique. Longtemps, cette notion a été considérée comme le critère du trait de style — de l'image en particulier. Elle nous intéresse ici dans la mesure où elle se situe à la fois en fonction de l'état de langue et de la tradition littéraire : ce qui est écart par rapport à l'usage linguistique ou littéraire pour le contemporain de Balzac ne l'est pas forcément pour nous. Inversement, certains clichés de l'époque, tombés en désuétude, nous paraissent neufs, tel *loup-cervier* au sens de financier rapace. L'étude qui suit s'efforce de tenir compte de ce genre de données, chaque fois qu'elles contribuent à éclairer les connotations qui s'attachent à l'image. Mais elle s'abstient d'y recourir systématiquement.

En effet, plusieurs raisons s'opposent à l'efficacité du critère d'écart linguistique. En premier lieu, il est impossible d'établir avec certitude la représentativité du corpus auquel on compare un texte particulier [7]. Même pour les textes qui nous sont contemporains, la notion de norme reste subjective par rapport à l'auteur et au lecteur. Ensuite, le fait de style ne saurait se limiter aux éléments que l'on peut considérer comme des écarts linguistiques. Il suffit de songer au cliché, figure d'usage, qui reste toujours perceptible en tant que fait de style, malgré sa banalité : si *loup-cervier* nous frappe par sa pseudo-nouveauté, *renard*, au sens d'homme rusé, ne passe pas inaperçu [8]. On le remarque par contraste, dans un énoncé qui désigne un être humain et non un animal, et c'est pourquoi il constitue un fait de style. Ce même critère peut d'ailleurs s'appliquer à l'image d'invention : c'est le contraste sémantique entre comparé et comparant qui, grand ou faible [9], engendre une image stylistique.

Pour cette double raison, de fait et de structure, la notion de norme linguistique ne peut rendre que des services limités [10].

---

(7) Les méthodes de dépouillement sont-elles les mêmes pour le texte et pour le corpus ? Question de la répartition entre mots « pleins » et mots de relation, etc. : cf. Charles MULLER, *Initiation à la linguistique statistique*, Larousse, 1968, p. 206-208. Pierre GUIRAUD se montrait plus optimiste quant aux résultats, tout en reconnaissant les limites de la méthode statistique : cf. *Les caractères statistiques du vocabulaire*, PUF, 1954.

(8) Nous ne considérons pas la catachrèse (le pied de la table) comme une figure, à moins qu'elle ne suscite un jeu verbal. Cf. le renouvellement du cliché, p. 57.

(9) La distance sémantique entre comparé et comparant est sans rapport avec le statut même de cliché ou d'image d'invention. Cf. *infr.*, p. 46.

(10) Michael RIFFATERRE développe ces objections dans *Essais de stylistique structurale*, Paris, Flammarion, 1971, p. 52-55.

B. *STRUCTURE DE L'IMAGE*

a. Nomenclature des images

De l'analogie pure et simple (comparaison) à la substitution (métaphore), il y a des étapes intermédiaires qui se révèlent au niveau de l'expression. Ce sont ces structures externes que nous allons tout d'abord décrire, pour passer ensuite à un examen plus détaillé des rapports de contiguïté et d'inclusion qui peuvent remplacer ou doubler ceux d'analogie.

I. *Structure formelle.*

Deux études, de Danielle Bouverot et Gérard Genette [11], confirment que la définition de la métaphore comme comparaison implicite est insuffisante, et que certaines formes intermédiaires tel, cas extrême, le *pâtre promontoire* [12], relèvent d'une analyse plus poussée. G. Genette distingue six formes, déterminées par la présence ou l'absence de l'un ou de plusieurs des quatre éléments — *comparé, motif, modalisateur comparatif* (comme, ressembler), *comparant* — qui constituent, dans cet ordre, la comparaison canonique *Mon amour/ brûle/ comme/ une flamme* [13]. Ces six formes se répartissent en deux groupes de trois, différenciés par la présence ou l'absence du motif, et que nous désignerons sous le nom de formes principales et formes subsidiaires.

Notre examen confirme l'utilité de cette classification de base, que nous adoptons, mais les quatre éléments sur lesquels elle s'appuie constituent des critères insuffisants, vu la complexité des moindres exemples dans le texte de Balzac. On s'en aperçoit déjà en poursuivant l'analyse de la comparaison canonique, si simple en apparence. En effet, on observe que le motif s'y confond avec le prédicat *brûle*, qui est non seulement pertinent, mais commun au comparant et au comparé [14]. Cette fonction motivatrice du prédicat est fréquente chez Balzac, mais elle détermine en général une structure syntaxique beaucoup plus compliquée. En particulier, le prédicat motivateur, souvent dans la mesure même où il tend à se développer, ne

---

(11) D. Bouverot, « Comparaison et métaphore », *Français moderne*, 1969, p. 132-147, 224-238, 301-316 et G. Genette, « La rhétorique restreinte », *op. cit.* Chaque auteur propose une classification légèrement différente. Tout en prenant pour point de départ celle de G. Genette, nous empruntons plusieurs éléments à la riche étude de D. Bouverot. Le livre de Christine Brooke-Rose, *A Grammar of Metaphor*, London, 1958, examine beaucoup plus en détail les mots qui expriment l'analogie dans les différentes formes d'assimilation (copule, démonstratifs, préposition *de*, etc.). Ses observations ont une portée générale que confirme l'usage balzacien. Elle n'étudie pas la comparaison, qui nous intéresse ici.

(12) Genette, in *Figures III*, p. 29.

(13) Genette, p. 29-30. Nous laissons de côté les quatre formes supplémentaires de comparaison qu'il envisage (motivée ou non motivée sans comparé, et motivée ou non motivée sans comparant) : par ex. « Mon amour ressemble à... » ou « ... comme une flamme ».

(14) Nous faisons abstraction d'un autre aspect : l'origine métaphorique de *brûle*, emploi lexicalisé, mais qui tend à se délexicaliser de nos jours. Si on lui reconnaissait sa pleine valeur métaphorique, il faudrait dire que *brûle* n'est pertinent qu'au groupe, comparant, auquel cas on aurait affaire à une métaphore verbale, renforçant une comparaison entre substantifs.

se rattache grammaticalement qu'au comparant ou au comparé, même s'il est pertinent aux deux à la fois. Ainsi, dans l'exemple suivant :

> La connaissance du visage d'un homme est, chez la femme *qui l'aime*, comme celle de la pleine mer pour le marin (S & M, V, 864),

le prédicat *qui l'aime* explique la comparaison, mais, tout en suggérant — peut-être — que le marin aime la mer, il ne fait partie que du groupe comparé.

Le prédicat motivateur peut aussi se rattacher au groupe comparant :

> Tout Paris va se porter chez elle, comme le peuple encombre la Grève *quand il doit y avoir une exécution* (PG, II, 1055).

Grâce à cette construction, le motif peut facilement, comme ici, n'être pertinent au groupe comparé que par métaphore (l'exécution morale de Mme de Beauséant). De la sorte, il fait figure de comparant secondaire.

C'est souvent d'ailleurs que la comparaison s'amplifie par l'addition de comparés et de comparants secondaires. Ce dernier phénomène est à mettre en rapport avec l'appartenance grammaticale des comparants et des comparés. Le type le plus courant d'image emprunte la forme nominale, à la fois pour le groupe principal et pour le groupe secondaire. Tel est le cas du premier des deux exemples ci-dessus (visage / pleine mer, femme qui l'aime / marin). Dans un second type, les verbes, de par leur fonction prédicative, introduisent comparés et comparants secondaires et servent à exprimer le motif :

> La créance Coutelier, dit *Maxime* (comparé principal) *qui savait ses affaires* (prédicat motivateur avec comparé secondaire *affaires*) comme un *pilote* (comparant principal) *connaît sa côte* (prédicat motivateur avec comparant secondaire *côte*) (HA, VI, 811).

On peut arriver ainsi à des exemples qui semblent à première vue d'une complexité inextricable. Nous allons en passer en revue quelques-uns, en les rattachant aux six formes-types définies par Genette.

1. *Comparaison motivée* (forme principale) (40 %) [15].

> *Une créature femelle* (comparé) *plantée* (prédicat motivateur pertinent aux deux groupes) sur ses pieds *comme* (modalisateur) *un chêne de soixante ans* (comparant) sur ses racines (EG, III, 495).

Cet exemple, relativement simple pour Balzac, est lui aussi plus compliqué que l'exemple canonique : il comporte un comparé et un comparant secondaires (pieds / racines) qui développent le motif initialement exprimé par le prédicat commun plantée [16]. Comme *brûle* dans l'exemple canonique, *plantée*, appliqué à un être humain, est d'origine métaphorique.

L'introduction d'un motif distinct du prédicat caractérise de nombreuses comparaisons balzaciennes, et en complique encore la structure :

> ... Une *masse informe mais animée* (comparé principal), *qui essayait d'atteindre* (prédicat) à une certaine partie de la muraille par

(15) Statistiques fondées sur un total de 74 exemples analysés.
(16) Cf. MCP, I, 32 ; PCh, IX, 243, 247.

> *des mouvements violents et répétés* (comparé secondaire : motif), *semblables aux* (modalisateur) *brusques contorsions* (comparant secondaire : motif) d'une *carpe* (comparant principal) *mise hors de l'eau sur la rive* (prédicat) (Ch, VII, 938).

Comme le premier, cet exemple développe le motif grâce à un comparé et à un comparant secondaires. Mais il diffère du premier dans la mesure où il comprend deux groupes prédicatifs distincts. Ce second cas est beaucoup plus fréquent [17].

Un modèle très courant ne comporte pas de comparés secondaires et rattache l'un des motifs, qui se trouve ainsi rejeté à la fin, aux comparants secondaires :

> *Elles* (comparé) sont *comme* (modalisateur) *ces dernières roses de l'arrière-saison* (comparant) *dont la vue fait plaisir* (prédicat motivateur pertinent aux deux groupes) *mais dont les pétales* (comparant secondaire) *ont je ne sais quelle froideur* (prédicat motivateur pertinent aux deux groupes), *et dont le parfum s'affaiblit* (motif et comparant secondaires) (EG, III, 502).

Malgré le caractère partiel de notre sondage, nous avons relevé deux comparaisons où le motif constitue en même temps un métacommentaire sur l'image :

> ...Il souhaitait à son oncle le pouvoir de marcher sur cette *femme* (comparé) *comme* (modalisateur) on marche sur une *vipère* (comparant) [18] : *comparaison que lui inspirèrent* (métacommentaire) *la longue robe, la courbe de la pose, le col allongé, la petite tête* et *les mouvements onduleux* de la marquise (comparé secondaire motivateur) (In, III, 48).

Dans le second exemple, le commentaire énonce d'abord un motif général. Puis la comparaison proprement dite énonce des motifs plus précis — les traits communs à l'homme et au lion :

> *Selon un système assez populaire, chaque face humaine a de la ressemblance avec un animal* (motif général formant métacommentaire). L'animal de Marcas était un lion. *Ses cheveux* (comparé) *ressemblaient* (modalisateur) à une *crinière* (comparant), son *nez* (comparé) était *court, écrasé, large et fendu au bout* (prédicat motivateur, groupe comparé) *comme* (modalisateur) *celui d'un lion* (comparant) ; il avait le *front* (comparé) *partagé* (prédicat motivateur pertinent aux deux groupes) *comme* (modalisateur) *celui d'un lion* (comparant) *par un sillon puissant, divisé en deux lobes vigoureux* (prédicat motivateur pertinent aux deux groupes) (ZM, VII, 741-742).

Cette tendance de l'énoncé à commenter le processus de l'analogie tout en y participant ne constitue pas un type distinct de comparaison.

---

(17) Cf. MCP, I, 21.

(18) Marcher / marche peuvent être considérés au niveau des signifiants comme comparé et comparant secondaires et au niveau des signifiés comme comparant et comparé. Cf. *infr.*, p. 45 interversion du comparant et du comparé.

Mais elle souligne d'une part l'appartenance de l'image au discours [19], et d'autre part le mouvement de normalisation amorcé par la structure de l'image, mouvement qui tend à augmenter le degré de pertinence du rapprochement en explicitant et en développant les motifs. C'est ce phénomène qui fait dire d'habitude que la comparaison est la forme d'image la plus intellectuelle.

2. *Comparaison non motivée* (forme subsidiaire) (5 %).

Les rares exemples que nous avons pu isoler ne sont pas très caractéristiques.

> ...Une *voix* (comparé) qui *ressemblait* (modalisateur) au *sifflement d'une vipère forcée dans son trou* (comparant) (UM, III, 443).

Ici, la structure de l'image ne présente pas de motif. Mais cette absence de motif est en partie compensée par le faible écart sémantique qui sépare voix et sifflement.

3. *Assimilation motivée avec comparé* (forme principale) (31 %).

Ce troisième groupe, pour Genette, se caractérise par l'absence de modalisateur. Danielle Bouverot, sous le terme d'identification, divise utilement l'introduction du comparant en *apposition* :

> ... Certaines personnes..., qui voudraient des *émotions* (comparé) *sans en subir les principes générateurs* (prédicat motivateur, groupe comparé), *la fleur* (comparant) *sans la graine* (prédicat motivateur, groupe comparant), *l'enfant* (comparant) *sans la gestation* (prédicat motivateur, groupe comparant) (RA, IX, 475) [20] ;

attribut, avec par exemple le verbe être comme copule :

> *Paul* (comparé) était bien *cette fleur délicate* (comparant) *qui veut une soigneuse culture*, etc. (prédicat motivateur, groupe comparant) (CM, III, 92) [21] ;

complément déterminatif :

> « Le râle de l'ouragan » (ELV, X, 305), « le poison du mépris » (B, II, 565), modèle assez rare chez Balzac.

4. *Assimilation non motivée avec comparé* (2 ½ %) (forme subsidiaire).

> — Rien, je reviens pour les scellés, lui répondit *Massin* (comparé) en lui lançant un regard de *chat sauvage* (comparant) (UM, III, 411) [22].

5. *Assimilation motivée sans comparé* (15 %) (forme principale).

L'absence de comparé justifie le nom de métaphore « in absentia » par lequel on désigne souvent les deux dernières catégories.

---

(19) Cf. *Infr.*, p. 77 sq.
(20) Cf. EG, III, 633 ; ZM, VII, 752.
(21) Cf. EHC, VII, 238.
(22) Cf. EG, III, 579. Pâtre-promontoire appartient à ce type.

Nous abordons en effet le domaine de la métaphore traditionnelle, mais sans solution de continuité par rapport à l'assimilation avec comparé :

> Il était écrit là-haut, dit Michu, que *le chien de garde* (comparant) *devait être tué à la même place que ses vieux maîtres* (prédicat motivateur pertinent aux deux groupes) (TA, VII, 623) [23].

Le prédicat motivateur, qui connote la fidélité, est pertinent au comparé (Michu en réalité) non exprimé dans l'assimilation, autant qu'au comparant, d'où son rôle de motif.

6. *Assimilation non motivée sans comparé* (2 ½ %) (forme subsidiaire).

Cette dernière forme est la seule à laquelle Genette accorde le titre de métaphore, la seule qui ne cherche pas à corriger la non-pertinence du prédicat :

> « Nanon, les *linottes* (comparant) sont-elles à la messe ? » (EG, III, 602) [24].

Et encore, pour qui connaît l'esprit mécréant du père Grandet, la simple mention de la messe peut être considérée comme un motif. Notons que la personnification et l'allégorie peuvent se rattacher à l'assimilation motivée, avec ou sans comparé [25].

Ces deux formes d'assimilations sans comparé ne se limitent pas à un rapport paradigmatique de substitution (le comparant pour le comparé). Elles s'actualisent aussi, sur l'axe syntagmatique, par la présence du prédicat, soit pertinent au comparant comme au comparé absent (« devait être tué »), soit non pertinent au comparant (« sont-elles à la messe ») [26].

Outre la prédominance des formes nominales, deux traits complémentaires ressortent de l'examen ci-dessus : la prédominance quantitative de la comparaison (45 %) et celle des formes motivées (89 %). L'assimilation avec comparé représente près de 34 % des exemples, ce qui porte à 79 % les formes avec comparé, et la métaphore, motivée ou non, 17 %. Si l'on ne considère comme métaphores que les formes non motivées, le pourcentage se trouve réduit à 2 ½ %.

Il est clair que l'image balzacienne répugne à se priver du support logique fourni à la fois par le comparé et par le motif, ce dernier atténuant la non-pertinence prédicative. C'est tout d'abord parce qu'elle relève encore de l'écriture classique. L'appartenance à la prose est une raison moins décisive, car la poésie classique s'accommodait fort bien de la comparaison en forme et en faisait grand usage. De toute façon, le texte narratif et analytique, prose ou vers, échappe difficilement aux exigences formelles de la logique. Un troisième élément, favorisé par la forme nominale et qui explique sa prédominance chez Balzac, peut affecter l'emploi respectif de la comparaison et de la métaphore : il s'agit de la distance sémantique souvent très marquée entre comparant et comparé qui caractérise ses

---

(23) Cf. CM, III, 112 ; EG, III, 583 ; ZM, VII, 744.
(24) Cf. Do, IX, 320.
(25) Cf. *infr.*, p. 35-38 et métaphore filée, p. 56-57.
(26) Cf. Jean Cohen, « Théorie de la figure », *Communications*, n° 16, en part. p. 22-23.

comparaisons et « que la métaphore ne peut guère se permettre, sous peine de rester, en l'absence du comparé, totalement inintelligible [27] ». Cette corrélation entre distance sémantique et structure comparative jette un jour différent sur la supériorité esthétique qu'on attribue trop souvent à la métaphore en raison de sa densité expressive : comme le fait remarquer Genette, un « effet d'anomalie sémantique peut racheter le manque d'intensité » propre à la comparaison [28].

La fréquentation de l'image balzacienne confirme la justesse de cette remarque et rend sans objet, sinon sans valeur, la hiérarchie qualitative habituelle entre comparaison et métaphore, d'autant que plusieurs formes se chevauchent dans de nombreux exemples. En particulier, l'adjonction d'une comparaison motivée avant ou après la métaphore favorise fréquemment la normalisation. Ainsi, une métaphore non motivée dans sa structure externe l'est au niveau du signifié grâce à la présence d'une comparaison initiale :

> Le poète *voyait... une immense fortune* (prédicat motivateur, premier comparé) dans sa beauté, dans son esprit appuyés du nom et du titre de comte de Rubempré. *Madame d'Espard, madame de Bargeton et madame de Montcornet* (comparé principal) *le* (comparé secondaire) *tenaient par ce fil* (premier comparant) *comme* (modalisateur) *un enfant* (comparant principal) tient un *hanneton* (comparant secondaire).
>
> Lucien ne *volait* plus que dans un cercle déterminé (assimilation sans comparé, ou métaphore) (IP, IV, 844) [29].

II. *Rapports internes.*

Comme nous l'avons déjà signalé, les différentes formes que nous venons de décrire, tout en suggérant une analogie, peuvent recouvrir des rapports internes autres qu'analogiques, soit de contiguïté, dans le cas de la métonymie (contiguïté le plus souvent spatiale, et parfois temporelle), soit d'inclusion, dans le cas de la synecdoque. La rhétorique classique range ces deux figures parmi les tropes, ou figures de mots, et non parmi les figures de style comme la comparaison. Et, en effet, par leur structure externe, la plupart de nos exemples de métonymie et de synecdoque sont des assimilations avec ou sans comparé, donc, du moins dans le second cas, des tropes au même titre que la métaphore. Cependant, elles se présentent parfois aussi comme des comparaisons en forme. Ce n'est donc pas la structure externe qui justifie la distinction entre métaphore d'un côté et métonymie et synecdoque de l'autre. Il est beaucoup plus important de remarquer que métonymie et synecdoque rapprochent des objets qui « sont déjà en relation dans la réalité extérieure [30] ». Ainsi s'explique le nombre

---

(27) Genette, p. 28.

(28) *Ibid.*

(29) Pour d'autres ex. mixtes, cf. MJM, I, 247, 248 ; ZM, VII, 742 (assimilation motivée avec comparé, puis sans comparé qui se poursuit p. 744 en assimilation non motivée sans comparé) ; TA, VII, 631 ; PCh, IX, 57 ; Do, IX, 323.

(30) Cf. Michel Le Guern, *Sémantique de la métaphore et de la métonymie*, Larousse, 1973, p. 91.

assez faible de ces deux dernières figures, du moins à première vue, dans notre inventaire. Pour qu'elles se détachent du contexte, il faut que se superpose au rapport de contiguïté ou d'inclusion un rapport d'analogie qui s'actualise seulement dans le discours [31]. Cette distinction indispensable est récente. Elle permet d'éliminer des cas douteux retenus par la rhétorique traditionnelle, en particulier l'antonomase, classée par Fontanier, après Dumarsais, comme « synecdoque d'individu » et qui consiste à « désigner un individu... par le nom d'un autre individu de la même espèce que lui [32] ». Balzac utilise largement cette figure, dans le cas des références mythologiques, littéraires et historiques, ainsi quand il parle du « Néron inédit qui rêve de faire brûler Paris » (MR, IX, 298). Elle repose en réalité sur un rapport d'analogie [33] : si le terme de Néron inclut tous les incendiaires à venir, c'est en vertu d'une similarité en puissance et non pas d'un rapport d'inclusion déjà réalisé comme celui qui unit l'épi au blé.

Ce rapport référentiel, préétabli [34] qui sous-tend métonymie et synecdoque explique la faiblesse habituelle, dans ces deux tropes, de l'écart sémantique entre comparant et comparé. La fonction imagée de la figure s'en trouve affectée, comme dans cette métonymie du contenu assez peu remarquable : « La serre est une immense jardinière » (FM, II, 17). Cependant, on trouve des exemples qui ne manquent pas de relief. Nous allons en examiner quelques-uns, sans prétendre en tirer des règles générales :

> Elle savait la vie, depuis celle qui commence au fromage de Brie jusqu'à celle qui suce dédaigneusement des beignets d'ananas ; depuis celle qui se cuisine et se savonne au coin de la cheminée d'une mansarde avec un fourneau de terre, jusqu'à celle qui convoque le ban et l'arrière-ban des chefs à grosse panse et des gâte-sauces effrontés (FE, II, 104) [35].

L'assimilation par apposition entre la vie et l'alimentation repose sur un rapport d'inclusion. On a donc affaire, à première vue, à une synecdoque. Mais, de l'alimentation, on passe à la cuisine et à ses accessoires, par une métonymie de l'instrument reposant sur une contiguïté spatiale. La valeur

---

(31) Ou bien, à l'inverse, en l'absence de toute analogie saisissable, il faut que la parenté sémantique ne soit pas évidente entre comparant et comparé, comme dans cette image de Max Jacob : « Les chevreaux, futures outres... » (Cité par LE GUERN, p. 108), qui est une synecdoque de la matière, bien que le champ sémantique de *chevreaux* et celui d'*outres* soient très éloignés l'un de l'autre.

(32) FONTANIER, p. 96-97.

(33). Cf. LE GUERN, p. 35.

(34). Umberto Eco distingue trois types de contiguïté métonymique : contiguïté dans le code (couronne, rond-de-cuir), le plus commun ; contiguïté dans le contexte (« des coups de pistolet partaient de la voiture qui s'enfuyait, il fallait que cette voiture se taise ») ; contiguïté dans le référent (lapsus freudiens). Cf. « Sémantique de la métaphore », *Tel Quel*, nº 55, automne 1973, p. 25-46, voir p. 39. Il est clair pourtant que le premier type renvoie à une contiguïté d'origine extra-linguistique et peut se ramener au type nº 3, qui ne comprend pas que des lapsus freudiens. Seul le second type relève d'une contiguïté créée uniquement par le discours ou, comme la définit l'auteur, contiguïté des signifiés, mais qui, d'ailleurs, ne contredit en rien la possibilité théorique d'une contiguïté référentielle.

(35) Cf. CM, III, 200, et FONTANIER, p. 79.

imagée tient à l'extension et à la qualité concrète de l'évocation, que favorise ce double rapport métonymique et synecdochique.

Le second exemple, plus complexe, tire une partie de son relief d'une accumulation de métonymies et de synecdoques :

> Pauvre homme ! ... le couteau d'acier [36] a eu du cœur quand toute la France en manquait (EpT, VII, 446)

Couteau d'acier superpose la synecdoque (couteau d'acier pour guillotine) à la métonymie, la guillotine désignant le bourreau de Louis XVI par une métonymie de l'instrument. *Cœur* dénote la bonté par une métonymie du physique [37] complètement lexicalisée, qui remonte à une époque où le cœur était considéré comme le siège de certains sentiments. Le verbe *avoir* réunit ainsi deux assimilations sans comparé — *couteau d'acier* et *cœur* — par une structure formelle qui intensifie le caractère elliptique de ces deux dénominations concrètes. L'accumulation des figures, jointe à la brièveté de l'expression et à la distance sémantique entre couteau et cœur, confère à cet exemple le statut d'une image d'invention.

Le même résultat est atteint dans une figure fondée sur un rapprochement synecdochique entre l'homme et l'univers :

> Il lui vint au cœur une profonde pensée d'égoïsme où s'engloutit l'univers. A ses yeux, il n'y eut plus d'univers, l'univers passa tout en lui. Pour les malades, le monde commence au chevet et finit au pied de leur lit. Ce paysage fut le lit de Raphaël (PCh, IX, 236).

Les trois premières phrases expriment une double synecdoque de la partie pour le tout (l'individu pour l'univers, le lit pour le monde) qui motive, par un retournement imprévu, l'assimilation avec comparé de la phrase finale, synecdoque du tout par la partie — le *paysage* pour le *lit* [38].

La faiblesse imagière de la métonymie et de la synecdoque communes se trouve donc compensée, dans ces trois cas, par le caractère pittoresque et piquant des assimilations, ou, au minimum, par un jeu sémantique qui superpose ou qui retourne les figures.

La contiguïté se prête plus facilement que l'inclusion à des rapprochements inattendus : telle est l'explication la plus satisfaisante de la prédominance de la métonymie dans notre relevé, en tant que source d'images d'invention. Mais, en dehors des possibilités de mise en relief que nous venons d'analyser, métonymie et synecdoque attirent le plus souvent l'attention, rappelons-le, grâce aux rapports d'analogie sous lesquels elles se dissimulent.

Pour approfondir ce phénomène particulièrement complexe, il est nécessaire de revenir plus en détail sur les processus mentaux qui soustendent métonymie, métaphore et synecdoque.

La contiguïté et la similarité sont des concepts psychologiques traditionnels, que la rhétorique a utilisés et aura contribué à préciser. De nom-

---

(36) La guillotine pour désigner le bourreau de Louis XVI.

(37) FONTANIER, p. 84-85.

(38) G. GENETTE approfondit certains chevauchements et différences entre synecdoque et métonymie, cf. *op. cit.*, p. 26, 34.

breux auteurs du XXe siècle ont repris le classement contiguïté-métonymie et analogie-métaphore. Quant à l'association inclusion-synecdoque, ou bien ils l'oublient en chemin, ou bien elle sert de catalyseur à leurs divergences [39]. De son côté, Freud a retrouvé dans le travail du rêve l'association par ressemblance et celle par contiguïté. Toutes deux assurent le mécanisme du *déplacement*, selon lequel « l'accent, l'intérêt, l'intensité d'une représentation est susceptible de se détacher d'elle pour passer à d'autres représentations originellement peu intenses [40] ». Freud attache non moins d'importance à un second mécanisme, celui de la *condensation*, selon lequel « une représentation unique représente à elle seule plusieurs chaînes associatives à l'intersection desquelles elle se trouve [41] ». On verra bientôt le rapport entre déplacement et condensation d'une part, et le mécanisme de la sélection réciproque de l'autre [42]. Lacan et Jakobson ont fait appel à ces concepts freudiens pour approfondir les définitions de la métaphore, de la métonymie et de la synecdoque. Tous deux assignent la métonymie au déplacement — ainsi c'est la succulence et le luxe des beignets d'ananas qui assurent le prestige des chefs à grosse panse —, mais sans adhérer strictement à la classification freudienne. En effet, selon leur description, le déplacement recouvrirait seulement le concept de contiguïté propre à la métonymie, tandis que chez Freud, comme nous l'avons dit, il recouvre aussi le concept de ressemblance propre à la métaphore. L'exemple canonique *Mon amour brûle comme une flamme* illustre bien la relation entre déplacement et ressemblance : les caractères analogues de l'amour et de la flamme suscitent un déplacement de l'un à l'autre. Il faut donc spécifier que la métaphore met en jeu le mécanisme du déplacement au même titre que la métonymie, quoique par un autre type d'association — ressemblance au lieu de contiguïté.

Quant au mécanisme de la condensation, on constate que Jakobson le rattache à la synecdoque, par le rapport de la partie au tout, et Lacan à la métaphore, par la polysémie du signifiant [43]. En fait, c'est ce dernier critère qui est déterminant pour définir la condensation, quand il se conjugue avec la structure formelle de l'assimilation sans comparé, tandis que le type de rapport interne — analogie, contiguïté ou inclusion — n'est pas pertinent. La polysémie affecte, à un degré variable, toutes les catégories d'images. D'abord la métaphore, mais aussi la synecdoque : ainsi *couteau*

---

(39) Déjà Fontanier, complétant Dumarsais, très déficient sur ce point, définit la métaphore comme un trope par ressemblance (p. 99. Voir aussi son commentaire au T. II des *Tropes* de Dumarsais, Slatkine Reprints, Genève, 1967, p. 162-163). Après Saussure, cf. Hans Adank, *Essai sur les fondements psychologiques et linguistiques de la métaphore affective*, Genève, 1939, p. 14 ; Welleck & Warren, *Theory of Literature*, p. 183-185 ; Ullmann, p. 44 ; Jakobson, *Essais de linguistique générale*, Seuil, 1963, « Points », p. 61-67 ; Lacan, *Ecrits* I, Seuil, 1966, « Points », p. 263 sq.

(40) Laplanche et Pontalis, *Vocabulaire de la psychanalyse*, PUF, 1967, p. 117 et 119. Cf. Freud, *L'Interprétation des rêves*, PUF, 1967, p. 263-267.

(41) Laplanche et Pontalis, p. 89. Cf. Freud, *ibid.*, p. 242-263.

(42) Cf. *infr.*, p. 42 sq.

(43) Jakobson, p. 65-66, Lacan, p. 269. Tout en soulignant plus que Jakobson et Lacan la différence entre le « langage » du rêve et les langues apprises, Benveniste notait déjà en 1956 l'identité des opérations mentales qui produisent, au niveau du discours, les tropes de la rhétorique et, dans le rêve (ainsi, ajoutons-le, que dans d'autres manifestations, telles le jeu de mots et le lapsus), la symbolique de l'inconscient. Cf. *Problèmes de linguistique générale*, Gallimard, 1966, p. 85-87.

d'acier regroupe différentes chaînes associatives : froid et tranchant de la lame, mais aussi exécution, injustice, terreur, moment historique, propres à cette guillotine qui n'est même pas nommée. La métonymie non plus ne va pas sans polysémie : *couronne* pour *roi* concentre des sèmes divers provenant de chacun de ces deux termes. Même la comparaison en forme suscite chez le comparant et le comparé un certain degré de polysémie, grâce au mécanisme de la sélection réciproque, mais, parce qu'elle explicite les motifs et n'est pas fondée sur un transfert de sens, elle n'illustre pas le mécanisme de la condensation, du moins au niveau du signifiant.

Sauf pour la comparaison donc, déplacement et condensation fonctionnent simultanément dans l'actualisation de l'image. Le déplacement entre en jeu aussi bien dans les rapports de similarité que de contiguïté, et la condensation aussi bien dans ceux de similarité que d'inclusion. Tel est bien le cas dans le travail du rêve.

Il arrive très souvent que le rapport métaphorique recouvre un rapport métonymique sous-jacent :

> ... Il semble qu'on entende le pas des puissantes armées de l'Egypte entourant la phalange sacrée de Dieu, l'enveloppant lentement comme un long serpent d'Afrique enveloppe sa proie (Do, IX, 366).

On a là une métonymie du contenu qui, à côté du rapport de contiguïté spatiale — Egypte donnant serpent d'Afrique — introduit une ressemblance visuelle entre les armées et le serpent. La métonymie initiale constitue une double illustration de ce qu'Umberto Eco nomme « contiguïté dans le code » (laquelle est elle-même d'origine référentielle) [44]. Cette métonymie s'insère en effet dans une analyse du *Moïse* de Rossini, qui relate l'attaque surprise de l'armée du Pharaon sur les Hébreux : ce sont les données géographiques et historico-religieuses qui suscitent l'image d'un serpent, exotique en même temps que symbole de trahison. Généralisant ce type d'observation, Umberto Eco considère que *tous* les rapports de ressemblance s'appuient sur des rapports de contiguïté à l'intérieur du code culturel [45]. Cependant, à la lecture, c'est la ressemblance qui est d'abord perçue. L'équivalence entre comparant et comparé n'a donc nul besoin d'être d'ordre analogique, mais, de l'idée d'identification, on passe facilement, sinon forcément, à celle de similitude : « Il y a semble-t-il, écrit Gérard Genette, une confusion presque inévitable, et qu'on serait tenté de considérer comme « naturelle », entre *valoir pour* et *être comme*, au nom de quoi n'importe quel trope peut passer pour une métaphore [46] ».

A la contiguïté culturelle, il convient d'ajouter la « contiguïté dans le référent » proprement dite, qui explique certaines images d'origine

---

(44) Cf. *supr.*, p. 25, n. 34.

(45) « L'imagination n'aurait pas la capacité d'inventer (ou de reconnaître) une métaphore si la culture, sous la forme d'une structure possible du système sémantique global, ne lui fournissait le réseau sous-jacent des contiguïtés arbitrairement stipulées » (p. 36). ...« Si je dis..., pour indiquer la montagne, " la pustule de la planète ", ... pour que je comprenne la métaphore, je dois trouver, par contiguïté, des sèmes communs au spectre sémantique de / pustule / et à celui de / montagne / » (p. 40). G. GENETTE, sans généraliser la thèse, analyse de nombreuses métaphores à fondement métonymique dans « Métonymie chez Proust », repris dans *Figures III*, p. 41-63.

(46) « La rhétorique restreinte », *Figures III*, p. 38.

psychanalytique. Tel est le cas de nombreuses métaphores alimentaires qui illustrent un déplacement, par contiguïté spatiale et temporelle, entre nourriture et sexualité [47]. Plus on approfondit, plus on découvre l'importance des rapports de contiguïté à l'origine de l'analogie, de même qu'ils sont premiers dans le développement des associations infantiles. Il est donc nécessaire de préciser, selon ces nouvelles définitions, notre remarque préliminaire : prise isolément, la métonymie est rare dans notre inventaire. Au contraire, elle se profile à l'arrière-plan d'un grand nombre d'analogies, dont elle a besoin pour accéder au statut d'image d'invention. Et, qu'elle soit référentielle ou culturelle, elle n'est pas immédiatement décelable. Sources individuelles et sources archétypales se rejoignent ainsi, comme nous le verrons, et déterminent les mêmes processus mentaux.

Poursuivant sa recherche des prolongements métonymiques et synecdochiques dans le texte littéraire, Jakobson passe du plan du discours au plan de l'histoire [48], du trope au détail symbolique. Il décèle un exemple de relation métonymique dans l'influence réciproque, illustrée par les réalistes, du cadre et du personnage [49]. Certes, que l'on considère ou non Balzac comme un auteur « réaliste », la signification symbolique du milieu dans la peinture des personnages, telle la description de la pension Vauquer, relève bien d'une relation métonymique. Sans nul doute aussi, les exigences du portrait et de la description font naître chez lui une abondance de détails synecdochiques semblables à ceux que Jakobson considère comme caractéristiques du roman réaliste : la première vision qu'a Félix de Madame de Mortsauf — « toutes ces épaules » qu'il baise, ce « blason » du corps de l'héroïne qu'il évoque ensuite, relèvent à coup sûr de la relation synecdochique [50].

Allant plus loin, Jakobson note les « liens étroits qui unissent le romantisme à la métaphore » et « l'affinité profonde qui lie le réalisme à la métonymie ». D'autre part, il fait appel à un principe d'homogénéité pour expliquer que la métaphore poétique ait monopolisé toutes les recherches. Parce que le métacommentaire auquel se livre le critique est fondé sur une relation de similarité avec les symboles du langage qu'il décrit, l'objet de son étude sera la métaphore, elle-même fondée sur la similarité, de préférence à la métonymie. Et parce que « le principe de similarité » prédomine en poésie — parallélisme, rime — il aura tendance, suivant une « ligne de moindre résistance », à étudier cette métaphore dans les textes poétiques. Autrement dit, la place de la métaphore dans les textes en prose n'a pas été suffisamment reconnue, et, d'autre part, la métonymie n'a été étudiée ni en prose, ni en vers, parce que, « fondée sur un principe différent, elle défie facilement l'interprétation ». Telle était bien à peu près la situation à l'époque où Jakobson écrivait ces lignes [51], et ses remarques en fournissent une explication intéressante et en partie convaincante [52]. Mais

(47) Cf. *infr.*, p. 249 sq.

(48) Cf. *infr.*, p. 38 sq. et 79.

(49) P. 62-63.

(50) Cf. Lys, VIII, 785, et surtout 796-798, à comparer avec les exemples que donne Jakobson, p. 63 et 65, note.

(51) P. 66-67. Depuis 1956, date de publication de cet essai, le déséquilibre a bien diminué.

(52) Nous croyons plutôt, pour notre part, que c'est parce que la métonymie, à cause de son origine référentielle, se fond davantage dans l'énoncé, qu'elle a été moins étudiée.

le premier point (métaphore romantique et métonymie réaliste), qu'il présente non pas comme l'explication d'un état de fait peu satisfaisant, mais comme une règle générale, a besoin d'être approfondi, aussi bien fondé soit-il à certains égards. D'un côté, on accordera volontiers que la profusion des métaphores, non seulement dans la poésie, mais aussi dans le roman romantique, du moins celui de Hugo et de Balzac, est liée à la théorie de l'analogie universelle chère au Romantisme et à sa revalorisation de l'imaginaire. De même, on peut considérer que la métonymie est caractéristique du réalisme, d'abord parce qu'elle est fondée sur une relation référentielle, et aussi à cause de la théorie réaliste de l'influence du milieu sur les personnages. Notons pourtant que la première raison de l'affinité entre métonymie et réalisme repose sur une assimilation trop complète entre doctrine et littérature réalistes, et que l'exactitude référentielle de la vision réaliste est à juste titre contestée. Répétons d'ailleurs que Jakobson ne semble pas parler de la métonymie comme trope, mais plutôt d'une forme de symbolisme intratextuel, où « une partie du texte en désigne une autre [53] », dans ce cas par contiguïté (milieu-personnages). Nous savons qu'en tant que trope, la métonymie ne se remarque pas si facilement, mais elle n'en est pas moins fréquente. D'autres faits permettent de nuancer la thèse de Jakobson. Tout d'abord, la métaphore-trope, et surtout le symbolisme intratextuel fonctionnant par analogie, ne sont guère moins fréquents dans le roman réaliste que dans le roman romantique, entre lesquels il n'y a pas de vraie rupture. On ne peut donc opposer réalisme et romantisme de ce point de vue. De surcroît, la présence de la métonymie n'est pas plus un caractère spécifique du « réalisme » que de la prose. On peut en trouver maints exemples dans le roman romantique, et dans la poésie romantique et classique.

Ces remarques affaiblissent quelque peu la bipartition opérée par Jakobson entre métaphore romantique et métonymie réaliste. Mais les conclusions qui découlent de notre étude des rapports entre contiguïté et analogie l'affaiblissent beaucoup plus. La structure bipolaire du langage n'empêche pas métonymie et métaphore de fonctionner simultanément. Ces deux figures ne sont pas incompatibles et, si on va jusqu'à accepter la théorie d'Umberto Eco, selon laquelle une métaphore recouvre toujours une métonymie originaire, elles peuvent devenir interdépendantes, de même que dans le travail du rêve ressemblance et contiguïté peuvent se combiner. Il devient alors difficile de considérer l'une comme spécifique du réalisme, et l'autre du romantisme.

Le fonctionnement simultané de la métaphore et de la métonymie a des répercussions importantes dans le domaine de l'interprétation. L'association par contiguïté, facile à repérer quand le rapport d'analogie s'y superpose, explique l'influence des codes culturels à la fois sur l'apparition de l'image et sur sa signification. Le processus du déplacement, identifié et défini par Freud et qui opère aussi bien par association de ressemblance que de contiguïté, explique en particulier la signification psychanalytique de certaines catégories d'images. Plus généralement, il explique la forme analogique en même temps que le rapport métonymique. Et, associé à

---

(53) TODOROV, *Poétique*, Seuil, « Points », 1973, p. 34 ; *supr.*, p. 29, et *infr.*, p. 38 sq.

la condensation, il sous-tend la richesse expressive des figures, que réalise le mécanisme de la « sélection réciproque [54] ».

b. Nature des catégories rapprochées et types d'images qui en découlent

Comparés et comparants appartiennent à deux grandes classes de catégories — inanimé / animé, abstrait / concret — chacune susceptible de quatre formes de combinaisons, dont nous nous limitons à examiner les aspects caractéristiques chez Balzac.

Le passage de l'*animé à l'inanimé*, propre à la satire, illustre sans ambiguïté une vue dévalorisante de l'être. Le mot de *débris*, que Balzac applique souvent à l'homme, est plus qu'un tic de langage. Si la note comique l'emporte dans la description physique, elle est un peu discordante : bras comparé à une *corde de harpe*, *bracelet de rides*. Au moral, l'idée de sclérose prédomine. Les « cinquante printemps » de la duchesse de Chaulieu, belle femme au cœur dur, deviennent « un camée conservé par son caillou » (MM, I, 519). L'image reparaissante de l'horloge décrit les rouages — impitoyables — de la société et de la passion, la mécanique à laquelle se réduit le cœur humain.

Balzac fait assez grand usage du rapprochement de catégories identiques, type dont on sous-estime peut-être l'efficacité expressive. Dans la série *animé-animé*, il tire des effets curieux de la comparaison entre deux animaux. La panthère Mignonne, héroïne d'*Une passion dans le désert*, est associée, en l'espace de six pages, à un lion, une chatte, un serpent, un moineau, un chien [55], en une suite de comparaisons motivées qui amorcent sa personnification. Le développement du motif peut servir à rehausser la valeur imagée des figures qui rapprochent l'homme, la femme ou l'enfant :

> Il se laissa faire comme un enfant qui, même en dormant, connaît encore sa mère et reçoit, sans s'éveiller, ses soins et ses baisers. Comme une mère, Eugénie releva la main pendante, et comme une mère, elle baisa doucement les cheveux (EG, III, 573) [56].

Le rapprochement de l'*inanimé à l'inanimé* se confond souvent avec celui de *concret au concret*. S'il compare deux objets, il est en général fondé sur une similitude de forme :

> Une dentelle étincelante de blancheur et travaillée comme une truelle à poisson (ChO, IX, 391) [57],

de fonction ou de mouvement :

> ... La barque tournoya comme une toupie (JCF, IX, 355) [58].

(54) Cf. *infr.*, p. 42.
(55) VII, 1076, 1077, 1078, 1079, 1081.
(56) Dans le rapprochement animé-animé, la catégorie homme-animal n'appelle pas ici de commentaire particulier.
(57) Cf. DV, I, 620 ; H, II, 283.
(58) Cf. Ad, IX, 955-956 ; Do, IX, 319, et Konrad, p. 36 sq. Dans *Les Chouans*, les images se caractérisent par la recherche du détail descriptif pittoresque, tendance qui s'atténue à mesure que la maîtrise augmente.

La représentation visuelle semble dominer, et le cliché naît facilement sous la plume. L'image est rarement intégrée à la structure du récit, l'élément subjectif est faible, et la sélection réciproque [59] fonctionne à l'intérieur de limites étroites.

Les *synesthésies* constituent un cas à part dans le rapport concret-concret. *La Comédie humaine* en recèle au moins une centaine d'exemples, dont certains très développés. *Louis Lambert* en expose une théorie qui s'inspire, on le sait, de Swedenborg et de Saint-Martin, tout en révélant aussi l'influence du courant scientifique unitaire issu du XVIIIe siècle. Cette théorie ne va pas sans quelque résonnance platonicienne, par la référence à la Forme, modèle unique, abstrait et idéal [60]. Elle assigne la synesthésie aux relations synecdochique et métonymique, puisqu'elle fait de la vue le principe des autres sensations, qu'elle englobe par inclusion et qui se correspondent ensuite par contiguïté :

> Toutes les choses qui tombent par la Forme dans le domaine du sens unique, la faculté de voir, se réduisent à quelques corps élémentaires dont les principes sont dans l'air, dans la lumière ou dans les principes de l'air et de la lumière. Le son est une modification de l'air ; toutes les couleurs sont des modifications de la lumière ; tout parfum est une combinaison d'air et de lumière... (LL, X, 449).

Dans *Séraphîta*, l'ordonnance est moins stricte, et la mélodie peut enfanter la lumière tout comme la lumière enfante la mélodie [61]. Plusieurs développements établissent cette filiation surnaturelle entre lumière et musique, fondée en Dieu « qui est tout harmonie et tout flamme » (571) [62].

De nombreux exemples de synesthésies découlent visiblement de cette théorie mystique avec une double conséquence : ils apparaissent surtout dans les *Etudes philosophiques (Louis Lambert, Séraphîta, La Peau de chagrin, Massimilla Doni)* et dans *Le Lys* ; ils ne relèvent pas d'un véhicule métaphorique, mais d'une réalité transcendante, et présentent le même caractère extra-linguistique que l'animation fantastique [63]. Minna et Wilfrid, devenus Voyants pour accompagner l'assomption de Séraphîta, comprennent d'un seul coup le secret des réalisations de l'art :

> Ils comprirent les invisibles liens par lesquels les mondes matériels se rattachaient aux mondes spirituels. En se rappelant les sublimes efforts des plus beaux génies humains, ils trouvèrent le principe des mélodies en entendant les chants du ciel qui donnaient les sensations des couleurs, des parfums, de la pensée, et qui rappelaient les innombrables détails de toutes les créations... (X, 585).

---

(59) Cf. *infr.*, p. 42.
(60) Cf. l'exemple du *Cousin Pons*, VI, 593, *infr.*, p. 34.
(61) X, 584.
(62) Cf. *ibid.*, 532.
(63) Cf. *infr.*, p. 36.

Ici, c'est la musique qui devient le principe des autres sensations. Mais cela n'altère pas la relation synecdochique qui justifie ce genre de synesthésies. Certains exemples énoncent seulement une relation métonymique, où l'association lumière-musique est la plus fréquente :

> Il est une lumière, et vous la voyez ! Il est une mélodie, et son accord est en vous (Ser, X, 577) [64].

L'association musique-couleur en découle :

> ... J'y cherchai des fleurs pour lui composer des bouquets, mais tout en les cueillant... je pensai que les couleurs et les feuillages avaient une harmonie, une poésie qui se faisait jour dans l'entendement en charmant le regard, comme les phrases musicales réveillent mille souvenirs au fond des cœurs aimants et aimés. Si la couleur est la lumière organisée, ne doit-elle pas avoir un sens comme les combinaisons de l'air ont le leur ? (Lys, VIII, 855).

Le mysticisme amoureux, qui transpose les correspondances divines dans le domaine humain sans solution de continuité, semble introduire, à côté du rapport d'inclusion entre sensations, un rapport analogique entre monde matériel et monde spirituel :

> Que donne-t-on à Dieu ? Des parfums, de la lumière et des chants, les expressions les plus épurées de notre nature. Eh ! bien, tout ce qu'on donne à Dieu n'était-il pas offert à l'amour dans ce poème de fleurs lumineuses qui bourdonnait incessamment ses mélodies au cœur... ? (Lys, VIII, 859) [65].

Mais, pas plus que dans la révélation que connaissent Minna et Wilfrid, on ne peut parler ici d'une simple analogie. Ce serait ignorer la filiation surnaturelle qui explique la synesthésie du poème de fleurs, à la fois lumineux et mélodieux. De la sorte, les synesthésies qui se situent dans le domaine humain tout en se référant explicitement au divin, manifestent un double rapport d'inclusion : entre sensations d'abord, mais aussi entre monde naturel et monde surnaturel, le premier ne pouvant exister sans le second. Le boudoir de *La Fille aux yeux d'or*, avec son « concert de couleurs », conserve quelques traces de cette origine mystique :

> Ainsi tout ce que l'homme a de vague et de mystérieux en lui-même, toutes ses affinités inexpliquées se trouvaient caressées dans leurs sympathies involontaires. Il y avait dans cette harmonie parfaite un *concert de couleurs* auquel l'âme répondait par des idées voluptueuses, indécises, flottantes (V, 302-303) [66].

Même quand la synesthésie fonctionne au niveau profane, hors de toute référence à la théorie de son origine mystique, elle comporte quelque détail qui donne une valeur référentielle, fondée sur l'inclusion ou la contiguïté, au rapport d'analogie, et permet de voir dans la métaphore une affirmation littérale. Le désir, qui met en jeu plusieurs sens, se rapproche de l'hallucination :

---

(64) Cf. *ibid.*, 560 ; LL, X, 428.

(65) Cf. Do, IX, 368-369 ; EM, IX, 726.

(66) Cf. Lys, VIII, 945.

> *Ses paroles répondent en moi à ces touches intérieures dont tu parles...* L'air devient alors rouge et pétille, des parfums inconnus et d'une force inexprimable détendent mes nerfs, des roses me tapissent les parois de la tête... (Do, IX, 353) [67].

Peinture et musique, subsumées sous le mot de *poète*, se correspondent en fait dans la description des tableaux de Pons, qui coïncident, une fois nettoyés, avec le modèle idéal :

> Tout brillait dans sa forme et jetait sa phrase à l'âme dans ce concert de chefs-d'œuvre organisé par deux musiciens aussi poètes l'un que l'autre (CP, VI, 593),

réalité que confirme, au niveau de l'histoire, malgré l'intention satirique à l'égard de Fourier, le peintre des *Comédiens sans le savoir*, qui vient de « terminer la figure allégorique de l'Harmonie », et veut lui adjoindre une contre-partie musicale :

> J'ai tâché de voir Hirlair pour qu'il compose une symphonie, je voudrais qu'en voyant cette composition, on entendît une musique à la Beethoven qui en développerait les idées afin de les mettre à la portée des intelligences sous deux modes (VII, 47) [68].

La présence de la structure formelle de la comparaison, dans les autres exemples, ne fait que confirmer la valeur référentielle de la correspondance synesthésique chez Balzac. Le *comme* y introduit plus qu'une simple similitude : il rapproche deux phénomènes et établit la vérité extra-linguistique des relations entre différentes sensations :

> Je sentais en moi-même ce regard, il m'avait inondé de lumière, comme son Adieu monsieur ! avait fait retentir en moi les harmonies que contient l'*O filii, o filiae!* de la résurrection pascale (Lys, VIII, 824) [69].

Cet examen des différents types de synesthésies qu'on trouve dans *La Comédie humaine* [70] aboutit donc à une seule et même conclusion : elles relèvent toutes, mêmes les plus profanes, d'un rapport synecdochique et, accessoirement, métonymique, sur lequel peut se superposer ou non un rapport analogique : c'est-à-dire qu'elles sont fondées en réalité, par la théorie unitaire à laquelle elles renvoient. Il est à noter que la sensation gustative n'apparaît presque jamais dans la synesthésie balzacienne. Or elle n'apparaît pas non plus dans l'exposé de la théorie unitaire de *Louis Lambert* que nous avons cité en commençant. Celui-ci ne mentionne que

---

(67) Cf. VF, IV, 240-241.

(68) Cf. pour d'autres applications profanes de la théorie unitaire, FE, II, 97 *(mélodie de parfums)*, et S & M, V, 1089 : « Les femmes du monde, par leurs cent manières de prononcer la même phrase, démontrent aux observateurs attentifs l'étendue infinie des modes de la musique. L'âme passe tout entière dans la voix, aussi bien que dans le regard, elle *s'empreint dans la lumière comme dans l'air, éléments que travaillent les yeux et le larynx.*

(69) Cf. CV, VIII, 566 ; ChO, IX, 397 ; Ser, X, 513 ; B, II, 340-341.

(70) Cf. les quelques remarques que nous y consacrons dans « Balzac et les images reparaissantes : lumière et flamme dans *La Comédie Humaine* », *RSH*, janv.-mars 1966, p. 74-77, et P. Laubriet, *L'Intelligence de l'art chez Balzac*, Paris, Didier, 1961, p. 501-512.

« les *quatre* expressions de la matière par rapport à l'homme, le son, la couleur, le parfum et la forme » (X, 449), c'est-à-dire l'ouïe, la vue, l'odorat et le toucher. Preuve supplémentaire, s'il en était besoin, que c'est bien cette théorie unitaire qui sous-tend la plupart des exemples de *La Comédie humaine* [71].

Les métaphores d' « artefact » appliquées à la nature, du type *l'émail des prairies*, offrent une illustration particulière du rapport *inanimé-inanimé*. « Acceptables à la sensibilité baroque, elles semblent dénuées de goût aux classiques », qui les trouvent « morbides et perverses », considérant que l'Art doit être une imitation de la nature, et non pas l'inverse [72]. En effet, elles expriment le passage du grand au moins grand : ce n'est sûrement pas sans ironie à l'égard de Canalis que Balzac, cherchant à le diminuer, lui fait dire que « Dieu est un grand paysagiste » (MM, I, 562). Par contre, la description du fjord, dans *Séraphîta*, ne semble pas recéler de nuance dévalorisante. On y trouve les « poussières de diamant » et les « chatons de gouttes » (de l'eau), la « belle étoffe » des lichens « moirés par l'humidité et qui figurait une magnifique tenture de soie », les « dentelles des mélèzes », etc. [73]. *Une passion dans le désert* renouvelle le procédé :

> Il regarda ces arbres solitaires, et tressaillit ! ils lui rappelèrent les fûts élégants et couronnés de longues feuilles qui distinguent les colonnes sarrasines de la cathédrale d'Arles (VII, 1073).

On peut discerner une nuance baroque dans les deux images ci-dessus. Plutôt que l'amoindrissement de l'élément naturel, elles suggèrent indirectement la personnification du paysage. Cette parenté entre métaphore d'artefact et personnification s'affirme dans la description des bouquets du *Lys*, qui suscite à plusieurs reprises, pour symboliser la femme, étoffes et robes féminines [74], et, plus gauchement, dans l'évocation d'un « bouquet d'arbustes élégamment posé par les mains de la nature bretonne » (B, II, 321).

D'une façon générale, les rapports *inanimé-animé* et *abstrait-concret* sont les plus propices à l'éclosion de l'image, car ils créent une distance suffisante entre comparé et comparant. L'une des figures caractéristiques qu'ils suscitent, sans rupture, nous venons de le voir, avec la métaphore d'artefact, est la personnification.

Elle abonde chez Balzac, du début à la fin, et suscite de véritables séries imagées. Parfois elle se contente d'animer brièvement un objet purement statique :

---

(71) La référence au goût, associée à la musique, apparaît dans *La Peau de chagrin* : «... Sybarites incomplets. Inhabiles à supporter l'excès du plaisir, ne s'en vont-ils pas fatigués après une orgie, comme le sont ces bons bourgeois qui, après avoir entendu quelque nouvel opéra de Rossini, condamnent la musique ? Ne renoncent-ils pas à cette vie, comme un homme sobre ne veut plus manger de pâtés de Ruffec, parce que le premier lui a donné une indigestion ? » (IX, 149-150). Son caractère métonymique est évident, mais il renvoie plutôt à une contiguïté spatiale associant divers plaisirs parisiens qu'à une commune origine mystique.

(72) WELLECK & WARREN, p. 188.

(73) X, 563-565.

(74) VIII, 855-859.

> Vos petits gâteaux sont trop grands, dit Vautrin, ils ont de la barbe (PG, II, 997) :

la personnification ne s'actualise ici qu'au niveau du langage, puisqu'elle est déclenchée par l'équivoque sur *barbe*, dont l'un des sens est moisissure, et qui entraîne une personnification par analogie.

Souvent, au contraire, la figure opère par métonymie ou synecdoque. Dans ce cas, elle repose sur une relation de fait. C'est par métonymie que Paris, lieu des rêves d'amour, de plaisir et de luxe, est régulièrement comparé, de 1830 à 1834, à la femme qui peut réaliser ces rêves [75]. A la fin du *Père Goriot*, il apparaît encore à Rastignac, du haut du Père Lachaise, « tortueusement couché le long des deux rives de la Seine » (II, 1085).

Les fonctions animiste et fantastique de la personnification méritent quelque commentaire. La vision animiste prête vie et mouvement à la nature, sans toujours la cantonner dans les limites d'une analogie trop étroitement humaine :

> ... La belle nappe d'eau sur laquelle s'élevaient de ces vapeurs exhalées comme des fumées et qui *s'engageaient* dans les sapins et dans les mélèzes, en *rampant* le long des deux pics pour en *gagner* les sommets (AS, I, 825) [76].

Quand des sentiments humains sont attribués au paysage — la *pathetic fallacy* de Ruskin, et que vie naturelle et vie humaine se confondent, le terme d'animisme se justifie pleinement :

> Dans la pure et monotone vie des jeunes filles, il vient une heure délicieuse où le soleil leur épanche ses rayons dans l'âme, où la fleur leur exprime des pensées, où les palpitations du cœur communiquent au cerveau leur chaude fécondance... Si la lumière est le premier amour de la vie, l'amour n'est-il pas la lumière du cœur ? (EG, III, 525).

Nous touchons ici à une forme proche du mythe, qui naît souvent de réminiscences bibliques ou mystiques, comme dans *Séraphîta* ou dans *Le Lys* :

> Si vous voulez voir la nature belle et vierge comme une fiancée, allez là par un jour de printemps... En ce moment, les moulins situés sur les chutes donnaient une voix à cette vallée frémissante, les peupliers se balançaient en riant... La Nature s'était parée comme une femme allant à la rencontre du bien-aimé (VIII, 789, 793 ; cf. 926).

A partir de ce tableau initial de la vallée du *Lys*, la fonction animiste de la personnification s'affirme et s'amplifie presque de page en page.

Dans l'animation fantastique, ce n'est que par un abus de sens qu'on peut encore parler de figure. Par exemple, quand les orgues de *La danse des pierres* se mettent à parler, que les piliers, les colonnes et toute l'église

(75) Cf. CITRON, *Poésie de Paris*, T. II, p. 197-199.

(76) Cf. « Les cascades bondissant comme un troupeau de moutons » (Do, IX, 329).

se mettent en branle, il s'agit d'un événement perçu comme réel, quoique fictif :

« La danse de ces arcades *mitrées* avec ces élégantes croisées ressemblait aux *luttes d'un tournoi* » (JCF, IX, 262) [77]. Peut-être les métonymies de *mitrées* et de *tournoi*, accessoires religieux et médiévaux suscités par contiguïté spatiale et temporelle, contribuent-elles à créer l'illusion de réalité. Mais l'essentiel n'est pas là. Il est dans la convention fantastique, qui présente comme véritables des événements impossibles.

La personnification peut accomplir non seulement le passage de l'inanimé à l'animé, mais encore celui de l'abstrait au concret (métaphore physique décrivant un trait moral). Quand l'animation se développe, elle peut susciter des allégories originales. De nombreux exemples illustrent cette double ou triple combinaison. Celui des diligences d'*Ursule Mirouet* unit la personnification d'une idée abstraite à celle d'un objet inanimé :

> Sur les grandes routes, on donne aux diligences des noms assez fantastiques : on dit la Caillard, la Duclos (la voiture de Nemours à Paris), le Grand-Bureau. Toute entreprise nouvelle est la *Concurrence* !... Si vous voyez le postillon allant à tout *brésiller* et refuser un verre de vin, questionnez le conducteur ; il vous répond, le nez au vent, l'œil sur l'espace : — la *Concurrence* est devant ! — Et nous ne la voyons pas dit le postillon (III, 270) :

la diligence, objet inanimé quoique mobile, y est d'abord personnifiée par le nom. Puis la voiture rivale personnifie à son tour la Concurrence, idée abstraite, par une figure d'usage attestée à l'époque [78], mais recréée grâce au contexte. Nous ne sommes pas loin de l'allégorie. La brillante ouverte d'*A combien l'amour revient aux vieillards* développe cette triple combinaison, à partir de références littéraires et mythologiques qui forment un contraste ironique avec la sordidité des toilettes d'occasions entassées dans la boutique de la revendeuse :

> On y voit des défroques que la *Mort* y a jetées de sa main décharnée, et l'on entend alors le râle d'une *phtisie* sous un châle, comme on y devine l'agonie de la *misère* sous une robe lamée d'or (personnifications de l'abstrait et de l'inanimé à la fois)... Le *fouet de Juvénal*, agité par les mains du Commissaire-priseur, *éparpille* les manchons pelés, les fourrures flétries des filles aux abois (allégorie du châtiment de l'inconduite). C'est un fumier de fleurs où, çà et là, brillent des roses coupées d'hier, portées un jour, et sur lequel est toujours accroupie une vieille, la cousine germaine de l'Usure, l'Occasion chauve, édentée (personnifications d'idée abstraite), et prête à vendre le contenu, tant elle a l'habitude d'acheter le contenant, la robe sans la femme ou la femme sans

(77) Cf. pour le même procédé, la description du *Dôme des Invalides*, *Œuvres complètes*, Calmann-Lévy, vol. XX.

(78) Cf. Robert Dagneaud, *Les Eléments populaires dans le lexique de « La Comédie humaine »*, 1954, p. 68 : « La voiture d'une entreprise rivale s'appelle la Concurrence ».

la robe (animation de l'Occasion aboutissant à une allégorie de la déchéance sociale) (S & M, V, 793) [79].

La parabole, si fréquente dans la *Physiologie du mariage* [80], ne diffère de l'allégorie que par la présence plus marquée de l'élément narratif.

Le symbole pose un problème plus complexe. Le terme même sert à désigner des phénomènes très différents. Il importe en particulier de faire une distinction entre symbole conventionnel (ou collectif) et symbole individuel, d'une part, et, d'autre part, entre objet symbole et métaphore symbole. Ces quatre classes ne sont pas incompatibles. Conventionnel — la croix pour la religion chrétienne (objet symbole), le renard pour la ruse (métaphore symbole) — le symbole est susceptible de s'individualiser. Et qu'il se manifeste dans un objet ou seulement par le langage, il peut être aussi bien conventionnel qu'individuel. Dans tous les cas, il illustre en partie le passage de l'abstrait au concret, mais, surtout dans le texte littéraire, il s'en tient très rarement à ce simple mode de relation.

Quand, chez un auteur individuel, le symbolisant est une métaphore, c'est le facteur de la répétition qui contribue à transformer la métaphore en symbole [81]. Ce point explique qu'Ullmann puisse définir le symbole comme « une métaphore qui exprime, sous une forme mémorable, un des thèmes principaux d'une œuvre littéraire [82] ». Mais cette définition n'inclut pas l'objet à valeur symbolique. En fait, les métaphores symboles, qui appartiennent au plan du discours, et les objets du récit à valeur symbolique, qui appartiennent à celui de l'histoire [83], peuvent se combiner. Qui plus est, la répétition peut introduire des sens supplémentaires : le symbole est ouvert et cette ouverture suscite, dans un deuxième temps, un retour vers l'abstrait. Le symbolisant concret acquiert en cours de route une certaine autonomie qui lui permet de désigner des sentiments et des idées beaucoup plus variés que dans le rapport initial. Autrement, le symbole individuel ne se distinguerait guère de l'allégorie, alors qu'il est aussi libre que l'allégorie est rigide.

Chez Balzac, un exemple connu de tous, à la fois individuel et biblique, donc collectif, et qui prend appui à la fois sur le langage et sur un objet du récit, peut illustrer ces remarques préliminaires et permet de préciser les rapports qui sous-tendent symbolisant et symbolisé. C'est le symbole qui donne son titre au *Lys dans la Vallée*. Il fait son apparition lors d'une promenade de Félix. Partant à la recherche du château qui doit abriter l'inconnue du bal, celui-ci découvre, au bout d'un chemin

---

(79) Cf., pour des ex. plus restreints, DF, I, 974-975 ; In, III, 14 ; PCh, IX, 42 ; MR, IX, 282 ; RA, IX, 507. Fontanier distingue entre l'allégorie, « proposition à double sens, à sens littéral et à sens spirituel..., par laquelle on présente une pensée sous l'image d'une autre pensée » et l'allégorisme, « métaphore prolongée et continue, qui, lors même qu'elle s'étend à toute la proposition, ne donne lieu qu'à un seul et unique sens, comme n'y ayant qu'un seul et unique objet d'offert à l'esprit » (p. 114 et 116). Dans l'ex. de S & M, l'importance de l'élément descriptif fait de la figure une allégorie proprement dite : la boutique de la revendeuse est dotée d'une existence autonome ou, si l'on préfère, elle a une fonction référentielle importante.

(80) B. y recourt à nouveau dans *Petites misères de la vie conjugale :* c'est donc le genre et non la date qui est à la source de cet emploi intensif.

(81) Konrad, p. 161 ; WW, p. 178 ; Bouverot, p. 301.

(82) P. 55.

(83) Cf. *supr.*, p. 29 et *infr.*, p. 79.

> une vallée qui commence à Montbazon, finit à la Loire, et semble bondir sous les châteaux posés sur ces doubles collines ; une magnifique coupe d'émeraude au fond de laquelle l'Indre se roule par des mouvements de serpent. A cet aspect, je fus saisi d'un étonnement voluptueux que l'ennui des landes ou la fatigue du chemin avait préparé. — Si cette femme, la fleur de son sexe, habite un lieu dans le monde, ce lieu, le voici ? (VIII, 788).

Cette description du paysage déclenche le processus de symbolisation. La vallée, objet réel, symbolise la femme qui l'habite : symbole individuel et objectif qui repose sur un rapport métonymique [84] par contiguïté spatiale. La femme, d'abord symbolisée par le paysage, l'est une seconde fois au moyen d'une assimilation linguistique, puisqu'elle est désignée comme « la fleur de son sexe ». Le double sens de *fleur*, ici, préfigure dans son fonctionnement le double symbole du lys, à la fois conventionnel et individuel, sans qu'il soit possible de démêler si l'un des sens précède l'autre. En effet, l'expression *la fleur de* a si communément valeur de simple superlatif (la meilleure, la plus belle) que l'on ne peut affirmer qu'elle désigne initialement une plante, sens qui semble généré par *vallée.* Mais elle acquiert évidemment ce sens. De même, le symbole du lys vers lequel converge tout le passage ne reste pas conventionnel. Il s'intègre à l'œuvre particulière du fait que, dans la succession des phrases, le système symbolique s'organise à partir du sème de *plante*, grâce à un autre détail factuel : la couleur blanche de la robe — autre symbole métonymique de la femme — vue comme une émanation du paysage, et qui s'explique par le choix de la fleur lors même que celle-ci n'est pas encore nommée. Si l'ordre de la description ne correspond donc pas à la causalité réelle qui unit les images, la place de la notation de couleur joue son rôle dans le processus de symbolisation : le lien d'appartenance qu'elle crée entre la fleur symbolique et la vallée « objective » surdétermine, en lui donnant valeur individuelle, le symbole conventionnel du lys :

> Elle demeurait là, mon cœur ne me trompait point : le premier castel que je vis au penchant d'une lande était son habitation... Sa robe de percale produisait le point blanc que je remarquai dans ses vignes sous un hallebergier. Elle était, comme vous le savez déjà, sans rien savoir encore, LE LYS DE CETTE VALLÉE où elle croissait pour le ciel, en la remplissant du parfum de ses vertus (*ibid.*).

La suite de la description orchestre les mêmes procédés avec une ampleur accrue, soit que le narrateur déchiffre à nouveau ses sentiments dans le paysage, soit qu'il ait recours à de multiples variations de la métaphore féminine pour animer la nature [85]. Quant au symbole du lys, il se développe jusqu'à la fin du roman, en alliant sans cesse l'abstrait au concret et le concret à l'abstrait. Il représente d'abord, comme nous venons de le voir, la beauté physique et morale de Mme de Mortsauf. Par la suite, le nom de la fleur suffit à évoquer l'héroïne, mais joint aux notations de

---

(84) Cf., à ce sujet, les remarques de Tzvetan TODOROV, dans « Introduction à la symbolique », *Poétique*, n° 11, 1972, en part. p. 304-305.

(85) *Ibid.*, p. 788-789.

pureté et de beauté celles d'isolement (916) et de souffrance (848, 952). Les fréquentes métaphores florales associées à la personne de l'héroïne se rattachent au symbole initial du lys et l'enrichissent. Elles culminent, sur le plan de l'histoire, dans la description des bouquets que compose Félix pour Mme de Mortsauf, et qui symbolisent leurs désirs sublimés. Ainsi le lys réunit finalement les sèmes antithétiques de volupté et de pureté. La répétition sert à évoquer de nouveaux contenus abstraits qui émanent du symbole concret, au lieu de le susciter. Dans la métaphore, le caractère concret du comparant est la véritable source du système symbolique [86].

On voit comment s'entrelacent symboles individuels et symboles collectifs. Il ne faut pourtant pas sous-estimer l'intérêt du symbole collectif quand il apparaît sans s'individualiser. Certes, au sens strict, on a raison de dire qu'il n'est pas « un fait de style, mais de langue », et qu'un « nom commun ou d'animal fournit la plupart des symboles conventionnels [87] ». Symboliser la ruse par le renard, ou la finance par le loup-cervier, ce sont bien des faits de langue en effet. Ce système de correspondances invariables relève de la symbolique plutôt que du symbole [88]. C'est à cause de leur même caractère invariable que Freud range dans le domaine de la symbolique « les symboles à signification constante qui peuvent être retrouvés dans diverses productions de l'inconscient [89] ». Ces deux types de symboles collectifs fonctionnent comme un langage préétabli et non pas en train de se créer, c'est-à-dire comme des clichés et non pas comme des images d'invention. Le premier laisse entrevoir le rapport entre image conventionnelle et archétype [90]. Le second met en lumière les rapports entre la symbolique et l'interprétation psychanalytique.

Qui plus est, l'examen du symbole collectif attire l'attention sur un fait qui peut aussi s'appliquer au symbole individuel : il révèle « une vision du monde fondée sur un ensemble de rapports analogiques [91] » (même si, comme nous l'avons vu, les analogies peuvent avoir une assise métonymique). Puisqu'il s'agit là, au départ, de correspondances préétablies entre microcosme et macrocosme, la symbolique y joue un rôle de premier plan. Mais le symbole individuel peut également s'y faire une place, comme le prouve l'exemple du *Lys*. *La Comédie humaine* est fortement pénétrée par la théorie de l'analogie universelle. Selon toute vraisemblance, c'est à cause de cette vision foncièrement romantique que la métaphore balzacienne tourne si souvent au symbole.

Le rapprochement des deux termes abstraits appelle lui aussi quelques remarques particulières. Les catégories abstraites de comparants ne sont pas négligeables dans *La Comédie humaine*, comme en témoignent en particulier les métaphores d'argent, de phénomènes scientifiques, et souvent

(86) Le développement pénétrant que M. Laubriet consacre au passage de la métaphore au symbole, et les ex. qu'il cite illustrent aussi ce retour du concret vers l'abstrait que nous soulignons (p. 500-501).

(87) Bouverot, p. 301.

(88) Jean Cohen nous apporte un argument quand il fait remarquer que le terme de *renard* évoque la ruse sans qu'il soit nécessaire pour l'esprit de faire un détour par le référent concret (l'animal). Cf. *Communic.* n° 16, *art. cit.*, p. 24-25.

(89) Laplanche et Pontalis, p. 475.

(90) Cf. *infr.*, p. 69-72.

(91) Cf. Le Guern, p. 60.

aussi de religion. Mais elles obéissent le plus souvent à une règle qui a été notée par M. Ullmann : « Une comparaison entre deux phénomènes abstraits, pour juste et pénétrante qu'elle soit, ne constitue point une image, à moins que l'un ou l'autre des termes ne soit concrétisé » [91 bis]. Et en effet, de nombreux comparants présentent quelque trait concret, qui constitue la partie proprement imagée de l'énoncé :

> La jalousie qui se montre ressemble à une politique *qui mettrait cartes sur table* (MJM, I, 231) ;
> Après quelques phrases lacrymales qui sont l'*A, bé, bi, bo bu* de la douleur collective... (RA, IX, 575) ;
> Je t'aime comme un million. — Ce n'est pas assez, reprit-elle... Je veux être aimée comme dix millions, comme *tout l'or de la terre...* (Be, VI, 407) ;
> La finance, qui n'est autre chose que l'égoïsme *solidifié* (Be, VI, 501).

Si l'on ne sort pas du domaine de l'abstraction, la comparaison risque d'avoir une valeur uniquement explicative et l'assimilation ne se distingue guère de la définition :

> L'Amour est un vol fait par l'état social à l'état naturel (MJM, I, 308).

Pourtant, cette règle n'est pas absolue, du moins chez Balzac. Malgré leur abstraction, on ne peut dénier toute valeur imagée aux analogies suivantes, d'ailleurs exceptionnelles :

> Il s'est fait en moi toute une révolution, et j'ai *payé* en un moment *l'arriéré* de mes remords (Fir, I, 1044) ;
> L'ego, dans sa pensée, n'était plus qu'un objet secondaire, de même que la *vanité du triomphe* ou le *plaisir du gain* deviennent plus chers au parieur que ne l'est l'objet du pari (Col, II, 1104) [92].

Le rapprochement d'un comparé concret avec un comparant abstrait peut aussi servir à illustrer la remarque de M. Ullmann. En effet, le comparé concret n'est le plus souvent que le signe métonymique d'un trait abstrait (par exemple le cœur pour le jugement moral), auprès duquel il fait office de comparant. Il peut donc se ramener au premier schéma : abstrait-abstrait, avec adjonction intermédiaire d'un élément concret :

> J'ai fait alors de mon *cœur* (comparé) un tribunal, en vertu de la loi ; car la loi constitue un juge dans un mari (H, II, 274).

Si le comparé est un être humain — élément concrétisant — la forme imagée recouvre un rapport de cause à effet, donc métonymique, entre idées ou sentiments, et le comparant abstrait fait facilement figure d'allégorie :

> Je suis là comme un vengeur, *j'* (comparé) apparais comme un *remords* (comparant) (Gb, II, 631) [93],

(91 *bis*) P. 45.
(92) Cf MM, I, 376 ; DF, I, 949 ; FM, II, 46 ; FA, II, 238.
(93) Cf., pour d'autres exemples d'abstractions allégoriques suscitées par le portrait d'un personnage, Geneviève Poncin-Bar, *AB 1973*, p. 294-297, qui y voit à juste titre un procédé fantastique.

dit Gobseck, le deuxième syntagme enregistrant ainsi les sentiments qu'il croit susciter chez ses débiteurs.

Sans glissement allégorique, cette fois, c'est encore un lien de causalité, entre l'être humain et un comparant abstrait, qui sous-tend la comparaison, puis l'assimilation que voici :

> Les habitants de la ville portaient une sorte de respect religieux à cette famille, qui pour eux était un *préjugé.* La constante honnêteté, la loyauté sans tache des Claës, leur invariable décorum faisaient d'eux une *superstition* aussi invétérée que celle de la fête de Gayant... (RA, IX, 480).

Les sentiments de respect religieux, de superstition, éprouvés par les habitants, se trouvent incarnés précisément par la famille qui les suscite. On ne peut pourtant parler d'allégorie comme dans le cas de Gobseck, car les comparants abstraits ne sont nullement personnifiés.

Un dernier exemple montre encore comment le rapport concret-abstrait recouvre et concrétise un rapport abstrait-abstrait. Il s'agit de la description d'un habit qui rappelle vaguement un uniforme militaire. S'il présente un rapport concret-abstrait, c'est, semble-t-il, parce que le mot *attente* est pris à la fois au sens concret et au sens abstrait :

> Sur les épaules, deux *attentes* (comparé métaphorique) vides demandaient des épaulettes inutiles. Ces deux *symptômes de milice* (premier comparant) étaient là comme une *pétition sans apostille* (deuxième comparant) (Bo, I, 342).

Ici, le sens d'*attente* est concret : il constitue une assimilation sans comparé, désignant la place vide des épaulettes, par analogie avec l'expression *table d'attente,* « chose disposée pour graver ou peindre dessus [94] », mais ce sont les connotations abstraites du mot, pris comme comparé, qui suscitent les comparants abstraits *symptôme* et *pétition.* On a donc là un intermédiaire abstrait fourni par le jeu verbal de la double acception, concrète et abstraite, du terme comparé, qui permet de considérer cet exemple exceptionnel comme une véritable image.

Il serait hasardeux de tirer des règles générales de ces quelques exemples, dont chacun nécessite une analyse particulière. Mais deux points semblent ressortir : tout d'abord, la tendance de l'image à se raccrocher à un élément concret, tendance qui a pour corollaire la ressemblance sémantique de l'association abstrait-abstrait et concret-abstrait ; ensuite, la présence d'un rapport causal, donc métonymique, dans l'association concret-abstrait.

c. Interaction des comparants et des comparés

Une image représente à la fois moins et plus que la somme des signifiés propres au comparant et au comparé. Trois facteurs sont le plus souvent invoqués, ensemble ou séparément, pour rendre compte de son élaboration : la justesse, l'arbitraire, la différence.

---

(94) Dict. de Boiste, art. *attente.*

Le terme de *sélection réciproque* [95] décrit le mécanisme d'abstraction qui préside à la réception de l'image dans l'esprit, en dégageant les traits communs au comparant et au comparé jusque dans leurs différences initiales. Ce mécanisme se produit quelle que soit la structure formelle de l'image, et met ainsi en relief les ressemblances qui unissent en profondeur toutes les formes de comparaison et d'assimilation avec ou sans comparé, puisqu'il se caractérise dans chaque cas par une forte activité mentale sur l'axe paradigmatique.

A priori, il semble que la justesse de l'image soit fonction de la présence initiale de traits communs et de la mise à l'écart des différences. Cette réduction est explicite dans la comparaison en forme :

> Les hommes d'élite maintiennent leur cerveau dans les conditions de la production, comme jadis un preux avait ses armes toujours en état (MD, IV, 177) :

la ressemblance (bon état) que possèdent le cerveau et les armes semble se manifester à l'exclusion de leurs différences. Le processus est plus frappant dans la métaphore, où l'énoncé actualise au contraire la non-pertinence prédicative :

> Ah ! Sorbier, quand on a eu le bonheur d'avoir, de sa main, arrêté dans sa chute l'un des plus beaux arbres généalogiques du royaume, il est si naturel de s'y attacher, de l'aimer, de l'arroser, de vouloir le voir refleuri... (CA, IV, 372).

La métaphore, ici, est déclenchée par une métonymie, l'arbre généalogique pour la famille nobiliaire, qui suggère par association l'analogie entre l'arbre à entretenir et le dernier rejeton de cette famille. L'abstraction est donc triple, d'abord fondée sur la relation de contiguïté qui unit la famille à l'arbre généalogique, puis sur les traits communs à l'arbre généalogique et à l'arbre végétal, enfin, à l'arbre végétal et au jeune comte d'Esgrignon.

Le travail d'abstraction s'effectue non pas autour de « l'idée principale », qui est rarement commune aux deux termes de l'image, mais autour d'une ou de plusieurs « idées accessoires » qu'ils partagent [96]. La notion

---

(95) Traduction adoptée par Michael Riffaterre dans « La métaphore filée dans la poésie surréaliste », *Langue française*, n° 3, sept. 1969, p. 49 et n. 12, pour rendre l'anglais *interaction*, terme de Max Black dans *Models & Metaphors*, Cornell U. Press, 1962, Ch. « Metaphor », p. 41-42.

(96) Comme le souligne G. Genette dans son Intr. aux *Tropes* de Dumarsais (Slatkine Reprints, Genève, 1967), c'est là l'un des points centraux de la théorie générale de Dumarsais. Celui-ci y revient à plusieurs reprises, en accordant plus d'expressivité à l'idée accessoire : « Le nom propre de l'idée accessoire est souvent plus présent à l'imagination que le nom de l'idée principale, et souvent aussi ces idées accessoires, désignant les objets avec plus de circonstances que ne feraient les noms propres de ces objets, les peignent ou avec plus d'énergie, ou avec plus d'agrément » (p. 30-31), idée reprise par Konrad sans le même caractère d'obligation (p. 147). Todorov, pour sa part, décrit le même phénomène de sélection réciproque des idées accessoires comme une double synecdoque : « Tout se passe, dans la métaphore, comme si un sens intermédiaire, la partie identique des deux sens en jeu, avait fonctionné comme synecdoque de l'un et de l'autre... Par ex. / flexible / est une synecdoque pour / bouleau / et pour / jeune fille /, ce qui permet de donner à « bouleau » un sens métaphorique proche de celui du mot jeune fille. (Cf. aussi Jacques Dubois *et al.*, *Rhétorique générale*, Larousse, 1970, p. 108.) Il tire une conséquence intéressante de sa théorie : « Jakobson identifie la condensation

d'idée accessoire se greffe elle-même sur la distinction de Bally entre notions intellectuelles et notions de valeurs qui s'attachent à un mot, autrement dit entre la dénotation et les connotations. Chaque mot a un sens objectif, intellectuel (ou plusieurs), la dénotation, renvoyant soit à un référent spécifique, soit au concept, à la représentation mentale d'un être, d'un objet, d'une notion, et suggère des associations implicites, souvent subjectives, ou connotations [97]. L'idée principale découle de la dénotation, et les idées accessoires des connotations : ainsi, dans l'exemple de l'arbre généalogique, les idées principales et intellectuelles exprimées — la dénotation — sont celles d'ancienneté familiale attestée, pour le comte (non pertinente à l'arbre) et de végétal pour l'arbre (non pertinente au comte). Les idées accessoires, aux connotations affectives, qu'ils partagent de prime abord, sont celles de beauté et de soin. Elles servent de véhicule à l'image [98].

Le processus de sélection réciproque ne s'arrête pas aux connotations manifestement communes aux comparés et aux comparants. Il porte aussi sur les différences connotatives et même dénotatives. Il se produit alors dans l'esprit une synthèse, qui favorise la fusion plus poussée du comparé et du comparant et élargit le nombre des connotations qui leur sont communes : ainsi, aux connotations de soin et de beauté que partagent dès le début l'arbre et le jeune homme s'ajoute, pour celui-ci, celle de grâce *naturelle* et, pour l'arbre, celle de noblesse, introduite par l'idée principale d'ancienneté. Et la sélection ne se limite pas aux traits actualisés dans l'énoncé : la couleur verte, implicitement associée à l'arbre, devient aussi pertinente au comte en connotant la jeunesse. Ainsi, les sens dénotatifs prennent une valeur connotative, sans toutefois se départir de leur différence ni de leur littéralité [99]. Justesse et différence coexistent et la

---

de Freud avec la synecdoque ; Lacan le fait, avec la métaphore. Contradiction ? Non, car la métaphore n'est qu'une double synecdoque ». (« Synecdoques », *Communic.*, n° 16, p. 30-31). A cette conception, M. Le Guern (p. 13) oppose une objection fondée sur l'incompatibilité que Jakobson décèle, dans ses observations sur l'aphasie, entre les rapports de contiguïté (métonymie) et de similarité (métaphore) : cf. *Essais...*, p. 61 sq. Mais cette objection n'emporte pas la conviction, pour deux raisons : Jakobson n'approfondit pas la différence entre synecdoque et métonymie, et c'est de synecdoque que parle Todorov, donc de rapport interne ; Jakobson définit ailleurs la fonction poétique comme la projection du principe d'équivalence de l'axe paradigmatique sur l'axe syntagmatique (p. 220 sq.) et donne de nombreuses illustrations de ce phénomène. Cela implique la possibilité de combinaisons extrêmement complexes entre rapports internes et rapports externes, entre équivalence et contiguïté.

(97) Cf. Ducrot-Todorov, *Dictionnaire encyclopédique des sciences du langage*, Seuil, 1972, art. *Signe* et *Référence* ; Winfried Busse, « Connotation et Dénotation », *in* Guiraud-Kuentz, *La Stylistique*, Klincksieck, 1970, p. 116-120 ; pour un historique des sens du terme, Jean Molino, « La Connotation », *La Linguistique I*, PUF, 1971, n° 7, p. 5-30 ; et la mise au point de Marie-Noëlle Gary-Prieur, « La Notion de connotation (s) », *Littérature*, n° 4, déc. 1971, p. 95-107.

(98) Cf., selon la terminologie de Jean Cohen, l'impertinence dénotative (Sé 1), à laquelle succède la pertinence connotative (Sé 2), in *Structure du langage poétique*, Flammarion, 1966, p. 112-113.

(99). De même, dans le premier exemple, l'idée de lutte dénotée par *armes*, qui apparaît d'abord comme non pertinente au comparé *cerveau*, se mue en connotation pertinente à celui-ci et implique l'idée de lutte sociale. Dans un exemple aussi simple, le processus est instantané. On voit que, dans le mécanisme de la sélection réciproque, l'opposition entre dénotation et connotation tend à s'effacer. Ce glissement de la déno-

justesse elle-même devient en partie fonction des différences initiales : d'où la polysémie de l'image et la difficulté d'épuiser le champ des connotations.

Ce rôle de la différence dans l'élaboration de l'image, Balzac en a conscience. Sans recommander la méprise, comme Verlaine, ni l'arbitraire, comme Breton, il peut dire d'une de ses propres comparaisons qu'elle est « peut-être plus exacte que ne doit l'être une comparaison » (Bou, VII, 174), — même si cette critique a pour véritable objet de souligner au contraire la justesse de l'analogie. La distance sémantique toute relative entre comparant et comparé propre aux deux exemples que nous avons analysés met en relief le caractère général du mécanisme. Mais Balzac tire largement parti des possibilités offertes par une distance plus marquée, et nous allons bientôt en examiner quelques effets caractéristiques.

Signalons d'abord la forme de non-pertinence que suscite l'interversion du rapport attendu entre comparant et comparé [100] :

> Ce petit *crocodile* (comparé) *habillé en* (modalisateur) *femme* (comparant) qui définitivement l'a ruiné (motif) (CM, III, 173).

Au niveau du signifié, c'est la femme qui est comparée à un crocodile. L'anomalie consiste à intervertir les termes. Ce type d'écart, en s'introduisant entre des termes assez proches (être humain-animal), les transforme en images éloignées. De même, la distance sémantique est faible, entre une bouche et un trou, mais l'anomalie est réelle si l'énoncé traite *trou* comme le mot propre et *bouche* comme le comparant :

> Le nez couvrait d'ailleurs avec pudeur un *trou* (comparé) qu'il serait injurieux pour l'homme (motif) de *nommer* (modalisateur) une *bouche* (comparant) (Do, IX, 323).

Ce phénomène illustre lui aussi la nécessité de la différence pour créer l'effet de justesse. Le critère de la justesse reste valable, et même primordial, quoi qu'on en ait dit, mais il n'agit qu'accompagné d'un effet de surprise, auquel contribuent toutes les formes de non-pertinence du prédicat.

Ce dernier point pose la question du cliché. On peut supposer que, plus l'éloignement est grand entre les signifiés des comparants et des comparés, plus on s'écarte en même temps de la norme linguistique. Mais tel n'est pas toujours le cas. Courir « avec la rapidité d'une flèche » (Lys, VIII, 975), ne pas plus penser à quelqu'un qu'à sa « première chemise »

---

tation vers la connotation corrobore la thèse générale de M.-N. Gary-Prieur, qui écrit : « On pourrait dire... que tout, dans le texte, est connotation, y compris la dénotation... » (*art. cit.*, p. 105). Toutefois, la notion elle-même reste un instrument d'analyse indispensable.

(100) Marmontel considère ce procédé seulement dans l'interversion du rapport habituel abstrait-concret : « ... Il arrive... quelquefois que la comparaison soit inverse, je veux dire qu'elle emploie le terme abstrait pour mieux peindre l'objet sensible. Ainsi, " ... la rose, ... *belle comme les joues de l'Innocence..* ". On voit là une image commune rendue nouvelle, délicate et piquante, par le renversement du rapport usité. » (*Encyclopédie*, art. *Comparaison.*) Jean Cohen, dans « Poétique de la comparaison : essai de systématique », *Langages*, déc. 1968, p. 50-51, analyse un exemple du même ordre, le vers d'Apollinaire « Le fleuve est pareil à ma peine » : « C'est le fleuve qui est l'archétype du prédicat, et c'est lui qui devrait servir de comparant : " Ma peine est pareille au fleuve ". » Balzac généralise le procédé.

(UM, III, 447) sont des clichés bien connus, pourtant fondés sur des écarts sémantiques appréciables, sans parler de « saisir l'occasion aux cheveux », qui a son origine dans la mythologie. Dans ces cas, si l'effet de surprise est atténué par l'usage, la polysémie reste suffisamment perceptible pour assurer la fonction imagée du cliché.

Applications balzaciennes de la distance sémantique entre les termes.

Nous ne nous référons pas pour l'instant à un canon esthétique en examinant les différents *tons* qui peuvent découler de l'emploi d'images éloignées. Dumarsais revient à plusieurs reprises sur la nécessité de la convenance [101], et c'est au nom du même critère que tant de critiques ont condamné le style de Balzac. L'adhésion à un canon esthétique, lequel peut d'ailleurs varier, n'entraîne pas seulement l'étroitesse du jugement. Elle ne tient compte ni de l'exactitude, ni de la signification de l'image, ni surtout de son expressivité, dans tous les cas qui heurtent une certaine conception du goût.

Pourtant, en théorie, les classiques connaissaient depuis Aristote l'intérêt qu'il y a à réunir deux termes empruntés à des domaines suffisamment éloignés [102]. D'autres écoles, comme les rhétoriqueurs, ou d'autres époques, comme l'âge baroque, ont cultivé la métaphore éloignée. C'est dans leur sillage qu'on peut ranger Balzac.

Concentrons-nous sur les exemples où l'ouverture (ou éloignement) se perçoit encore aisément comme une anomalie, étant entendu que, sémantiquement, elle peut aussi exister dans des exemples où elle passe inaperçue. Précisons encore que d'autres facteurs peuvent contribuer en même temps que l'ouverture à l'impression d'étrangeté — tel est le cas de l'animisme, dans l'image fantastique. On constate que trois tons surtout découlent régulièrement d'une non-pertinence accusée : comique, fantastique, baroque, tous offrant en commun l'élément du bizarre, qui peut aussi se trouver à l'état pur. Rappelons l'importance de la forme motivée, qui facilite la perception de la pertinence connotative.

Effets comiques. De nombreux effets comiques de non-pertinence dépendent d'un jeu de mots, explicite ou non. Dans l'exemple suivant, c'est une association verbale, entre la sonnette du serpent et l'alarme du mari, qui déclenche la comparaison, mais le prédicat *a mis une sonnette* n'est pertinent qu'au comparant *serpent* :

> La nature a mis au cou du Minotaure [le mari prédestiné] une sonnette, comme à la queue de cet épouvantable serpent, l'effroi du voyageur (Phy, X, 679) [103].

---

(101) I, Ch. III, p. 40 et surtout II, Ch. X, p. 170, « Remarques sur le mauvais usage des métaphores ».

(102) « Il faut, quand on emploie la métaphore, ne la tirer que d'objets propres au sujet, mais non pas trop évidents... C'est ainsi qu'Archytas a dit : " Un arbitre et un autel sont la même chose, car vers l'un comme vers l'autre se réfugie l'homme qui a subi une injustice ". »» (*Rhétorique*, L. III, Ch. XI, 5, cit. par Konrad, p. 14-15.) Une telle définition, et surtout un tel exemple, ne manifestent guère le souci de la convenance des termes. Le goût classique a limité le nombre des « objets propres au sujet » et n'aurait sans doute pas accepté l'exemple même que donne Aristote.

(103) Cf. UM, III, 268 ; IG, IV, 13.

Une joyeuse incongruité peut se substituer à l'association purement verbale pour créer l'effet comique :

> Mon gosier s'est collé comme le taffetas gommé qui enveloppe le beau chapeau de Hulot (Ch, VII, 903).

Il n'est d'ailleurs pas toujours aisé de tracer une ligne entre bizarre et comique. Proust notait déjà chez Balzac les images « frappantes, justes, *mais qui détonnent*, qui expliquent au lieu de suggérer [104] ». Il visait là l'exactitude parfois minutieuse qui rehausse l'incongruité de l'analogie, tout en développant la pertinence des idées accessoires :

> Théodose aimait le peuple, car il scindait son amour de l'humanité. De même que les horticulteurs s'adonnent aux roses, aux dahlias, aux œillets, aux pélargoniums, et ne font aucune attention à l'espèce qu'ils n'ont pas élue pour leur fantaisie, ce jeune La Rochefoucault-Liancourt appartenait aux ouvriers, aux prolétaires, aux misères des faubourgs Saint-Jacques et Saint-Marceau. L'homme fort, le génie aux abois, les pauvres honteux de la classe bourgeoise, il les retranchait du sein de la charité. Chez tous les maniaques, le cœur ressemble à ces boîtes à compartiments où l'on met les dragées par sortes : le *suum cuique tribuere* est leur devise, ils mesurent à chaque devoir sa dose (Bou, VII, 109) [105].

Parfois, l'écart des termes ne paraît marqué que par rapport au contexte. L'effet comique n'est pas alors contenu dans l'image et se produit par antiphrase. Ainsi, dans *Une double famille*, la comtesse de Granville, dévote puritaine qui s'est aliéné l'affection de son mari, ne peut sérieusement être comparée à Agar. A l'annonce que lui fait son directeur de conscience de son infortune conjugale, elle répond en ces termes :

> Je dois alors remercier Dieu... de ce qu'il daigne se servir de vous pour me transmettre ses volontés, plaçant ainsi, comme toujours, les trésors de sa miséricorde auprès des fléaux de sa colère, comme jadis en bannissant Agar il lui découvrit une source dans le désert (I, 979) [106].

Effets fantastiques. Chez Balzac, le fantastique découle en premier lieu de procédés autres que l'image éloignée — abstractions allégoriques, peinture animiste des éléments naturels, et, de façon plus générale, intrusion du surnaturel « dans le cadre de la vie réelle [107] ». Il peut être renforcé par la présence d'images éloignées, mais seulement à l'intérieur d'un contexte approprié, qui conditionne le lecteur en lui donnant « la conscience

(104) *Contre Sainte-Beuve*, Gallimard, Idées, p. 245. C'est nous qui soulignons. Baroque en soi est l'absence de fusion entre image et contexte qui découle de la présence d'images éloignées.

(105) Cf. IP, IV, 847-848 : CP, VI, 720. Nous laissons de côté, dans cet ex., le rapport animé-inanimé dans le deuxième comparant, dont la fonction est ici de déprécier la personne humaine comme Théodose la déprécie. Cf. *supr.*, p. 31. Pour la métaphore filée, cf. *infr.*, p. 53 sq.

(106) Cf., avec un contexte différent, un cas analogue dans Be, VI, 238. Au contraire, dans le contexte du *Lys*, l'image n'a rien de comique (VIII, 972).

(107) P.-G. Castex, *Le conte fantastique en France de Nodier à Maupassant*, Corti, 1951, p. 8.

de lire un livre fantastique », et lui fait accepter l'anomalie [108]. Dans *Melmoth réconcilié*, il confère un statut ambigu à l'image : celle-ci incarne elle-même la « vision ambiguë » qui est l'une des nécessités d'une lecture fantastique [109]. Selon que le lecteur accepte ou non cette lecture, l'image perd ou retrouve un statut métaphorique. Après avoir vendu son âme au diable, le personnage principal entreprend de la récupérer en procédant à un échange avec quelque spéculateur aux abois. Il se rend à la Bourse, en pensant qu'il peut y « trafiquer d'une âme comme on commerce des fonds publics » (IX, 305). Cette possibilité fantastique se répercute et en même temps s'exprime dans une image marquée par une forte ouverture sémantique, si du moins on lui accorde une valeur métaphorique : « Nous sommes tous actionnaires dans la grande entreprise de l'éternité » (IX, 306). Ce qui était présenté d'abord comme une éventualité, puis, au niveau du langage, comme une assimilation avec comparé, se poursuit un peu plus loin au niveau de l'histoire [110]. La distance sémantique subsiste, mais, ainsi préparée, elle fait passer de plain-pied le fantastique dans l'histoire, et l'énoncé qui suit possède une valeur littérale :

> L'inscription sur le grand-livre de l'enfer, et les droits attachés à la jouissance d'icelle, mot d'un notaire qui se substitua à Claparon, fut achetée sept cent mille francs (308) [111].

La description de la danse des pierres, dans *Jésus-Christ en Flandre*, illustre plus simplement le même phénomène. Créant d'abord un effet analogique, elle déclenche une personnification qui sollicite une lecture littérale : l'on glisse alors à l'animisme [112].

Effets bizarres. Si une précision exagérée peut aboutir au comique, la bizarrerie du rapprochement n'exclut pas toujours le mode sérieux. C'est le cas en particulier pour les comparants empruntés au domaine scientifique, et qui illustrent parfaitement le jugement de Proust. En fait, l'exactitude de certains parallèles offre, passée la première surprise du lecteur, de multiples prolongements. Ainsi, l'image des

> plaisirs, qui sont là comme le gaz acide carbonique dans le vin de Champagne (Be, VI, 260)

suggère les dangers latents d'une vie dissolue, mais combien attrayante. Plus remarquable encore est une analyse de la douleur qui,

> d'abord violente comme un disque lancé vigoureusement, avait fini par s'amortir dans la mélancolie, comme s'arrête le disque

(108) T. TODOROV, « Les anomalies sémantiques », *Langages*, n° 1, mars 1966, p. 116. Il note que le phénomène est le même dans la science-fiction.

(109) TODOROV, *Introduction à la littérature fantastique*, Seuil, 1970, p. 37-38.

(110) Cf. *infr.*, p. 77 sq., et métaphore d'argent, p. 218-220.

(111) On rapprochera ces remarques sur la structure de l'image comme facteur de fantastique, de l'interprétation que Lukacs consacre au même passage. Il y définit le fantastique comme « une réflexion, menée radicalement jusqu'à son terme, sur les nécessités de la réalité sociale et cela en dépassant les limites de leurs possibilités quotidiennes, ou même réelles, de réalisation » (*Balzac et le réalisme français*, Maspéro, 1967, p. 63). Cf. *infr.*, métaphores d'argent, p. 218 sq. Cette analyse, exacte par rapport à l'exemple choisi, ne contredit pas la définition de Castex, mais laisse de côté l'aspect verbal.

(112) Cf. JCF, IX, 261-263, et *supr.*, *personnification*, p. 37.

> après des oscillations graduellement plus faibles. La mélancolie se compose d'une suite de semblables oscillations morales dont la première touche au désespoir et la dernière au plaisir (F30, II, 754) [113].

La bizarrerie n'a là rien de comique, ce qui s'explique à la fois par le contenu et par la forme même de l'image : absence d'élément satirique ou d'associations verbales. Le caractère presque pédagogique de l'image scientifique révèle déjà une tendance baroque [114].

Effets baroques. De nombreuses métaphores éloignées se rangent dans la catégorie du baroque pur. Bien entendu, les autres exemples s'y rattachent aussi de près ou de loin, puisque la bizarrerie, si elle ne suffit pas à le définir, le caractérise invariablement.

Le baroque vise donc à l'inattendu, ainsi qu'au mouvement. En même temps, il exprime des émotions extrêmes, et ne recule pas devant le grotesque. Rappelons aussi le recours habituel aux notations d'eau, de feu, de glace. Ces traits sont bien connus, mais on ne saurait trop insister sur la fréquence avec laquelle ils apparaissent chez Balzac. Toutefois, c'est un autre trait de l'esthétique baroque — la recherche de l'hyperbole ou de la contradiction — qui, rivalisant avec l'exactitude minutieuse que nous venons d'observer, peut modifier la structure sémantique par rapport aux exemples précédents. L'image que nous retenons illustre ce point de façon frappante. Elle fait naître la distance d'une accumulation de dérivations [115] dotées d'une non-pertinence plus forte que la comparaison initiale *yeux/étoiles :*

> ... Je le surpris souvent... les yeux comme *deux étoiles* fixes et quelquefois *mouillées de larmes.* Comment l'eau de cette source vive courait-elle sur une grève brillante sans que le feu souterrain la desséchât ?... Y avait-il, comme sous la mer, entre elle et le foyer du globe, un lit de granit ?... Enfin, le volcan éclaterait-il ? (H, II, 263) [116].

Les *larmes,* sur le plan des signifiés comparé secondaire après *yeux,* sont brièvement rattachées au groupe comparant *deux étoiles fixes* par une interversion qui introduit une première anomalie [117], puis redeviennent terme comparé. Elles suscitent alors le comparant source vive, à faible ouverture lui aussi. Mais source vive entraîne *grève,* puis *lit de granit,* dotés d'une non-pertinence bien supérieure, et qui deviennent les nouveaux comparants d'*yeux.* Les connotations communes aux divers comparants et comparés demeurent complètement implicites, d'une part parce que

(113) Cf. aussi : « Il y a des actes arbitraires qui sont criminels d'individu à individu, lesquels arrivent à rien quand ils sont étendus à une multitude quelconque, comme une goutte d'acide prussique devient innocente dans un baquet d'eau » (MN, V, 632).

(114) Cf. WW, p. 189, « pedagogic domestication of the remote by homely analogy », présentée comme trait baroque.

(115) Cf. *infr., métaphore filée,* p. 53 sq.

(116) Cf. notre art. « Espace et regard dans *La Comédie Humaine* », *AB 1967,* p. 334-335, pour un commentaire de cette image.

(117) Cf. *supr.,* p. 45.

les comparants principaux *étoiles, source, feu, volcan,* possèdent la clarté des symboles conventionnels, et d'autre part parce que l'énoncé développe leur non-pertinence dénotative *(grève, sous la mer, globe, lit de granit)* laissant dans l'ombre, par le recours à la métaphore, leur pertinence connotative. Il faut analyser en détail l'enchaînement des comparants pour découvrir leur justesse, et leur degré de cohérence, d'où l'image tire finalement son caractère de nécessité, malgré la contradiction qui subsiste entre les comparants *source* et *mer* [118].

Pour ou contre l'éloignement. Quantitativement, l'éloignement des termes caractérise un très grand nombre de figures d'invention chez Balzac. Qualitativement, les effets que nous avons isolés ci-dessus sont loin d'épuiser les possibilités offertes par l'image éloignée. Ils constituent des applications assez particulières, très caractéristiques de la pratique de Balzac, qui vont du comique à l'horrible [119], en passant par l'étrange et le pathétique. C'est volontairement, et nous avons dit pour quelles raisons, que nous avons laissé de côté, en les étudiant, la question de la qualité proprement esthétique de l'image. Or, que cette qualité soit en partie fonction de l'expressivité, et que l'expressivité découle de l'ouverture des termes, on l'admet maintenant sans trop de mal : la convenance des connotations frappe d'autant plus qu'elle apparaît d'abord comme improbable et, surtout depuis Reverdy et le Surréalisme, on est devenu plus réceptif aux critères esthétiques qui accordent la préférence à des images très éloignées. Valéry tenait déjà les métaphores neuves et frappantes comme caractéristiques de la meilleure poésie et créatrices d'une émotion intense parce qu'elles brisent les catégories sémantiques [120].

Certes, cette évolution du goût a favorisé, bien lentement d'ailleurs, la réévaluation qui s'imposait à propos du style de Balzac. Encore peut-on chercher à déterminer avec plus de précision quels autres facteurs s'ajoutent à l'expressivité pour créer une image qui nous paraisse belle.

Une métaphore à faible ouverture, donc, à « fondement métonymique... immédiatement (ou par peu de médiations) évident [121] », ne semble susceptible, à toutes les époques, que d'une faible justification esthétique, et cela parce qu'elle présente une faible expressivité. Qu'on en juge :

> Un côté de la lame effilé comme l'est celle d'un rasoir, et l'autre dentelé comme une scie (Cor, IX, 924).

C'est déjà à un moindre degré que l'association entre l'homme et l'animal présente un fondement métonymique assez évident [122]. De plus, elle possède un caractère de nécessité sémantique qui justifie son emploi.

---

(118) Nous renvoyons à d'autres exemples qui, tout en restant très caractéristiques, ne réunissent pas autant de traits baroques. Tous pourtant sont axés au moins en partie sur la métaphore, qui restreint l'expression de la motivation et donc des idées accessoires : P, III, 687 ; IP, IV, 932 ; CP, VI, 774 ; Pay, VIII, 202 ; ELV, X, 315.

(119) CP, VI, 774.

(120) Cf. Morse Peckham, « Metaphor : A Little Plain Speaking on a Weary Subject », *Connotation*, I, 1962, II, p. 29-46.

(121) Eco, p. 41.

(122) Encore que Balzac la renouvelle souvent, soit par des rapprochements surprenants (homme-crabe), soit par le développement des dérivations.

Ce même caractère de nécessité doit informer la métaphore éloignée pour qu'elle acquière une qualité proprement esthétique qui subsume son efficacité expressive. On s'en rendra compte en comparant la métaphore du disque en mouvement employée pour décrire l'apaisement de la douleur, que nous avons donnée comme exemple d'effet bizarre, et celle de l'étoile, de la grève et du volcan pour décrire les yeux mouillés de larmes, qui relève d'un baroque beaucoup plus riche [123]. Pourvu qu'on admette au préalable la valeur esthétique de l'éloignement, on trouvera la seconde « belle », mais non pas la première qui est, elle aussi, une métaphore éloignée. C'est que la première, malgré sa justesse et son côté imprévu, ne renvoie pas à un réseau d'associations aussi complexe que la seconde. L'ouverture sémantique y apparaît donc comme gratuite : loin de déboucher sur quelque chose de plus vaste que son point de départ, elle réduit au contraire la douleur à un phénomène non seulement scientifique, mais strictement physique [124]. Inversement, la seconde métaphore s'appuie sur des comparants dotés d'une forte charge symbolique, comme toutes les images naturelles, et qui renvoient à des codes solidement établis, littéraires ou religieux : paysage-état d'âme, correspondance entre macrocosme et microcosme. On constate que, dans ce cas, l'éloignement tient au développement des dérivations et non pas à la nouveauté des catégories [125]. Ce développement surdétermine l'image et lui confère une polysémie beaucoup plus grande.

Un troisième facteur peut s'ajouter à l'éloignement et à la nécessité sémantique pour contribuer à la qualité esthétique de l'image. Il s'agit de la nécessité phonémique. Celle-ci est inhérente au genre poétique où la mesure, la rime, par leur caractère obligé, suggèrent immédiatement l'existence d'une nécessité sémantique, réelle ou supposée, qui leur corresponde [126]. C'est ce que Jakobson entend quand il définit la fonction poétique comme la projection du « principe d'équivalence de l'axe de la sélection sur l'axe de la combinaison [127] ». La prose peut utiliser des moyens analogues, et créer une impression de nécessité au niveau de l'expression, grâce à des procédés tels que le parallélisme et l'homophonie [128]. Un dernier exemple va nous permettre d'illustrer ce point, en même temps que tous les précédents :

> Pour dire en quoi les muettes délices de cet amour différaient des passions tumultueuses, il faudrait le comparer aux fleurs champêtres opposées aux éclatantes fleurs des parterres. *C'était*

---

(123) *Supr.*, p. 48-49.

(124) On trouve dans l'article de Geneviève Poncin-Bar, p. 280-281, d'autres ex. de métaphores très éloignées à faible nécessité sémantique : le portrait-charge de la Cardinal mentionne un cou « rayé comme le bassin de la Villette quand on y a patiné » (Bou, VII, 216) ; l'escompteur Mitral est « froid comme une corde à puits » (E, VI, 904) ; la figure de l'aubergiste Rogron, personnage « à nez vineux, et sur les joues duquel Bacchus avait appliqué ses pampres rougis et bulbeux... représentait vaguement un vaste vignoble grêlé » (P, III, 660-661). S'ils glissent vers le fantastique, à cause de leur caractère insolite, quand on les lit hors du contexte, ils sont surtout comiques en tant qu'éléments dissonants d'un portrait caricatural.

(125) Cf. *infr.*, p. 69-72 (archétypes).

(126) Cf. Eco, p. 41.

(127) P. 220.

(128) Cf. *infr.*, p. 62, le couplage.

> des regards doux et délicats comme les lotos bleus qui nagent sur les *eaux*, des expressions fugitives comme les faibles parfums de *l'églantine*, des mélancolies tendres comme *le velours* des mousses ; *fleurs de deux* belles *â*mes qui naissaient *d'*une terre riche, *f*éconde, immuable (IP, IV, 520).

L'ouverture est encore peu marquée dans la première phrase, à cause de l'origine métonymique assez évidente du rapprochement entre la passion, et les fleurs qui servent à l'exprimer. Cependant, la chaîne des associations communes est déjà riche, puisqu'elle renvoie à toute la symbolique du langage des fleurs (beauté, fécondité, etc.) en même temps qu'à l'opposition entre nature et artifice. Dans la seconde phrase, l'éloignement augmente de deux manières. D'abord par le recours à des comparés différents : le rapprochement regard-fleur est beaucoup plus rare que celui de passion-fleur et les comparés *expressions fugitives*, *mélancolies tendres* reprennent et développent *muettes délices*. Ensuite à cause de la dérivation de *fleurs champêtres* en *lotos bleus*, *églantines*, *mousses* accompagnés de leurs nuances érotiques : eaux, parfums, velours, d'où une richesse et en même temps une harmonie de connotations encore bien supérieure à celle de la première phrase, et qui reflète l'élargissement de la catégorie naturelle. Mais, sans nul doute, l'impression de forte nécessité sémantique que produit cette seconde phrase s'explique tout autant par les échos rythmiques et sonores qui s'établissent sur le plan de l'expression. Au ternaire développé de *regards*, *expressions*, *mélancolies* font écho le bref ternaire des trois épithètes finales : les trois *comme* se répondent à intervalles réguliers, ainsi que les trois articles indéfinis qui introduisent chaque comparant ; et la dernière proposition fait fonction de clausule. En même temps, allitérations et assonances (que nous avons soulignées) introduisent un équilibre harmonique [129] qui contribue à l'impression d'équivalence sémantique entre les termes successifs de la comparaison. La qualité supérieure de l'image tient donc à la fois, ici, à son ouverture, qui lui assure une forte expressivité ; à la richesse des connotations, qui garantit sa nécessité sémantique ; et à l'importance des procédés phonémiques et rythmiques qui confirment, en créant une impression d'équivalence au niveau de l'expression, la nécessité sémantique du contenu. On retrouve là, sous une forme à la fois plus précise et plus complète, le principe de convenance cher à Dumarsais, car les différents critères esthétiques convergent dans la même direction : celle d'une fusion aussi étroite que possible entre les parties constituantes de l'image, en même temps que d'un jeu d'associations illimitées.

La réunion de ces trois éléments — éloignement, nécessité sémantique, nécessité phonémique — offre, nous semble-t-il, la formule la plus précise de la qualité proprement esthétique de l'image. La présence d'un seul d'entre eux est déjà la garantie d'une image digne d'intérêt. Ceci dit, le goût collectif ou individuel pourra fort bien condamner l'exemple même

---

(129) Dans *Des Artistes*, commentant « Le jour n'est pas plus pur que le fond de mon cœur », Balzac évoque une poésie qui réside dans les mots, « dans une musique verbale, dans une succession de consonnes et de voyelles » (*Œuvres diverses*, Conard, I, 358-359).

que nous avons choisi, et le trouver laborieux ou mièvre, banal ou tiré par les cheveux. Finalement, l'efficacité expressive demeure le critère qualitatif le plus stable et, en dehors de toute considération esthétique, l'image à fort écart sémantique est la plus spécifique du génie de Balzac [130].

d. Mécanismes linguistiques

Toutes les formes de métaphore et de comparaison, combinées le cas échéant, peuvent être modifiées par des mécanismes linguistiques fondés sur différentes sortes d'associations verbales. Parmi ces mécanismes, nous en avons retenu quatre qui nous semblent présenter un intérêt particulier chez Balzac : la métaphore filée ; le renouvellement du cliché ; l'image jeu de mots ; l'homophonie. Ils ne présentent pas tous le même degré de fréquence et de complexité.

I. *La métaphore filée.*

Dans *La Comédie humaine*, la prolifération des images intéresse à la fois le nombre et la longueur : il ne s'agit là que d'un seul et même phénomène à l'origine. Nous reviendrons plus tard sur la question du nombre [131]. L'image elle-même, en tant qu'unité de style, s'allonge volontiers, parfois avec luxuriance, et suscite plusieurs variantes de métaphores filées.

La métaphore filée au sens strict se développe à partir d'une seule métaphore primaire, qui déclenche une série de métaphores dérivées. A côté de ce type familier, recensé dans les classifications rhétoriques, il arrive que se côtoient, autour d'un même centre d'intérêt, plusieurs métaphores primaires appartenant à des catégories sémantiques complètement différentes, qui déclenchent à leur tour plusieurs systèmes de métaphores dérivées. On peut distinguer trois types principaux.

1. *Une seule métaphore primaire-dérivation simple* [132].

Le comparant se caractérise par son aspect traditionnel ou conventionnel, qui le rend immédiatement acceptable [133] et favorise ensuite l'élaboration d'analogies un peu moins évidentes. Voici quelques exemples de métaphores primaires : soit le cliché, simple :

---

(130) On interprète souvent comme un rapport de cause à effet l'apparition de telles images aux époques littéraires troublées : âge baroque, Romantisme, Symbolisme, Surréalisme, en opposition avec le Classicisme, qui préfère la comparaison raisonnable, l'antithèse équilibrée (WW, 187). Cette remarque peut sembler presque tautologique. Si l'on oppose Balzac à la plupart de ses contemporains, elle devient au contraire trop généralisatrice (cf. *infr.*, p. 84). Du même ordre apparaît le rapprochement entre certains types d'images et certaines attitudes philosophiques ou scientifiques : Christianisme et paradoxes ou oxymorons baroques (WW, 187 sq.), architecture baroque et découverte de la circulation sanguine (1628), qui fait succéder à une vue statique une vue inachevée et dynamique : « Ce que Woelfflin dit de l'artiste baroque, qu'il ne voit pas l'œil mais le regard, Sigerist le dit du médecin au début du XVIIe siècle : " il ne voit pas le muscle, mais sa contraction etc. " » (Canguilhem, *Essai sur... le normal et le pathologique*, 1943, p. 126). Plusieurs de ces rapprochements sont frappants, mais certains facteurs contingents, individuels, résistent à ce genre d'explication.

(131) Cf. *infr.*, p. 82 sq.

(132) Cf. pour cette terminologie, Michael Riffaterre, « La métaphore filée dans la poésie surréaliste », *art. cit.*, p. 48 sq. Il ne distingue pas d'exemples à plusieurs métaphores primaires.

(133) Cf. *ibid.*, p. 47-48.

> Ils n'ont soif que d'une certaine eau (PG, II, 885) [134],

ou renouvelé :

> il résolut de jouer tout ce monde, et de s'y tenir *en grand costume de vertu*, de probité, de belles manières (MN, V, 642) ;

soit l'allusion littéraire, qui a le même effet que le cliché :

> Quoique Chrysale, Oronte et Argante revivent, dites-vous, en moi (MM, I, 436),

et, au cas où la mémoire ou les belles-lettres feraient défaut au lecteur, on cite ses auteurs :

> La femme est le potage de l'homme, a dit plaisamment Molière par la bouche du judicieux Gros-René (Be, VI, 394) ;

soit la référence à un réel familier et facile à identifier :

> ... vous, votre galère ou votre ouvrage, avez l'air de *ces* postillons... (Phy, X, 610).

Ensuite, le système d'associations se développe le long de la même catégorie sémantique, selon le mécanisme de la sélection réciproque, qui doit aboutir à un effet de convenance de plus en plus étroit entre comparants et comparés [135], souvent favorisé par l'utilisation de la comparaison en forme. A l'appui, reprenons en entier l'exemple de *la femme est le potage de l'homme*, qui autorise finalement l'analogie entre la *blanche poitrine* d'une femme et *l'œuvre de Carême*, entre la *guipure* et les *épices* :

> La femme est le potage de l'homme, a dit plaisamment Molière par la bouche du judicieux Gros-René. Cette comparaison suppose une sorte de science culinaire en amour. La femme vertueuse et digne serait alors le repas homérique, la chair jetée sur les charbons ardents. La courtisane, au contraire, serait l'œuvre de Carême avec ses condiments, avec ses épices et ses recherches. La baronne ne pouvait pas, ne savait pas *servir* sa blanche poitrine dans un magnifique plat de guipure, à l'instar de madame Marneffe (Be, VI, 394).

Il est inutile de citer en entier les autres exemples, qui illustrent tous le même mécanisme.

2. *Une seule métaphore primaire-dérivations multiples.*

Dans ce cas, les analogies successives bifurquent vers des catégories sémantiques distinctes, mais qui toutes présentent un lien logique facilement discernable avec la métaphore primaire. Ainsi, dans cet exemple d'*Une fille d'Eve*, la lassitude qui résulte d'un bonheur édénique engendre les systèmes sémantiques *Eve-serpent*, *douceur-nausée*, *loup-bergerie* :

> Sa femme finit par trouver quelque monotonie dans un Eden si bien arrangé, le parfait bonheur que la première femme éprouva

---

(134) Cf. CA, VI, 403.

(135) RIFFATERRE, *ibid.*, p. 50-51, et *supr.*, p. 44.

> dans le Paradis terrestre lui donna les nausées que donne à la longue l'emploi des choses douces, et fit souhaiter à la comtesse, comme à Rivarol lisant Florian, de rencontrer quelque loup dans la bergerie. Ceci, de tout temps, a semblé le sens du serpent emblématique auquel Eve s'adressa probablement par ennui (FE, II, 81).

Le plus souvent, dans ce deuxième type, la métaphore primaire présente le même caractère d'évidence que dans les exemples de dérivation simple [136]. Pourtant, elle peut, grâce à une motivation plus poussée, rendre pertinente une analogie un peu moins commune. Tel est le cas dans ce développement sur le phénomène du désir chez l'homme, où l'idée intellectuelle de *progression arithmétique* constitue la métaphore primaire, et où les métaphores dérivées, sous forme de comparaisons grammaticales solidement charpentées, illustrent toutes cette idée, mais relèvent de catégories sémantiques aussi différentes que l'opium et l'art dramatique :

> L'âme humaine est soumise, dans ses désirs, à une sorte de progression arithmétique dont le but et l'origine sont également inconnus. De même que le mangeur d'opium doit toujours doubler ses doses pour obtenir le même résultat, de même notre esprit, aussi impérieux qu'il est faible, veut que les sentiments, les idées et les choses aillent en croissant. De là est venue la nécessité de distribuer habilement l'intérêt dans une œuvre dramatique, comme de graduer les remèdes en médecine (Phy, X, 727) [137].

3. *L'image boule de neige.*

Un même centre d'intérêt peut susciter plusieurs métaphores qui occupent au départ une position équivalente de métaphore primaire. Nous isolons ce troisième type, non moins significatif de la tendance à la prolifération de l'image balzacienne, en lui réservant le nom d'*image boule de neige*. Deux cas principaux peuvent se produire :

— l'accumulation des métaphores primaires entraîne un raccourcissement des dérivations :

> Cette passion, si universellement condamnée, n'a jamais été étudiée. Personne n'y a vu l'*opium* de la misère. La loterie, la plus puissante *fée* du monde, ne développait-elle pas des espérances magiques ? Le coup de roulette qui faisait voir au joueur des masse d'or et de jouissances ne durait que ce que dure un éclair ; tandis que la loterie donnait cinq jours d'existence à ce magnifique éclair (R, III, 902) :

opium et *fée* sont des métaphores primaires qui entraînent respectivement les métaphores dérivées de *cinq jours d'existence* d'une part et *magiques, coup de roulette, éclair,* de l'autre. Ce raccourcissement des dérivations s'accompagne d'une baisse de la convenance entre les termes qui caractérise d'habitude la métaphore filée, et qui ne peut s'épanouir qu'au cours d'une élaboration assez poussée.

---

(136) Cf. aussi Be, VI, 332 ; CP, VI, 571 ; E, VI, 886 ; Bou, VII, 161 ; Ch, VII, 823.
(137) Cf. FC, VI, 69-70.

Si les dérivations disparaissent tout à fait, on ne peut plus parler de métaphore filée. Il s'agit plutôt d'une enfilade de courtes métaphores autour d'un même centre d'intérêt. Tout lecteur de Balzac a remarqué la fréquence de ce phénomène :

> Puisqu'il n'y a plus de Chartreux en France, je voudrais au moins un *Botany-Bay*, une espèce d'infirmerie destinée aux petits *lords Byrons*, qui, après avoir *chiffonné la vie comme une serviette après dîner*, n'ont plus rien à faire qu'à incendier leur pays... (PCh, IX, 47) [138].

Sa valeur expressive varie selon les exemples et selon le lecteur. C'est à son propos que Pierre Laubriet avance l'hypothèse que Balzac espère, en accumulant les analogies, toucher des lecteurs très différents [139].

— Une seule des métaphores primaires finit par dominer les autres et par susciter des dérivations simples, — la dérivation multiple en co-existence avec plusieurs métaphores primaires pouvant donner lieu à des difficultés de compréhension que Balzac semble vouloir éviter. On rejoint alors le premier cas (une seule métaphore primaire à dérivation simple). Donnons-en un seul exemple, qui file la métaphore de la *mouche* aux dépens de celles de *Bertrand* [140] et du *dictionnaire de Bayle*.

> Ce *Bertrand* allait partout, recueillait les avis, sondait les consciences et saisissait les sons qu'elles rendent. Il récoltait la science en véritable et infatigable *abeille* politique. Ce *dictionnaire de Bayle* vivant ne faisait pas comme le fameux dictionnaire, il ne rapportait pas toutes les opinions sans conclure, il avait le talent de la *mouche et tombait droit sur la chair* la plus exquise, au milieu de la *cuisine* (E, VI, 887) [141].

De ces trois types, celui qui se prête aux élaborations les plus complexes est celui de la métaphore filée à dérivations multiples. Si les catégories sont trop éloignées, si le lien sémantique n'est pas souligné à chaque étape, ou si les dérivations sont trop nombreuses, on perd de vue le point de départ de la métaphore primaire et le développement acquiert une sorte d'autonomie. On frôle alors l'allégorie, comme dans le passage suivant de *Facino Cane*, où la double métaphore primaire du forçat et du héros, appliquée au musicien aveugle, entraîne trois systèmes de dérivation qui

---

(138) Cf. CP, VI, 533 ; MI, X, 1152.

(139) P. 500. Cf. *infr.*, p. 83.

(140) Autant qu'une allusion à la pièce de Scribe (*Index des Allusions littéraires*, XI, p. 1147), on verra ici une allusion à la fable de La Fontaine, *le Singe et le chat* (Fables, IX, 17), car deux pages plus haut, Balzac introduit la métaphore en ces termes : « Dans la nomenclature créée par les fabulistes, des Lupeaulx appartenait au genre des Bertrand, et ne s'occupait qu'à trouver des Ratons... » (VI, 885).

(141) Cf. B, II, 13 ; IG, IV, 13. Le cas où chaque métaphore primaire suscite des dérivations de longueur comparable est beaucoup plus rare : *Honorine* en offre un exemple où deux systèmes d'associations se développent simultanément à partir de se *repaître* et de *mirages* : « Mon pauvre Octave est heureux, je laisse son amour se repaître des mirages de mon cœur. A ce jeu terrible, je prodigue mes forces, la *comédienne* est applaudie, fêtée, accablée de fleurs ; mais le rival invisible vient chercher tous les jours sa *proie*, un *lambeau* de ma vie » (H, II, 314-315).

ne lui sont pas explicitement rattachés : caverne-brigands-lueurs ; lion-cage-barreaux ; incendie-cendres-lave-fumée-éruption-feu :

> Aucune des violentes passions qui conduisent l'homme au bien comme au mal, en font un *forçat* ou un *héros*, ne manquait à ce visage noblement coupé, lividement italien, ombragé par des sourcils grisonnants qui projetaient leur ombre sur des cavités profondes où l'on tremblait de voir reparaître la lumière de la pensée, comme on craint de voir venir à la bouche d'une *caverne* quelques *brigands* armés de torches et de poignards. Il existait un *lion* dans cette *cage* de chair, un lion dont la rage s'était inutilement épuisée contre le fer de ses *barreaux*. L'*incendie* du désespoir s'était éteint dans ses *cendres*, la *lave* s'était refroidie ; mais les sillons, les bouleversements, un peu de fumée, attestaient la violence de l'*éruption*, les ravages du *feu*. Ces idées, réveillées par l'aspect de cet homme, étaient aussi chaudes dans son âme qu'elles étaient froides sur sa figure (FC, VI, 69-70).

La phrase finale permet encore de ressaisir le fil. Mais tel n'est pas toujours le cas, et ce fil se perd complètement dans l'allégorie de la fée par laquelle Capraja évoque, tout au long d'un paragraphe de vingt lignes, les prestiges de la roulade sans mentionner celle-ci une seule fois [142].

On pourrait multiplier ce type d'exemples. Ils se situent à mi-chemin entre la métaphore filée et l'allégorie, mais, de toute façon, chacune de ces variantes révèle le même penchant pour l'expression imagée foisonnante.

II. *Le cliché renouvelé.*

Sur la multiplicité des clichés, dont nous reparlerons [143], se détachent avec régularité un petit nombre de mécanismes linguistiques qui revitalisent par leur présence des images usées.

Le mécanisme le plus fréquent, de beaucoup, opère par « addition de composantes nouvelles [144] ». Il s'agit d'une extension de l'image qui en développe les virtualités sémantiques. Ce renouvellement peut s'effectuer de deux façons légèrement différentes chez Balzac. Tout d'abord par adjonction d'un élément neuf à proprement parler, quoique compatible avec le sémantisme du cliché. Ainsi, dans cette phrase :

> Aussitôt qu'un malheur nous arrive, il se rencontre toujours un ami prêt à venir nous le dire, et à nous fouiller le cœur avec un poignard *en nous en faisant admirer le manche* (PG, II, 912).

Ou bien, plus simplement et plus souvent, par extension, en explicitant et en illustrant les possibilités de l'analogie, mais à l'intérieur du même champ sémantique :

> Les belles âmes restent dans la solitude, les natures faibles et tendres succombent, il ne reste que des galets *qui maintiennent*

(142) Cf. Do, IX, 350-351.
(143) Cf. *infr.*, p. 71, 82.
(144) Nous empruntons cette expression à M. Riffaterre, *Essais de stylistique structurale*, Flammarion, 1971, p. 170, « Le cliché dans la prose littéraire ». Le mécanisme prend le plus souvent une forme un peu particulière chez Balzac.

> *l'Océan social dans ses bornes en se laissant frotter, arrondir par le flot, sans s'user* (CM, III, 195).

Il est aisé de reconnaître dans ce mécanisme une application particulière de la métaphore filée [145]. Autre forme d'extension, un peu différente, la combinaison de deux clichés :

> Mais je paierai, dit Goupil en lançant à Zélie un regard fascinateur qui rencontra le regard impérieux de la maîtresse de poste. Ce fut comme du *venin* sur de l'*acier* (UM, III, 401) [146].

Le renouvellement par extension se prête facilement aux effets comiques. L'extension a tôt fait de ressembler à un discours sur le cliché, un métalangage en somme. Ainsi de cette métaphore filée à partir de la catachrèse *lune de miel*, où une série de clichés additionnels revêt une fonction parodique :

> Caroline a des défauts qui, par la haute mer de la *lune de miel*, restaient sous l'eau, et que la marée basse de la lune rousse a découverts. Vous vous êtes *heurté* souvent à ces *écueils*, vos espérances y ont *échoué* plusieurs fois, plusieurs fois vos désirs de jeune homme à marier (où est ce temps) y ont vu *hisser leurs embarcations* pleines de richesses fantastiques : la *fleur des marchandises* a péri, le *lest* du mariage est resté (Phy, X, 931) [147].

Dans ces cas, le sujet de l'énonciation se manifeste pour rendre perceptible le double registre de l'énoncé, donc son caractère parodique : soit observateur-narrateur, comme dans la *Physiologie du mariage*, soit personnage romanesque qui peut lui aussi s'exprimer à la première personne :

> Ne voyant rien de ces choses, tu allais creusant des abîmes et les couvrant de fleurs, *suivant l'éternelle phrase de la rhétorique* (CM, III, 196) [148].

Le recours à un registre stylistique différent de celui du cliché [149] peut remplir la même fonction métalinguistique que l'intervention d'un sujet parlant. Ainsi, l'adjonction d'un détail scientifique, à partir du cliché *presser l'éponge*, produit un effet comique qui se combine avec le renouvellement par extension :

> Cet homme-là, reprit-il, ne s'est vraiment donné la peine d'amasser son argent que pour nous. N'est-ce pas une espèce d'éponge *oubliée par les naturalistes dans l'ordre des polypiers*, et qu'il s'agit de presser *avec délicatesse, avant de la laisser sucer par des héritiers ?* (PCh, IX, 50).

---

(145) Pour d'autres ex., cf. B, II, 536 ; EG, III, 622 ; E, VI, 980 ; Cath, X, 294 ; Ser, X, 525 ; Phy, X, 680.

(146) Cf. aussi, AEF, III, 256.

(147) La deuxième partie de l'ex. associe d'ailleurs un élément neuf *(marchandises, lest)* aux clichés parodiques. Cf. CM, III, 85-86. L'extension métalinguistique peut opérer le renouvellement sans effet parodique : « C'est l'incurable résultat d'un chagrin, comme une blessure mortelle est la conséquence d'un coup de poignard... *Le chagrin a fait l'office du poignard* » (Lys, VIII, 995 ; cf. Cath, X, 210). Cf. Riffaterre, *Essais*, p. 170.

(148) Du Marsay, dans *Le Contrat de mariage*, ressemble beaucoup au *je* de la *Phys.*

(149) Registre supérieur, dit Riffaterre, *Essais*, p. 179.

A côté de ces diverses formes d'adjonction, on rencontre aussi, dans le renouvellement du cliché, deux autres mécanismes que nous allons bientôt analyser plus en détail : la substitution et l'équivoque. Dans la première, une unité nouvelle commute avec l'une des unités normales du cliché : l'expression *armé jusqu'aux dents* donne naissance aux convives « *endimanchés jusqu'aux dents* » d'*Eugénie Grandet* (III, 561) ; *langue à triple dard* donne « *plaisanteries à triple dard* » (Lys, VIII, 977) [150] ; *loup de mer* donne *loup de guérite* (Ch, VII, 1018), que M. Dagneaud rapproche d'*officier de guérite*, attesté en 1815 et en 1819, au sens de simple soldat. Ce sens ne convient évidemment pas au commandant Hulot, chef de demi-brigade dans *Les Chouans :* c'est pour sa longue expérience et pour ses manières bourrues que Hulot est implicitement comparé à un vieux marin [151].

La substitution est déjà une sorte de jeu de mots. Quant à l'équivoque, elle réunit l'emploi de deux sens d'un même mot, renvoyant à deux contextes différents. Le second contexte est souvent explicité dans l'énoncé :

> Oh ! Dieu, s'écria Minoret-Levrault, mon beau-père disait qu'il servait de *couverture* à bien des chevaux. — *Il avait des opinions de maquignon*, dit sévèrement le docteur (UM, III, 304-305).

On sait que Minoret-Levrault est maître de postes, de sorte que l'équivoque de *couverture* restitue au cliché un référent concret [152]. Parfois, le second contexte est implicite dans l'énoncé, ou plus exactement, l'équivoque ne se comprend que si l'on connaît « l'histoire ». Ainsi d'une remarque sur le colonel Chabert :

> Il a l'air d'un déterré (Col, II, 1091).

Le second contexte, quand il est exprimé, peut être considéré comme une sorte de composante supplémentaire, donc une extension. Et l'extension, sous ses diverses formes, demeure bien le procédé de renouvellement du cliché le plus caractéristique de Balzac : on y retrouve son goût de l'expression proliférante.

---

(150) Cf. BS, I, 92 ; EG, III, 618. Ce mécanisme est considéré par Marisol Amar comme un néologisme de type hapax formé par composition. Il nous semble qu'il est plus proche de la métaphore, puisqu'il ne crée pas de signifiant nouveau, mais seulement un signifié inédit. Toute la question est de savoir si l'on est en droit de parler de néologismes de sens, comme le font, par exemple, Matoré et Rifffaterre, et, si oui, de savoir comment les distinguer des autres mécanismes de substitution. Car, dans ce cas, tous les mécanismes de substitution peuvent être considérés comme des néologismes. Cf. « Le néologisme de type hapax chez Balzac », *AB 1972*, p. 343-344. Cf. *infr.*, p. 60, sur le jeu de mots par substitution.

(151) Cf. Robert DAGNEAUD, *Les éléments populaires dans le lexique de « La Comédie humaine »*, 1954, p. 101. C'est peut-être grâce au terme intermédiaire de *chien de mer*, ou, plus probablement, grâce à la parenté sémantique de *loup* et de *chien*, que Hulot est aussi nommé *chien de guérite* dans un paragraphe qui mentionne à plusieurs reprises son rang d'officier (VII, 770). M. Dagneaud signale qu'il n'a relevé ces expressions nulle part ailleurs. Tout porte à croire que Balzac est l'auteur de ces renouvellements par substitution.

(152) Cf. MJM, I, 297 ; CM, III, 85-86 ; CSS, VI, 34 ; Be, VI, 214 ; EM, IX, 748.

III. *Le jeu de mots et l'homophonie.*

Le lien entre image et jeu de mots ressort du rôle de la substitution et de l'équivoque dans le renouvellement du cliché. Certaines formes d'homophonie, comme l'allitération, peuvent se manifester en dehors de l'image. Tandis que la substitution et l'équivoque « font image » inévitablement, car l'introduction soit d'un signifiant, soit d'un signifié de rechange dans l'énoncé suscite ou du moins simule un rapport d'analogie, aussi arbitraire soit-il, entre deux signifiés.

Notre relevé a été conduit à partir des images, et non à partir du jeu de mots. Mais on va voir que, dans ce groupe, c'est bien le jeu de mots qui est à la source de l'image, et non l'inverse. En effet, si le point de départ de la figure est là encore une expression usuelle, cette dernière, à la différence du cliché, ne présente pas initialement de valeur imagée.

La *substitution* fait image en associant des signifiés peu compatibles, dont le référent est insaisissable de prime abord. Elle se différencie des autres images qui, nous l'avons vu, suggèrent toutes quelque degré de non-pertinence, parce qu'elle est formée sur une structure grammaticale préexistante dont elle tire un semblant de sens qu'elle n'aurait pas autrement : c'est le sens grammatical, exprimé par la place du mot dans l'énoncé, et non par son contenu sémantique. On parlera d' « une bêtise impertinente, *frottée d'esprit* comme le pain d'un manœuvre est frotté d'ail » (S & M, V, 660). La formule *frottée d'esprit*, incompréhensible au premier abord, s'explique dans la suite de la phrase par la substitution d'*esprit* à *ail*, qui rend le rapprochement imagé du jeu de mots pertinent grâce à la sélection réciproque. L'ordre logique est respecté dans un passage de *La Duchesse de Langeais*, où les antécédents militaires de Montriveau, ainsi que l'analogie conventionnelle entre la guerre et l'amour, facilitent les jeux verbaux auxquels se livre la phrase sur l'expression *tirer l'épée :*

> Le pauvre militaire souffrait réellement de la fausse souffrance de cette femme. Comme Crillon entendant le récit de la passion de Jésus-Christ, il était prêt à tirer son épée *contre les vapeurs*. Hé ! comment alors oser parler à cette malade de l'amour qu'elle inspirait ? Armand comprenait déjà qu'il était ridicule de *tirer son amour à brûle-pourpoint* sur une femme si supérieure (V, 171).

La comparaison préalable avec le geste de Crillon, portant la main à son épée au cours d'un sermon sur la Passion, fait valoir l'extension du cliché *tirer l'épée contre les vapeurs*. Celui-ci à son tour prépare le terrain pour la substitution *tirer son amour à brûle-pourpoint*, déjà plus audacieuse, et qui devient une véritable image où transparaît l'analogie érotique.

L'*équivoque* au contraire est instantanément acceptable. Elle ne dépend pas de la non-pertinence initiale des signifiés rapprochés, quoique celle-ci soit souvent présente de surcroît, mais de la polysémie du mot : soit sens propre et figuré, soit plusieurs sens figurés. Madame du Gua, ancienne maîtresse de Charette, est surnommée la *Jument de Charette* (Ch, VII, 944). Le mariage de la grande Nanon, qui garde à cinquante-neuf ans une apparence de jeunesse grâce à la règle de vie monastique imposée par Grandet, inspire le commentaire suivant à un *marchand de sel* de *Saumur :*

> Elle est capable de faire des enfants, dit le marchand de sel ; elle s'est conservée comme dans de la saumure, sous *(sic)* votre respect (EG, III, 628).

L'équivoque est facilement source de métaphore filée :

> Tenez, monsieur, en voilà des bras !... Elle retroussa sa manche, et montra le plus magnifique bras du monde, aussi blanc et aussi frais que sa main était rouge et flétrie ; un bras potelé, rond, à fossettes, et qui, tiré de son *fourreau* de mérinos commun, comme une lame est tirée de sa gaine, devait éblouir Pons, qui n'osa pas le regarder trop longtemps. — Et, reprit-elle, qui ont ouvert autant de cœurs que mon couteau ouvrait d'huîtres ! (CP, VI, 645).

Nous avons ici une succession de deux équivoques. Le double sens de *fourreau* entraîne la comparaison du bras avec une lame, surprenante certes, mais immédiatement compréhensible. Une seconde équivoque, sur *ouvrir*, est peut-être à l'origine de la première : le référent de *couteau* renvoie au passé de Mme Cibot, ancienne écaillère, et donne une justification supplémentaire à l'analogie bras-lame [153].

D'autres mécanismes rentrent dans la catégorie du jeu de mots : ce sont les formes d'homophonie que Fontanier nomme *figures d'élocution par consonance*, et où « il y a rapport entre les mots, non seulement quant aux sons, mais même quant aux idées ; c'est qu'à la *consonance physique* s'y trouve jointe la *consonance métaphysique :* ou que tout au moins les idées y sont plus ou moins modifiées par l'analogie des sens *(sic)* [154] ». On voit que la dernière partie de la définition peut se rattacher au mécanisme de la sélection réciproque. Toutefois, à la différence de la substitution et de l'équivoque, ces procédés ne suscitent pas forcément une image, témoin la formule paronymique suivante :

> ... Des luttes *orales et morales* où la parole trahit souvent la pensée (Be, VI, 221).

La paronomase, « réunion dans la même phrase de mots dont le son est à peu près le même, mais le sens tout à fait différent [155] », est pourtant la forme d'homophonie le plus fréquemment associée à l'image et favorise la sélection réciproque entre des termes que sépare dans l'usage ordinaire une forte distance sémantique :

> Je ne me défierai jamais du Roi, mais bien de ces *cor*morans de ministres et de *cour*tisans *q*ui lui *cor*neront aux *or*eilles des *con*sidérations sur le bien public (Ch, VII, 987) [156].

---

(153) Cet enchaînement logique n'épuise pas toutes les implications de l'image. Cf. *infr.*, p. 94-95. On notera aussi que la seconde équivoque constitue un renouvellement de cliché, ce qui met en relief l'identité des deux mécanismes. Pour d'autres ex. d'équivoques, cf. AS, I, 756 ; FE, II, 76 ; B, II, 618 ; CM, III, 157 ; IP, IV, 712 ; Be, VI, 486. Ils sont innombrables.

(154) P. 344-345 et sq. Ne s'agit-il pas d'une coquille, et ne faut-il pas lire *sons* à la place de *sens ?* Ces figures comprennent l'allitération, la paronomase, l'antanaclase, l'assonance, la dérivation, le polyptote.

(155) *Ibid.*, p. 347.

(156) « Sobriquet injurieux », dit Boiste à l'article *cormoran.* Cf. : « C'était *q*uatre des plus hardis *c*ormorans *éc*los dans l'*éc*ume *q*ui *c*ouronne les flots incessamment renouvelés de la génération présente » (MN, V, 592).

L'effet analogique peut être intensifié par un processus de convergence phonémique, sémantique et grammaticale. On se souvient de cette formule de *La Maison du chat-qui-pelote*, d'ailleurs empruntée à Chamfort :

> Dans ces grandes *crises*, le cœur se *brise* ou se *bronze* (I, 68) [157].

Dans un exemple de *La Fille aux yeux d'or*, peut-être encore plus connu, l'homophonie, au lieu de rapprocher des signifiés assez éloignés, met en relief la synonymie des mots :

> Là tout *f*ume, tout *br*û*l*e, tout *bri*lle, tout *b*ouillonne, tout *fl*am*be*, *s'é*v*a*pore, *s*'éteint, *s*e ra*llume*, étin*celle*, pét*ille* et *s*e con*sume* (FYO, V, 255),

bel exemple de métaphore articulatoire qui souligne la relation entre les comparants par l'emploi de l'allitération et de l'assonnance, associées à une série synonymique [158]. On peut même parler de *couplage* pour les quatre premiers verbes, qui, chacun précédé de *tout*, occupent une position symétrique dans l'énoncé, ont un sens très voisin, la même forme grammaticale, et présentent justement l'homophonie la plus marquée [159].

A la différence des autres jeux de mots que nous avons relevés, et qui tous s'accompagnent d'un effet humoristique, l'homophonie n'est pas forcément comique, on le voit. Il en va de même de certains noms de personnages à valeur imagée où image et jeu de mots apparaissent comme indissociables.

La correspondance entre le nom et le personnage balzacien déborde les limites du jeu de mots. On a déjà beaucoup écrit sur cette question [160]. On a maintes fois commenté le célèbre début de *Z. Marcas*, sur lequel nous allons bientôt revenir. Mario Roques a parlé de « l'harmonie discrète du nom de Mortsauf », qui contient d'ailleurs un jeu de mots [161]. Cette théorie découle d'une conception emblématique du langage, largement répandue à l'époque, que Balzac a souvent proclamée, même s'il lui est aussi arrivé de la renier. Cette conception n'est pas neuve. Curtius passe en revue l'emploi étymologique des noms chez Homère, dans l'Ancien Testament, dans les littératures latine et médiévale, chez Dante, qui l'a transformé « en un

---

(157) *Scènes de la vie privée*, éd. P.-G. Castex, Cl. Garnier, p. 97, Note.

(158) M. Citron note l'influence des v. 149-150 du *Paris* de Vigny sur ce passage : « Tout brûle craque, fume et coule ; tout cela / Se tord, s'unit, se fend, tombe là, sort de là... » (*op. cit.*, T. II, p. 221). Balzac a accentué les effets phoniques déjà utilisés par Vigny.

(159) S. R. Levin, s'inspirant de Jakobson, a décrit sous le nom de couplage ce phénomène de convergence entre la place, le sens et les sonorités des mots (*Linguistic Structures in Poetry*, S. Gravenhague, 1963, p. 33-35). Dumarsais (p. 288) avait relevé le même procédé, limité aux finales, chez saint Augustin, et l'avait catalogué sous le nom de *similiter cadens*.

(160) Cf. par ex. A. Béguin, *B. visionnaire*, Skira, 1945, p. 189-190. Jeanne Genaille, « Pouvoir d'un prénom, Théodore », *AB 1972*, p. 386-392. Et surtout Jean Pommier, « Comment B. a nommé ses personnages », in *Cahiers de l'AIEF*, juil. 1953, p. 223 à 234.

(161) Cf. « La Langue de B. », in *Le Livre du Centenaire*, Flammarion, 1952, p. 251-252.

mysticisme énigmatique dans la *Vita Nuova* [162] ». Balzac s'inscrit là dans une tradition à la fois philosophique et rhétorique :

> Le Cratyle de Platon traite, comme on le sait, de l'origine des langues. La désignation des choses vient-elle de leur " nature " ou d'une " convention " ? Peut-on connaître l'être lui-même d'après son nom ? Oui, dit la rhétorique antique... [Au Moyen-âge], la poésie faisait partie de la rhétorique, et l'étymologie étant une des bases de la grammaire et de la rhétorique, celle-ci demeura un " ornement " obligatoire de celle-là [163].

Le dix-huitième reprend la question [164] et Balzac a certainement perçu au moins des échos du débat [165]. Telle page de *Louis Lambert* révèle l'étendue de ses spéculations dans ce domaine [166]. On y trouve, sans doute sous l'influence de Nodier, l'idée d'une langue naturelle à la fois unique et diversifiée selon le génie de chaque peuple [167], ainsi que l'écho d'une réflexion avertie sur le passage de la parole aux différentes formes de l'écriture.

La forme la plus pure du cratylisme se fonde sur une mimesis articulatoire directe : le nom doit imiter « l'essence de chaque objet au moyen de lettres et de syllabes [168] ». Elle ne présente donc qu'un rapport lointain avec l'onomatopée, qui est l'imitation par la parole du bruit émis par un objet, et non de son essence. Le développement de *Louis Lambert* sur le mot *vrai* illustre très précisément ce type de mimesis et sa différence avec l'onomatopée :

> N'existe-t-il pas dans le mot VRAI une sorte de rectitude fantastique ? Ne se trouve-t-il pas dans le son bref qu'il exige une vague image de la chaste nudité, de la simplicité du vrai en toute chose ?

---

(162) *Litt. eur. et moy.-âge latin*, « L'étymologie considérée comme forme de pensée », p. 605 (Trad. Ed. de Places, PUF, éd. de 1956).

(163) *Ibid.*, p. 600 et 602. Cf. aussi « Les anagrammes de F. de Saussure », prés. par J. STAROBINSKI, *Mercure de France*, fév. 1964, p. 243, où l'analyse d'un procédé différent (reconstitution du nom d'un personnage par anagramme, chez Homère par ex.) révèle le même souci d'établir des corrélations supplémentaires entre le contenu et l'expression, et J. STAROBINSKI, *Les mots sous les mots*, Coll. « Le Chemin », Gallimard, 1971.

(164) Cf. G. GENETTE, « Avatars du cratylisme, I. Peinture et dérivation », *Poétique* 11, 1972, sur le président de Brosses, et II. « L'Idéogramme généralisé », *Poétique* 13, 1973, sur Court de Gébelin.

(165) Du côté des mystiques, il avait lu Oegger, qui affirme le développement, à la suite d'une « langue entièrement universelle par *images naturelles* », d'une « langue naturelle par sons articulés, quoique infiniment moins riche que la première... Certains noms pourraient être alors comme des noms naturels. » (*Le vrai Messie*, Paris, 1829, p. 111, n. 1.) Cf. aussi SWEDENBORG, *Du Ciel et de l'Enfer*, Bruxelles, 1819, « Du langage des anges », p. 234 sq. Par ex. p. 241, les remarques sur les voyelles *u* et *o*, qui expriment la bonté, *e* et *i* la vérité, etc. H. Evans rappelle que « dans sa maturité B. se ralliera à la doctrine de l'origine sociale du langage », comme en fait foi le *Catéchisme social* (1840-1842, éd. B. Guyon, p. 112). Cf. EVANS, « A propos de L. Lambert. Un illuminé lu par B. : Guillaume Œgger », *RSH*, jan-juin 1950, p. 45. A comparer avec GRANDVILLE, *Les fleurs animées*, 1846, p. 343 (les noms de fleurs et les noms de femme) : le caractère de chaque fleur se lit pour ainsi dire dans son nom ». Voir *infr.*, p. 72 et 84.

(166) LL, X, 355-356.

(167) Cf. GENETTE, « Avatars du cratylisme, III. Langue organique, langue poétique », *Poétique* 15, 1973, consacré à Nodier, en part. p. 271-273.

(168) Cf. GENETTE, « L'Eponymie du nom », *Critique*, déc. 1972, n° 307, p. 1038.

> Cette syllabe respire je ne sais quelle fraîcheur. J'ai pris pour exemple la formule d'une idée abstraite, ne voulant pas expliquer le problème par un mot qui le rendît trop facile à comprendre, comme celui de VOL, où tout parle aux sens (X, 356).

Le patronyme relèvera de l'onomatopée encore moins que le nom commun, car il tente d'imiter par le son un trait caractéristique de l'être, soit physique (donc le plus souvent du domaine auditif), soit moral. Balzac ne recourt guère à cette forme de cratylisme direct. Mais il a conscience des possibilités qu'elle offre et a tenté d'y couler, non sans quelque sophisme, le nom de Mme de Listomère :

> Ceux-là même auxquels le système de cognomologie de Sterne est inconnu, ne pourraient pas prononcer ces trois mots : MADAME DE LISTOMÈRE ! sans se la peindre noble, digne, tempérant les rigueurs de la piété par la vieille élégance des mœurs monarchiques et classiques, par des manières polies ; bonne, mais un peu froide, légèrement nasillarde ; se permettant la lecture de la nouvelle Héloïse, la comédie, et se coiffant encore en cheveux (III, 817) [169].

On peut, avec quelque bonne volonté, discerner dans l'euphonie des trois syllabes la quintessence du nom noble. Mais c'est en réalité la particule qui assure cette identification [170]. Et son efficacité est déjà un exemple de cratylisme secondaire [171], c'est-à-dire indirect, comme nous allons le voir. A partir de là, Balzac a beau jeu de faire tenir dans le nom tous les traits typiques, selon lui, de la vieille aristocrate post-révolutionnaire.

A part l'exception complexe de Z. Marcas, les autres exemples sont simplement fondés sur l'équivoque. On entre dans le domaine de la dérivation et du cratylisme secondaire : le nom continue à évoquer l'essence de l'être, mais par l'étymologie et non par l'imitation vocale. L'élément sonore fonctionne par homonymie ou paronymie. Le patronyme est doté du sémantisme du nom commun qu'il répète ou rappelle, et fonctionne comme un surnom. Il convient donc de mettre sur le même plan noms et surnoms.

L'association entre l'être et le trait retenu peut s'opérer par métonymie, par synecdoque et par ressemblance. Il est rare qu'elle se limite à la métonymie, car cette dernière désigne simplement un aspect accessoire de la personnalité : ainsi, Facino Cane, dont le nom s'écrit Canet à Paris, est surnommé père Canard par ses camarades musiciens, pour les nombreuses fausses notes qu'il se permet en jouant de la clarinette dans les bals populaires. Ce surnom repose sur un rapport de contiguïté pure et simple et ne se rattache en rien à l'essence du personnage. Celle-ci, au contraire, s'exprime par un rapport d'inclusion : l'être est non seulement caractérisé, mais résumé

---

(169) Trois autres passages associent le nom de Sterne à cette théorie : B, II, 391 ; UM, III, 268 ; *Préf.* d'*Une fille d'Eve*, XI, 378. Jean Pommier, dans son étude particulièrement pénétrante et documentée, signale aussi l'influence d'Eugène de Salverte, cité dans *La Peau de chagrin* (IX, 153). Cf. *op. cit.*, p. 224.

(170) Cf. sur ce nom, Bernard VANNIER, *L'Inscription du corps*, Klincksieck, 1972, p. 92.

(171) Terme proposé par GENETTE, *in* « Avatars... », I, p. 394.

par le trait retenu. D'où la synecdoque du patronyme de Lebas, le gendre marchand de drap et terre-à-terre de *La Maison du chat-qui-pelote.* Quant aux patronymes fondés sur la ressemblance, ils illustrent en même temps un rapport synecdochique : Bette est maintes fois comparée à une bête, par une ressemblance morale fondée sur l'homonymie, mais les nombreuses notations qui insistent sur la force et même la prédominance de l'instinct chez elle transforment cette ressemblance en inclusion. Bette est bien réellement une bête, exactement comme Lebas est bas. De même, Gobseck n'est pas seulement semblable à un avaleur d'or, mais c'est l'or et les possessions qui le gardent en vie, et qui lui tiennent lieu de nourriture [172]. Le rapport de contiguïté glisse facilement, lui aussi, au rapport d'inclusion. C'est d'abord par métonymie, simplement pour son élégance, que Paul de Manerville est surnommé *la fleur des pois*, puisque ce sobriquet désignait, sous l'Ancien Régime, « la florissante jeunesse des Beaux, des Petits-Maîtres d'autrefois, et dont le langage, les façons faisaient loi » (CM, III, 92). Mais, bien vite, la description exploite le potentiel sémantique du surnom, pour en faire le signe essentiel de l'être :

> Paul était bien cette fleur délicate qui veut une soigneuse culture, dont les qualités ne se déploient que dans un terrain humide et complaisant, que les façons dures empêchent de s'élever, que brûle un trop vif rayon de soleil, et que la gelée abat (III, 92).

Le raffinement de l'élégance devient délicatesse, et du trait accessoire on passe au principe constitutif.

Quand le nom décrit par antiphrase, c'est encore selon les mêmes rapports sémantiques — synecdoque, le plus souvent, comme pour l'infortunée Félicité des Touches, dont le nom est « la plus sauvage raillerie [173] », et la superbe Modeste Mignon. Soulignant l'ambivalence du procédé cratylique, Balzac fait le commentaire suivant du nom de Minoret-Levrault :

> En pensant que cette espèce d'éléphant sans trompe et sans intelligence se nomme Minoret-Levrault, ne doit-on pas reconnaître avec Sterne l'occulte puissance des noms, qui tantôt raillent et tantôt prédisent les caractères (UM, III, 268).

Ce dernier exemple est fondé non plus sur l'homonymie, mais sur la paronymie, que Balzac manie avec beaucoup de dextérité, et qui témoigne d'un peu plus d'invention, en créant un mot nouveau, quoique très proche, par le son, du mot préexistant : *Minoret-Levrault* connote par synecdoque la joliesse menue du jeune lièvre ou du lèvrier, *Gaudissart*, forgé sur « se gausser », évoque, par synecdoque encore, les facéties de son propriétaire, ou, par métonymie, les rires qu'il suscite chez autrui. L'énoncé peut même expliciter la dérivation paronymique, créant ainsi une consonance supplémentaire : « Goulard, tu as été goulu » (TA, VII, 496), dit la comtesse de Cinq-Cygne à un bourgeois acquéreur de biens nationaux.

---

(172) Cf. *infr.*, métaphore alimentaire, p. 271-272.

(173) B, II, 391. Cette utilisation à rebours de l'étymologie est ancienne elle aussi : Curtius signale qu'on peut procéder *ex causa, ex origine* et *ex contrariis* (*op. cit.*, p. 602).

Ainsi, homonyme ou paronyme, le nom, qui désigne le trait dominant du personnage, recèle aussi son destin : « Je ne voudrais pas prendre sur moi d'affirmer que les noms n'exercent aucune influence sur la destinée » (VII, 736), écrit Balzac dans *Z. Marcas*. On a vu comment le surnom de la *fleur des pois*, d'abord simple synonyme d'élégance, en venait à suggérer la délicatesse morale de Paul de Manerville. Lors de son mariage imprudent, il suscite d'autres jongleries verbales, cette fois prophétiques, auxquelles se livrent les invités :

> Natalie est trop belle pour ne pas être coquette. Une fois qu'elle aura deux ans de mariage, disait une jeune femme, je ne répondrais pas que Manerville ne fût un homme malheureux dans son intérieur. — La *Fleur des pois* serait donc *ramée* [174] ? lui répondit maître Solonet. — Il ne lui fallait pas autre chose que cette grande *perche* [la fiancée], dit une jeune fille (III, 157).

Tout l'avenir du mariage est contenu dans cette série d'équivoques, que le reste de la nouvelle actualise sur le plan de l'histoire.

Si l'on excepte l'exemple forcé de Mme de Listomère, c'est par l'étymologie, ou suggestion par le sens, que tous ces noms de personnage cherchent à créer une concordance entre le mot et l'essence de l'être qu'il désigne. De la sorte, ils reculent d'un degré l'arbitraire du signe, que cherche à nier ou à corriger le cratylisme, et introduisent une certaine convenance entre signifiant et signifié. C'est pourquoi il est juste de parler à leur propos de cratylisme secondaire. Cependant, Balzac a repris et amplifié avec *Z. Marcas* la tentative esquissée pour Mme de Listomère. Il tente d'établir de façon concrète une concordance directe entre les phonèmes de ce nom et les traits qui constituent l'essence du personnage et préfigurent son avenir, mais il ne réussit pas à éliminer tout à fait la motivation étymologique. Il faut bien admettre en effet que, si les associations ne paraissent pas surprenantes, c'est à cause de l'homophonie de *Marcas* avec *macabre* et *martyr* (ainsi d'ailleurs qu'avec *Balzac*) :

> Marcas ! Répétez-vous à vous-même ce nom composé de deux syllabes, n'y trouvez-vous pas une sinistre signifiance ? Ne vous semble-t-il pas que l'homme qui le porte doive être martyrisé ? (VII, 736).

Mais il ne se contente pas d'affirmer ces associations. Il cherche à les justifier par une relation directe entre les sons et l'essence ou le destin du personnage :

> Quoique étrange et sauvage, ce nom a pourtant le droit d'aller à la postérité... Il est bien composé, il se prononce facilement, il a cette brièveté voulue pour les noms célèbres (*ibid*).

Il hésite entre simple onomatopée suggérant la chute physique, peut-être à l'imitation de *cascade* ou *cataracte* [175], et consonance symbolique suggérant

---

(174) *Ramé* : jeune cerf dont le bois pousse ; *ramer* : soutenir (une plante grimpante, des pois) avec une rame.

(175) Cf. NODIER, *Dictionnaire raisonné des onomatopées françaises*, 1808, art. *cascade :* « la première syllable est un son factice qui fait rebondir la seconde, et cet effet représente d'une manière vive le bruit redondant de la cascade ». (Cité par GENETTE, « Avatars... », III, p. 283.)

la chute morale, quand il assigne une fonction prophétique au patronyme :

> Marcas ! N'avez-vous pas l'idée de quelque chose de précieux qui se brise par une chute, *avec ou sans bruit* ? (737).

Le cas de Z. Marcas se distingue aussi des autres par ses références au mimétisme de l'écriture. Il considère d'ailleurs l'écriture sous des angles différents. Tout d'abord, telle qu'elle sert à noter la langue française, en tant que système alphabétique. Il s'agit là d'une forme de cratylisme qu'on pourrait qualifier de « tertiaire » : c'est en effet par une triple convention que le Z est à la fois la représentation écrite d'un certain phonème, lui-même conventionnel, et la dernière lettre de l'alphabet. Cette convention une fois acceptée, il s'agit de la motiver en en tirant parti :

> Il existait une certaine harmonie entre la personne et le nom. Ce Z qui précédait Marcas, qui se voyait sur l'adresse de ses lettres, et qu'il n'oubliait jamais dans sa signature, cette dernière lettre de l'alphabet offrait à l'esprit je ne sais quoi de fatal (736).

C'est par la même convention que la signature a sept lettres. Mais on peut motiver ce chiffre en rappelant sa signification et en lui attribuant une valeur prophétique :

> Examinez encore ce nom : Z. Marcas ! Toute la vie de l'homme est dans l'assemblage fantastique de ces sept lettres. Sept ! le plus significatif des nombres cabalistiques. L'homme est mort à trente-cinq-ans, ainsi sa vie a été composée de sept lustres (737).

Qui plus est, Balzac tente de rapprocher l'écriture alphabétique de l'écriture symbolique, laquelle est indirectement mimétique, en attribuant au Z un caractère figuratif :

> Ne voyez-vous pas dans la construction du Z une allure contrariée ? Ne figure-t-elle pas le zigzag aléatoire et fantasque d'une vie tourmentée ? (736-737) [176].

Comme le fait observer Genette, l'écriture symbolique, de même que la dénomination par ressemblance, par contiguïté ou par inclusion, est fondée sur une dérivation : on peint un œil pour désigner la prévoyance, un oiseau pour la vitesse [177]... et on trace le zigzag du Z pour signifier une vie tourmentée. Il s'agit donc là encore de cratylisme secondaire. Mais exploiter la forme du Z, c'est corriger l'arbitraire de l'écriture et, par là même, du nom qu'elle sert à noter. Même dérivé, le mimétisme de l'écriture, comme celui du son, est un effort pour motiver le nom du personnage.

La date relativement tardive de *Z. Marcas* (1840), aussi bien que la longueur du développement, attestent la permanence d'un tel souci chez

---

(176) *Louis Lambert* exprime le même espoir de conférer à l'écriture alphabétique une vertu cratylique primaire, puisque la forme des lettres doit imiter l'essence platonicienne de l'objet : « L'assemblage des lettres, leurs formes, la figure qu'elles donnent à un mot, dessinent exactement, suivant le caractère de chaque peuple, des êtres inconnus dont le souvenir est en nous » (X, 355).

(177) Cf. « Avatars... », I, p. 388.

Balzac. Au reste, ce souci de motivation ne se restreint pas au nom de personne : la réflexion sur le calembour patronymique peut d'abord servir à éclairer les autres formes du jeu de mots et en particulier à nuancer leur portée comique. Que l'élément comique soit important et représente parfois la seule justification du jeu de mots, on ne le contestera pas. Mais la relation du jeu de mots avec l'image est plus subtile. Les exemples sérieux d'homophonie et de calembour patronymique démontrent que le comique n'y est pas inhérent. Si le jeu de mots fait sourire même dans les exemples sérieux, c'est en vertu des critères esthétiques classiques [178]. Il va de soi que Balzac a conscience de ces ressources humoristiques et en fait usage. Cependant, le discours de Mme Cibot que nous avons cité, et l'équivoque par laquelle ses bras sont comparés à des couteaux ne seraient pas déplacés dans une tragédie de Shakespeare, et se prêteraient à une interprétation qui est d'ailleurs sous-jacente au texte de Balzac [179]. Et l'on pourrait en dire autant de maints autres exemples.

De tels procédés utilisent le signifiant comme générateur de texte. Tel est le cas aussi pour d'autres classes d'images, comme la métaphore filée, en grande partie fondée sur l'association verbale. Qui plus est, si l'association verbale n'est pas toujours le point de départ de l'image, elle joue souvent au cours de la sélection réciproque. On ne saurait donc guère imaginer, finalement, une image qui ne manifeste à quelque degré, à côté des fonctions référentielle, conative et émotive, la fonction poétique du langage, « l'accent mis sur le message pour son propre compte [180] ».

Le rapport qui unit fonction poétique et motivation s'exerce de signifiant à signifié. Si, comme le dit Jakobson, la fonction poétique « approfondit la dichotomie fondamentale des signes et des objets [181] », elle affirme par là même l'interdépendance du signifiant et du signifié, dans les cas où le jeu des sonorités crée des signifiés par association. En effet, d'un côté l'autonomie du signe par rapport au référent repose au départ sur le caractère conventionnel des mots, c'est-à-dire sur le manque de convenance entre les signes et les objets, mais, de l'autre, la fonction génératrice du signifiant introduit une nécessité perceptible entre signifiant et signifié. Le cratylisme secondaire ne joue dons pas seulement pour le nom de personne, il est aussi l'une des composantes du jeu de mots. Il se manifeste encore dans le processus de la sélection réciproque, qui assure la polysémie de l'image. Finalement, fonction poétique et motivation convergent, comme le prouve l'examen des formes que nous avons successivement analysées. L'apparition de ces formes manifeste un degré de choix qui, en motivant fortement le langage [182], lui confère sa qualité poétique. Car, en créant une nouvelle relation causale, au second degré, de signifiant à signifié, elle souligne l'indépendance du signe par rapport au référent. Tous les mécanismes que nous avons étudiés se jouent, dans leurs aspects

(178) Chez Hugo, à côté d'effets de bouffonnerie et d'exubérance cocasse, on peut trouver une utilisation sérieuse du jeu de mots, comme procédé de mise en relief de l'idée, et inversement, comme un des modes de l'ambiguïté du langage.

(179) Cf. *infr.*, p. 95.

(180) Jakobson, *op. cit.*, p. 218.

(181) *Ibid.*, p. 218-219.

(182) Le goût de Balzac pour l'argot, langage en création continuelle, illustre aussi l'effort pour motiver le langage.

les plus spécifiques, au niveau du signifiant et du signifié, et fonctionnent sans égard au référent. C'est précisément ce type d'interaction que décrit Balzac quand il parle d'un article de Lucien de Rubempré « où la pensée résultait du choc des mots, où le cliquetis des adverbes et des adjectifs réveillait l'attention » (IP, IV, 778).

C. CONDITIONS D'APPARITION DE L'IMAGE

D'où viennent les images ? Quand apparaissent-elles et pourquoi ? Aussi neuve que paraisse une image, il est extrêmement rare que cette nouveauté tienne à la catégorie d'où le comparant est tiré. Toute image d'invention, quelle qu'en soit l'origine, est intériorisée et repensée par l'auteur, et c'est à cette alchimie qu'elle doit sa singularité. Le degré d'ouverture entre les termes, ou bien le détail de l'analogie, ou enfin la combinaison des deux, sont les véritables facteurs qui donnent à une image son caractère unique. C'est pourquoi, même s'il est possible et juste de distinguer jusqu'à un certain point entre automatisme et invention, il serait arbitraire de chercher à distinguer entre sources externes et sources internes [183]. Par contre, on peut examiner la question de l'origine des images, à la fois sous l'angle général et du point de vue particulier de l'auteur et de l'œuvre.

a) La culture de relais comme source des images

Pour désigner le fonds commun où puise l'écrivain, nous empruntons à Pierre Abraham le terme de *culture de relais* qu'il a forgé à l'intention de Balzac [184]. Toutefois, il n'est pas possible de retenir les prémisses sur lesquelles s'appuie sa définition, ni le jugement sur Balzac qu'elles lui servent à motiver. En effet, on ne saurait accepter le partage tranché qu'il opère entre un monde abstrait, perçu intellectuellement et en surface, et un monde naturel, senti en profondeur.

Le fait qu'il affecte Balzac au premier et lui dénie la qualité de poète s'accompagne heureusement de nombreux distinguos qui nuancent le caractère simpliste d'un tel classement [185]. Même ainsi, on peut penser qu'il y aurait renoncé s'il avait vu que la culture de relais n'est pas inséparable de l'automatisme et peut susciter des associations affectives aussi bien qu'intellectuelles, puisqu'elle désigne, d'après la définition toujours valable d'Abraham, le bagage de connaissances ou de croyances littéraires et scientifiques, écrites ou orales, transmises à l'homme de génération en génération.

Si cette somme de connaissances peut non seulement s'appréhender de manière abstraite, mais être vécue et sentie en profondeur, et s'il n'y a pas de rupture entre ces deux modes d'expérience, c'est en partie parce que, bien souvent, la culture de relais n'est qu'une manifestation, localisée

---

(183) Cf. *infr.*, p. 95.

(184) Les *codes de référence* ou *codes culturels* que R. Barthes décèle dans *Sarrasine* ne sont guère différents de cette *culture de relais*. Cf. *S/Z*, p. 25 et le brillant développement de la p. 211.

(185) *Créatures chez Balzac*, Gallimard 1931, p. 308 à 312.

dans le temps ou dans l'espace, des grandes images primordiales [186]. « L'aigle de Balzac, ce n'est pas l'aigle animal volant, mais l'aigle héraldique et l'aigle fabuleux [187] », écrit Abraham avec raison, mais sans s'aviser qu'il illustre ainsi la convergence entre tradition et archétype. Son erreur, nous semble-t-il, est de croire que la symbolique ne peut pas être la source d'une véritable création. Ce qui distingue un cliché d'une image fondamentale, ce n'est pas la signification, c'est l'expression, soit figée au niveau du langage, soit au contraire intériorisée et recréée avec des mots différents. C'est pourquoi le cliché renouvelé tend à se confondre avec l'image d'invention. C'est pourquoi l'image d'invention ne crée pas à partir d'une catégorie nouvelle. Stylistiquement, l'image atteint son but par une alliance de connu et d'inconnu, la part d'inconnu se concentrant dans l'expression et dans le rapprochement entre tel comparant et tel comparé.

Parfois, la convergence entre tradition et archétype se manifeste dans un même passage, parfois elle ressort de la mise en regard des images d'une même catégorie. Cette seconde possibilité est une véritable constante, illustrée par toutes les grandes catégories métaphoriques de *La Comédie humaine :* lumière, eau, minéraux, végétaux, animaux, musique, religion, nourriture, argent, vêtements, armes et blessures, et même certains métiers. Les *topoï* tels que les métaphores théâtrale, artistique, littéraire, mécanique ou scientifique, ont une source culturelle, sans que ce trait implique forcément superficialité ou pur intellectualisme. Ils jouent le rôle d'archétype, et fonctionnent de la même manière que les images fondamentales. Pour donner une idée des diverses sources décelables dans une même catégorie, citons simplement une métaphore de nourriture, où la couche externe, culturelle, est constituée par une allusion à la famille des Borgia, en même temps que le parallélisme entre l'amour et la nourriture met en œuvre le sens original de la métaphore. L'exemple, emprunté à la *Physiologie du mariage*, décrit l'épouse réticente qui, en proie à une « passion involontaire » pour un autre, demeure

> au sein des plaisirs... comme ce convive averti par Borgia, au milieu du festin, que certains mets sont empoisonnés : il n'a plus faim, mange du bout des dents, ou feint de manger. Il regrette le repas qu'il a laissé pour celui du terrible cardinal, et soupire après le moment où, la fête étant finie, il pourra se lever de table (X, 633).

Nous aurons l'occasion, avec chaque catégorie, d'étudier en détail l'origine primordiale de l'image, qui en détermine l'interprétation, avec des modifications dues aux facteurs individuels. Au contraire, la question de la culture de relais nécessite quelques remarques préliminaires. A la fois à cause de l'étendue de l'œuvre, de son caractère narratif, de sa forte densité métaphorique, sur laquelle nous reviendrons, la part de la culture

---

(186) Rappelons que c'est cette origine culturelle, archétypale et psychanalytique de l'image qui explique l'importance de la relation métonymique dans la métaphore : cf. *supr.*, p. 25, N. 34, et p. 28-29.

(187) P. 308.

de relais est très grande dans le texte métaphorique balzacien. Elle fournit un fonds commun toujours disponible, et facilement transmissible. Cela, Abraham l'a admirablement démontré. A ses conclusions, nous n'avons à ajouter qu'une précision, qui les confirme : s'il arrive que les images d'un écrivain soient empruntées à la réalité sociale contemporaine, tel n'est pas le cas chez Balzac, ou bien exceptionnellement. Il est frappant de voir, au contraire, comment ses diverses métaphores sociales relèvent de la culture de relais, laquelle n'a pas encore assimilé les traits de la société contemporaine [188]. Les noms de métiers qui lui servent de comparants ont tous un caractère atemporel. Rois, esclaves, militaires, courtisanes, savants, médecins, sont les personnages, le plus souvent immémoriaux, de cette société métaphorique. Quand par hasard ils sont individualisés, ils appartiennent en général au passé, soit récent, soit ancien [189].

Il reste à poser la question du lien entre cliché, culture de relais et archétype. Abraham l'a résolue beaucoup trop vite, en identifiant les deux premiers à l'automatisme, ou plutôt en n'approfondissant pas suffisamment cette notion d'automatisme. Nous avons vu que le degré d'invention d'une image ne réside pas dans l'originalité de la provenance. Peut-être serait-il encore plus juste de dire que ce sont les catégories les plus courantes qui favorisent l'inspiration, à cause de leur polysémie plus grande, de même que « les mots les plus communs... sont ceux qui sont pris le plus fréquemment dans un sens figuré et qui ont un plus grand nombre de ces sortes de sens [190] ». Les vrais créateurs redécouvrent les mêmes images. Cela dit, le cliché non renouvelé fait-il partie de la culture de relais ? Ensuite et surtout, peut-il avoir une valeur métaphorique ?

Les mêmes clichés, tels le *feu des yeux*, les *rênes du pouvoir*, comme les mêmes proverbes, apparaissent dans diverses langues, avec quelques variantes. Cette preuve linguistique confirme leur origine archétypale. Dans le cliché culturel, tels le *nœud gordien*, l'*épée de Damoclès*, le *fruit défendu*, qui sont communs à des langues de civilisation voisine, l'allusion précise ne fait que recouvrir un fond archétypal [191]. S'il est des clichés limités à une langue ou à une époque, ils peuvent encore s'expliquer de la même manière, ainsi le loup-cervier déjà cité, très circonscrit dans le temps au sens de financier rapace, et qui relève évidemment de la symbolique animale. Il s'agit là d'une loi générale, même si des exceptions semblent possibles. Au niveau des signifiés, le stéréotype fonctionne comme l'archétype, et, à plus forte raison, comme le topos.

---

(188) Il va de soi que nous généralisons. Dans *Le Cousin Pons*, une allusion d'actualité aux railways fournit le point de départ d'une image-thème, la métaphore du gravier. Cf. VI, 541.

(189) Cela n'exclut pas complètement les références à des personnalités vivantes. Mais dans ce cas l'image ne gravite pas autour de l'idée principale de métier. P. Abraham a étudié les coordonnées chronologiques des références aux personnages historiques, littéraires et artistiques. Cf. *op. cit.*, p. 269-301. On regrette qu'il n'indique pas sur quelles œuvres il fonde ses statistiques. Néanmoins, ses conclusions semblent valables.

(190) Dumarsais, p. 42-43.

(191) Michael Riffaterre voit « l'archétype et le cliché dans le rapport de signifiant à signifié, l'archétype étant le signifié, le cliché le signifiant ». Cf. « Modèles de la phrase littéraire », in *Problèmes de l'analyse textuelle*, Didier, Ottawa, 1971, p. 151.

Le cliché représente une métaphore à mi-chemin entre la vie et l'oubli [192], et c'est pourquoi Abraham, et bien d'autres, ont eu trop tendance à confondre l'automatisme et le défaut d'expressivité. Le cliché n'est pas une forme stylistiquement neutre [193]. Il peut contraster avec le contexte ou au contraire l'orienter. Sa qualité de fait de style, aisément discernable, lui garantit une efficacité métaphorique non négligeable. Une étude qui s'intéresse au contenu de l'image ne peut pas le laisser de côté. Sans doute offre-t-il un sens instantanément compréhensible, mais cela ne supprime pas sa fonction signifiante, même si celle-ci est plus faible que pour l'image d'invention [194]. L'emploi du cliché nous renseigne d'abord sur la part d'inconscient qui est commune à tous, ou tout au moins à un groupe social. Selon l'expression de Michael Riffaterre, la mythologie est « encodée dans le style, sous forme de clichés, de clichés renouvelés, d'allusions culturelles (citations...) et, fait plus notable, sous forme de séquences associatives [195] ». Mais c'est encore l'auteur qui choisit parmi les clichés, et leur présence dans telle ou telle catégorie d'image peut aussi refléter sa vision personnelle.

C'est pourquoi il ne serait pas juste, dans l'interprétation, d'ignorer complètement le cliché au profit des images d'invention. Son origine archétypale peut être inconnue du lecteur. Mais sa signification lui est familière. Elle servira d'étalon pour mesurer ce que Roland Barthes a appelé les processus de déformation [196], c'est-à-dire l'inflexion selon laquelle l'auteur modifie le sens originel et accepté de telle ou telle catégorie d'image. Ces déformations peuvent refléter une attitude contemporaine — interprétation romantique du Christ révolté par exemple, ou clichés « lancés par d'autres » que Balzac applique à la peinture de Paris [197]. Il peut s'y ajouter des transformations propres à l'auteur, renvoyant sans intermédiaire à son « mythe personnel ». Ainsi, à l'intérieur d'une même catégorie, l'utilisation du cliché et les rapports de similitude ou d'opposition qu'il entretient, au niveau du sens, avec l'image d'invention, constituent-ils un élément d'interprétation.

---

(192) Cf. la théorie largement acceptée de l'origine métaphorique du langage, fondée sur sa fonction symbolique. Elle était familière à Balzac. Le cratylisme en est d'ailleurs l'une des manifestations. On la trouve chez « les rédacteurs de l'Encyclopédie, Condillac et, par son intermédiaire, Rousseau » (J. Derrida, *L'Ecriture et la différence*, Paris, Seuil, 1967, p. 308, note). En croyant parler sans métaphores, nous nous servons de métaphores oubliées, sur lesquelles se superposent les métaphores que nous percevons encore. Voir Sarah Kofman, « L'oubli de la métaphore », dans *Nietzsche et la métaphore*, Payot, 1972, p. 41 sq. et aussi Richards, p. 108-109 ; Georges Matoré, *La méthode en lexicologie*, Paris, 1953, p. 18 et n. 2 (Cassirer).

(193) Cf. Riffaterre, « Le cliché dans la prose littéraire » et son commentaire du deuxième quatrain de *Recueillement*, dans « Les formes littéraires conventionnelles », in *Essais...*, p. 184-189. C'est un point sur lequel on ne peut guère suivre Fontanier, p. 5-6 de son commentaire de Dumarsais (Slatkine, T. II). Il est vrai que Fontanier s'appuie sur des ex. particulièrement usés. Voir aussi *supr.*, p. 45.

(194) Cf. *infr.*, p. 84-85.

(195) « Le formalisme français », in *Essais...*, p. 270.

(196) *Sur Racine*. Seuil, 1963, p. 164.

(197) Cf. Citron, T. II, p. 184.

b) Sources contingentes

Sources culturelles et archétypales déterminent le plus souvent la nature des catégories d'images. Leur rôle prépondérant invite à ne pas se faire une « conception trop individualiste de la psychologie [198] ». D'autres facteurs interviennent parfois, qui permettent de serrer de plus près les conditions d'apparition de l'image. N'ayant pas le même caractère de généralité, ils exercent une influence à la fois plus précise et plus limitée.

Pour une faible part, le milieu social des personnages, leur physique ou leurs habitudes peuvent déterminer la présence de certaines catégories, parfois dans la peinture du décor, plus souvent dans la bouche des personnages eux-mêmes — d'où la fréquence de ces sources contingentes dans les métaphores de métiers : métaphores mercières du père Guillaume, et métaphores commerciales de son gendre Lebas, dans *La maison du chat-qui-pelote* [199] ; métaphores maritimes attribuées au comte de Kergarouët dans *Le Bal de Sceaux*, métaphores militaires du capitaine Giroudeau dans *Illusions perdues*, métaphores d'argent dans la bouche des courtisanes [200]. C'est là un emploi assez rudimentaire, amusant et pittoresque, d'un réalisme superficiel. Il se trouvait déjà dans *Le Vicaire des Ardennes* [201]. Parfois, Balzac le rattache aux motivations du récit, comme l'équivoque sur le métier de sage-femme qu'exerce Mme Chardon, mère de Lucien de Rubempré, équivoque qui cloue ce dernier au pilori [202]. Il a de moins en moins recours à un simple parallélisme entre l'identité sociale et le langage du personnage. Il préfère étendre le parallélisme au discours narratif et en tire des effets plus subtils ou mieux intégrés. Le vieux Séchard, imprimeur de son métier, a en même temps une « passion pour le raisin pilé » :

> Son nez avait pris le développement et la forme d'un A majuscule corps de triple canon, ses deux joues veinées ressemblaient à ces feuilles de vigne pleines de gibbosités violettes, purpurines et souvent panachées ; vous eussiez dit d'une truffe monstrueuse enveloppée par les pampres de l'automne (IP, IV, 468) [203].

Encore dans *Le Cousin Pons*, les métaphores musicales reflètent la sensibilité et les élans sublimes des deux amis musiciens [204].

Dans *La Maison Nucingen*, où personne n'est marin au sens propre du terme, c'est une association verbale qui se trouve à l'origine de l'emploi répété de la métaphore maritime. On se souvient que le narrateur rapporte une conversation surprise, dans un restaurant célèbre, à travers la cloison

(198) Genette, *Figures I*, p. 163.

(199) I, 47, 56-57.

(200) Cf. *infr.*, métaphore d'argent, p. 199, n. 232 et p. 217, n. 302. Cf. aussi le discours du narrateur dans *Gobseck*, et *infr.*, p. 77-78.

(201) Déjà aussi sous forme de métaphores maritimes attribuées à Argow le pirate et à ses camarades. Cf. Bibl. de l'Originale, T. IV, p. 40, 45, 46, 56, 57, 58.

(202) IP, IV, 547.

(203) Cf. Phy, X, 849.

(204) Cf. VI, 538, 539, 567. *La Cousine Bette*, écrite au même moment, ne contient pas de métaphores musicales.

d'un cabinet particulier. Les dîneurs lui sont connus, et il les présente ainsi au lecteur :

> C'était quatre des plus hardis cormorans éclos dans l'écume qui couronne les flots incessamment renouvelés de la génération présente (MN, V, 592).

Prise isolément, l'image, peut-être d'ailleurs aussi en partie inspirée par le motif des armoiries de Paris, développe ses dérivations à partir du double sens de *cormoran* — oiseau marin et mauvais sujet [205]. Mais là ne s'arrête pas la fonction génératrice de la métaphore primaire. Elle suscite quatre autres images du même ordre [206], qui doublent le réseau de la métaphore militaire, consacré dans cette œuvre à la peinture des tractations de la vie parisienne [207]. La première apparaît dès la page suivante, ce qui assure la continuité avec l'image originelle :

> Aussi vit-il [l'un des convives] à fleur d'eau soutenu par la force nerveuse de son jeu, par une coupe roide et audacieuse. Il nage de-ci, de-là, cherchant dans l'immense mer des intérêts parisiens un îlot assez contestable pour pouvoir s'y loger (593).

Par la suite, le double réseau s'attache plus particulièrement au récit des liquidations machinées par Nucingen et qui sont à l'origine de sa fortune. Il récupère même, en passant, le sens étymologique de *liquidation*, qui sert de prétexte à un jeu verbal supplémentaire :

> Nucingen pouvait compter sur un *agio* si les actions *montaient*, mais le baron le négligea dans ses calculs, il le laissait *à fleur d'eau*, sur la place, afin d'attirer les *poissons !...* Il aurait pu dire comme Napoléon du haut du Santon : examinez bien la place, tel jour, à telle heure, il y aura là des fonds *répandus !* Les deux premières *liquidations*, etc. (641) [208].

On assiste donc à un double phénomène. D'une part, le réseau de la métaphore maritime dans *La Maison Nucingen* est déclenché par un jeu verbal sur l'association des mots *cormoran* et *flots*. D'autre part, au niveau des comparés, il est capté par le réseau de la métaphore militaire, sans se confondre avec lui du point de vue des connotations [209].

Il est à peu près certain qu'on pourrait trouver d'autres exemples du même phénomène dans *La Comédie humaine*. En général pourtant, ce ne sont pas les sources contingentes, quelles qu'elles soient, mais le sujet, qui déterminent la présence d'un véritable réseau métaphorique.

---

(205) Cf. *supr.*, p. 62.

(206) Sans compter trois autres associées à des comparés différents, p. 601, 630, 649.

(207) Cf. p. 592, 593, 596, 642, 643.

(208) Cf. aussi p. 640 et 652.

(209) Voir *infr.*, métaphore militaire, p. 187. A l'encontre des autres catégories, la métaphore maritime dans *La Maison Nucingen* n'illustre pas le sens traditionnel de la navigation, qui ne semble pas d'ailleurs avoir été retenu dans *La Comédie humaine*, et selon lequel c'est la rédaction d'une œuvre qui est comparée à une traversée. Il est vrai que cette traversée doit se faire sur un bateau, tandis que, dans *La Maison Nucingen*, il s'agit d'une navigation « sauvage » (sauf p. 630 et 640). Cf. CURTIUS, *op. cit.*, p. 157 sq.

c) Répartition des images

Divers facteurs semblent influencer la répartition quantitative [210] et qualitative des images. D'abord, le genre de l'œuvre et sa longueur. Puis, les éléments respectifs du récit : narration, description, dialogue ; le moment du récit : début ou fin ; les plans de l'énonciation : histoire ou discours.

Avant de les étudier, signalons qu'on ne décèle pas de rapport bien net entre la date de composition et la fréquence des images. A toutes les époques, ou presque, se côtoient des œuvres à faible et à fort pourcentage. Si *Le Bal de Sceaux* offre relativement peu d'images — pour Balzac s'entend — elles abondent, par contre, dans la *Physiologie du mariage*. La longueur de l'œuvre est déjà un facteur plus important, et semble favoriser l'épanouissement de la fonction imagière. Mais on trouve quelques exceptions : œuvres courtes à fort pourcentage, par exemple *Jésus-Christ-en-Flandre*, et œuvres longues à faible pourcentage, par exemple *Sur Catherine de Médicis, Le député d'Arcis, L'Envers de l'histoire contemporaine*. Ces exceptions sont peu significatives : *Sur Catherine de Médicis et l'Envers de l'histoire contemporaine* sont constitués par la juxtaposition d'épisodes distincts, donc œuvres courtes à l'origine, et n'offrent ainsi qu'une faible unité structurale. Le faible pourcentage du *Député d'Arcis* s'explique plutôt par son caractère d'œuvre inachevée : chez Balzac, de nombreuses images n'apparaissent que dans la rédaction finale [211]. Le sujet respectif de chaque œuvre n'est pas non plus sans répercussion sur la densité métaphorique, qui augmente dans les œuvres centrées sur la peinture de la passion et de la monomanie, grâce sinon au nombre, du moins à la qualité des images.

Si l'on considère la répartition des images à l'intérieur d'une œuvre particulière, l'influence du sujet se trouve dès l'abord confirmée, mais on s'aperçoit qu'elle ne suffit pas à tout expliquer. Certes, les images abondent dans les passages consacrés à l'analyse des émotions et des passions [212]. Il s'agit là d'une constante qu'on remarque déjà dans la première partie du *Vicaire des Ardennes*, où les exemples, peu nombreux et peu développés au début, augmentent et s'allongent dans les scènes d'émotion, sans que d'ailleurs leur banalité s'atténue [213]. Ceci dit, les images sont au moins aussi fréquentes dans les passages en partie descriptifs — portrait, décor. Elles ne disparaissent pas dans les passages narratifs, peut-être parce que ceux-ci ne se distinguent pas toujours de l'analyse des sentiments. Si elles diminuent dans le dialogue, deviennent plus brèves

(210) On discutera bien sûr de la possibilité de « compter » les images par unités. Même si nos recensements avaient été faits sur ordinateurs, les résultats ne pourraient avoir qu'une valeur indicative. Mais certaines concentrations d'images sont si évidentes qu'on ne peut pas les ignorer.

(211) Cf. *infr.*, p. 81.

(212) Cet accroissement numérique dans de tels passages est en désaccord complet avec le goût classique. Cf. les remarques de Marmontel sur les comparaisons : « ... Dans le pathétique elles ne doivent être qu'indiquées par un trait rapide, et..., s'il s'en présente quelques-unes dans la véhémence de la passion, un seul mot doit les exprimer ». *(Encyclopédie*, art. *Comparaison)*.

(213) Notons que les *Œuvres de jeunesse* présentent un pourcentage d'images très inférieur à celui de *La Comédie humaine*, et qui va de pair avec un degré moindre d'invention et d'expressivité.

et changent un peu de caractère selon le personnage, par un souci de vraisemblance du reste assez limité [214], elles reparaissent en force dans le discours indirect. Il serait somme toute à peine exagéré de dire que les images caractérisent, avec ces variations, tous les éléments constituants du récit. Il faut donc faire appel à d'autres critères pour cerner d'un peu plus près leurs modalités d'apparition.

On peut se demander, par exemple, si elles se concentrent plutôt au début, y compris dans le titre, ou à la fin d'une œuvre. En fait, un examen mené selon ce critère permet encore moins de formuler une règle générale. Certains titres, il est vrai, ont une valeur imagée, telle *La Muse du département*, ou, plus encore, symbolique. *Le Lys dans la vallée*, *La Peau de chagrin*, *L'Auberge rouge*, *La Maison du chat-qui-pelote*, *Une fille d'Eve* inscrivent en tête de l'œuvre son symbole principal. Les titres de *Béatrix* et de *Gobseck*, ou même de *La Fille aux yeux d'or*, mettent en vedette le cratylisme du nom. Mais il ne s'agit là, à peine, que d'un dixième des titres de *La Comédie humaine* [214 bis]. Il est vrai aussi que les premières pages d'une œuvre, point stratégique de la structure narrative, présentent presque invariablement un fort pourcentage métaphorique, mais c'est bien entendu parce que le début, chez Balzac, est le plus souvent consacré à la description minutieuse du cadre ou des personnages, à grand renfort d'images. La fin, par contre, n'obéit pas à un modèle unique. Souvent, elle se marque par une accélération du rythme narratif, qui entraîne un recul des images. Le « mot de la fin », procédé que Balzac est loin de dédaigner, prend en général la forme d'une épigramme. Parfois pourtant, la dernière page s'accompagne d'un « coup de cymbales » métaphorique. Les deux avant-derniers paragraphes du *Père Goriot* (Rastignac au Père-Lachaise) contiennent trois images frappantes, que fait ressortir le style littéral des trois pages précédentes, consacrées au récit de l'enterrement. Mieux encore, on songera au *Curé de Tours*, dont la phrase finale célèbre en une métaphore filée l'apothéose de tous les abbés Troubert, créateurs androgynes, qui unissent « dans leurs puissantes têtes les mamelles de la femme à la force de Dieu » (III, 846). Avec encore plus d'ampleur, les trois dernières pages de *Ferragus*, consacrées à la déchéance du chef des Dévorants, identifient celui-ci au cochonnet dont il suit les évolutions au cours des parties de boule qu'il passe ses journées à observer (V, 121-124). Cet épilogue se signale par une succession serrée d'images qui contraste avec le pourcentage simplement moyen du reste de l'œuvre. *Le Curé de Tours* et *Ferragus*, brefs romans, distinguent donc dans leur conclusion, grâce à des images mémorables, le premier un thème latent peu développé auparavant, le second un retournement dramatique auquel les limites du récit ne permettent pas de donner beaucoup d'extension. Mais, même si la brièveté de l'œuvre, ici, contribue peut-être à ce phénomène, il ne s'agit nullement d'un trait constant qui caractériserait les nouvelles de Balzac. La seule

---

(214) Cf. *infr.*, p. 78.

(214 *bis*) Dans « *La fille abandonnée* et *La bête humaine*, éléments de titrologie romanesque », *Littérature*, n° 12, déc. 1973, p. 52 et 59, Claude Duchet note la relation métonymique qui peut exister entre le titre et un élément de la diégèse. Il signale aussi le jeu de l'intertextualité des titres — par exemple, pour Balzac, *La fille aux yeux d'or* vs *La belle aux cheveux d'or*, *La femme abandonnée* vs *La fille abandonnée* — phénomène qui intensifie la polysémie du signifiant, et déjà noté par W. Conner, CAIEF 1963, p. 288.

constante réside non pas dans un emploi intensifié de l'image à la fin d'un certain type d'œuvre, mais dans le souci de graver la conclusion de chaque œuvre dans l'esprit du lecteur, grâce à divers procédés dont l'image peut faire partie.

Nous avons noté que les images sont moins nombreuses ou moins longues dans les passages de dialogue ou de narration, qui sont aussi ceux où l'auteur doit forcément s'effacer, au moins en apparence. Il n'y a pas simple coïncidence entre ces deux faits, dont le corollaire nous intéresse particulièrement : c'est par la voix de l'auteur ou du narrateur que parle l'image, qui doit donc se faire plus discrète quand l'auteur laisse la parole à ses personnages. Selon la distinction de Benveniste entre histoire et discours, l'image, chez Balzac, fait partie du discours, c'est-à-dire de « toute énonciation supposant un locuteur et un auditeur, et chez le premier l'intention d'influencer l'autre en quelque manière [215] ». Il s'agit là du discours de l'auteur, dont chacun connaît la place énorme dans *La Comédie humaine* : appels au lecteur, intrusions d'auteur sous la forme de réflexions générales au présent, et autres procédés à peine moins évidents, dont l'image. Si l'importance du discours n'explique pas la prédilection de Balzac pour ce procédé de persuasion particulier qu'est l'image, elle explique par contre l'omniprésence et les fluctuations de celle-ci dans la description, l'analyse, le récit et le dialogue. Chaque fois que le mode d'exposition l'y autorise, l'auteur se manifeste sans contrainte : d'où l'abondance des images dans les passages descriptifs et analytiques, ainsi que dans le discours indirect, où la voix du narrateur se fond facilement. Mais l'intervention d'auteur, surtout quand elle prend la forme de la métaphore, ne disparaît pas complètement du récit des faits, ni de la correspondance et du dialogue direct de personnages dotés pourtant d'un statut indépendant.

Le cas du dialogue et des lettres, discours attribué aux personnages et non plus à l'auteur, pose d'ailleurs un problème particulier. Comme le discours de l'auteur, le dialogue et les lettres comportent un locuteur et un auditeur, ou un scripteur et un lecteur, mais l'un et l'autre personnages de l'histoire, et non plus narrateur et lecteur du roman. Ils constituent donc un discours au second degré, qui se rattache au système de l'histoire, et dans lequel peut intervenir le discours de l'auteur. Chacun sait qu'il est souvent difficile de démêler la voix de l'auteur de celle de ses personnages — autant peut-être chez Balzac que chez Flaubert. On cherchera donc à distinguer, dans les lettres et dans le dialogue, entre les images qui s'adaptent au personnage — sa situation sociale, ses intérêts, son caractère — lesquelles font partie du « discours de l'histoire », et celles qui révèlent la voix de l'auteur. Qui parle, par exemple, Balzac ou ses héroïnes, dans cette réflexion d'une lettre de Louise de Chaulieu à Renée de l'Estorade : « La jalousie qui se montre ressemble à une politique qui mettrait cartes sur table » (MJM, I, 231), ou de Renée à Louise : « Un enfant est un grand politique dont on se rend maître comme du grand politique... par ses passions » (277). On peut parfois hésiter, ou encore attribuer une image (ou tout autre remarque) à la fois à l'auteur et à ses personnages. Ainsi dans cette harangue de Mme de Bargeton à Lucien, dont les analogies,

(215) E. Benveniste, *Problèmes de linguistique générale*, *op. cit.*, p. 242.

pourtant très caractéristiques du discours balzacien, s'harmonisent en même temps au caractère altier d'Athénaïs :

> Quand vous serez arrivé dans la sphère impériale où trônent les grandes intelligences, souvenez-vous des pauvres gens déshérités par le sort dont l'intelligence s'annihile sous l'oppression d'un azote moral... (IP, IV, 549).

L'hésitation peut se produire non seulement dans le dialogue, mais même dans la narration des faits, où certaines images peuvent refléter la mentalité ou le mode de vie du personnage dont il est question plutôt que celle de l'auteur [216]. Mais l'inverse est beaucoup plus fréquent.

Dans le dialogue plus encore que dans la narration, c'est par égard pour la convention du vraisemblable, à laquelle Balzac tient tant, que certaines images s'adaptent au personnage. Quant à celles qui véhiculent le discours de l'auteur et qui, dans la bouche des personnages, pourraient aisément constituer un défi à la crédibilité, le problème du vraisemblable s'y trouve en partie résolu grâce à la culture de relais. Cette dernière se situe bien entendu sur le plan du discours, où elle joue un rôle stratégique entre l'auteur et le type de lecteur qu'il cherche à toucher. En effet, si elle emprunte ou exprime parfois, notamment sous forme de métaphores, un langage ou des pensées peu conformes à la mentalité des personnages, elle s'appuie sur tout un système de référence familier au lecteur. En associant narrateur et lecteur dans un même point de vue, elle dissimule l'intervention d'auteur, c'est-à-dire le glissement du discours dans l'histoire. De la sorte, elle compense, et même déguise, le manque de vraisemblance par l'impression de déjà vu [217].

Un autre phénomène propre à l'image, mais d'un ordre très différent et qui fonctionne indépendamment de la culture de relais, contribue lui aussi à rendre plus flottantes les frontières entre histoire et discours : il arrive qu'une image déclenche un détail de l'histoire ou, en sens inverse, qu'un détail de l'histoire dérive en image — deux phénomènes qui n'en font qu'un, car il est le plus souvent impossible d'établir l'antériorité d'un élément par rapport à l'autre, quelle que soit sa place dans la succession narrative. *Le Lys dans la vallée*, *Le cousin Pons*, *Béatrix*, *La Peau de chagrin*, *Gobseck*, *Eugénie Grandet* offrent de ce phénomène des illustrations particulièrement développées [218]. Ainsi, dans *Le Cousin Pons*, l'image du gravier et de la gravelle par laquelle le narrateur décrit à maintes reprises les blessures infligées à la sensibilité du personnage principal reparaît à la fin, sur le plan de l'histoire, dans les calculs au foie qui causent la mort foudroyante de Pons, victime des persécutions de sa cousine et de sa portière. Cette osmose entre histoire et discours actualise tout au long du roman la causalité qui unit mal physique et mal moral, et leur commun effet délé-

(216) Cf. sur ce point la pénétrante analyse de Pierre LARTHOMAS dans « Sur une image de B. », *AB 1973*, p. 301-326, en part. p. 307, 320-321 et 324. Voir *supr.*, p. 73-74.

(217) Le phénomène est le même dans le discours qui se mêle au récit des faits. Si les faits sont extraordinaires, la référence connue tend à les intégrer dans le réel quotidien et leur attribue ainsi une apparence de motivation. Cf. GENETTE, « Vraisemblance et motivation », in *Figures II*, en part. p. 78-85, qui décèle ce même procédé chez Balzac, non pas dans les images, mais dans l'énoncé de « vérités générales » parfaitement arbitraires et souvent contradictoires, chargées d'expliquer la conduite des personnages.

(218) Cf. *infr.*, respectivement p. 250 sq., 237 sq., 220 sq., 271 sq.

tère. Ailleurs aussi, elle se manifeste à partir de métaphores physiologiques, vu la théorie balzacienne de l'interdépendance du physique et du moral.

Dans un exemple plus restreint, que nous n'étudierons pas par la suite, le trait narratif précède l'image, — mais peut-on affirmer qu'il la déclenche ? A la fin de *Béatrix*, Calyste du Guénic a de fortes raisons de se croire atteint d'une affection vénérienne, d'ailleurs bénigne, que lui aurait transmise son ancienne maîtresse, Béatrix de Rochefide. Cette péripétie sert de point de départ, dans le dialogue (donc discours qui se rattache au plan de l'histoire tout en en restant distinct), à quelques équivoques imagées sur l'un des symptômes du mal, lequel se porte sur les yeux. Béatrix a été inoculée par son mari, qui lui-même l'avait été par sa maîtresse, Madame Schontz [219]. Celle-ci, selon La Palférine, rival de Calyste, aurait agi par vengeance, en voyant M. de Rochefide revenir à sa femme :

> Ces femmes-là... se crèvent un œil pour en crever deux à leur ennemi ; la Schontz... en a crevé six ! Et, si j'avais eu l'imprudence d'aimer Béatrix, cette Schontz... en aurait crevé huit. Vous devez vous être aperçu que vous avez besoin d'un oculiste... (II, 618).

Une seconde équivoque tire la morale de l'expérience :

> Voilà comment finissent nos plus beaux rêves, nos amours célestes, dit Calyste abasourdi par tant de révélations et de désillusionnements. — En queue de poisson, s'écria Maxime, ou, ce qui est pis, en fiole d'apothicaire (II, 619).

Une illustration plus limitée, mais extrêmement fréquente, du glissement entre histoire et discours concerne les métaphores inspirées à la voix narrative par quelque détail du récit dépourvu de fonction structurale. Ainsi, la nullité et les talents mondains de M. du Châtelet, qui participe aux passe-temps féminins de Mme de Bargeton, sont satirisés en ces termes :

> ... Il tenait avec une grâce infinie les écheveaux de soie qu'elle dévidait, en lui disant des riens où la gravelure se cachait *sous une gaze plus ou moins trouée* (IP, IV, 500).

Dans de tels exemples, le comparant est emprunté au cadre spatio-temporel du récit. Il a donc une origine métonymique [220].

Il est inutile de s'attarder ici sur d'autres exemples, qui seront étudiés au niveau du contenu [221]. Bien plutôt, en soulignant le lien par lequel l'image unit le discours à l'histoire, il importe de préciser le fonctionnement du symbole, tel que nous l'avons analysé ci-dessus [222]. Nous avons vu comment le symbole peut prendre son point de départ soit dans un objet, soit

---

(219) On s'abstiendra de citer les détails contradictoires, chronologiques et autres, qui rendent incohérente cette filiation de la maladie, dont la fonction est surtout symbolique.

(220) G. Genette parle à ce propos de « métaphores diégétiques en ce sens que leur véhicule est emprunté à la diégèse, c'est-à-dire à l'univers spatio-temporel du récit ». (« Métonymie chez Proust », *Figures III*, p. 48). Nous avons décrit à « Sources contingentes » un phénomène voisin : l'influence du métier sur le langage métaphorique des personnages, ou sur leur description. Cf. *supr.*, 73-74.

(221) Cf. par ex., *infr.*, p. 281.

(222) P. 38 sq.

dans une métaphore linguistique, ou les deux à la fois. Ainsi le gravier métaphorique, dans *Le Cousin Pons*, acquiert très vite valeur de symbole sous l'effet de la répétition. Et, par la suite, il confère un statut également symbolique aux calculs au foie dont souffre Pons. Quant à la maladie de Calyste, sa signification symbolique, pour apparaître, se passerait fort bien du support de l'image, mais, sans nul doute, les mécanismes linguistiques qu'elle semble déclencher soulignent encore son rôle de symbole. En fait, du moment où elle devient à proprement parler symbolique, elle passe du plan de l'histoire à celui du discours. Autrement dit, même dans les cas où le symbole a son origine dans un objet ou un événement appartenant à l'histoire, il ne constitue pas seulement un élément de l'histoire, mais un commentaire sur elle. Cette constatation assigne au discours balzacien une place encore plus grande qu'on ne le reconnaît d'habitude.

Bien rare est l'objet du récit qui ne soit susceptible de symbolisation. De la sorte, le discours envahit tout. La médiation linguistique n'est même pas toujours nécessaire : il suffit de songer au symbolisme de la physionomie ou de l'habitation. Mais elle sanctionne de préférence cette symbolisation de l'objet. Le cochonnet de Ferragus, par exemple, n'aurait nul besoin des garanties du commentaire imagé pour se dégager comme symbole de la décadence du personnage. Pourtant, son appartenance au discours est explicitée par plusieurs images. On peut déceler dans ce phénomène de convergence l'une des constantes du récit balzacien.

Il faut aussi s'interroger sur ce qui détermine la fréquence de telle ou telle catégorie dans telle ou telle œuvre. C'est en partie le sujet. Ainsi, *Séraphîta* présente le plus fort pourcentage de métaphores lumineuses. Dans *Le Lys* et dans *Massimilla Doni*, récits à sujet mystique, malgré d'évidentes différences, les métaphores de lumière et de religion, très nombreuses, suivent des courbes parallèles. *Le Père Goriot*, qui présente une interprétation matérialiste aussi bien de la monomanie que de la vie sociale, se place en tête pour les métaphores physiologiques. Le rapprochement entre les deux premières parties de *Béatrix* et la troisième, composées à cinq ans d'intervalle, révèle lui aussi cette influence du sujet : le pourcentage des métaphores religieuses, très nombreuses dans les deux premières parties, où elles sont associées à la peinture du mysticisme amoureux, diminue de près d'un tiers dans la troisième. Au contraire, celui des métaphores d'argent y est six fois plus fort, et reflète le virage pessimiste opéré dans l'action par la peinture de la jalousie amoureuse et des intrigues parisiennes [223].

---

(223) La proportion des clichés varie-t-elle selon les catégories ? Nous avons fait l'expérience pour *Le Père Goriot*. Dans les catégories qui réunissent origines culturelle et archétypale (lumière, eau, lieux et paysages, phénomènes physiologiques, armes et blessures, animaux, végétaux), la moyenne des clichés se situe à un tiers. Elle augmente jusqu'à la moitié pour les phénomènes atmosphériques, les minéraux, les personnages réels, les phénomènes spirituels, sans raison apparente, sauf pour les personnages réels, catégorie qui se rattache le plus étroitement à la culture de relais. Elle tend à diminuer pour les catégories plus rares, ce qui est logique : un quart pour la musique et les objets, un cinquième pour l'argent et même les métiers, où l'on s'attendrait à trouver beaucoup de clichés, mais qui ne constituent pas une grande catégorie. De sorte qu'on est un peu surpris qu'elle n'atteigne pas tout à fait un tiers pour la catégorie des phénomènes religieux, qui occupe pourtant le troisième rang à la fois dans *Le Père Goriot* et dans *La Comédie humaine*. En résumé, on peut dire que la moyenne des clichés pour l'ensemble

L'apparition de l'image à tel ou tel stade de la composition obéit-elle à une règle uniforme ? Ce problème de genèse est sans rapport avec la suite de notre étude, même s'il nous est arrivé de consulter les variantes pour élucider un point d'interprétation. Le style de Balzac, ce ne sont pas les couches souterraines qui ont produit la page définitive, mais seulement cette page [224]. Cependant, la question présente à coup sûr un intérêt documentaire. En se livrant à des sondages sur les variantes de morceaux particulièrement riches en métaphores, on constate que les images les plus notables n'appartiennent pas à la couche ancienne, mais font partie des additions opérées par « la prolifération en corail » propre à Balzac [225]. Nous avons fait l'expérience en détail sur le monologue de Vautrin dans *Le Père Goriot* [226]. Les résultats confirment les observations de M. Le Yaouanc à propos de la description des bouquets du *Lys* [227]. Dans les deux cas, les additions d'images témoignent d'un soin et même, pour *Le Lys*, d'un labeur impressionnants. Les commentaires de M. Regard à propos des variantes de *Béatrix* vont tout à fait dans le même sens [228]. D'autres sondages aboutissent aux mêmes conclusions. Balzac rajoute sur épreuves et encore au cours des éditions successives. Il lui arrive aussi de retoucher une série d'analogies par trop incohérente ou simplement encombrante : dans le manuscrit d'*Eugénie Grandet*, M. Grandet tient à la fois « du requin, du tigre et du boa [229] ». Le requin a disparu du texte définitif. Dans *La Maison Nucingen*, « un sang de glace dans les veines » corrige : « ... en se sentant empalé par une pile de glace dans le crâne [230] ».

Cet emploi réfléchi et appliqué de l'image doit-il fait ranger Balzac dans une autre famille que ces poètes capables de faire sortir une image « tout armée » de leur cerveau [231] ? Ce n'est pas sûr. En effet, le premier moment de toute analogie doit bien avoir de toute façon un caractère spontané. Breton, qui l'affirme à maintes reprises, reproche même à Reverdy de « prétendre que " l'esprit a saisi les rapports " des deux réalités en présence. Il n'a, pour commencer, rien saisi consciemment [232] ». Il est permis toutefois de penser que l'acte de formuler l'image, même mentalement, ne peut aller sans prise de conscience, et donc qu'il n'y a pas d'image écrite spontanée. Bien entendu, le degré d'élaboration consciente varie démesurément et doit ou devrait être inexistant dans l'image surréaliste. Mais l'étude que nous avons faite de la sélection réciproque et de la méta-

---

des catégories est d'environ un tiers dans ce roman, et qu'elle tend à augmenter dans le cas des catégories archétypales ou à fonction archétypale, à l'exception des métaphores religieuses. De toute façon, comme nous l'avons déjà dit, le cliché possède un contenu qu'il y a lieu de ne pas négliger.

(224) Tel est aussi l'avis d'Henri MITTERAND : cf. « A propos du style de Balzac », *Europe*, janv.-fév. 1965, en part. p. 151-153.

(225) Le mot est de Mme Suzanne Bérard.

(226) Ed. P. G. Castex, Cl. Garnier, p. 118-129 et 400-404.

(227) Cl. Garnier.

(228) Garnier, p. 456-457, 461, 463-464.

(229) Ed. Castex, Garnier, p. 290.

(230) Renseignement communiqué par M. Pierre Citron.

(231) Expression de Sainte-Beuve, citée par M. Gérald ANTOINE, « Pour une méthode d'analyse stylistique des images », FILLM, Liège, 1961, p. 158.

(232) *Premier Manifeste du Surréalisme*, Pauvert, p. 52.

phore filée, en particulier, suggère qu'il est arbitraire d'opposer ainsi deux types d'imagination, puisque ces deux mécanismes s'appliquent également à des œuvres qui relèvent respectivement de l'un et de l'autre. Les associations surgissent d'abord spontanément. Elles peuvent s'enrichir grâce à un effort concerté, mais si l'on remonte assez loin, on leur trouvera toujours quelque origine involontaire. Autrement dit, les différences de méthode et d'esthétique ne correspondent pas forcément à une différence d'imagination.

d) Pourquoi tant d'images ?

Même si on arrivait à l'établir, un pourcentage exact ne serait pas tellement révélateur, étant donné la différence de qualité des images et aussi, à un moindre degré, les différences de répartition d'œuvre à œuvre. Mais même un pourcentage approximatif indique clairement que la moyenne des images dans *La Comédie humaine* ne descend pas au-dessous de deux images par page, et les dépasse le plus souvent [233]. Dans *Le Père Goriot*, la moyenne s'établit à 3,45 par page. Dans *Eugénie Grandet*, qui présente un pourcentage exceptionnellement bas, elle atteint encore 1,35. Ce pourcentage est numériquement supérieur à celui des deux volumes de *Du côté de chez Swann* [234], que Stephen Ullmann considère à juste titre comme très élevé [235]. La comparaison entre les deux auteurs montre d'ailleurs l'influence limitée des données statistiques dans l'évaluation d'un style : l'effet de densité métaphorique dépend non seulement du nombre des images, mais aussi en partie de leur originalité, de leur longueur, et des passages où elles apparaissent. Ullmann fait remarquer que, chez Proust, il y a très peu d'images conventionnelles, et que les exemples se concentrent dans les passages descriptifs et analytiques, d'où une forte impression de densité. On peut appliquer ces critères à Balzac. Chez lui aussi, la métaphore se concentre dans les passages descriptifs et analytiques. Si l'image apparaît dans les dialogues, c'est souvent avec une fonction satirique (comme chez Proust d'ailleurs). Enfin, la longueur des images d'invention, et même l'accumulation des clichés qui, renouvelés ou non, se détachent stylistiquement, contribuent à l'effet de densité.

A ces facteurs, manifestes au niveau de la page, s'en ajoute un autre qui affecte de grandes sections, ou le roman entier : dans une œuvre donnée, des catégories différentes de comparants peuvent s'appliquer à la peinture d'un domaine unique. Nous avons vu un premier aspect de ce phénomène en étudiant les différentes formes de la métaphore filée qui, en une seule phrase, rapproche plusieurs comparants d'un seul comparé [236]. Le second aspect est moins spectaculaire, puisqu'il affecte non pas un conglomérat isolé, mais des réseaux d'images parallèles qui se développent à travers tout

---

(233) Ed. de la Pléiade. Encore notre estimation est-elle très modeste, du fait que nous comptons comme une seule unité des métaphores filées à dérivations multiples qui comportent de nombreux comparants et dont certaines occupent toute une page. Un autre classement pourrait compter chaque comparant comme une unité séparée.

(234) Près de trois images toutes les deux pages dans l'édition de la NRF, toutefois moins compacte que celle de la Pléiade.

(235) *The Image in the Modern French Novel*, p. 128-129.

(236) Cf. *supr.*, p. 53-57.

un roman. Ainsi, la métaphore de jeu double celle du théâtre dans *Le Contrat de mariage*, *Béatrix*, *Modeste Mignon* et le cycle de Vautrin. En fait, dans la première œuvre, l'établissement du contrat est décrit grâce à quatre réseaux : jeu, bataille, théâtre, cannibalisme. Ce phénomène de cumul fait fonction de superlatif. Mais les catégories métaphoriques ne sont pas synonymes, même si elles ont le même comparé, et chacune apporte à celui-ci ses propres connotations.

Au total, le texte balzacien donne une très forte impression de densité métaphorique. Nous revenons donc à notre question initiale : pourquoi tant d'images ? Pierre Laubriet a déjà tenté de répondre à cette question, dont il a mis l'importance en relief. Peut-être ne va-t-il pas au cœur du phénomène quand il l'explique uniquement par la fonction qu'il assigne aux images, fonction, selon lui, avant tout suggestive :

> Elles expliquent sans doute, mais surtout elles suggèrent. *Grâce à leur accumulation*, Balzac semble espérer toucher, par l'une d'entre elles, chaque lecteur, en lui faisant rencontrer l'expression qui évoque le plus exactement la chose ou l'idée représentée [237].

Il est juste sans doute de ne pas séparer explication et suggestion. Toutefois, la seconde est souvent le moyen de la première, et la fonction explicative de l'image apparaît comme primordiale [238]. Mais ce point ne ressort que d'un effort d'interprétation systématique. En effet, si l'image, du moins dans les catégories reparaissantes, répond à une forme d'exploration psychologique, elle ne révèle pas toujours immédiatement son contenu explicatif, nous aurons l'occasion de le constater. De toute façon, la fonction, même ainsi comprise, ne saurait rendre compte à elle seule de ce que l'on pourrait appeler, plutôt que l'abondance, la prolifération de l'expression métaphorique. On en découvrira une raison beaucoup plus centrale en considérant l'influence du moment sur un tempérament comme celui de Balzac. Le rapprochement avec Hugo est éclairant à cet égard.

Sous l'angle individuel, le foisonnement qui caractérise à la fois le nombre et la longueur des images, la souplesse des combinaisons discernables, apparaissent comme la contre-partie de la boulimie balzacienne. On peut y voir la manifestation d'un appétit de vivre allant de pair avec une acuité et une ampleur de vision supérieures. Hugo parlera, dans son *William Shakespeare*, de cette vision globale et de la luxuriance métaphorique qui l'accompagne sans entamer sa simplicité fondamentale : « Quelle que soit l'abondance, quel que soit l'enchevêtrement, même brouillé, mêlé et inextricable, tout ce qui est vrai est simple. Une racine est simple. » Et de repousser les reproches de gongorisme, de byzantinisme et de mauvais goût que l'on fait à Shakespeare, et d'énumérer ces antithèses que sont, dans le chêne, « tronc gigantesque et petites feuilles », et d'autres encore. Cette défense s'applique admirablement au « baroquisme » de Balzac. Ce que Hugo, en pensant à lui-même, dit de Shakespeare, peut aider à situer Balzac :

---

(237) P. 500. C'est nous qui soulignons.
(238) Cf. *infr.*, p. 90-91.

> Etre fécond, c'est être agressif. Un poète comme Isaïe, comme Juvénal, comme Shakespeare, est, en vérité, exorbitant. Que diable ! On doit faire un peu attention aux autres, un seul n'a pas droit à tout, la virilité toujours, l'inspiration partout, autant de métaphores que la prairie, autant d'antithèses que le chêne, autant de contrastes et de profondeur que l'univers, sans cesse la génération, l'éclosion, l'hymen, l'enfantement, l'ensemble vaste, le détail exquis et robuste, la communication vivante, la fécondation, la plénitude, la production, c'est trop, cela viole le droit des autres [239].

Seul ce point de vue, qui pourrait servir de riposte aux critiques de Sainte-Beuve sur le style de Balzac [240], permet de comprendre et de bien juger la part d'excès propre à une certaine forme de génie. On discutera de la place qui revient à Balzac dans cette hiérarchie, mais, par son inspiration, il appartient à la famille d'esprits célébrés par Hugo. Sa vision unitaire, décelable dans le contenu de bien des métaphores comme dans l'ensemble de son œuvre, peut s'identifier à la simplicité du chêne hugolien. En même temps, l'exubérance des images nous avertit de ne pas chercher à les ramener arbitrairement à une perspective unique.

Seuls des esprits comme Balzac et Hugo peuvent conférer à la vision romantique une telle extension. La théorie du langage primitif et de son origine métaphorique parce que, selon Rousseau, passionnelle, a été largement répandue à la fin du dix-huitième siècle et au début du dix-neuvième [241] : le cratylisme nous en a d'abord donné une illustration, et nous l'avons retrouvée dans la théorie du cliché, image entre la vie et l'oubli. Elle se conjugue avec celle de l'analogie universelle, où les objets et, tout autant, les mots qui les désignent, sont le reflet d'une réalité supérieure. Ainsi s'opère un « retour à la magie [242] », ainsi s'explique un renouveau, sinon de l'expression métaphorique, du moins du symbolisme, dès Rousseau et Chateaubriand. Il faut faire cette distinction entre le niveau de l'expression et celui du symbole inter- ou intratextuel, car les plus célèbres contemporains de Balzac, avec la grande exception de Hugo, restent loin derrière lui, pour la fréquence et la variété, dans l'emploi de la métaphore. Des sondages effectués chez Chateaubriand, Senancour, chez le Sainte-Beuve de *Volupté* — nous ne parlons pas de Stendhal — révèlent un très faible pourcentage d'images chez ces auteurs. Michelet les dépasse aisément, mais seul le Musset de *La Confession d'un enfant du siècle* ou de *Lorenzaccio* se rapproche de Balzac par le nombre et la forme des exemples.

---

(239) *Œuvres complètes*, Albin Michel, Ed. Ollendorf, *William Shakespeare*, 2e part., I, p. 117-118.

(240) « Ce style si souvent chatouilleux et dissolvant, énervé, rosé, et veiné de toutes les teintes, ce style d'une corruption délicieuse, tout asiatique comme disaient nos maîtres, plus brisé par places et plus amolli que le corps d'un mime antique. » *Causeries du lundi*, « M. de Balzac », 1850.

(241) Citons par exemple Court de Gébelin, Fabre d'Olivet, Mme de Staël, Saint-Martin, Nodier, Rousseau par l'intermédiaire de Vico et de Condillac : « Comme les premiers motifs qui firent parler l'homme furent des passions [et non des besoins], ses premières expressions furent des tropes. Le langage figuré fut le premier à naître ». (ROUSSEAU, *Essai sur l'origine des langues*, cité par DERRIDA, *De la grammatologie*, Ed. de Minuit, 1967, p. 155. Cf. aussi *ibid.*, p. 384.

(242) Cf. GENETTE, « La rhétorique restreinte », *Figures III*, p. 39.

D'autres influences, plus scientifiques et exactement opposées, quoique parfois transmises par les mêmes auteurs, se sont exercées sur Balzac. Elles considèrent le langage « *en tant que tel*, indépendant *de tout autre phénomène humain*, devenant un sujet d'enquête et un instrument de création autonome [243] ». Selon son habitude, Balzac se meut sans effort entre scientisme et mysticisme : dans les deux cas, il s'agit de *connaître*, et de percer les secrets de l'univers. Un passage de sa *Dissertation sur l'homme* cherche à asseoir la connaissance magique sur un fonctionnement rationnel, abstrait et autonome du langage, sans référence aux choses :

> Quel serait le moyen de substituer aux mots de la Métaphysique un langage de signes conventionnels et faciles qui puissent, comme dans les sciences exactes, empêcher les erreurs de s'y glisser et qui pourraient, en le faisant marcher de propositions démontrées en propositions à résoudre, de vérités en vérités, lui donner l'espérance d'atteindre les choses les plus inconnues et de déchirer les derniers voiles de la nature [244] ?

On peut encore déceler la même double exigence dans l'enthousiasme pour les tropes que consigne *Louis Lambert :*

> Qui nous expliquera philosophiquement la transition... de l'alphabet à l'éloquence écrite, dont la beauté réside dans une suite d'images classées par les rhéteurs, et qui sont comme les hiéroglyphes de la pensée ? (X, 355).

D'un côté, le classement rationnel — l'ordonnance des différentes catégories — de l'autre, la magie des hiéroglyphes — l'intuition —, avec pour triple objet de délimiter le réel, d'apprendre, et de construire : rôle démarcatif, cognitif et constructif de l'image.

Ce triple rôle de l'image reflète les caractéristiques contradictoires auxquelles elle sert de point de rencontre et qui entraînent pareillement la densité du texte métaphorique. En particulier, il explique à la fois l'abondance des clichés et le nombre des analogies à forte distance sémantique. D'un côté, Balzac hérite d'un système de rhétorique dont il ne faut pas sous-estimer la puissance évocatrice, qui fait écho à la mythologie du lecteur, nous l'avons dit, qui lui propose, toute prête, une mise en ordre du réel, et où il puise largement. Mais en même temps, il appréhende les phénomènes d'une autre manière, et tâtonne pour trouver un langage neuf en harmonie avec sa propre perception, ou susceptible de la faire progresser. Rapprochant l'abondance des images (il aurait dû spécifier des images d'invention) chez Balzac de son emploi d'un vocabulaire technique et scientifique, J. M. Burton n'avait pas tort d'attribuer ces deux faits à un même effort pour enrichir les moyens d'expression [245]. Il faut aller plus loin et y reconnaître une utilisation du langage en tant qu'instrument non seulement d'analyse, mais de création. Les métaphores

(243) Martin KANES, « Balzac et la psycholinguistique », *A B 1969*, p. 128. L'auteur étudie la lignée qui va de Locke à Maine de Biran, en passant par Condillac, et en retrace l'influence dans *La dissertation sur l'homme* de Balzac, dont le texte a été publié par Henri Gauthier dans *AB 1968*.

(244) Cité par Martin KANES, *ibid.*, p. 128.

(245) *H. de Balzac and His Figures of Speech*, Princeton 1921, p. 45-46.

les plus inattendues, dont nous avons analysé le mécanisme linguistique, exploitent au maximum les possibilités du langage, compte tenu des limites imposées par le genre et par l'époque. En établissant de nouveaux rapports sémantiques, elles esquissent une restructuration du domaine tracé par l'héritage rhétorique.

Dans les deux cas, l'image organise et construit l'univers romanesque. Balzac a l'ambition de tout faire voir. Le roman doit être l'expression totale du monde. Il y a donc un élément volontaire à l'origine du recours constant aux images. Mais nous verrons mieux, en analysant l'axe des signifiés, que la multiplicité répond aux exigences profondes du tempérament de Balzac. Elle traduit l'émergence d'un élan au-delà des limites de l'expérience. Elle découle d'une vision plus totalisante qu'anarchique, que Balzac revendique lui-même en se rangeant sous « la bannière de l'Eclectisme littéraire [246] ».

(246) *Etudes sur Beyle*, Conard, XL, p. 373.

Chapitre II

PROBLÈMES DE MÉTHODE

L'examen du contenu se heurte à de nombreuses difficultés de méthode. Avant de l'aborder, nous allons présenter les problèmes que nous avons rencontrés et les solutions auxquelles nous nous sommes arrêtée. Notre exposé portera sur les points suivants : inventaire ; classement ; conditions et facteurs pertinents à l'interprétation ; méthodes d'interprétation ; plan adopté.

A. *INVENTAIRE*

Nous avons posé en commençant qu'un relevé aussi large que possible serait une garantie d'exactitude préalable et que toute sélection fondée sur d'autres critères ne pouvait venir que plus tard. Nous voulions éviter de privilégier arbitrairement telle catégorie ou telle forme d'image. Notre inventaire est donc exhaustif pour environ la moitié de *La Comédie humaine (Scènes de la vie privée, La Cousine Bette; Le Lys dans la vallée; Etudes philosophiques)*. Il est largement représentatif, et continue à tenir compte des clichés, pour le reste de *La Comédie humaine* [1]. Notre étude ne considère ni les *Œuvres de jeunesse*, ni le théâtre, ni les *Lettres à Madame Hanska.* Mais nous avons procédé pour ces textes à des sondages qui permettent des comparaisons intéressantes.

Que faut-il entendre par *exhaustif ?* Tous les exemples, même les plus banaux, dont la fonction imagée est décelable au cours d'une lecture attentive. Comme cet inventaire a été fait manuellement, il s'y trouve sans doute des lacunes, à ne pas confondre avec les omissions voulues de l'inventaire *représentatif*. Quant à ce dernier, nous n'y avons procédé qu'après avoir acquis une familiarité suffisante avec les résultats de l'inventaire exhaustif. Notre premier critère de sélection a été le contexte, soit du paragraphe, soit de l'œuvre, et les données fournies par l'inventaire exhaustif, qui permettaient de choisir en connaissance de cause. Nous avons continué à inclure des clichés. Si nous avons involontairement obéi à des considérations d'ordre qualitatif, elles concernent des traits tels qu'harmonie, originalité, bizarrerie, « mauvais goût », polysémie, longueur ou concision de l'exemple.

---

(1) Rappelons que l'étude qui suit se limite aux catégories du domaine social et physiologique. Nous avons rédigé l'analyse du domaine religieux et de la métaphore lumineuse et tenons compte de leurs données.

Quoi qu'il en soit, le résultat est un corpus très vaste, que nous avions essayé de constituer avec le maximum d'objectivité.

B. *CLASSEMENT ET PRÉSENTATION*

Comment rendre ce corpus maniable ? Trois modes de classement s'offrent pour une étude des signifiés — celui des comparants, celui des termes comparés, et celui du *tertium comparationis*, ou trait commun [2]. Naturellement, l'analyse doit tenir compte des trois éléments. Tous trois ont l'inconvénient de ne considérer ni le ton, ni la qualité. Tous trois entraînent des chevauchements. Le second conduit à l'effritement. Nous reviendrons bientôt sur le troisième. C'est le premier qui nous a paru le mieux adapté à la complexité de la matière. En effet, le contenu des images se situe tantôt au niveau de l'imaginaire et de l'affectivité, tantôt au niveau du concept. Certaines catégories relèvent de l'un et de l'autre. Souvent, ils se prêtent renfort, parfois ils s'opposent : ainsi dans les métaphores religieuses, l'angélisme dualiste s'appuie sur une théorie conceptuelle, l'érotisme mystique appartient au domaine de l'imaginaire, cependant que le mythe de l'androgyne réunit les deux plans. D'autres catégories se situent entièrement au niveau de l'imaginaire, ainsi les métaphores d'agression ou de nourriture, mais de toute façon, même les réseaux que sous-tend une explication conceptuelle — les métaphores pathologiques par exemple — font une large part au sensible et à l'affectivité. Le classement par catégories de comparants a l'avantage de se situer en dehors de cette double perspective affective ou conceptuelle. Il ne favorise donc ni l'une, ni l'autre, tout en reflétant à la fois leur continuité et leur discontinuité, et permet de dégager un rapport dialectique entre ces deux modes de pensée.

La juxtaposition des comparants constitue le *texte métaphorique*. Nous avons appelé *mots-thèmes* [3], à l'intérieur du groupe comparant, le ou les mots qui déterminent l'appartenance à une catégorie métaphorique. De nombreux mots-thèmes relèvent d'un certain nombre de catégories traditionnelles : phénomènes sociaux (métiers, vêtements, situations sociales, allusions littéraires et historiques, argent, machines), phénomènes naturels (lumière, eau, paysage, minéral, animal, végétal). Les phénomènes physiologiques (êtres humains, sensations, maladie, nourriture, blessure), par leur importance inaccoutumée, introduisent déjà un élément distinctif. D'autre part, certaines catégories ne se laissent pas réduire facilement à un système préétabli : les métaphores religieuses, par exemple, se rattachent-elles strictement aux phénomènes sociaux ? Les objets, la musique, les couleurs, appartiennent-ils au monde naturel ou au monde humain ? On peut assouplir ce classement et le rendre moins arbitraire en

---

(2) ULLMANN, *Actes...*, *op. cit.*, p. 50.

(3) Faute de trouver un terme inédit plus approprié. En effet, on voit que nous n'utilisons pas le terme dans le sens que lui a donné Pierre GUIRAUD, chez qui les mots-thèmes sont les mots les plus fréquents d'un texte : cf. *Les caractères statistiques du vocabulaire*, *op. cit.* Notre emploi se rapproche davantage de celui qu'on trouve dans les *Essais de stylistique structurale* de RIFFATERRE, *op. cit.*, p. 141, qui traduit l'anglais *summative words* (expression de Dell Hymes).

le ramenant à deux grandes divisions — monde humain, monde naturel — qui laissent toute latitude pour décider de l'appartenance des catégories ambivalentes d'après leur contenu.

L'inconvénient le plus grave du système adopté est inhérent au principe même de la classification par comparants plutôt que par *tertium comparationis* : elle risque de reléguer au second plan l'élément principal de l'analogie, c'est-à-dire son schème spécifique ou le schème qu'elle reproduit, au profit d'un signifié littéral parfois moins important, mais automatiquement attaché à l'objet comparant. Gilbert Durand a mis ce danger en lumière. Il le décrit comme

> l'inconvénient qui consiste à classer les symboles autour d'objets clefs plutôt qu'autour de trajets psychologiques, c'est-à-dire de schèmes et de gestes. Le monde de l'objectivité est polyvalent pour la projection imaginaire, seul le trajet psychologique est simplificateur. Baudouin n'arrive pas à décrire un net symbolisme de la demeure parce qu'en deux pages il passe subrepticement des archétypes de l'intériorité à ceux de « l'ascension morale » symbolisée par les étages. Or l'ascension sous toutes ses formes, échelles, escalier, ascenseurs, clochers ou *ziqqurat* appartient... à une toute autre constellation archétypale que la demeure. Le clocher est toujours séparé psychologiquement de l'église, cette dernière étant imaginée comme une nef [4].

Cet obstacle se rencontre presque à chaque pas. Donnons-en un exemple très simple :

> Jusqu'à leur mariage, la musique devint donc pour elles une autre vie dans la vie, de même que le paysan russe prend, dit-on, ses rêves pour la réalité, sa vie pour un mauvais sommeil (FE, II, 66).

Ni le classement à situation sociale *(paysan russe)*, ni celui à phénomène physiologique *(vie, sommeil)*, ne fournissent un code de déchiffrement suffisant pour cette image, dont le signifié principal est l'évasion, axée ici sur un schème cyclique. Dans le système de classement par catégories de comparants, elle peut reparaître trois fois, mais elle trouvera sa place la plus appropriée, parmi les phénomènes occultes, avec la religion et le surnaturel. Il est donc nécessaire d'interpréter et d'assouplir au maximum les critères de répartition en catégories pour prévenir un classement superficiel.

Moyennant cette précaution, l'examen du sens et du contexte permet en partie d'obvier aux inconvénients que nous venons de signaler. Il est même parfois possible d'introduire des catégories qui reflètent un trajet psychologique. Ainsi, la catégorie de la nourriture (phénomènes physiologiques) englobe forcément les symbolismes de la faim et de la soif. Soit l'image suivante :

---

(4) *Les structures anthropologiques de l'imaginaire*, PUF, 1963, p. 261.

> Il regardait Lisbeth comme un voyageur altéré, qui, traversant une côte aride, doit regarder une eau saumâtre (Be, VI, 198).

Les mots-thèmes *voyageur* et *côte aride* nous fournissent les signifiés de vie difficile et de privation ; *altéré* et *eau saumâtre* ceux de désir et de répulsion. Le classement le moins réductionniste oblige encore à sacrifier l'archétype vie-voyage et à ranger l'image dans la catégorie des métaphores de nourriture, où l'analyse l'examinera avec le sous-groupe du désir contrarié. De même, le contenu des métaphores militaires peut être axé sur l'idée de stratégie, sur celles de victoire et de défaite, ou sur celle de blessure. Les deux premiers groupes d'exemples constitueront les métaphores militaires proprement dites, le troisième fera partie de la catégorie « Armes et blessures », dont les schèmes sont complémentaires.

Il aurait été tentant d'adopter le système de Durand, auquel nous avons souvent eu recours à l'intérieur d'une catégorie donnée, pour l'ensemble du classement. Mais c'était se condamner à une forme d'éparpillement aussi impraticable que celle du classement par comparés, quoique différente, puisque trop de catégories se seraient trouvées rangées en même temps sous des schèmes différents : les animaux se répartissent aussi bien dans le régime diurne que dans le régime nocturne, la lumière et les armes appartiennent au premier, le feu et la blessure au second, et ainsi de suite. Autrement dit, cette classification, aussi fondée soit-elle, ne s'adapte pas à une étude qui prend les signifiants pour point de départ. Elle ne mettrait pas suffisamment l'accent sur les nombreuses équivalences qui ressortent de l'emploi de la même image à propos de divers phénomènes.

Il faut donc accepter les défauts inhérents au système choisi et s'efforcer, en les gardant présents à l'esprit, d'y apporter des solutions au moins partielles. Au total, la présentation par catégories nous est apparue comme la plus apte au maniement de la masse des images. C'est aussi celle qui offre le plus d'homogénéité avec le système de représentation taxinomique auquel Balzac adhère encore en partie, faute de mieux. Le rapprochement d'exemples et d'œuvres très différents qu'elle entraîne actualise des contenus qui passeraient autrement inaperçus et permet une lecture dont nous allons maintenant analyser les conditions.

C. *L'INTERPRÉTATION DES IMAGES*

a) Fonctions de l'image

Récapitulons d'abord brièvement les fonctions de l'image à l'intérieur de l'œuvre.

La fonction purement décorative, qui répondait à l'idéal classique, est la plus rare. Elle repose sur une analogie d'aspect et se cantonne plus ou moins dans le rapprochement de deux objets inanimés [5]. Elle n'a pas sa place dans une étude du contenu, car elle n'entretient de rapport structural avec aucun autre élément de l'œuvre. Elle ne devient objet d'interprétation que grâce à la présence simultanée d'une autre fonction.

(5) Cf. *supr.*, p. 31.

La fonction expressive est celle que Balzac revendique dans la *Préface* de *La Peau de chagrin*, en se donnant l'alibi supplémentaire de l'ornementation : « Il ne s'agit pas seulement de voir, il faut encore se souvenir et empreindre ses impressions dans un certain choix de mots, et les parer de toute la grâce des images ou leur communiquer le vif des sensations primordiales... » (XI, 173-174). Si l'on interprète assez largement sa définition, on peut y faire entrer la fonction explicative de l'image, qui est la plus importante chez lui, comme nous l'avons vu [6]. Dans les deux cas, le recours à l'expression métaphorique introduit une charge affective qui renvoie à l'auteur autant qu'au lecteur, et cela, même si l'image a en même temps un contenu conceptuel. Dumarsais, théoricien plus perspicace que Balzac, mettait déjà ce phénomène au premier plan, reléguant loin derrière la fonction décorative :

> Les hommes n'ont point consulté s'ils avaient ou s'ils n'avaient pas des termes propres pour exprimer ces idées, ni si l'expression figurée serait plus agréable que l'expression propre, ils ont suivi les mouvements de leur imagination, et ce que leur inspirait le désir de faire sentir vivement aux autres ce qu'ils sentaient eux-mêmes vivement [7].

Quant aux fonctions satirique et idéalisante, qui découlent des rapports entre animé et inanimé ou des emplois métalinguistiques du cliché [8], elles se rattachent à la fonction explicative. On peut en dire autant des fonctions symbolique et dramatique [9].

b) Définitions de l'interprétation

Cette prédominance de la fonction explicative de l'image est une invite à l'interprétation, que Balzac associe explicitement à l'exercice de l'écriture et de la lecture. Sa remarque sur *La Peau de chagrin*, où tout, dit-il, est « mythe et figure », en fait foi. De même, il sait que *Massimilla Doni* sera mal lue, et que beaucoup ne verront pas les indices contenus dans le récit :

> Dans cinq ans, *Massimilla Doni* sera comprise comme une belle explication des plus intimes procédés de l'art. Aux yeux des lecteurs du premier jour, ce sera ce que ça est en apparence, un amoureux qui ne peut posséder la femme qu'il adore parce qu'il la désire trop et qui possède une misérable fille. Faites-les donc conclure de là à l'enfantement des œuvres d'art !... [10]

Ces indices fonctionnent au niveau de l'image et du symbole.

---

(6) Cf. *supr.*, p. 83.

(7) P. 37.

(8) Cf. *supr.*, p. 21 et 57.

(9) Cf. *supr.*, p. 38 sq. Ch. Bruneau prend trop littéralement les affirmations de Balzac, et ne regarde pas assez le contexte, quand il écrit : « Pour Balzac, comme pour les classiques, la métaphore et la comparaison ne sont que des ornements de style ». (*Hist. de la langue franç.*, T. XII, p. 374).

(10) Lettre à Mme Hanska du 22 janvier 1838, éd. Pierrot, Bibliophiles de l'Originale, Paris, 1967, T. I, p. 580.

Une lecture d'ensemble par les images risque encore d'achopper contre le piège d'une analyse thématique linéaire. Ce piège, dit O. Mannoni, menace « tout interprétateur de métaphore, s'il croit que le terme métaphorique signifie, exprime, traduit l'autre terme [11] ». Une étude qui se veut complète ne peut ignorer le contenu immédiat de l'image, d'autant plus que certaines catégories se révèlent moins que d'autres signifiantes, dans l'acception balzacienne du terme. « Mais, toujours, [l'image] fait allusion à quelque discours sous-entendu, d'où sa puissance d'évocation — sans qu'il y ait même toujours besoin de savoir de quoi [12]. » Nous avons analysé les mécanismes linguistiques qui actualisent cette polyvalence de l'image. Rappelons que ce sont les phénomènes de la condensation et du déplacement qui sous-tendent les références socio-culturelles ou historiques, archétypales ou psychanalytiques [13]. Le texte métaphorique organise la référence externe au « réel » et l'intertextualité. Il se crée ainsi une interaction entre système interne et système externe préexistant, qui détermine le mécanisme de l'interprétation. Celui-ci est fondé sur deux formes d'autonomie différentes du texte métaphorique.

c) Mécanisme de l'interprétation

L'indépendance du signe par rapport au référent qui résulte de la structure de l'image, et les théories implicites qui sous-tendent la pratique métaphorique de Balzac en assignant à l'image un rôle créateur autant que classificateur [14] se poursuivent, au niveau de l'interprétation, dans l'*autonomie référentielle du texte métaphorique*. Non que la référence au réel, omniprésente dans le texte balzacien, ne soit nécessaire pour en expliquer de nombreux aspects, y compris dans le domaine des images : le roman balzacien a pour ambition avouée de représenter le réel et, du moins, il y renvoie [15]. Mais la représentation objective doit être reléguée au domaine des intentions. En fait, *La Comédie humaine* redécrit le réel, elle crée un univers qui obéit à ses propres règles et ne prend son sens que par rapport à celles-ci. Ce point est d'ailleurs acquis depuis longtemps, mais on n'en a peut-être pas assez explicitement tiré les conséquences [16].

Cette autonomie référentielle du texte métaphorique se développe grâce au classement par catégories de comparants. Le rapprochement, pour être aussi large que possible, doit s'effectuer en considérant toute

---

(11) *Clefs pour l'imaginaire*, Seuil, 1969, p. 259.

(12) *Ibid.*, p. 260.

(13) Cf. *supr.*, p. 24 à 30.

(14) Cf. *supr.*, p. 68-69 et 83-86.

(15) Bernard Vannier rappelle qu'il arrive à Balzac de justifier son emploi de la comparaison dans le portrait par un souci de réalisme : cf. *op. cit.*, p. 148.

(16) Dans la *Préface* de *La Peau de chagrin*, Balzac envisage l'*expression* comme postérieure à l'observation. En même temps, il amorce l'idée d'un réel particulier à l'univers romanesque, sinon indépendant du « réel » : « Ils [les poètes ou les écrivains] inventent le vrai, par analogie, ou voient l'objet à décrire, soit que l'objet vienne à eux, soit qu'ils aillent eux-mêmes vers l'objet » (XI, 174). A ce point de vue, le début de *Facino Cane* marque un recul théorique, puisqu'il y revendique plus que jamais le don d'observation intuitive du poète, qui doit lui permettre de « deviner » les *vrais* sentiments des êtres qu'il rencontre (VI, 66). Mais Balzac est beaucoup plus que la somme de ses théories, et tout en créant une *mimesis*, le monde de *La Comédie humaine* est un monde autonome.

La Comédie humaine comme un seul texte. Une telle méthode n'empêche pas de tenir compte des facteurs de la chronologie et du contexte, chaque fois qu'ils semblent pertinents [17]. Mais elle évite d'en faire des critères de classement, ce qui risquerait de masquer les corrélations qui unissent des comparants de même valeur, quoique éloignés dans l'œuvre. Il va de soi que l'appartenance à une catégorie commune ne constitue pas à elle seule la preuve d'une parenté de sens ou de fonction : c'est là qu'interviennent chronologie et, encore plus, contexte.

Illustrons, dans le cas de l'image, le double système de références, l'une externe, l'autre interne, auquel renvoie la description. Quand les métaphores de flamme et de lumière décrivent à la fois phénomènes spirituels et phénomènes sexuels, et proposent ainsi une équivalence entre les deux [18], cette équivalence renvoie bien à un domaine extérieur, puisqu'elle correspond à une thèse acceptée et qu'on la trouve souvent illustrée au niveau du mythe et du langage. Mais, en fait, elle s'établit et acquiert son plein développement par référence à un système interne, où la théorie du principe de vie unique gouverne les divers emplois de la métaphore lumineuse et crée une équivalence non seulement entre mysticisme et sensualité, mais entre toutes les formes de la « pensée » balzacienne, du moment qu'elles suscitent une dépense d'énergie. A ce stade, on pourra encore trouver à la théorie unitaire de nombreux répondants extérieurs. Par contre, la résolution spiritualiste du conflit flamme-lumière, malgré son manque d'originalité, se situe à l'intérieur du système balzacien, ou plutôt à l'intérieur d'un système partiel, créé par les rapports de *signification* qu'entretiennent chez Balzac les images lumineuses. Si le symbolisme de ce système se définit en partie par référence au sens symbolique traditionnel de la flamme et de la lumière, en même temps, il établit aussi son propre code de référence [19].

Tout en acquérant une existence autonome, le système intratextuel n'a pas besoin pour autant de contredire la « réalité » extérieure. Il s'établit à côté d'elle et en présente une interprétation comparable, comme le dit Balzac dans son *Avant-propos*, à celle de l'historien, « l'archéologue du mobilier social », qui dispose son propre univers en réorganisant les coordonnées archétypales communes à tous. Cette réorganisation s'opère au niveau du mot, selon le code déjà actualisé dans le langage par les images de la culture de relais, et grâce aux différents mécanismes linguistiques que nous avons étudiés : sélection réciproque, renouvellement du cliché, jeu de mots et homophonie, qui engendrent des chaînes verbales indépendantes de la réalité qu'elles sont censées reproduire [20]. Aussi, pour fournir

---

(17) Cf. *infr.*, p. 97 sq.

(18) Cf. notre art. « B. et les images reparaissantes : lumière et flamme dans *La Comédie humaine* », *RSH*, janv.-mars 1966, en part. p. 72 sq.

(19) Cette distinction entre intertextualité et réalité extérieure d'un côté, et élaboration d'un code de référence interne de l'autre est à rapprocher du système sémiologique du mythe établi par Roland Barthes. Il analyse le mythe comme un système second : la *forme* est le signifiant du mythe (cf. le comparant, qui possède déjà son propre sens), le *concept* en est le signifié (cf. les connotations qui s'attachent au comparant, la référence intertextuelle), la *signification* constituant le signe (cf. le rapport du comparant au domaine comparé). *Mythologies*, Seuil, 1957, p. 199 sq.

(20) M. Riffaterre a disséqué ce double phénomène dans des études auxquelles nous renvoyons : « Le poème comme représentation », *Poétique* IV, 1970, qui analyse

les données de l'enquête et la possibilité d'une vérification continue, l'étude qui suit comporte de nombreuses citations.

Intra- et intertextualité ne fonctionnent donc pas en sens inverse, mais par une action réciproque. C'est leur relation qui met en relief, à l'analyse, une seconde forme d'autonomie, l'*autonomie du comparant par rapport au personnage comparé.* On remarque très vite que les mêmes comparants, avec le même contenu, peuvent être associés à des personnages très différents [21]. C'est que le comparant ne définit pas principalement le « caractère » individuel, mais un trait, une action, une expérience ou une forme de rapport. Il peut ainsi contribuer, sans ce que ce soit essentiel, à la définition du personnage en tant qu'actant, c'est-à-dire d'après le type de fonction qu'il remplit dans l'histoire [22]. Plus généralement, le personnage se constitue comme le point de rencontre d'un certain nombre de sèmes auxquels son nom ne donne qu'un semblant d'intégration [23]. Ces sèmes sont attachés à l'image avant de l'être à l'individu qu'elle décrit. C'est donc délibérément que notre étude se donne pour première tâche l'analyse des formes d'expérience et de rapports associés à la signification de l'image, et, éventuellement, des théories conceptuelles qui les sous-tendent.

Notre propos ne concerne pas la vraisemblance, ni la cohérence des personnages, et peut même sembler les contredire, en rapprochant par exemple, dans l'étude de la métaphore alimentaire, Mme de Mortsauf et le cousin Pons. Il cherche à dégager certaines constantes du fonctionnement de l'imaginaire et de l'affectivité dans *La Comédie humaine.* Sous cet angle, l'attribution de telle métaphore à tel personnage apparaît souvent comme un facteur secondaire. Ce qui importe, c'est que le rapport entre comparants et domaines comparés peut engendrer des signifiés indépendants du personnage, et découvre ainsi un ordre de vérité archétypal, propre à l'expression métaphorique. Ensuite seulement, cette vérité peut contribuer ou non à la peinture individuelle, et se prêter ou non à une intégration plus poussée. La métaphore filée suscitée, à propos de Mme Cibot, par un jeu de mots que nous avons analysé plus haut, illustre cette double fonction :

> Tenez, monsieur, en voilà des bras !... Elle retroussa sa manche, et montra le plus magnifique bras du monde, aussi blanc et aussi frais que sa main était rouge et flétrie : un bras potelé, rond, à fossettes, et qui, tiré de son fourreau de mérinos commun, comme une lame est tirée de sa gaine, devait éblouir Pons, qui n'osa pas le regarder trop longtemps. — Et, reprit-elle, qui ont

---

un poème de Hugo fondé sur un enchaînement de métaphores conventionnelles tout à fait comparable à la pratique balzacienne ; « Système d'un genre descriptif », *Poétique* IX, 1972, et « Dynamisme des mots : Les poèmes en prose de Julien Gracq », *L'Herne*, n° 20, 1973.

(21) Nous considérons que tout comparant qui remplit une fonction explicative se rattache directement ou indirectement à un personnage, même si son comparé immédiat est un objet ou un lieu.

(22) Cf. Vladimir Propp, *Morphologie du conte*, Seuil, 1970, et A. J. Greimas, *Sémantique structurale*, Larousse, 1966, p. 172 sq.

(23) Cf. *S/Z*, Seuil, 1970, p. 197. Nous approfondissons ici les répercussions du phénomène dans le domaine de l'interprétation.

ouvert autant de cœurs que mon couteau ouvrait d'huîtres ! (CP, VI, 645).

Tout d'abord, la ressemblance du geste même est très lointaine, et il est évident que le bras de Mme Cibot, *blanc, frais, potelé, rond, à fossettes*, ne ressemble pas à une *lame*. Ce dernier mot n'a donc qu'une faible fonction mimétique : d'emblée, la connotation est morale. L'image prend sa place dans la catégorie des métaphores de blessure et, là, à l'intérieur d'un sous-groupe qui présente la conquête amoureuse comme une agression de nature virile, quel que soit le sexe réel du personnage qui l'accomplit. Ensuite, on peut essayer d'en inférer une interprétation partielle du personnage romanesque connu sous le nom de Mme Cibot, en rapprochant cette image d'autres détails qui connotent dans sa peinture des traits virils (telle la barbe) [24]. Dans la pratique, les applications à un personnage particulier ne sont pas rares, mais elles ne prétendent pas rendre compte de tous ses aspects. Encore une fois, elles n'ont pas à respecter la cohérence du réalisme psychologique. On pourrait demander pourquoi cette cohérence n'est pas du moins assurée par l'autonomie référentielle du texte métaphorique, qui repose elle-même sur une cohérence interne. Mais celle-ci ne s'exerce pas par rapport aux personnages, encore qu'elle puisse les englober. Elle contribue directement à l'élaboration de ce que l'on a coutume d'appeler « l'univers balzacien ».

La double autonomie du texte métaphorique n'est que l'autre face des relations inter- et intratextuelles que nous venons d'analyser. Ce sont celles-ci qui surdéterminent l'image, lui assurant sa polysémie — ce qui revient à dire que la polysémie se développe du fait de l'autonomie. Et c'est la juxtaposition des comparants qui permet de déceler le mouvement en direction de l'autonomie.

d) Présence de l'auteur

Nous avons vu en quoi consistent les sources culturelles et archétypales de l'image et comment elles se manifestent [25]. Peut-on déterminer quelle influence a la personnalité de l'auteur sur l'emploi de l'image, et ce genre de renseignement trouve-t-il place dans l'analyse du contenu ?

L'étude des sources externes met l'accent sur la valeur générale des significations de l'image. Il est nécessaire de retracer l'origine culturelle, le passé de tel ou tel topos, avant d'en définir le sens exact dans *La Comédie humaine*. Le recours aux sources internes peut aboutir au même résultat, dans la mesure où l'individuel rejoint l'archétype. C'est pourquoi, du moins au départ, la distinction entre sources externes et sources internes est à la fois futile et peu fructueuse. Dans les deux cas, il est difficile de déterminer comment l'auteur a « choisi », même si l'image, grâce à son caractère de répétition, semble bien près d'instaurer une structure consciente. Par exemple, Balzac associe argent et digestion. A partir de là, comment décider du degré de précision avec lequel il se représente les sources inconscientes des images fondamentales qu'il redécouvre avec une telle sûreté ? De

(24) Cf. *infr.*, p. 328.
(25) Cf. *supr.*, p. 69 sq., p. 92-94.

même, la mise en lumière des « influences » ne prouve pas forcément ni que Balzac les subisse, ni qu'il les cultive. Ainsi, dans le domaine du mythe, on ne peut pas affirmer qu'il connaissait tel sens de la Trinité gnostique à caractère androgyne, encore que ce soit fort vraisemblable, ni surtout qu'il avait dans l'esprit une théorie complète de l'échange. Il n'en demeure pas moins que le recours à cette théorie permet d'en déceler chez lui des illustrations qui pourraient autrement passer inaperçues. Par contre, il était pleinement conscient du schéma ternaire de l'expérience mystique, comme en fait foi certain passage de *Séraphîta*. Mais, même si ce passage de *Séraphîta* n'existait pas, le schéma ternaire serait encore identifiable dans le système d'images qui décrit l'expérience mystique : il s'y trouve parce qu'il reflète un parcours psychologique que la plupart des théoriciens ont observé et qui possède une valeur générale.

On peut penser pourtant que les idées de Balzac, sa personnalité, ses expériences, déterminent sa prédilection pour telle ou telle catégorie d'images et, plus encore, la manière dont il les emploie. Puisque, dans le roman, la lecture du texte métaphorique s'opère à partir de phénomènes « attachés » aux personnages, nous avons considéré Balzac en analyste de son monde plutôt qu'en analysé. Mais les deux démarches sont complémentaires, et la seconde est l'aboutissement logique de la première. Ainsi, les métaphores sociales renvoient finalement autant aux idées et aux choix affectifs de Balzac qu'à la société qu'il décrit. De même, c'est par un phénomène de projection que l'image présente avec une telle intensité la vision d'une humanité qui s'entredévore. Une déduction d'un caractère aussi général ne nous entraîne d'ailleurs pas très loin dans la voie d'une psychanalyse de Balzac. Mais il faut dire au moins que les « métaphores obsédantes » révèlent les désirs inconscients de l'auteur dans la mesure où elles en opèrent la réalisation ou, au contraire, la négation fantasmatiques. On ne saurait expliquer complètement la présence de certaines métaphores de nourriture exprimant la voracité en disant que Balzac a peint une société particulièrement orientée vers l'acquisition des richesses. Ce serait tomber dans l'erreur que nous avons signalée plus haut, et qui consiste à croire que le comparant traduit simplement le comparé [26]. D'autres exemples se dégageront facilement, à la lecture des chapitres qui suivent, et pourraient fournir la base d'une analyse centrée sur l'auteur, si l'on ne sous-estime pas l'importance du phénomène de la projection. Notre étude s'arrête le plus souvent au bord de cette analyse.

Le code psychanalytique n'est que l'un de ceux auxquels renvoie la polyvalence de l'image, quoique le plus fréquent avec les codes culturels. L'important, c'est que c'est le rapport entre comparants et comparés et leur organisation en système qui suggèrent tel ou tel code de lecture. La présence de l'auteur se dessine au terme de l'interprétation plus souvent qu'elle n'intervient au départ. Ce que nous savons de Balzac permet de formuler certaines hypothèses et d'orienter le champ des possibilités. Mais l'image nous en apprend beaucoup plus sur l'auteur que l'auteur ne nous en apprend sur l'image.

---

(26) Cf. *supr.*, p. 92.

e) Facteurs pertinents a l'interprétation : genre, chronologie, contexte. Données statistiques

L'image, dans *La Comédie humaine*, présente peu de traits spécifiques qui soient strictement déterminés par son *appartenance au genre romanesque*, et ceux-ci ne se manifestent qu'au niveau de l'interprétation.

L'abondance du cliché semble concomitante de la forme narrative : et le cliché caractérise l'épopée autant que le roman. De son côté, la fonction souvent satirique ou caricaturale de l'image dans le dialogue illustre la parenté entre roman et comédie. Quant à la fonction poétique [27] du langage, qu'illustre l'image, et qui coexiste toujours avec d'autres fonctions, elle dépend encore moins du genre adopté. De même, la puissance d'émotion propre à l'image chez Balzac correspond à son univers de passion et peut se retrouver tout aussi bien dans le drame ou en poésie. Finalement, la corrélation la plus spécifique concerne la fonction explicative de l'image, qui découle presque entièrement de la complexité analytique propre au roman plus qu'aux autres formes littéraires. Et cette caractéristique, par son ubiquité, tend à dissimuler tout ce qui rapproche, au contraire, l'emploi de l'image dans le roman et dans les autres genres. En effet, non seulement la souplesse métaphorique semble liée à l'accès du roman à la maturité, mais elle amorce déjà un glissement des frontières entre les genres. Ces remarques ne s'appliqueraient que partiellement au roman du XVIIIe siècle, même à la *Nouvelle Héloise*. Par contre, elles pourraient décrire sans beaucoup de changements la pratique métaphorique de Hugo, de Maupassant ou de Zola romanciers, et même celles de Flaubert et de Proust, compte tenu de l'activité variable de la fonction poétique chez ces différents auteurs.

Le *contexte* et la *chronologie* peuvent non seulement influer sur l'apparition de l'image, mais encore contribuer à l'interprétation. En particulier, c'est le contexte immédiat ou global, le paragraphe ou l'œuvre, qui donnent leur contenu manifeste aux images. L'étude de la chronologie éclaire l'évolution d'une catégorie ou d'un sens à l'intérieur de *La Comédie humaine*, — leur apparition, leur point culminant et leur disparition éventuelle. Elle souligne, le cas échéant, les mutations de l'imaginaire et de la pensée conceptuelle. Nous tiendrons compte de ces éléments. En effet, bien que la chronologie ne détermine pas l'ordre de notre analyse, elle peut se dégager de l'enchaînement des significations, et si notre étude n'est pas axée sur une synthèse chronologique d'ensemble, elle en contient les données. Quant au contexte, son rôle s'insère dans le mouvement dialectique qui part du sens archétypal d'une image pour le confronter avec celui qu'elle prend dans le texte : il détermine donc les processus de déformation. En même temps, l'attention portée au contexte fournit un autre repère à l'interprétation, car elle permet de déceler les constantes ou les variations qui s'attachent à la signification d'un même élément, suivant qu'il se manifeste comme métaphore linguistique ou comme objet du récit [28]. Nous avons déjà donné des exemples de continuité entre

---

(27) Cf. *supr.*, p. 68.
(28) Cf. *supr.*, p. 38 sq.

le plan de l'histoire et le plan métaphorique [29]. Cette continuité caractérise invariablement le domaine naturel (végétation, eau, minéraux, lumière, espace) et l'habitat. Les aspects du décor, dans la description, ont le même sens que les métaphores, parce que ce sens est symbolique dans les deux cas. Mais les catégories du domaine humain constituent un tout moins homogène, et certaines d'entre elles présentent des variations de sens entre le plan de l'histoire et celui du discours. Si les métaphores monétaires et physiologiques se situent dans le prolongement de l'histoire, parce que cette dernière est déjà symbolique, d'autres catégories, plus nombreuses, présentent une signification indépendante et même opposée, ainsi certaines métaphores de situations sociales (criminel, courtisane), certains sens de la métaphore théâtrale, et l'ensemble de la métaphore de jeu. Cette autonomie traduit régulièrement le désaccord bien connu qui existe entre les choix moraux et politiques de Balzac et ses tendances individualistes, voire anarchiques. Le jeu, par exemple, s'accompagne, dans la vie des personnages, de répercussions tragiques, tandis que, sur le mode symbolique de l'image, il revêt des couleurs éclatantes.

Pour toutes ces raisons, si notre premier soin est de détacher les images du contexte global, l'analyse dépend d'une interaction continuelle entre comparant, contexte et code de signification.

C'est uniquement par rapport au texte lui-même, et sans référence externe, que nous parlons de *données statistiques* : en effet, comme nous l'avons déjà expliqué, il ne nous paraît pas très fructueux de considérer l'image comme un écart par rapport à la norme linguistique [30]. De la sorte, tout un vaste champ d'application de la statistique se situe en dehors de notre étude : celui qui étudie la fréquence moyenne des mots et de leurs différents sens dans la langue littéraire d'une certaine époque, et leur oppose les fréquences propres à un écrivain particulier.

Nous avons vu comment les données statistiques peuvent être utilisées pour estimer la densité métaphorique d'un texte [31]. Examinons maintenant les renseignements qu'elles fournissent dans le domaine de l'interprétation.

Ils concernent tout d'abord la prédominance de certaines catégories, d'une part dans l'ensemble de *La Comédie humaine*, et d'autre part dans des œuvres particulières. Dans les deux cas, le fonctionnement statistique est le même. Pour l'ensemble, les métaphores animales se classent en tête, suivies par les métaphores physiologiques, puis les métaphores religieuses. On risque d'en conclure un peu vite que l'univers des images reproduit avant tout une vue matérialiste de l'existence. Mais un coup d'œil sur le contenu nous apprend qu'une part importante des métaphores animales présente une signification spiritualiste, qui renforce celle des métaphores religieuses. C'est là l'un des sens archétypaux du symbolisme animal : il s'actualise dans de multiples récits des *Etudes philosophiques (Les Proscrits, L'Enfant maudit, Séraphîta)* et, naturellement,

(29) Cf. *ibid.*, et p. 78-82.
(30) Cf. *supr.*, p. 18.
(31) Cf. *supr.*, p. 82-83.

dans *Le Lys*, — autre exemple de l'influence de l'histoire, du contexte, sur le sens de la métaphore. Cette influence explique en même temps l'orientation matérialiste qui prédomine malgré tout dans les métaphores animales, et qui reflète la somme beaucoup plus vaste des *Etudes de mœurs*.

La prédominance quantitative d'une catégorie dans une œuvre particulière est donc le plus souvent fonction du sujet, malgré la possibilité de quelques sources contingentes [32]. Dans les deux cas, un pourcentage élevé ne veut dire quelque chose que si les exemples se répartissent en réseaux organisés. D'ailleurs, dans *La Comédie humaine*, qu'il s'agisse d'une catégorie ou d'un de ses sous-groupes, d'une œuvre isolée ou d'un ensemble d'œuvres, ce type d'organisation apparaît presque immanquablement. Et plus les exemples sont nombreux, mieux leur signification ressort, faisant émerger cette « structure d'idées, conscientes ou inconscientes », dont parle M. Nykrog à la première page de son livre [33], et qui sous-tend toute grande œuvre.

La qualité de l'image ne joue-t-elle donc aucun rôle dans l'interprétation ? A vrai dire, c'est justement parce qu'on lui accorde toujours la première place que nous avons cherché à montrer l'influence, malgré les précautions qu'exige son maniement, du facteur quantitatif. Il n'y a aucun inconvénient intrinsèque à insister sur la qualité, au contraire, mais, trop souvent, son appréciation dépend d'impressions subjectives et fragmentaires. Il est pourtant possible d'éviter ces deux écueils. Le premier démontre la nécessité d'une définition, qui restera d'ailleurs fonction de l'époque et de l'individu. Rappelons que la qualité de l'image désigne ici soit son originalité, soit une convenance de ton, de sens, de rythme et de sonorité particulièrement poussée, et, dans un cas comme dans l'autre, son pouvoir d'émotion ou d'expressivité. La fonction strictement explicative ne dépend pas de la qualité, mais, si elle est suffisamment explicitée, elle entraîne toujours une image frappante [34]. Ces critères de qualité sont assez larges pour inclure toutes les images expressives, même celles qui ne se rattachent pas à un système d'ensemble. Cependant, pour éviter le second écueil, celui d'une interprétation fragmentaire, on doit sans cesse confronter les données qualitatives avec les données quantitatives. L'étude par catégories relègue donc au second plan des exemples qui peuvent être stylistiquement très intéressants, mais qui ne rentrent pas dans un réseau organisé. Nous espérons avoir donné un aperçu assez varié de ce genre d'exemples en étudiant la physiologie de l'image.

Si, dans l'interprétation, facteurs quantitatifs et qualitatifs réagissent l'un sur l'autre et doivent être considérés l'un par rapport à l'autre, il n'en demeure pas moins que l'élément qualitatif est primordial. Certaines images présentent un degré d'expressivité et de complexité tellement supérieur à d'autres qu'elles servent en quelque sorte d'image-clé, de révélateur, pour toute une catégorie ou pour tout un sous-groupe. Ou bien encore, elles échappent à une classification unique ; et leur polyvalence ne se dégage qu'au terme d'une analyse des différents contenus

(32) Cf. *supr.*, p. 73-74.
(33) *La pensée de Balzac dans « La Comédie humaine »*, Copenhague, 1965, p. 5.
(34) Cf. *supr.*, p. 50-53.

d'une ou de plusieurs catégories. On est donc amené à leur réserver un commentaire beaucoup plus développé. Mais au total, aspects quantitatif et qualitatif se renforcent. Dans une œuvre de l'étendue de *La Comédie humaine*, il existe des exemples rares, mais il n'existe guère d'exemple unique [35].

D. *PLAN ADOPTÉ*

Dans les pages qui précèdent, nous avons évoqué plusieurs aspects de la multiplicité des images. Rappelons qu'il peut s'agir d'une multiplicité de surface, due à l'accumulation des comparants, et qui ne fait que voiler le point de vue unitaire de Balzac. Mais cet effet de fragmentation peut aussi refléter une disparité plus profonde : il faut distinguer entre la pensée conceptuelle, et l'affectivité qui donne sa coloration à l'univers romanesque. Toutefois, ces deux facteurs ne s'opposent pas invariablement : souvent aussi, ils se renforcent. Par exemple, la théorie du principe de vie unique est susceptible d'applications dans les deux domaines. De toute façon, il est nécessaire d'étudier leur interaction. Les parentés et les oppositions de contenu sont à l'origine du plan que nous avons adopté, à l'intérieur de chaque catégorie aussi bien que dans la disposition des catégories successives.

Tout d'abord, à l'intérieur de chaque catégorie, la répartition en groupe s'opère selon les différents domaines comparés. Ce premier stade du classement dépend de l'analyse thématique, nécessaire, nous l'avons dit, à une présentation qui se veut complète. Le rapprochement des contenus respectifs permet de repérer différents trajets psychologiques ou différents sèmes. A partir de là se dégage la structure immanente propre à une catégorie et, plus tard, à la succession des catégories. Prenons l'exemple de la métaphore théâtrale : elle illustre trois sens du topos : *theatrum mundi*, comédie sociale, processus d'idéalisation. L'analyse oppose entre eux ces trois sens, mais elle permet aussi de les articuler et de faire ressortir leur filiation et même leur convergence.

Cette forme de résolution reste possible entre les différentes catégories du domaine social et physiologique auxquelles se limite notre étude. Une étude d'ensemble devrait tenir compte de données plus complexes. L'ordre des trois chapitres qui suivent reflète l'envahissement progressif d'une vue matérialiste et déterministe, laquelle a pour corollaire le passage du social au physiologique. La métaphore d'argent, qui relève à la fois de ces deux domaines, occupe une position axiale dans ce développement.

---

(35) Il y en a pourtant : cf. le sens de la métaphore androgyne dans *Massimilla Doni*. Voir notre article, « Balzac et l'androgyne », *AB 1973*, p. 253-277, en part. p. 274-277.

CHAPITRE III

JEUX

simulacre, hasard et compétition

Dans *La Comédie humaine*, le théâtre et le jeu font souvent partie intégrante de l'histoire. Ils y remplissent une autre fonction que dans le texte métaphorique, et semblent y présenter un tout autre sens. Mais en même temps, un examen comparé des deux plans révèle soit des interférences qui éclairent certains épisodes, soit même la vérité essentielle du texte métaphorique. Nous verrons se reproduire le même phénomène dans le cas des métaphores monétaires et physiologiques. Nous verrons aussi que les métaphores de situations sociales ne se prêtent pas toutes à ce genre de confrontation.

Jeux de la scène, jeux de hasard et de compétition partagent plus qu'une simple dénomination. Chez Balzac, leur parenté se reflète d'abord dans l'identité des domaines décrits par les métaphores de jeu et de comédie sociale. Leurs caractéristiques communes générales ont été analysées par plusieurs auteurs et sont sous-entendues dans la classification du jeu adoptée par Roger Caillois : le simulacre y figure, comme type, à côté de la compétition et du hasard [1]. Ces caractéristiques se retrouvent pour une bonne part dans l'usage balzacien, où elles se rattachent à deux données principales : d'abord, l'opposition entre le monde quotidien et un monde différent, laquelle détermine des modes d'action parallèles sans être identiques, et ensuite le problème de la distance et de l'identification.

Le monde du jeu comme celui du théâtre se distinguent du monde quotidien tout en se calquant sur lui. Ils instituent chacun des situations parfaites, « telles que [du moins pour le jeu] le rôle du mérite ou du hasard s'y montre net et indiscutable », qui obéissent à certaines conventions et qui se définissent à l'intérieur d'un espace clos, réservé, et dans un temps délimité [2]. Qu'en est-il de la règle du jeu au théâtre ? Selon Caillois, elle fait place à la recherche par l'acteur, et à l'acceptation par le spectateur, de l'effet d'illusion [3]. Le dix-septième siècle a voulu réaliser cet idéal en

(1) *Les Jeux et les hommes*, Gallimard, « Idées », 1958, ch. II. Seul manque, dans la métaphore balzacienne, le quatrième type proposé par CAILLOIS, celui du vertige physique.

(2) *Ibid.*, p. 60, 67, 37 et HUIZINGA, *Homo ludens*, Paris, 1951 (1re publ. 1938), p. 34-35, cité par Caillois, p. 32-33.

(3) P. 67. On sait qu'au XXe siècle, Brecht a contesté radicalement cette recherche de l'illusion dramatique. Chez les autres novateurs, elle cède la place à la recherche d'une

introduisant la scène à l'italienne, qui est encore notre scène traditionnelle, et celle-là même du texte métaphorique balzacien. Elle traduit « le désir de rendre possible, en circonscrivant et en isolant un lieu privilégié, une illusion vécue sur un mode de participation non pas effective mais mentale, dont l'une des conditions résidait dans la séparation de la scène et de la salle [4] ». Ce point de vue sous-tend les conceptions esthétiques propres à la métaphore du théâtre dans *La Comédie humaine*.

C'est le caractère fictif du théâtre et du jeu qui pose le problème de la distance et de l'identification entre la personne et le personnage. Celui qui joue est-il le même que l'être qu'il joue et, dans le cas d'un spectacle, le spectateur peut-il s'identifier avec l'acteur ou le joueur ? Ce problème est au centre des emplois de la métaphore théâtrale chez Balzac, et n'y suscite pas de réponse unique. Par contre, dans la métaphore de jeu, il se trouve mis à l'écart d'emblée, par l'identification implicite entre personnage et personne, ou plutôt même par leur confusion. Cette confusion explique d'ailleurs le trait le plus négatif du jeu métaphorique chez Balzac : le fait qu'il n'apparaît pas comme une activité purement gratuite ou du moins parallèle, mais comme partie constituante de la vie des personnages et comme leur plus grande affaire. Il y perd ainsi quelque peu de son caractère ludique [5]. De même, en l'absence de jeux sportifs, il ne présente jamais l'aspect spectacle, essentiel au contraire dans la métaphore théâtrale.

* * *

I. *LA MÉTAPHORE THÉATRALE*

La métaphore théâtrale est un topos très ancien. Curtius, dans *La littérature européenne et le Moyen Age latin*, en retrouve l'origine chez Platon :

> Représentons-nous chacun des êtres vivants que nous sommes comme une marionnette fabriquée par les Dieux ; était-ce amusement de leur part, était-ce dans un but sérieux ? Cela, nous ne pouvons le savoir [6].

L'antiquité païenne et chrétienne accorde, après Platon, la plus grande importance au rôle des dieux, soit metteurs en scène, soit spectateurs, ou les deux à la fois, de la pantomime des hommes sur la scène terrestre. C'est ce que Curtius appelle la métaphore « théâtre universel » ou *theatrum mundi*. Parfois, même si les dieux restent à l'arrière-plan, l'accent est mis sur la scène de la vie. Tel est le cas chez Sénèque : « Hic humanae vitae

---

participation et d'une communion effective entre la scène et le public. Jean Rousset analyse remarquablement cette évolution dans *L'Intérieur et l'extérieur*, Paris, Corti, 1968, p. 166-169.

(4) Rousset, p. 168-169.

(5) Cf. *infr.*, p. 130-131.

(6) Trad. Ed. de Places, cit. par Curtius, ch. VII, p. 170. Curtius cite aussi un autre passage de Platon, du *Philèbe*, qui dit que la vie entière est tragédie et comédie. Il en parle d'ailleurs dans son *Balzac*, où il présente déjà un historique de la métaphore théâtrale, p. 334-335, avec entre autres quelques exemples empruntés aux Romantiques

mimus, qui nobis partes, quas male agamus, adsignat [7] ». Au Moyen Age, Jean de Salisbury, dans son *Policraticus*, tout en conservant à la métaphore son sens théologique, en développe et en approfondit les possibilités sur le plan humain. A la comparaison de l'homme avec un acteur, fréquente dès l'Antiquité, il ajoute l'idée que cet acteur ne joue pas son propre rôle. Ainsi la notion de comédie, de feinte, prend une place prépondérante. A la conception d'un théâtre sacré se substitue celle d'un théâtre profane, à la notion du comédien possédé celle de la personne dissociée de son personnage [8]. On sait la fortune qu'a connue la métaphore dans ce sens, jusqu'à devenir un des lieux-communs de la morale, fréquemment illustré en littérature.

Le titre de *Comédie humaine*, joint au goût de Balzac pour le théâtre, qui a duré toute sa vie, laisse espérer un renouvellement de la métaphore [9]. En tout cas, celle-ci n'a pas manqué de susciter un réseau structuré qui donne vie au titre de l'œuvre. A ce propos, il convient de rappeler que l'on hésite sur la date à laquelle Balzac a songé à ce titre [10]. L'image elle-même était tout à fait courante à l'époque romantique. La plupart des érudits qui ont étudié la question penchent, avec des arguments variés, pour 1839-1840. Une exception : Fernand Baldensperger, dont la suggestion, insuffisamment fondée semble-t-il, avait pourtant été reprise par Marcel Bouteron dans sa *Préface* de l'édition de la Pléiade [11], et qui propose février 1835. L'examen de la chronologie des métaphores théâtrales nous apporte deux éléments d'information supplémentaire [12], qui renforcent surtout la première hypothèse sans infirmer tout à fait la seconde.

Tout d'abord, Balzac s'est fait l'interprète du topos dès ses premières œuvres : *Physiologie du mariage*, *Scènes de la vie privée*, etc. On en trouve même un exemple développé dans *Annette et le criminel* [13]. Dans *La Peau de chagrin*, l'image est assez fréquente [14], sans pourtant constituer un

---

français — Gautier, Musset, Vigny — qui nous prouvent que le thème de la *scène du monde* était bien l'un des lieux communs de l'époque. L'influence de Shakespeare n'y est sans doute pas étrangère.

(7) Cité par CURTIUS, *Littérature...*, p. 171.

(8) Ross CHAMBERS retrace cette évolution jusqu'à la fin du XIXe siècle dans « L'Art sublime du comédien... », *Saggi e ricerche di letteratura francese*, vol. XI, 1971, p. 191 à 203. Cf. *infr.*, p. 127-128.

(9) 203 exemples relevés.

(10) Pour le détail de cette question, nous renvoyons aux articles suivants : F. BALDENSPERGER, « Une suggestion anglaise pour le titre de la *Comédie humaine* », RLC, oct.-déc. 1921 ; M.-J. DURRY, « A propos de *La Comédie humaine* », *RHLF*, janv.-mars 1936, p. 96-98 ; A. CHANCEREL, *RHLF*, oct.-déc. 1952, p. 462-468 ; M. LE YAOUANC, *RHLF*, oct.-déc. 1956, p. 572-575 ; Pierre CITRON, « Du nouveau sur le titre de *La Comédie humaine* », *RHLF*, 1959, p. 91-93 ; Wayne CONNER, « Les titres de Balzac », *Cahiers de l'AIEF*, 1963, nº 15, p. 283-294.

(11) I, XIV.

(12) Nous nous en tenons aux œuvres où nous sommes en présence d'un réseau thématique.

(13) « Or, dans tous les bourgs, villes, capitales, villages, hameaux, de tout royaume européen, asiatique et africain, partout enfin où se trouvent agglomérés sept animaux qu'on décore du nom générique d'hommes, il se trouve aussi des intérêts qui se croisent, des amours-propres qui se froissent, des jalousies qui croissent, et la reine du monde, l'Opinion, y vient sur-le-champ dresser ses tréteaux, et comme un charlatan, parle sans cesse à la foule » (Bibl. de l'Originale, t. III, p. 6-7).

(14) 8 exemples.

réseau thématique : malgré l'intérêt de plusieurs passages, elle ne présente pas un sens organisé. Autrement dit, l'image est dans l'air, Balzac en voit les possibilités, surtout sur le plan de la comédie sociale, mais il ne les exploite pas systématiquement.

Au contraire, à partir de 1834-1835, on relève un réseau thématique dans deux romans : *Le Père Goriot* et *Le Contrat de mariage* [15]. Peut-on considérer ce fait comme un argument à l'appui de l'hypothèse de Baldensperger en faveur de la date de 1835, ou traduit-il simplement un progrès dans la maîtrise technique du romancier ? En 1838, nous avons *Une fille d'Eve* et les deux premières parties de *Béatrix*, récits où les exemples développent simplement le thème de la comédie sociale. Par contre, 1839, c'est l'année des *Secrets de la princesse de Cadignan*, où la métaphore théâtrale atteint une manière de sommet. En juin 1839, Balzac « avait fait une chute dans son jardin des Jardies, il fut immobilisé pendant plusieurs semaines et écrivit alors *Les Secrets de la princesse de Cadignan* [16] ».

Or, du 23 mai au 9 juin, le poète Ausone de Chancel « fait paraître dans trois numéros successifs de la Revue du XIXe siècle..., les trois chants d'une œuvre intitulée *La Comédie humaine* [17] ».

Coïncidence ou preuve interne d'un approfondissement du topos, déclenché par le titre du poème de Chancel ? Un autre fait est digne de mention : après 1842, année où Balzac annonce son titre au public dans l'*Avant-propos* à *La Comédie humaine*, nous assistons à une recrudescence de l'emploi thématique de l'image : en 1843, *Honorine*, *La Muse du département*, en 1844, troisième partie de *Béatrix*, et surtout *Modeste Mignon*, autre sommet. Pendant cette même période, nous avons trouvé quelques exemples, dans d'autres œuvres, qui révèlent de nouveau un travail de réflexion comparable à celui des années 1834-1835 et 1839.

Peut-on parler d'originalité à propos de l'emploi que fait Balzac de la métaphore théâtrale ? Il faut du moins chercher à dégager son apport personnel, mais on se réfèrera encore une fois à Curtius, pour suggérer que si Balzac, dans son *Avant-propos* de 1842, n'élucide pas le sens de son titre, laissant ainsi la porte ouverte à toutes les interprétations, c'est peut-être tout simplement parce que ce sens est trop évident. Curtius cite un passage de Cervantès :

> Don Quichotte (IIe partie, chap. XII) explique à son écuyer que la vie humaine ressemble à un spectacle. Quand la pièce est finie et que les costumes sont enlevés, les acteurs se retrouvent tous semblables. De même les hommes après la mort. « Magnifique comparaison, réplique Sancho, toutefois pas assez neuve pour que je ne l'aie déjà entendue maintes et maintes fois [18] ».

Et pourtant, Balzac lui-même indique par son titre en quoi réside à ses yeux l'originalité de son apport : en contraste à celle de Dante, sa

---

(15) On pourrait y ajouter *César Birotteau*, œuvre en gestation depuis 1833, et qui paraît en 1837.

(16) Pl. XI, 1030.

(17) Pierre CITRON, *art. cit.*

(18) *Op. cit.*, p. 174.

comédie est humaine. Cette épithète se vérifie de façon imprévue à l'examen des métaphores théâtrales : chez Cervantès, la présence divine se profile encore à l'arrière-plan. Chez Balzac, toutes les images se situent sur le plan humain. Dieu ne fait pas partie des spectateurs, la scène se passe sur terre : le topos *théâtre du monde* n'apparaît pas, du moins dans son sens primitif. En ceci, Balzac se place dans la lignée de ses prédécesseurs récents : La Bruyère [19], Diderot.

L'image relève de trois aspects principaux, qui se distinguent par un rapport différent entre la réalité et les apparences. Dans le groupe que nous appelons, d'après Curtius, la *scène de la vie*, ou la *scène du monde*, la réalité et les apparences se confondent pour l'acteur, qui joue son propre rôle, en face d'un spectateur omniscient représenté soit par les autres hommes, dont la présence est nécessaire aux gesticulations de l'acteur, soit, beaucoup plus, par l'auteur et le lecteur omniscients. Dans le groupe de la *comédie sociale*, le jeu est axé sur le contraste entre la réalité et les apparences : l'acteur omniscient joue un rôle d'emprunt et dupe le spectateur victime des apparences. Enfin avec le dernier aspect de l'image théâtrale, qui se superpose souvent aux deux premiers, les apparences créées par la comédie deviennent une espèce de *réalité supérieure*. Dans ces trois cas, les idées proprement littéraires de Balzac sur le genre dramatique ne jouent qu'un rôle accessoire, que nous indiquerons au passage. Son point de vue est philosophique, moral et esthétique.

Le topos de la *scène de la vie* est tout ce qui subsiste, chez Balzac, du topos *théâtre du monde*, dont il conserve cependant quelques accessoires, des termes même, mais pour les détourner de leur sens original en les situant uniquement sur le plan profane et en éliminant le rôle de la divinité.

La marionnette humaine apparaît dans quatre exemples assez tardifs, empruntés à *Massimilla Doni* (1837), *Z. Marcas* (1840) et *Ursule Mirouet* (1841). Ce retour aux accessoires anciens est peut-être encore une trace du cheminement de l'image dans l'esprit de Balzac. L'homme n'est qu'un pantin sans libre arbitre qui danse « *la vile pantomime* ». Mais les dieux de Platon ont fait place, de même que chez Diderot, à un déterminisme matérialiste qui rend la condition humaine non seulement incompréhensible, mais absurde :

> Eh ! bien, Cataneo..., tu as tout demandé aux jouissances physiques, et te voilà suspendu dans la vie à un fil, comme un arlequin de carton, bariolé de cicatrices, et ne jouant que si l'on tire la ficelle d'un accord (Do, IX, 386) [20].

Nos besoins nous mettent à la merci d'autrui. Dans *Ursule Mirouet*, la force déterminante est l'esprit de lucre, manié par un notaire *deus ex machina*, qui explique aux héritiers comment soustraire à Ursule l'héritage du docteur Minoret :

---

(19) Cf. *Les Caractères*, *De la Cour*, n° 99, cité par Curtius, *op. cit.*, p. 175, n. 3.

(20) Cf. *ibid.*, p. 323, le duc Cataneo fait l'objet de la même comparaison, mais moins poussée : « Cet homme semblait avoir pris à tâche de justifier le Napolitain que Gerolamo met toujours en scène sur son théâtre de marionnettes ».

> Comme s'il eût tiré le fil d'un de ces petits théâtres dont tous les personnages marchent par saccades au moyen d'un rouage, Dionis vit alors tous les yeux braqués sur lui, tous les visages ramenés à une pose unique (III, 338).

L'exemple de *Z. Marcas* s'adapte au jeu politique, où le jugement et la valeur réelle des individus sont soumis à des intérêts qui les écrasent :

> En trois ans, Marcas créa une des cinquante prétendues capacités politiques qui sont les raquettes avec lesquelles deux mains sournoises se renvoient les portefeuilles, absolument comme un directeur de marionnettes heurte l'un contre l'autre le commissaire et Polichinelle dans son théâtre en plein vent, en espérant toujours faire sa recette (VII, 749) [21].

L'acteur se confond bien avec son rôle, mais il est seulement inconscient et irresponsable, et non pas possédé par le dieu, car à celui-ci s'est substitué l'homme supérieur qui actionne les marionnettes.

Le topos de la *scène de la vie* s'exprime directement par les mots-thèmes de *théâtre*, *scène*, *tréteaux*, *Opéra*, *acteur*. Un seul exemple est presque digne, du moins par l'ampleur du tableau, de son modèle antique. Tardif comme les quatre images de marionnettes, il se trouve dans *La dernière incarnation de Vautrin*, qui paraît en 1847. Là encore, et plus encore, on peut voir la preuve d'une lente maturation de l'emploi de la métaphore théâtrale chez Balzac, qui se marque par un élargissement du sens et du sujet. Décrivant l'argot des criminels, Balzac se lance dans une évocation de la société tout entière :

> ... Il n'est pas de langue plus énergique, plus colorée que celle de ce monde souterrain qui, depuis l'origine des empires à capitale, s'agite dans les caves, dans les sentines, dans le *troisième dessous* des sociétés, pour emprunter à l'art dramatique une expression vive et saisissante. Le monde n'est-il pas un théâtre ? Le Troisième - Dessous est la dernière cave pratiquée sous les planches de l'Opéra, pour en recéler les machines, les machinistes, la rampe, les apparitions, les diables bleus que vomit l'enfer, etc. (S & M, V, 1044) [22].

---

(21) Une page de la *Physiologie du mariage* exprime une idée comparable par une image empruntée à la *comedia dell'arte*, et qui réduit la comédie conjugale à un jeu de marionnettes : « Avez-vous jamais compté combien de formes diverses Arlequin et Pierrot donnent à leur petit chapeau blanc ? ils le tournent et retournent si bien que successivement ils en font une toupie, un bateau, un verre à boire, une demi-lune, un béret, une corbeille, un poisson, un fouet, un poignard, un enfant, une tête d'homme, etc.

Image exacte du despotisme avec lequel vous devez manier et remanier votre femme » (X, 719).

Au contraire, dans PG, II, 916, nous trouvons une image de marionnette qui se rattache nettement au groupe de la *comédie sociale* : « Mon petit, quand on ne veut pas être dupe des marionnettes, il faut entrer tout à fait dans la baraque, et ne pas se contenter de regarder par les trous de la tapisserie ».

(22) Cf. *infr.*, p. 113-114, et note 39, p. 114, pour les rapport de cette image avec le thème de la *comédie sociale*.

Mais l'ensemble de *La Comédie humaine* présente au contraire un rétrécissement de l'image, même si le champ circonscrit reste vaste. La notion de spectacle et de spectateurs, inhérente à la métaphore théâtrale, passe au premier plan. La vie est un spectacle, les hommes des acteurs, qui doivent d'abord être *vus*, idée qu'exprime Esther dans sa lettre d'adieu à Lucien :

> Tous les jours, les jolies femmes sortent du spectacle avant la fin !... Eh ! bien, je n'ai pas voulu voir la dernière pièce, voilà tout... (S & M, V, 979) [23].

Dans *Le Cousin Pons*, Balzac reprend ce sens, mais avec une maîtrise et une originalité bien supérieures :

> Dans la vie des dissipateurs, Aujourd'hui est un bien grand fat, mais Demain est un grand lâche qui s'effraie du courage de son prédécesseur ; Aujourd'hui c'est le Capitan de l'ancienne comédie, et Demain, c'est le Pierrot de nos pantomimes (VI, 577).

La personnification du temps — Aujourd'hui et Demain — en personnages de comédie, en types connus, fait bien de la vie entière un théâtre, et même un théâtre de marionnettes.

La scène du monde par excellence, c'est Paris. Regardons la première définition que donne Littré du sens figuré de *théâtre* : « Lieu où se passe quelque événement ». Les rues de Paris servent de toile de fond à l'une des premières *Scènes de la vie privée*, parue en 1830, *La Femme vertueuse*, titre primitif d'*Une double famille*. Au début de la nouvelle, Caroline Crochard et sa mère passent leur journée à broder près de la fenêtre, d'où elles observent le spectacle de la rue — les passants surtout. Appelée et presque exigée par le titre du volume, l'image théâtrale naît spontanément dans la description :

> La vieille poussa le pied de Caroline, qui leva le nez à temps pour voir le nouvel acteur dont le passage périodique allait animer la scène (I,930).

Elle se retrouve dans les mêmes circonstances, mais renouvelée et précisée, quand Caroline a changé d'appartement et que, du haut d'un balcon cette fois-ci, elle regarde

> le boulevard au bout de la rue Taitbout. Cette échappée de vue, que l'on comparerait volontiers au trou pratiqué par les acteurs

---

(23) *Petites misères de la vie conjugale* présente une variation musicale et même auditive, pourrait-on dire, de l'image, en une allégorie comique qui fait de la vie conjugale un opéra dont le finale marque le *modus vivendi* auquel les époux finissent par accéder : « Qui n'a pas entendu dans sa vie un opéra italien quelconque ?... Vous avez dû, dès lors, remarquer l'abus musical du mot *felichitta*, prodigué par le poète et par les chœurs à l'heure où tout le monte s'élance hors de sa loge, ou quitte sa stalle.

Affreuse image de la vie. On en sort au moment où l'on entend la *felichitta*.

Avez-vous médité sur la profonde vérité qui règne dans ce finale, ... Eh ! bien, dans tous les états de la vie, on arrive à un moment où la plaisanterie est finie, où le tour est fait, où l'on peut prendre son parti, où chacun chante la *felichitta* de son côté... la plupart des ménages parisiens arrivent, dans un temps donné, au chœur final que voici... » (X, 1046-1047).

> dans un rideau de théâtre, lui permettait de distinguer une multitude de voitures élégantes et une foule de monde emportées *(sic)* avec la rapidité des ombres chinoises (I, 944).

Balzac n'a jamais négligé ce sens de la métaphore, où Paris et les Parisiens sont demeurés la scène et les acteurs privilégiés. Dans les premières pages du *Cousin Pons* en particulier, il en a tiré un parti plein d'humour :

> On demandait à Hyacinthe, un acteur célèbre par ses saillies, où il faisait faire les chapeaux à la vue desquels la salle pouffe de rire : « Je ne les fais point faire, je les garde ! » répondit-il. Eh ! bien, il se rencontre dans le million d'acteurs qui composent la grande troupe de Paris, des Hyacinthe sans le savoir qui gardent sur eux tous les ridicules d'un temps, et qui vous apparaissent comme la personnification de toute une époque (VI, 525) ;
>
> Paris est la seule ville du monde où vous rencontriez de pareils spectacles, qui font de ses boulevards un drame continu joué gratis par les Français, au profit de l'Art (*ibid.*, 528).

La grande ville est d'abord un spectacle, dont les habitants sont les acteurs. Pourtant ce sens reste accidentel dans *La Comédie humaine.*

Car Paris, ce n'est pas seulement le spectacle des rues. La métaphore prend un sens beaucoup plus concerté quand elle correspond à la deuxième définition que donne Littré du mot théâtre au figuré : « Position où l'on est en vue des hommes ». Quelle réduction de la métaphore de la *scène du monde* ! Le désir de paraître auprès des autres, le jeu réciproque des spectateurs et des acteurs, dont les rôles s'intervertissent au besoin, remplacent la contemplation énigmatique à laquelle se livraient les dieux. Paris est le point de rencontre des célébrités mondaines et intellectuelles, des gens *en vue* : « les tréteaux de la Presse », « les tréteaux », « le théâtre du monde » reviennent fréquemment. Louis Lambert évoque

> un homme assez hardi pour monter sur les tréteaux de la Presse, et parler d'une voix haute aux niais qu'il méprise (LL, X, 427) [24].

Dans *Autre étude de femme*, la « scène du monde » désigne la vie mondaine d'où les bourgeoises ont évincé les femmes du Faubourg Saint-Germain après 1830, ce qui trahit le prix que Balzac attache encore à la vie de salon dans l'évolution politique et intellectuelle d'un pays :

> Les femmes qui pouvaient fonder des salons européens, commander l'opinion, la retourner comme un gant, dominer le monde en dominant les hommes d'art ou de pensée qui devaient le dominer, ont commis la faute d'abandonner le terrain, honteuses d'avoir à lutter avec une bourgeoisie enivrée de pouvoir et débouchant sur la scène du monde pour s'y faire hacher en morceaux par les barbares qui la talonnent (III, 224) [25].

---

(24) Cf. aussi FE, II, 72, 135 ; BS, I, 86-87 ; F30, II, 755.

(25) Dans trois exemples, seulement, du groupe *théâtre du monde*, le mot *théâtre* ne désigne pas Paris, mais la province : MJM, I, 154 ; une situation conjugale nouvelle : Phy, X, 870 ; la guerre : Ch, VII, 933.

De même, l'image du théâtre évoque fréquemment les ambitions parisiennes des provinciaux, soit professionnelles :

> Les juges et les gens du Roi... voient tous Paris à leur début, tous aspirent à briller sur ce vaste théâtre où se traitent les grandes causes politiques, où la Magistrature est liée aux intérêts palpitants de la Société (IV, 427) ;

soit mondaines :

> Dans l'espoir de débuter un jour sur le grand théâtre de Paris, elle acceptait le vulgaire encens de ses chevaliers d'honneur (MD, V, 69) [26].

Sur place, il s'agit encore d'arriver :

> Telles sont les audaces des débutants à Paris. Tout leur fait échelle pour monter sur le théâtre ; mais comme tout s'use, même les bâtons d'échelles, les débutants en chaque profession ne savent plus de quel bois se faire des marchepieds (CP, VI, 665).

Actionnés par leur ambition, tous ces forcenés ne sont pas sans rappeler les marionnettes de *Massimilla Doni*, de *Z. Marcas* et d'*Ursule Mirouet*. Ce qui les en distingue, c'est la complexité de leurs évolutions, qui leur donne un semblant de libre-arbitre, et la fonction décisive des spectateurs, qui sont leur unique raison d'être.

Il est facile de saisir le lien qui existe entre ce sens et celui de comédie sociale, et d'ajouter un élément comique, une intention de satire sociale à la description de ces acteurs prisonniers de leur désir d'ascension. Balzac ne s'en fait pas faute à l'occasion, les exemples cités le prouvent. Mais l'accent n'est pas là : dans la comédie sociale, le spectateur est victime, ou dupe du spectacle et des acteurs qu'il contemple. Ici, c'est l'acteur qui est victime ou dupe de lui-même, tant il cherche à coïncider avec son rôle. Il se produit bien aux yeux d'un autre, car là réside la seule justification de ses efforts, mais cet autre ne joue lui-même aucun rôle, ni actif, ni passif. Le spectateur, s'il existe, se confond avec l'auteur omniscient, et non pas avec la dupe à laquelle il faut faire illusion. Pareil aux dieux, ce spectateur-auteur (et disons aussi lecteur) contemple avec lucidité ou indifférence les gesticulations des humains.

Le rôle de l'auteur omniscient, et parfois même omnipotent, nous amène au troisième aspect par lequel la métaphore théâtrale se rattache au topos de *la scène de la vie*. L'exemple du *Cousin Pons* qui décrit les boulevards de Paris contient le mot de *drame*. On sait la vogue du mot et du genre depuis le XVIIIe siècle, dont Balzac se fait l'interprète à plus d'une reprise, en évitant d'ailleurs de s'y associer :

> Ce vieux-là, mon cher, est tout un poème, ou, comme disent les romantiques, un drame (Col, II, 1145) [27].

---

(26) Cf. CM, III, 99.

(27) Cf. *infr.*, p. 111, la citation du *Père Goriot*, II, 847.

Voici les définitions qu'en donne le dictionnaire de Boiste en 1834 :

> Poème destiné au théâtre, représentant une action tragique *ou* comique ; tragédie bourgeoise dont les personnages sont vulgaires et dont le sujet n'intéresse point l'Etat, la nation (fig.) — politique, révolution, changement dans l'Etat terminé par une catastrophe ; le — de la vie, l'enchaînement des événements qui la remplissent.

Ces définitions s'adaptent parfaitement à l'usage que Balzac fait du mot : retenons-en surtout les termes *tragique, catastrophe, enchaînement des événements*, et la deuxième définition dans son entier, et citons aussi la définition exemplaire que propose la princesse de Cadignan :

> Ordinairement, d'après le peu que je sais de la littérature, un drame est une suite d'actions, de discours, de mouvements qui se précipitent vers une catastrophe ; mais ce dont je vous parle est la plus horrible catastrophe en action ! (VI, 51).

Appliqué à drame, *noir* est presque une épithète de nature [28]. A ce propos, il n'y a pas lieu, semble-t-il, de distinguer l'emploi des mots *drame* et *tragédie* chez Balzac. *Drame* est de beaucoup le plus fréquent des deux, mais *tragédie* ou *tragique* le double ou le remplace à l'occasion [29] :

> Nous parlions de drame, ah ! je vous assure que si nous pouvions dire le secret de certaines donations, nos auteurs pourraient en faire de terribles tragédies bourgeoises (F30, II, 785).

L'expression *tragédie bourgeoise* reparaît dans *Eugénie Grandet* :

> Dans trois jours devait commencer une terrible action, une tragédie bourgeoise sans poison, ni poignard, ni sang répandu, mais, relativement aux acteurs, plus cruelle que tous les drames accomplis dans l'illustre famille des Atrides (III, 599).

La condition sociale des personnages et la peinture d'événements qui n'intéressent « ni l'Etat, ni la nation », entraînent l'épithète de *bourgeoise*, ou l'emploi du mot *drame* au lieu de *tragédie*, mais la différence reste purement accessoire, extérieure. Balzac respecte la distinction terminologique traditionnelle qui existe entre les deux mots. Il n'en demeure pas moins que le drame est une tragédie.

« Une catastrophe en action » : c'est ainsi bien souvent que les personnages, ou Balzac lui-même, parlent de la vie. A propos des études de notaire, des sacristies, et autres « monstruosités parisiennes », l'auteur remarque :

> Peut-être dans ces endroits-là le drame, en se jouant dans l'âme de l'homme, lui rend-il les accessoires indifférents (Col, II, 1089-1090).

La destinée de Mme de Mortsauf, victime d'un mariage mal assorti, fait surgir le même mot sous la plume de Félix de Vandenesse, quand M. de

(28) Cf. SPC, VI, 40.
(29) Nous en avons relevé 8 exemples.

Mortsauf s'attribue « glorieusement les idées de sa femme », après les avoir violemment critiquées :

> Quel comique horrible, quel drame railleur ! j'en fus épouvanté. Plus tard, quand le rideau de la scène sociale se releva pour moi, combien de Mortsauf n'ai-je pas vus... (Lys, VIII, 880).

Ce drame-là fait déjà partie de la comédie sociale [30].

« Une catastrophe en action » : tel est aussi le sujet de plusieurs des œuvres de *La Comédie humaine*. *Le Père Goriot* est le premier grand roman à tirer consciemment parti de cette idée jusqu'à en faire un réseau thématique qui le sillonne d'un bout à l'autre. Le thème est introduit dès la première page :

> En quelque discrédit que soit tombé le mot drame par la manière abusive et tortionnaire dont il a été prodigué dans ces temps de douloureuse littérature, il est nécessaire de l'employer ici : non que cette histoire soit dramatique dans le sens vrai du mot : mais, l'œuvre accomplie, peut-être aura-t-on versé quelques larmes *intra muros* et *extra* (II, 847).

Ces précautions oratoires ne doivent pas nous tromper. Balzac a l'ambition d'illustrer le mot dans le sens que nous avons déjà défini. Chacun porte en soi un drame caché dont les répercussions vont actionner le drame central :

> Ces pensionnaires faisaient pressentir des drames accomplis ou en action ; non pas de ces drames joués à la lueur des rampes, entre des toiles peintes, mais des drames vivants et muets, des drames glacés qui remuaient chaudement le cœur, des drames continus (*ibid.*, 855).

Plus loin, le mot de tragédie se substitue à celui de drame : « Ici se termine l'exposition de cette obscure, mais effroyable tragédie parisienne » (*ibid.*, 922). Remarquons qu'*obscure* et *parisienne* sont destinés à le faire accepter [31]. On trouve dans *Le Père Goriot* seize métaphores théâtrales : le reste du réseau se rattache au thème de la comédie sociale, mais rien ne pourrait mieux faire sentir la noirceur de cette comédie que l'arrière-plan de l'image dramatique sur lequel elle se joue. Un roman est un drame : au même titre que le théâtre, le roman reproduit la vie en la stylisant [32].

---

(30) Cf. aussi MJM, I, 221 ; Ven, I, 865 ; PG, II, 855 ; F30, II, 778, 785 ; EG, III, 578 ; Fer, V, 87 ; Dés, VII, 1077.

(31) *Drame* apparaît encore p. 871, 910, 1012. Il est curieux d'en retrouver dans *L'Interdiction* une réminiscence qui noue habilement deux des trouvailles stylistiques les plus marquantes du *Père Goriot :* « Peut-être cette demande en interdiction cache-t-elle quelque petit *dramorama*, pour nous rappeler par un mot notre mauvais bon temps » (III, 16), dit Bianchon à Rastignac. Un seul mot, qui redonne tout un passé à nos deux personnages reparaissants.

(32) Cet emploi si fréquent de la métaphore théâtrale reflète certaines idées de Balzac sur le genre dramatique. Pierre LAUBRIET, dans *L'Intelligence de l'art chez Balzac*, p. 115, définit ce que le théâtre doit être selon Balzac : il doit reproduire le vrai, ce à quoi manque précisément la production contemporaine. « Quel est ce vrai ? » demande M. Laubriet. Et il cite l'Avant-propos des *Comédiens sans le savoir*, visiblement « soufflé » par Balzac à son éditeur, qui le compare à Molière. De cette comparaison, il découle que le genre

César Birotteau, dont la première ébauche est d'ailleurs plus ou moins contemporaine de la rédaction du *Père Goriot*, est la seule œuvre qui offre un emploi comparable de la métaphore théâtrale : drame du roman et comédie sociale. Nous n'en avons relevé que les images les plus caractéristiques, mais on peut voir que le rapprochement se justifie :

> Ce beau drame commercial a trois actes distincts : l'acte de l'Agent, l'acte des Syndics, l'acte du Concordat. Comme toutes les pièces de théâtre, il offre un double spectacle : il a sa mise en scène pour le public et ses moyens cachés, il y a la représentation vue du parterre et la représentation vue des coulisses (V, 553).

Bien plus tôt, l'image apparaissait dans le même sens à propos d'un des personnages clé du drame imminent, Molineux, nommé par la suite agent de la faillite Birotteau :

> Tout le monde a fait de ces rêves pleins d'événements qui représentent une vie entière, et où revient souvent un être fantastique chargé de mauvaises commissions, le traître de la pièce. Molineux semblait à Birotteau chargé par le hasard d'un rôle analogue dans sa vie. Cette figure avait grimacé diaboliquement au milieu de la fête, en en regardant les somptuosités d'un œil haineux (*ibid.*, 465) [33].

Il n'y a pas plus de différence, dans cet exemple, entre le rêve et la vie qu'entre la vie et le théâtre : Molineux apparaît à Birotteau comme dans un rêve — ainsi se traduit le sentiment prémonitoire qui s'empare de Birotteau — et la vie de Birotteau est une pièce de théâtre dans laquelle Molineux sera le traître. Ce passage fait ressortir l'ambition de l'auteur : le roman doit se présenter comme un drame pour restituer la vérité du

---

littéraire représentatif du XIXe siècle doit être le roman : « Qu'est-ce donc que Molière, sinon le poète qui a peint avec le plus de vérité la société du XVIIe siècle, qu'est-ce que M. de Balzac, sinon le moraliste, le philosophe qui a le mieux compris, le plus fidèlement peint le XIXe siècle. Si M. de Balzac avait vécu sous Louis XIV, il eût fait *Les Femmes savantes*, *Tartufe*, *Georges Dandin*, *Le Misanthrope;* si Molière vivait de nos jours, il écrirait *La Comédie humaine.* » (Pl. XI, 427-428). Stendhal avait lui aussi conscience de cette évolution des genres littéraires, commandée par les transformations politiques et sociales. Marie-Jeanne Durry cite « une note jetée en 1834 sur un exemplaire interfolié du *Rouge :* Stendhal réfléchit qu'il y a bien du vrai dans le propos que lui tenait quelqu'un : " Il n'y a plus de vérité que dans le roman " ». Et il note : « Depuis que la démocratie a peuplé le théâtre de gens grossiers incapables de comprendre les choses fines, je regarde le roman comme la Comédie du XIXe siècle » (art. cit., p. 98). Le *vrai* se trouve donc dans la peinture des mœurs et de la société d'une époque. En comparant si souvent le destin de ses personnages, et ses romans tout entiers à des drames, Balzac met en pratique la même théorie littéraire qu'en écrivant des pièces de théâtre. Le texte de Stendhal, d'ailleurs inédit à l'époque, est bien antérieur à l'Avant-propos des *Comédiens sans le savoir*, qui date de 1848, mais qui expose des théories depuis longtemps illustrées par Balzac dans son œuvre. La rencontre est significative.

(33) Cf. aussi *ibid.*, 554. Les autres métaphores théâtrales de *César Birotteau* se rattachent uniquement au groupe de la comédie sociale (431, 432).

(34) EG, SPC, CP, Pay font le même usage de l'image du drame (II, 599, 644 ; VI, 40 ; VI, 669 ; VIII, 33). Elle apparaît aussi, moins nettement, dans Dr, IX, 894-895 ; B, II, 504.

réel [34]. Un pas de plus, et le drame devient plus vrai que le réel. Ce pas, nous verrons plus loin que Balzac le franchit [35].

L'analyse précédente nous a permis de discerner les liens qui unissent la métaphore théâtrale à l'ancien topos de la *scène du monde* : image de la marionnette, — bien rare, somme toute —, et surtout vie humaine comparée à la fois à un spectacle et à un drame. Bien davantage, elle nous a permis de mesurer le processus de déformation qui s'opère par rapport au modèle extérieur : l'absence totale de la divinité dans la mise en scène de la vie humaine, le paradoxe d'un spectacle où les acteurs sont aussi les spectateurs, et où les spectateurs — personnages privilégiés du roman, auteur, lecteur — savent que seul un avantage provisoire et arbitraire les distingue des acteurs, puisqu'ils participent de la même condition. Le drame de la vie humaine se joue à huis-clos, il sécrète les forces qui le régissent. Ce déterminisme matérialiste n'appartient pas en propre à Balzac, il est commandé par l'évolution sociale et intellectuelle des deux siècles précédents. Il y a longtemps que la métaphore s'est vidée de son contenu divin ou même simplement surnaturel. Mais la vision personnelle de Balzac, réagissant à la réalité contemporaine, ne peut qu'accentuer cette tendance.

Le drame de la vie est plus souvent une *comédie* [36]. Avec cette deuxième signification de la métaphore théâtrale, la notion de spectacle conserve son importance, et il est bien entendu que la comédie fait partie de la scène de la vie. Mais, ainsi que nous l'avons indiqué en commençant, elle met l'accent sur le contraste entre la réalité et les apparences. Ce contraste reflète une des intentions maîtresses de l'œuvre de Balzac : peinture sociale, donc, inévitablement, satire sociale.

Le dictionnaire de Boiste reprend, au mot *comédie*, la définition d'Aristote : « imitation par le discours du mauvais qui cause la honte et le ridicule ». Tel est bien le premier ressort de l'image de la comédie sociale, le second étant évidemment l'idée de feinte et de duperie. L'image suscite une grande diversité de mots-thèmes : associés à *comédie*, nous trouvons *tréteaux*, *scène* et *dénouement*, *pièce*, *mise en scène*, *théâtre*, *vaudeville*. Nous avons relevé l'expression *comédie sociale* assez tardivement, dans *Le Cousin Pons* (VI, 589) et dans *Les Petits Bourgeois* (VII, 97). Peut-être apparaît-elle beaucoup plus tôt hors du texte métaphorique. L'image-thème de l'*acteur* fait naître *charlatan*, *comparse*, *cantatrice*, *prima donna*, *comédienne*, *danseuse*, *valet de comédie*, ou bien parfois des noms de personnages dramatiques : Isabelle dans *Robert le Diable* (PMV, X, 1037) et d'acteurs célèbres : Frédéric Lemaître, Mlle Mars. On remarque une légère prédominance du genre féminin, ce qui n'a rien d'inhabituel dans la tradition satirique. On trouve enfin l'opposition entre le masque et le visage [37], et entre la scène et les coulisses — et c'est souvent l'occasion

---

(35) Cf. *infr.*, p. 121-122.

(36) Nous rattachons 65 exemples au groupe de la *scène de la vie*, et 95 au groupe de la *comédie sociale.* Mais les frontières demeurent flottantes entre ces deux groupes : le « théâtre » de Paris, par exemple, est un lieu privilégié pour la comédie sociale. Si nous le rattachons au premier aspect de l'image théâtrale, c'est parce qu'il n'est pas axé sur le contraste entre la réalité et les apparences.

(37) *Le Père Goriot*, dont l'un des sujets est l'apprentissage du monde par Rastignac, en offre quelques exemples. Le jeune homme s'aperçoit peu à peu que les gens ne sont

d'évoquer les mécanismes perfectionnés de l'Opéra. Tous ces termes sont unifiés par l'idée directrice du contraste entre la réalité et les apparences [38]. Ce contraste est absent, nous l'avons vu, des différentes images-thèmes du topos de la *scène du monde* [39]. Mais il représente, depuis Jean de Salisbury si l'on s'en rapporte à Curtius, un des lieux-communs de la satire.

Chez Balzac, nul domaine de l'activité humaine n'échappe à cette dualité. La comédie sociale est aussi bien mondaine :

> Ce pauvre musicien était un enfant, un artiste plein de naïveté, ne croyant qu'au bien moral, comme il croyait au beau dans les arts ; il fut enchanté des caresses que lui firent Cécile et la présidente. Ce bonhomme qui, depuis douze ans, voyait jouer le vaudeville, le drame et la comédie sous ses yeux, ne reconnut pas les grimaces de la comédie sociale sur lesquelles sans doute il était blasé (CP, VI, 589) ;

politique : l'envers du décor se révèle dans les déménagements de l'Administration :

> Les tables montrant leurs quatre fers en l'air, les fauteuils rongés, les incroyables ustensiles avec lesquels on administre la France, ont des physionomies effrayantes. C'est à la fois quelque chose qui tient aux affaires de théâtre et aux machines des saltimbanques... (E, VI, 922) ;

amoureuse :

> ... une voix affaiblie par des combats intérieurs sur lesquels cette jolie comédienne paraissait prendre difficilement un empire passager (DL, V, 185) ;

conjugale [40] ; littéraire :

> La vie littéraire a ses coulisses. Les succès surpris ou mérités, voilà ce qu'applaudit le parterre ; les moyens, toujours hideux,

---

pas ce qu'ils ont l'air d'être. Il y a le masque de Goriot, qui dissimule une trouble passion paternelle. Ce masque tombe, le jour où il pressent que Rastignac donnera à Mme de Nucingen « tous les plaisirs dont elle avait été privée » (II, 958) : « ... Les quelques paroles qu'il lui dit, et le changement de sa physionomie, ordinairement semblable à un masque de plâtre, surprirent les pensionnaires » (*ibid.*, 959). Il y a le masque de Vautrin, qui dissimule Trompe-la-Mort. A l'heure de la découverte « la figure du forçat devint férocement significative en déposant le masque bénin sous lequel se cachait sa vraie nature » (1012 ; cf. aussi 983). A la fin du roman, Rastignac est au fait des passions humaines : soif de plaisir, esprit de lucre, volonté de puissance.

(38) Dans un exemple isolé de *Splendeurs et Misères*, à propos d'Esther qui accepte, pour l'amour de Lucien, d'être entretenue par Nucingen, l'image traduit bien le dédoublement de l'actrice, alors qu'elle se livre à cet avilissement purement extérieur : « A la fois le spectateur et l'acteur, le juge et le patient, elle réalisait l'admirable fiction des Contes Arabes, où se trouve presque toujours un être sublime caché sous une enveloppe dégradée, et dont le type est, sous le nom de Nabuchodonosor, dans le livre des livres, la Bible » (V, 863). Mais le rapport acteur-spectateur, ici, ne se manifeste pas. D'habitude, il décrirait la duperie dont le spectateur (Nucingen dans ce cas) ferait l'objet.

(39) Si nous avons eu l'occasion de le signaler dans certains exemples de ce topos, c'est parce que l'image de la comédie sociale se combinait avec celle de la *scène du monde*.

(40) PMV, X, 1037, 1039 ; Phy, X, 860.

> les comparses enluminés, les claqueurs et les garçons de service, voilà ce que recèlent les coulisses. Vous êtes encore au parterre (IP, IV, 677) ;

universelle enfin, et n'épargnant pas même la mort :

> C'est une infâme comédie ! C'est encore tout Paris avec ses rues, ses enseignes, ses industries, ses hôtels ; mais vu par le verre dégrossissant de la lorgnette, un Paris microscopique réduit aux petites dimensions des ombres, des larves des morts, un genre humain qui n'a plus rien de grand que sa vanité (Fer, V, 119) :

ce passage, qui sera repris plus tard et développé dans *Le Cousin Pons* (VI, 763-777), et qui décrit le cimetière du Père-Lachaise — les ornements et les tombes, le mélange des styles — dénonce et dégonfle l'exploitation de la mort propre à la « comédie sociale ». Il serait aisé de multiplier les exemples. Ils le disputent en richesse à ceux que nous avons choisis. Tel aspect domine dans telle œuvre ou telle partie d'œuvre [41]. Nous allons borner notre examen aux romans où la métaphore théâtrale constitue une véritable image-thème.

Une fille d'Eve [42] offre un bon exemple d'un réseau centré sur la peinture de la *comédie mondaine*, et qui traduit d'abord la métamorphose de la jeune Mme de Vandenesse en femme du monde, après quelques années de mariage :

> [Elle] était arrivée à un degré d'instruction mondaine qui lui permit de quitter le rôle assez insignifiant de comparse timide, observatrice, écouteuse, que joua, dit-on, pendant quelque temps, Giula Grisi dans les chœurs au théâtre de la Scala. La jeune comtesse se sentait capable d'aborder l'emploi de prima donna, elle s'y hasarda plusieurs fois (II, 82).

Les autres images peignent toutes le personnage de Nathan, à la fois pour son double jeu de

> comédien de bonne foi... qui se pose comme un Alceste en agissant comme Philinthe et dont l'égoïsme trotte à couvert de cette armure en carton peint (*ibid.*, 90) ;

et pour sa tentative désespérée d'ascension sociale : aux prises avec les acteurs bien supérieurs de la comédie mondaine, telle Mme d'Espard, Nathan le comédien n'est pas de taille. Il l'admet dans le dialogue que Balzac, par une espèce de jeu de miroirs, situe habilement au théâtre dans la loge de la marquise :

> Nathan se mit à rire de lui-même, de lui, faiseur de scènes, qui s'était laissé prendre à un jeu de scène. « — La comédie n'est plus là, dit-il en montrant la rampe, elle est chez vous » (*ibid.*, 117).

---

(41) Cf. en particulier MCP, I, 66 ; BS, I, 86 ; F30, II, 739 ; Col, II, 1136-1137 ; IP, IV, 504 ; Be, VI, 380 ; Bou, VII, 120-121 et 186-187 ; PCh, IX, 220 ; Phy, X, 860 ; PMV, X, 1039, etc.

(42) Huit exemples.

Le Contrat de mariage [43] est l'une des démonstrations les plus nettes, dans sa brièveté, et les plus impitoyables, des motivations sordides qui président aux actes marquants de la vie humaine. Le mariage est l'acte social par excellence. La bataille du contrat est aussi une comédie, avec pour prologue la vie mondaine de Paul de Manerville [44] :

> Les événements et les idées qui amenèrent le mariage de Paul avec mademoiselle Evangelista sont une introduction à l'œuvre, uniquement destinée à retracer la grande comédie qui précède toute vie conjugale. Jusqu'ici cette scène [la scène du contrat] a été négligée par les auteurs dramatiques, quoiqu'elle offre des ressources neuves à leur verve (III, 106).

Les quelques métaphores théâtrales groupées autour de la scène du contrat montrent les deux notaires faisant assaut de ruse et d'adresse. Chacun essaie de tromper l'autre : l'image de l'acteur double ainsi la métaphore militaire :

> Le mince et blond Solonet, frisé, parfumé, botté comme un jeune premier du vaudeville, vêtu comme un dandy dont l'affaire la plus importante est un duel, entra précédant son vieux confrère... (115-116) [45].

Après la bataille, les deux combattants abandonnent, comme un déguisement inutile, leur antagonisme momentané :

> En ce moment les deux notaires ressemblaient à deux acteurs qui se donnent la main dans la coulisse après avoir joué sur le théâtre une scène de provocations haineuses (136).

Les spectateurs dont le sort dépend directement de cette comédie guerrière — Paul et sa fiancée — entièrement dupes des apparences, n'ont rien compris aux événements :

> Il se passa donc une double scène : au coin de la cheminée du grand salon, une scène d'amour où la vie apparaissait riante et joyeuse ; dans l'autre pièce, une scène grave et sombre, où l'intérêt mis à nu jouait par avance le rôle qu'il joue sous les apparences fleuries de la vie (116).

Par la suite, de même que la métaphore militaire s'adapte à la peinture de la bataille conjugale, la métaphore théâtrale traduit la comédie conjugale, la duperie dont Paul est victime. C'est encore de Marsay qui se fait l'interprète de ce thème :

> En apprenant ces tragi-comédies, beaucoup de gens refusent d'y croire ; ils prennent le parti de la nature humaine et de ses beaux sentiments, ... ces magnifiques drames se jouent si naturellement, avec un vernis de si bon goût, que souvent j'ai besoin

---

(43) Neuf exemples.
(44) III, 92, 99.
(45) Cf. aussi 129.

> d'éclaircir le verre de ma lorgnette pour voir le fond des choses (199-200) [46].

Sur ce jugement s'accomplit la sortie de Manerville.

Le thème de la *comédie amoureuse* unifie l'image théâtrale dans deux romans seulement : *Béatrix* et *La Muse du département.* Il apparaît dans *Le Père Goriot* [47], où la catégorie du théâtre offre une grande variété de significations, et dans *Honorine*, où il peint les vains efforts de la comtesse pour aimer son mari [48]. Il est encore plus rare dans les romans où cette catégorie ne constitue pas un réseau thématique. C'est qu'à côté de l'intérêt, l'amour n'est qu'un des ressorts mineurs de la comédie sociale.

Les huit exemples de *Béatrix* contribuent à assurer la continuité du récit entre les deux premières parties et la troisième. La petite guerre qui se déroule entre Béatrix et son amie Camille sert de prélude au thème :

> Deux femmes en observation jouent une des plus admirables scènes de comédie qui se puissent voir (II, 476-477) ;
>
> Aussi, quand elles se virent aux lumières en s'asseyant sur ce divan où, depuis trois semaines, il s'était joué tant de comédies, et où la tragédie intime de tant de passions contrariées avait commencé... (*ibid.*, 504).

Toutes les autres images, sauf une [49], dénoncent l'héroïne sans cœur, incapable d'éprouver les sentiments qu'elle joue, et toujours à la recherche d'une pose et d'un décor. « Jamais une femme ne fut sur un plus beau théâtre pour faire un si grand aveu » (500). A la fin de la seconde partie, Camille explique à Calyste pourquoi Béatrix a quitté son mari :

> L'éclat de sa chute n'était pas nécessaire, elle n'eût rien été sans ce tapage, elle l'a fait froidement pour se donner un rôle... ; mais le monde est juste, il n'accorde les honneurs de son intérêt qu'aux sentiments vrais. Béatrix jouant la comédie est jugée comme une actrice de second ordre (507-508).

Toutes les femmes dédaignées par Calyste pour l'amour de Béatrix — la jeune Charlotte, Camille, plus tard Sabine — s'en prennent aux artifices dont il est dupe. Dans la Troisième partie, *Un adultère rétrospectif*, Béatrix ne rentre pas en scène sans quelque transformation. Balzac lui a retiré sa beauté, l'obligeant ainsi à se surpasser. L'actrice a progressé dans l'art de la toilette et de la mise en scène : « Béatrix était donc une pièce à décor, à changement et prodigieusement machinée » (542) [50]. La fin du roman est consacrée à la guérison brutale de Calyste, « opéré de ses illusions » (620).

---

(46) Cf. *infr.*, métaphores militaires, p. 188. La vision du cynique de Marsay se prête à l'emploi de l'image théâtrale dans un sens différent. Les êtres humains ne sont pour lui que des marionnettes. Il dépeint ainsi sa future femme : « Elle a toute la dignité de la vertu ; elle se tient droite comme une confidente du Théâtre-Français... » (*ibid.*, 202).

(47) II, 919, 938.

(48) II, 314, 315.

(49) 399.

(50) Cf. aussi 560, 567.

Dans *La Muse du département*, six des neuf images relevées sont axées sur la comédie de l'amour, conduite de main de maître par Lousteau qui s'en fait l'acteur, au bénéfice de Mme de La Baudraye, spectatrice d'abord dupe, puis victime. L'héroïne apparaît au début comme le type des femmes de province, assez « enleveuses » quand elles se lancent sur « le grand théâtre de Paris » [51] et qui, selon Lousteau, « ressemblent à ces amateurs qui vont aux secondes représentations, sûrs que la pièce ne tombera pas [52] ». Lousteau lui-même correspond tout à fait à ce programme et ne dédaigne pas de conquérir sa femme de province. Comme dans l'exemple de la *Felichitta* de *Petites misères de la vie conjugale* [53], l'image de théâtre est aussi une image d'opéra — non pas musicale, mais comique :

> Les hommes ont, comme les femmes d'ailleurs, un répertoire de récitatifs, de cantilènes, de nocturnes, de motifs, de rentrées (faut-il dire de recettes, quoiqu'il s'agisse d'amour ?), qu'ils croient leur exclusive propriété. Les gens arrivés à l'âge de Lousteau tâchent de distribuer habilement les pièces de ce trésor dans l'opéra d'une passion ; mais, en ne voyant qu'une bonne fortune dans son aventure avec Dinah, le Parisien voulut graver son souvenir en traits ineffaçables sur ce cœur, et il prodigua durant ce beau mois d'octobre ses plus coquettes mélodies et ses plus savantes barcaroles. Enfin il épuisa les ressources de la mise en scène de l'amour, pour se servir d'une de ces expressions détournées de l'argot du théâtre et qui rend admirablement bien ce manège... Quand, de part et d'autre, deux êtres ont échangé les duos de cette délicieuse partition et qu'ils se plaisent encore, on peut dire qu'ils s'aiment véritablement (149-150).

Un peu plus loin, le départ de Lousteau fait renaître l'image :

> Dinah plaida pour obtenir un jour de plus, et les deux amants se firent leurs adieux à la manière de ces théâtres qui donnent dix fois de suite la dernière représentation d'une pièce à recettes (150-151).

A Paris, la vie commune entre Lousteau et Dinah, qui l'a rejoint, devient vite intolérable, mais Dinah ne peut se décider à y mettre fin. La comédie est devenue tragédie, et Dinah actrice — marionnette, — nous retrouvons ici le premier sens de la métaphore théâtrale :

> Combien de fois joua-t-elle la tragédie du Dernier Jour d'un Condamné, se disant : « Demain, nous nous quittons ! » (192).

Beaucoup plus tard, la séparation accomplie, Dinah reverra Lousteau. Le désir va renaître entre eux. Est-ce coïncidence si l'image théâtrale reparaît une dernière fois ?

(51) IV, 69.

(52) *Ibid.*, 89. Cf. p. 118.

(53) Cf. p. 107, n. 23. Ces deux exemples sont d'ailleurs presque contemporains et constituent probablement un phénomène de contamination : MD, 1843 ; *Felichitta*, 1844, in *Le Diable à Paris*.

> Ce fut dit moitié plaisanterie et moitié attendrissement ; mais, croyez-le bien, ce fut aussi beau, comme jeu de théâtre, que celui de Talma dans son fameux rôle de Leicester où tout était joué par lui en nuances de ce genre (207).

Ce retour thématique prélude à la répétition d'une scène maintes fois jouée entre les deux personnages.

Ce qui ressort de tous ces exemples, c'est que la comédie est inévitable : vie sociale et rapports humains l'exigent. Nous avons vu que les deux moteurs principaux en sont l'amour et l'esprit de lucre — disons, pour élargir le champ des motivations, toute forme de désir et d'ambition. Nous nous trouvons en présence du même déterminisme matérialiste que pour le groupe de la *scène de la vie.* Mais le point de vue est différent : tout l'édifice social s'effondrerait si la comédie disparaissait.

Tout en satirisant, l'auteur admire l'acteur et la décoration, les machines, assez parfaits pour faire illusion :

> Il devait avoir une aisance, une confiance, un jeu franc, qui certes est le comble de l'art (Bou, VII, 176) ;
> Faire arriver un homme médiocre ! c'est pour une femme, comme pour les rois, se donner le plaisir qui séduit tant les grands acteurs, et qui consiste à jouer cent fois une mauvaise pièce (S & M, V, 1095).

La fascination que le théâtre exerce sur Balzac est bien connue. Il a écrit une œuvre dramatique. Plus encore, il a eu l'ambition, nous l'avons vu, d'égaler le théâtre dans le roman. Il n'est donc pas étonnant que, parallèlement à sa fonction philosophique et satirique, l'image théâtrale exprime fréquemment un processus d'idéalisation. Ce troisième aspect, malgré son importance, ne peut guère se manifester isolément : il double soit l'aspect *spectacle*, soit l'aspect *comédie sociale* de l'image théâtrale [54]. Mais il accorde la supériorité à l'art sur la nature : à ce stade, les apparences l'emportent sur la réalité, et peuvent même créer du réel.

Supériorité esthétique d'abord, et goût du spectacle. Le théâtre, ou plutôt l'opéra, fait surgir comme par magie un monde merveilleux. Cette rapidité des changements de mise en scène nous vaut d'ailleurs quelques images comiques. On annonce à Mme Rabourdin, en train de faire son ménage, un visiteur inattendu :

> Elle sonna Thérèse, sa fille, la cuisinière, le domestique, implorant un châle et souhaitant le coup de sifflet du machiniste à l'Opéra. Et le coup de sifflet partit. Et en un tour de main, autre phénomène (E, VI, 1010) [55].

Parfois la même comparaison doit donner une idée de la beauté féerique d'un paysage ou d'un monument, ainsi l'évocation du château de Blois, dans *Sur Catherine de Médicis* :

---

(54) Nous avons « isolé » 44 exemples pour ce troisième groupe. En réalité, il y en a bien davantage. Cf. MD, IV, 207, cité à cette page, et B, II, 476, 507, cité *supr.*, p. 117.

(55) Cf. aussi Phy, X, 737 et PMV, X, 1040.

> Les balcons sur lesquels on se promène, les galeries..., les fenêtres sculptées... ressemblent aux fantaisies peintes des décorations de nos opéras modernes quand les peintres y font des palais de fées (X, 81) [56].

La même image a souvent un contenu affectif : la magie de l'opéra traduira la vision enchantée d'un amoureux qui se croit aimé :

> Victorine croyait entendre la voix d'un ange, les cieux s'ouvraient pour elle, la maison Vauquer se parait des teintes fantastiques que les décorateurs donnent aux palais de théâtre : elle aimait, elle était aimée, elle le croyait du moins ! (PG, II, 990).

Même phénomène, dans *Modeste Mignon*, chez Ernest de La Brière :

> Et elle laissa de nouveau La Brière qui, malgré la dureté de cette parole, crut marcher dans les airs. La terre mollissait sous ses pieds, les arbres lui semblaient être chargés de fleurs, le ciel avait une couleur rose, et l'air lui parut bleuâtre, comme dans ces temples d'hyménée à la fin des pièces-féeries qui finissent heureusement (I, 579).

On retrouve, dans ce sous-groupe, le goût du XVIIe siècle pour « un théâtre d'enchantement, qui convenait particulièrement au ballet de cour et à l'opéra [57] ».

Ce monde fictif, parallèle mais supérieur au quotidien, répond à la poursuite du vrai parfait. Tout d'abord, il renvoie au public le reflet spéculaire de ses fantasmes et de ses désirs : dans *Maître Cornélius*, les cérémonies religieuses du Moyen Age remplissent les fonctions du théâtre ou de l'Opéra :

> ... Les fêtes ecclésiastiques composaient le spectacle du temps, l'âme d'une femme était alors plus vivement remuée au milieu des cathédrales qu'elle ne l'est aujourd'hui dans un bal ou à l'Opéra (IX, 898-899) ;
>
> Une femme avait sa chapelle à l'église comme de nos jours elle prend une loge aux Italiens (*ibid.*, 900) [58].

Cette fonction plus ou moins cathartique se précise dans un exemple d'*Albert Savarus* :

> Les électeurs se passionnent pour le beau idéal de la vertu parlementaire, tout autant qu'un parterre pour la peinture des sentiments généreux qu'il pratique très peu (I, 832).

Dans *Eugénie Grandet*, elle suggère simplement, avec beaucoup de finesse dans l'humour, l'admiration et le ravissement de l'héroïne en face de Charles :

> La jeune fille examinait son cousin coupant ses mouillettes et y prenait plaisir, autant que la plus sensible grisette de Paris

(56) Cf. aussi UM, III, 281 ; Pay, VIII, 33 ; ELV, X, 319.
(57) Rousset, p. 181.
(58) Cf. aussi Pro, X, 334.

en prend à voir jouer un mélodrame où triomphe l'innocence (III, 540).

La supériorité dans le vrai est aussi une manière de supériorité esthétique. Les romantiques français font écho au « Beauty is truth, truth beauty » platonicien de Keats. Balzac emploie l'adjectif *beau* quand le jeu d'un acteur lui paraît particulièrement convaincant. C'est quand l'homme égale le grand acteur, quand la vie reproduit le théâtre, qu'ils sont les plus beaux et les plus vrais, parce qu'ils atteignent à la Forme idéale. Quand Goriot parle de ses filles, il est comme illuminé, précisément parce qu'il éprouve « une affection forte et vraie » :

> Il y avait en ce moment dans la voix, dans le geste de ce bonhomme, la puissance communicative qui signale le grand acteur. Mais nos beaux sentiments ne sont-ils pas les poésies de la volonté ? (II, 957-958).

Le plus souvent, le phénomène est inversé : la profondeur, l'intensité, la *vérité* en un mot d'un sentiment, d'une parole ou d'un geste mensongers se traduiront par une image théâtrale : « Ce mot comprenait tout. Il fallait être comédienne pour jeter tant d'éloquence, tant de sentiments dans un mot » (Col, II, 1133) [59].

Nous assistons ainsi à une espèce de typification des personnages et des lieux. Ce n'est pas le théâtre qui imite la vie, mais la vie qui imite le théâtre, pour en rejoindre la vérité essentielle. Ce phénomène s'opère dans tous les domaines. Physique d'abord :

> L'impression est aux manuscrits ce que le théâtre est aux femmes, elle met en lumière les beautés et les défauts (IP, IV, 745).

Quand Philippe Bridau arrive à Issoudun, il se compose une physionomie, un personnage destinés à accentuer les marques d'une déchéance trop réelle et à le présenter comme le type même du débauché :

> Sur un col de velours qui laissait voir son carton, se dressait une tête presque semblable à celle que se fait Frédéric Lemaître au dernier acte de *La Vie d'un Joueur*, et où l'épuisement d'un homme encore vigoureux se trahit par un teint cuivré, verdi de place en place (R, III, 1047) [60].

Sur le plan moral, la comparaison insolite de Mme d'Aiglemont, dans *La Femme de trente ans*, avec une actrice, s'explique dans cette perspective. L'héroïne, après la mort du premier homme qu'elle ait aimé, regrette sa vertu passée, qui l'a empêchée de « vivre sa vie » : « Elle était mécontente comme une actrice qui a manqué son rôle... » (II, 742). Les lieux même, outre la comparaison avec les décors d'opéra que nous avons déjà signalée, reproduisent un décor-type. Dans *Les Paysans* où, comme dans *Le Père Goriot* et dans *César Birotteau*, l'intrigue est comparée à un drame, la place du village de Soulanges est la reproduction exacte d'un décor de comédie

---

(59) Cf. aussi EG, III, 503 ; IP, IV, 603 ; FM, II, 27 ; MD, IV, 207.
(60) Cf. F30, II, 838.

traditionnel. A l'origine, ce décor copiait la réalité, mais ce qui en fait l'intérêt maintenant, c'est qu'au contraire, il semble copier le théâtre :

> Les voyageurs lettrés qui passeront par là, si jamais il en passe après Blondet, pourront y reconnaître cette place illustrée par Molière et par le théâtre espagnol, qui régna si longtemps sur la scène française, et démontrera toujours que la comédie est née en de chauds pays, où la vie se passait sur la place publique. La place de Soulanges rappelle d'autant mieux cette place classique, et toujours semblable à elle-même sur tous les théâtres, que les deux premières rues la coupant précisément à la hauteur de la fontaine, figurent ces coulisses si nécessaires aux maîtres et aux valets pour se rencontrer ou pour se fuir (VIII, 221).

Et l'intrigue des *Paysans* ne reproduit-elle pas à son tour, transposés et amplifiés, les démêlés traditionnels entre maîtres et valets ? Balzac ne manque pas de reprendre la comparaison à propos du régisseur Gaubertin :

> Semblable aux valets de théâtre, les intrigues, les tours à jouer, les coups à organiser, les tromperies, les finasseries commerciales, les comptes à rendre, à recevoir, les scènes, les brouilles d'intérêt l'émoustillaient, lui maintenaient le sang en circulation, lui répandaient également la bile dans le corps (*ibid.*, 271) [61].

Deux œuvres de *La Comédie humaine* témoignent d'un art achevé dans l'emploi de la métaphore théâtrale. Chacune en illustre toutes les significations : *Modeste Mignon* avec une variété incomparable, *Les Secrets de la princesse de Cadignan* en en poussant à l'extrême les différentes possibilités. Il faut les analyser pour discerner plus clairement les liens qui unissent les trois aspects de l'image, et mieux élucider les rapports entre l'art et la vie, le beau et le vrai.

Dans *Modeste Mignon*, l'image-thème du théâtre [62] offre, pour la seconde et dernière fois dans *La Comédie humaine*, une richesse de significations exceptionnelle. *Le Père Goriot* peut seul lui être comparé. Dix ans séparent ces deux œuvres. Si la plus ancienne l'emporte par la grandeur des thèmes et la puissance d'émotion, *Modeste Mignon* la dépasse par la maîtrise technique qu'elle révèle. Dans *Le Père Goriot*, le réseau thématique découlait naturellement du sujet tel que nous l'avons défini plus haut [63] : l'apprentissage du monde par Rastignac — ce qui n'excluait pas un certain désordre. Dans *Modeste Mignon*, l'orchestration est beaucoup plus savante. Là aussi, le sujet se prêtait admirablement à l'image théâtrale, plus encore, peut-être, que dans *Le Père Goriot*, mais Balzac en a tiré parti beaucoup plus systématiquement.

---

(61) Cf. B, II, 504 : « Je reconnais là votre infernal talent d'auteur : la vengeance est complète, et le dénouement parfait ».

(62) Nous avons relevé 21 exemples développés, mais ce chiffre est loin d'épuiser les nombreuses notations isolées, d'acteur et de comédie en particulier. L'image théâtrale irrigue véritablement toute l'œuvre.

(63) Cf. *supr.*, p. 113, note 37.

Pour illustrer le sujet de l'œuvre —

> Un combat entre les poésies qui se jouent autour de tous les levers de soleil et les labeurs de la journée, entre la Fantaisie et la Réalité (I, 371),

l'image développe simultanément ses trois significations principales, — scène de la vie ; comédie sociale ; beauté et vérité supérieures du théâtre — et les lie si intimement qu'on ne peut guère les dissocier. Les deux premiers aspects découlent directement de l'intrigue : l'héroïne répète une scène écrite longtemps avant sa naissance. Elle est donc *agie*, au début du moins : c'est la première signification de l'image théâtrale. En même temps dès le début — deuxième signification — elle a l'impression de tenir les fils de la comédie qui se déroule, et cette impression est en partie justifiée : elle porte un masque destiné à tromper Canalis durant leur correspondance secrète. En fait, elle est dupe de la mascarade de La Brière en Canalis, si bien que, dans la première moitié du roman, elle joue le rôle du trompeur trompé. Mais du jour où l'identité de son correspondant se dévoile, elle a la situation en main et dirige réellement les événements, tandis que Canalis et La Brière deviennent spectateurs ou acteurs *agis*. Canalis hérite du rôle de trompeur trompé. La totalité de l'intrigue est une comédie, axée sur le contraste entre la réalité et les apparences. Tous ces éléments se rattachent à l'aspect « comédie sociale » de l'image du théâtre.

Balzac a brodé sur ce thème en doublant les situations type du roman par une série d'analogies littéraires, motivées au niveau du vraisemblable par les vastes lectures de Modeste. La vie imite le théâtre : ici apparaît le troisième aspect de l'image théâtrale, son arrière-plan esthétique. Il est non moins lié au second que l'aspect « scène du monde ». On voit donc que la « comédie sociale » est le pivot de la métaphore théâtrale dans *Modeste Mignon*. L'analyse des exemples va nous permettre d'apprécier la complexité du jeu, que ce préambule est loin d'épuiser, surtout pour le personnage de Modeste.

L'aspect « comédie sociale » de l'image apparaît sinon isolément, du moins au premier plan, à propos de la correspondance entre Modeste et La Brière, puis du rôle de soupirant assidu que joue Canalis auprès de Modeste. Modeste et La Brière s'écrivent chacun sous un nom d'emprunt, ce qui suscite l'image du masque :

> Quoique Chrysale, Oronte et Argante revivent, dites-vous, en moi, je ne suis pas encore assez vieillard [écrit La Brière], pour boire à une coupe tenue par les charmantes mains d'une femme voilée sans éprouver un féroce désir de déchirer le domino, le masque, et de voir le visage (*ibid.*, 436) [64].

Quant à Canalis, Balzac en fait le type du cabotin cynique à la conquête d'une héritière :

> Canalis se préparait non moins silencieusement, comme un acteur prêt à jouer un rôle important dans quelque pièce nouvelle (*ibid.*, 508).

---

(64) Cf. aussi 441, 486.

Il ne s'agit pas seulement d'un effort de circonstance. Tout le portrait qui suit s'étend sur ce trait de Canalis, « espèce de Narcisse [65] », dans un passage où les analogies avec le théâtre ne manquent pas. Plus loin, Balzac analyse le don de séduction qu'il ne refuse pas à Canalis, mais

> que la nature a souvent refusé aux êtres vrais, assez généralement timides. Ce don exige une hardiesse, une vivacité de moyens qu'on pourrait appeler la voltige de l'esprit ; il comporte même un peu de mimique ; mais n'y a-t-il pas toujours, moralement parlant, un comédien dans un poète ? Entre exprimer des sentiments qu'on n'éprouve pas, mais dont on conçoit toutes les variantes, et les feindre quand on en a besoin pour obtenir un succès sur le théâtre de la vie privée, la différence est grande ; néanmoins, si l'hypocrisie nécessaire à l'homme du monde a gangrené le poète, il arrive à transporter les facultés de son talent dans l'expression d'un sentiment nécessaire, comme le grand homme voué à la solitude finit par transborder son cœur dans son esprit (536).

La conduite de Canalis au Chalet n'est que la mise en œuvre de ce « don de séduction » que Balzac dissèque si impitoyablement et qui pose l'antinomie entre l'art et le vrai. Canalis est comédien à la manière de Béatrix [66].

Suivons maintenant les différents canevas de comédie que l'auteur, puis Modeste elle-même, quand elle prend la direction des événements, proposent au lecteur par une typification des situations successives. On note dans trois exemples la répétition de l'épithète « éternel [67] », qui élargit le champ de l'image : la comédie est inévitable, les hommes sont des acteurs malgré eux — c'est la *scène de la vie*. En ce sens, la personne croit coïncider avec son personnage. En même temps, les hommes se trompent les uns les autres — c'est la comédie sociale. Au début du roman, Mme Mignon a deviné que sa fille songe à l'amour. Pourtant, aux yeux des amis de la famille, rien ne trahit les préoccupations de Modeste. Mais cet épisode est vieux comme le monde. C'est celui du fruit défendu :

> La comédie de la fille mal gardée se jouait-elle, là comme partout et comme toujours, sans que ces honnêtes Bartholo, ces espions dévoués, ces chiens des Pyrénées si vigilants, eussent pu flairer, deviner, apercevoir, l'amant, l'intrigue, la fumée du feu ?... Ceci n'était pas le résultat d'un défi entre les gardiens et une prisonnière, entre le despotisme du cachot et la liberté du détenu, mais l'éternelle répétition de la première scène jouée au lever du rideau de la Création : Eve dans le paradis (389).

Modeste elle-même, dans une de ses lettres à La Brière-Canalis, développe ce canevas de la fille mal gardée. Ici déjà apparaît la complexité de son caractère. Au moment même où elle est trompée — sur l'identité de La Brière — elle a conscience de tenir le premier rôle dans

(65) *Ibid.*, 510.
(66) Cf. *ibid.*, 536 encore, 549, 559.
(67) 389, 433, 504.

un « vaudeville », qui la dépasse sans qu'elle le sache, mais qu'elle a déclenché de sa propre initiative :

> Une jeune fille, à l'imagination vive, enfermée dans une tourelle, se meurt d'envie de courir dans le parc où ses yeux seulement pénètrent ; elle invente un moyen de desceller sa grille, elle saute par la croisée, escalade le mur du parc, et va folâtrer chez le voisin. C'est un vaudeville éternel !... Eh ! bien, cette jeune fille est mon âme, le parc du voisin est votre génie (433).

L'analyse de l'héroïne rejoint celle de l'auteur : « enfermée dans une tourelle » rectifie « prisonnière » et « cachot » dans le sens indiqué par Balzac ; « vaudeville éternel » fait écho à « l'éternelle répétition de la première scène... ». Modeste se rend compte jusqu'à un certain point de ce qui lui arrive. Elle a voulu réaliser la comédie qu'elle se donnait à elle-même, et où elle était à la fois acteur et spectateur :

> A la période affamée de ses lectures succéda, chez Modeste, le jeu de cette étrange faculté donnée aux imaginations vives de se faire acteur dans une vie arrangée comme dans un rêve ; ... de jouer enfin en soi-même la comédie de la vie, et, au besoin, celle de la mort. Modeste jouait, elle, la comédie de l'amour. Elle se supposait adorée à ses souhaits... (394) [68].

Le tour de force de Modeste, c'est qu'elle réussit à rester acteur et spectateur quand la réalité remplace le jeu de l'imagination. Mais, face à un partenaire autre que lui-même, le spectateur ne peut pas tout savoir : elle découvrira à ses dépens la différence entre la réalité et les apparences :

> Rechercher le maître et trouver le domestique !... Avoir rejoué les Jeux de l'Amour et du Hasard de mon côté seulement ! dit-elle avec amertume, oh ! je ne m'en relèverai jamais... (494).

C'est la fin de la comédie qu'elle s'est donnée :

> La Modeste qui revint au Chalet ne ressemblait pas plus à celle qui sortit deux heures auparavant que l'actrice dans la rue ne ressemble à l'héroïne en scène (495).

La dissociation qui s'opère ici entre l'actrice et la personne empêchera dorénavant Modeste de confondre le rêve et la vie. De ce jour, elle demeure maîtresse du terrain et saura assez vite déceler le double jeu de Canalis, aidée il est vrai par le *deus ex machina* Butscha [69].

On sait que le premier titre de *Modeste Mignon* devait être *Le programme d'une jeune fille*. Il signalait immédiatement au lecteur l'intrigue de comédie du roman. C'est le nouveau canevas de pièce que Modeste, une fois éclairée, se propose à l'arrivée de ses deux prétendants. Il est moins poétique que le précédent :

---

(68) Cf. dans *Le Cousin Pons*, la puissance d'imagination de Schmucke fait naître la même image : « Ce véritable et noble Allemand était à la fois le spectacle et les spectateurs, il se faisait de la musique à lui-même ».

(69) Cf. p. 549 et 559.

> L'éternelle comédie de *L'Héritière*, qui devait se jouer au Chalet, pourrait certes, dans les dispositions où se trouvait Modeste, et d'après sa plaisanterie, se nommer *le programme d'une jeune fille*. Car elle était bien décidée, après la perte de ses illusions, à ne donner sa main qu'à l'homme dont les qualités la satisferaient pleinement (504-505).

Même ici, l'épithète d'*éternelle* relie la comédie sociale et littéraire au thème de la scène du monde.

Une dernière fois, Modeste, pour peindre Canalis, établira un parallèle entre la vie et le théâtre, en comparant Canalis au personnage du Tasse tel que l'a peint Goethe. Balzac lui-même introduit l'image : « Le poète, inégal, ambitieux, et mobile comme le Tasse... [70] ». Modeste en fait sa flèche d'adieu à Canalis en chargeant La Brière du message :

> Je veux que vous lui présentiez tous mes remercîments pour le plaisir que j'ai eu de voir jouer pour moi toute seule une des plus belles pièces du Théâtre allemand. Je sais maintenant que le chef-d'œuvre de Goethe n'est ni Faust ni le comte d'Egmont... Et comme Ernest regardait la malicieuse fille d'un air hébété : — ... C'est TORQUATO TASSO ! reprit-elle (590) [71].

Nous reviendrons bientôt sur la question des rapports entre l'art et la vie telle qu'elle est posée dans *Modeste Mignon*.

Les Secrets de la princesse de Cadignan [72] marquent la pointe extrême des modalités de la métaphore théâtrale, non seulement dans les images, mais par l'intrigue elle-même, qui est une métaphore en action. Balzac a mis en œuvre le paradoxe d'une situation qui n'acquiert quelque réalité que grâce à des mensonges de comédie. « Le chef-d'œuvre, comme il l'écrit à Mme Hanska, est d'avoir fait voir les mensonges comme justes, nécessaires, et de les justifier par l'amour. » Non seulement la comédie jouée par Diane de Maufrigneuse est plus vraie que nature, comme il se doit chez une actrice de cette qualité, mais encore cette comédie crée du réel.

La plupart des exemples relèvent des deux premiers aspects de l'image : drame de la vie et comédie sociale. Balzac cherche à nous en faire concevoir l'étendue dans un commentaire quelque peu emphatique — mais ce grossissement est nécessaire au « suspense » du récit et doit souligner la portée de la « comédie sociale » (autre expression qu'il emploie dans la même lettre, à propos de sa nouvelle) :

> Ici commence l'une de ces comédies inconnues jouées dans le for intérieur de la conscience, entre deux êtres dont l'un sera la dupe de l'autre, et qui reculent les bornes de la perversité,

(70) 543.

(71) Ross CHAMBERS retrace le jeu des références à la pièce de Goethe dans *Modeste Mignon*. D'autre part, il montre comment le personnage de Canalis représente le dilemme « d'un univers métaphysiquement privé de tout Référent absolu », dans lequel « les signes de l'art comme tous les signes humains apparaissent comme gratuits » (*op. cit.*, p. 207). Pour les autres métaphores théâtrales dans *Modeste Mignon*, cf. I, 368, 421, 514, 525, 579.

(72) 5 images relevées.

> un de ces drames noirs et comiques, auprès desquels le drame de Tartuffe est une vétille ; mais qui ne sont point du domaine scénique, et qui, pour que tout en soit extraordinaire, sont naturels, concevables et justifiés par la nécessité, un drame horrible qu'il faudrait nommer l'envers du vice (VI, 40).

La princesse de Cadignan est à la hauteur du rôle qu'elle s'est donné :

> Comptez qu'elle s'était préparée à cette heure de comique mensonge avec un art inouï dans sa toilette... Certes, souvent Talma sur la scène a été fort au-dessus de la nature. Mais la princesse de Cadignan n'est-elle pas la plus grande comédienne de ce temps ? Il ne manque à cette femme qu'un parterre attentif (49).

Comme Talma, elle est « fort au-dessus de la nature ». C'est dire qu'elle est criante de vérité. Elle arrive ainsi à créer un sentiment sincère, non seulement chez d'Arthez, mais en elle-même. Là réside le paradoxe : ce sentiment n'est viable qu'au prix d'une répétition indéfinie de la comédie qui l'a fait naître : « ... Elle aimait d'Arthez ; elle était condamnée à le tromper, car elle voulait rester pour lui l'actrice sublime qui avait joué la comédie à ses yeux » (64).

Retenons-en dès maintenant la création par l'artifice, et même par l'art, d'une réalité supérieure en vérité et en beauté. Mais il faut approfondir la question des rapports entre le vrai et le beau, telle que la pose le mythe du théâtre dans *La Comédie humaine.* Cette question, qui revient avec insistance, traduit le rêve romantique de fusion entre l'être et le paraître [73]. Elle explique le rôle que joue la sincérité des sentiments dans la définition du grand artiste qu'énonce le jugement porté sur Canalis [74] : le cœur et l'esprit sont interdépendants et s'enrichissent ou s'appauvrissent réciproquement. C'est pourquoi l'attitude de Balzac vis-à-vis de Canalis reste assez ambiguë : sans cesse il lui reprend d'une main ce qu'il lui donne de l'autre. Il lui reconnaît d'abord des qualités brillantes, malgré sa médiocrité morale, puis argue de cette médiocrité pour lui dénier toute véritable supériorité intellectuelle [75]. Finalement, Canalis se dégage comme un poète de talent, mais un cœur sec, ce qui ne saurait faire un grand poète, tandis que « le grand homme voué à la solitude finit par transborder son cœur dans son esprit » et remplit les conditions du grand poète. C'est dire que la grandeur ne saurait se limiter à l'ordre de l'intellect. Et il peut se trouver, en effet, dans *La Comédie humaine,* que la vie soit l'œuvre d'art, comme chez Vautrin, autre poète en action. Ce thème familier se rattache à deux grandes interprétations de la métaphore théâtrale, soit que, selon l'idéal romantique, il y ait « connivence » entre « le personnage joué et les sentiments réels [76] », soit que la vie, au contraire, « se dispose à l'image du théâtre [77] ». Sans cesse, la métaphore oscille entre ces deux solutions [78].

---

(73) Ross Chambers, *op. cit.*, p. 195-196.
(74) MM, I, 536 et *supr.*, p. 124. A opposer à IP, IV, 873, cit. *infr.*, p. 291.
(75) Comparer les pages 406 et 536.
(76) Rousset, p. 151.
(77) *Ibid.*, p. 157.
(78) Cf. *supr.*, p. 120.

La princesse de Cadignan choisit la seconde. Son exemple est le prolongement des idées de Balzac sur l'art telles que les illustre *Massimilla Doni*. De même que le ténor Genovese est incapable de chanter juste quand il veut exprimer sa passion pour la Tinti, mais retrouve son talent quand il ne songe plus qu'à bien interpréter, de même un sentiment simulé avec art a plus de force de conviction qu'un sentiment sincère maladroitement exprimé. Mais de cette simulation naît une vérité supérieure, qui abolit temporairement la distance initiale entre personne et personnage. Etat précaire pour la princesse de Cadignan, dont l'effort ne peut se relâcher. La comédie incessante à laquelle elle est condamnée pour être *vraie* est la mise en œuvre du *Paradoxe sur le comédien* de Diderot, dont on sait l'influence sur Balzac [79]. C'est justement parce qu'il n'est entravé par aucune émotion incontrôlable que le comédien peut retrouver, recréer la vérité et la beauté idéales. Il doit renoncer à son propre caractère « pour se revêtir d'un autre plus grand [80] ». Sans aucun doute, Balzac s'aligne sur cette théorie, mais, en même temps, il cherche à la concilier avec la solution romantique : la vie même se calque sur l'idéal théâtral, et la personne devient le personnage. A une aliénation préalable succède une identification définitive.

Dans *Modeste Mignon*, Balzac a essayé de dépasser le compromis auquel s'arrête la princesse de Cadignan et à réaliser une symbiose des deux solutions. Si d'abord Modeste tente de coller à un personnage idéal préexistant, avec d'ailleurs plus de sincérité que la princesse, par la suite elle se crée une poésie qui naît de la vérité du cœur, ajustant alors « le rôle à la personne », et choisit La Brière, poète par le cœur. « Choix anti-esthétique », dit Ross Chambers [81]. Sans doute, mais qui pourtant illustre à son tour la solution reparaissante de la vie comme création poétique par excellence. La sincérité de Modeste ne l'oblige pas à l'effort sans répit de la princesse de Cadignan pour retrouver son personnage. Mais de son côté, la princesse, en épousant un vrai grand homme, Canalis et La Brière en un volume, réunit la poésie du cœur et celle de l'art. Il est vrai qu'elle y perd peut-être son identité. Est-ce parce que chez elle, plus encore que chez Modeste, la tête est plus forte que le cœur ? On hésitera entre ces deux formes de compromis, l'une utopique, l'autre cynique qui, en confondant l'art et la vie, traduisent chacune les tiraillements de Balzac entre l'idéal romantique et les idées de Diderot, et le désir obstiné de ne rien sacrifier.

Tout en révélant une tentative pour transcender par l'art le réel quotidien, ce dernier aspect de la métaphore théâtrale ne contredit pas les deux premiers. Sur la scène du monde, les hommes jouent un rôle sans

---

(79) C'est autour de 1836 que « Balzac se tourne vers le théâtre avec des conceptions très voisines de celles de Diderot », note Mme Jeanne Reboul dans « Balzac et la " vestignomonie " » (*RHLF*, 1950, p. 210-233). La rédaction de *Massimilla Doni* date de 1837, *Les Secrets de la princesse de Cadignan* de 1839. Cf. cette description d'un des acteurs de *La Frélore* (œuvre ébauchée en 1839) : « Il était sans noblesse, mais il disait assez bien, très emphatiquement et sans nuance, comme tous les gens pleins de sentiment et d'âme » (XI, 67).

(80) *Paradoxe sur le comédien*, in *Œuvres esthétiques*, Cl. Garnier, éd. Vernière, p. 358, commenté par Rousset, p. 163.

(81) P. 212. Cf. aussi p. 208.

savoir lequel. Lors même que, dans la comédie sociale, ils font au contraire choix de leur rôle, leur liberté n'est qu'un leurre : dès qu'ils sont deux sur la scène, le rapport acteur-spectateur s'établit, le spectacle, drame ou comédie, commence. Aucun rapport humain ne peut subsister sans ce jeu [82] : autant dire que, sur le plan humain, les apparences sont la seule réalité possible. Cette réalité, quelques êtres, particulièrement doués par l'imagination, par le talent et par la volonté, peuvent la rendre plus belle en cherchant à parfaire les matériaux qu'elle leur offre : la comédie sociale ou amoureuse, conduite avec art, remplit cette fonction. La princesse de Cadignan ou, à un moindre degré, Modeste Mignon, s'assurent une marge de liberté au sein des forces qui les gouvernent.

II. *LA MÉTAPHORE DE JEU*

A l'époque où Balzac écrit, le jeu a ses lettres de noblesse en littérature. Il est omniprésent dans les romans du XVIIIe siècle. Dans *Manon Lescaut*, il apparaît déjà beaucoup moins comme une distraction que comme un expédient pour se procurer de l'argent. Le chevalier d'industrie, type social largement représenté avant Balzac, se trouve évincé, dans *La Comédie humaine*, par les « princes de la Bohème », qui lui font aisément une concurrence légale. Mentionnons d'ailleurs, à ce propos, la parenté des métaphores d'argent et des métaphores de jeu [83]. Au départ, aussi bien sous forme d'image que pour son rôle dans les romans, le jeu se manifeste chez Balzac en tant qu'émanation directe de la réalité contemporaine. Son caractère référentiel demeure important, mais cette identité de base entre les deux contextes, qui s'explique par l'origine sociale du jeu, ne va pas sans d'importantes différences de sens et d'emploi.

Sur le plan de l'histoire et dans ses interventions d'auteur, Balzac, tout en relevant peut-être avec quelque complaisance les possibilités de gain rapide inhérentes au jeu, dénonce les dangers terribles auxquels il expose. Dès le *Code des gens honnêtes*, il s'indigne contre la loterie et les maisons de jeu. Le tableau sur lequel s'ouvre *La Peau de chagrin* est un reflet saisissant de la conception du jeu qui prévaut chez les écrivains et les moralistes à partir de la seconde moitié du XVIIIe siècle et dont le tragique est allé en s'accentuant à l'époque romantique [84]. Les joueurs du

(82) La répartition de la métaphore théâtrale dans *La Comédie humaine* renforce cette constatation. Son pourcentage reflète l'importance des rapports sociaux : il est deux fois plus faible dans les *Etudes philosophiques* que dans les *Etudes de mœurs* et les *Etudes analytiques*. Il est presque ou tout à fait nul dans *Pierrette*, *Le Curé de Tours*, *La vieille fille*, *L'Envers de l'histoire contemporaine*, *Le Médecin de campagne*, *Le Curé de village*, *Le Lys dans la vallée* (une seule image). Comment ne pas remarquer que, parmi ces œuvres, quatre au moins (EHC, MC, CV, Lys) relatent des expériences et même des ascèses spirituelles, et que toutes se passent loin du tumulte de la société : province, campagne, ou un Paris inconnu.

(83) Il est significatif que les jeux d'argent soient des jeux de hasard (Cf. CAILLOIS, *op. cit.*, p. 34), alliance qui ne peut se réaliser que dans des civilisations de type utilitaire comme les nôtres : Marcel MAUSS fait remarquer que « partout ailleurs, le jeu de hasard est un jeu de hasard *et* un jeu d'adresse : osselets, dés, jeu de mancala, dans toute l'Afrique » (*Manuel d'ethnographie*, Paris, Payot, 1947, p. 76).

(84) Pour une étude approfondie de cette question, nous renvoyons à l'article de Robert MAUZI, « Ecrivains et moralistes du XVIIIe siècle devant les jeux de hasard », *RSH*, avr.-juin 1958, p. 219-256.

Palais-Royal, dans le salon où pénètre Raphaël, semblent sortis tout droit de cette Ode sur *La passion du jeu* qui date de 1751 :

> Quels pâles et sombres ministres
> Dans ce Temple secret viennent de pénétrer ?
> Autour de ces flambeaux, quels mystères sinistres
> S'empressent-ils de célébrer ? [85]

Mais Balzac a su doter le tableau d'une grandeur hallucinatoire à laquelle ses prédécesseurs avaient visé sans l'atteindre. Qu'on pense aussi aux pages de *La Rabouilleuse* qui relatent les ravages de la loterie dans l'existence de la Descoings [86]. Presque toujours, la peinture du jeu dans *La Comédie humaine* équivaut, sur le plan social, à une condamnation sans appel.

La métaphore a une tout autre portée, beaucoup plus complexe [87], elle transforme le sens du jeu en tant que phénomène social, et lui donne valeur de signe. Mieux que la description littérale, elle dégage la vérité de l'époque. L'évolution de la société moderne, telle que la perçoit Balzac, lui donne son contenu original. Le progrès de l'individualisme, corollaire inévitable, selon son diagnostic, de la montée du capitalisme bourgeois, y détermine la prédominance de la notion de *risque calculé*. On voit ici la supériorité explicative de la métaphore, et même son rôle de révélateur, par rapport au discours littéral.

Partout où il y a comédie sociale, donc lutte et rivalité, il y a jeu, au moins métaphoriquement. La courbe statistique de l'image [88] suit en partie, mais avec un pourcentage inférieur, celle de la métaphore théâtrale, dans *Le Contrat de mariage*, *Béatrix*, *Modeste Mignon* et le cycle de Vautrin. Elle s'en sépare pour décrire l'ambition, dans *Le Lys dans la vallée*, *Sur Catherine de Médicis*, *L'Interdiction*, *La Cousine Bette*, *Les Employés*, et la passion, dans *Les Chouans* et dans *Eugénie Grandet*. L'image se manifeste, bien entendu, dans beaucoup d'autres œuvres, trop diverses pour qu'il soit possible d'en tirer des conclusions significatives.

Nous avons dit [89] l'identification implicite entre personnage et personne que réalise la métaphore de jeu. Cette identification a sa source dans l'effacement des limites entre l'espace quotidien et l'espace du jeu social, du fait que le premier se trouve absorbé par le second. Alors que l'opposition entre la scène et le parterre est inhérente à la *comédie sociale*, le *jeu social* se confond avec l'univers clos du roman. C'est que les rapports des personnages s'organisent sans référence à aucune autre forme d'activité : leur seul monde est celui du jeu. Si le caractère ludique du jeu s'en trouve

---

(85) *Ibid.*, p. 236.

(86) III, 858-863 et 909-915.

(87) L'emploi de la métaphore de jeu n'est pas neuf, pour désigner un système de lois arbitraires, dont l'observance importe autant ou plus que le contenu. M. Boris Reizov en esquisse l'historique dans « Le " whist " dans *La Chartreuse de Parme* », *Stendhal-Club*, juill. 1970. Le domaine régi par la règle du jeu peut varier : sciences de la théologie (Francis Bacon, Stendhal dans *Histoire de la peinture en Italie*, 1817) ; destinée humaine (Vigny) ; et surtout société et politique (Cicéron, Machiavel, Bacon, Hobbes, l'abbé Mably, Montesquieu, Voltaire, B. Constant, Stendhal).

(88) 97 exemples relevés.

(89) Cf. *supr.*, p. 102.

affecté, il ne disparaît pourtant pas tout à fait. En effet, c'est lui qui confère aux mécanismes et aux hasards sociaux la précision et la clarté qui font défaut au réel [90].

La variété des mots-thèmes qui déterminent les concepts-clés dénote chez Balzac une connaissance du jeu bien supérieure à la moyenne et qui n'est sans doute pas seulement lexicale [91]. Le groupe le moins intéressant par son contenu est aussi celui où le vocabulaire reste le moins diversifié. Y dominent les mots *jeu*, *enjeu*, avec parfois l'addition de *Bourse* et de *tapis vert*, pour évoquer une passion absorbante, qui peut aller jusqu'à la *monomanie* [92] : ambition politique de Catherine de Médicis : « Cette femme ne pouvait vivre que par les intrigues de gouvernement, comme un joueur ne vit que par les émotions du jeu » (X, 227) [93] ; ambition commerciale :

> ... Aussi, son intérêt surexcité le maintenait-il dans la calme et enivrante fureur des joueurs attentifs aux grands événements du tapis vert de la Spéculation (CV, VIII, 574) ;

amour [94] ; monomanie de Grandet [95], de Claës :

> Sa vie dépendait pour ainsi dire des lieux avec lesquels il s'était identifié, sa pensée mariée à son laboratoire et à sa maison les lui rendait indispensables, comme l'est la Bourse au joueur pour qui les jours fériés sont des jours perdus (IX, 621 ; cf. 526),

de Goriot :

> Eh ! bien, les pères sont si bêtes ! je les aimais tant que j'y suis retourné comme un joueur au jeu (II, 1069).

Si central que soit ce thème dans l'univers balzacien, l'écart reste trop faible entre le comparant et les comparés pour que la métaphore acquière une portée illustrative véritablement frappante.

La notion du *tout pour le tout* [96], plus spécifiquement liée à l'image du jeu, s'inscrit sans peine dans la visée du héros à la fois passionné et homme d'action. Le goût du risque, la tentative désespérée satisfont sa soif d'absolu aussi bien que son ambition sans limite [97]. Dès l'époque des *Chouans*, Balzac en fait l'attribut des caractères forts :

---

(90) Signalons, parce qu'il nuance la classification de Caillois, l'article de Jacques Erhmann, « L'homme en jeu », consacré surtout au jeu ludique (*Critique*, juill. 1969).

(91) Cette constatation rejoint et confirme les remarques de P.-G. Castex au début de son article « Scrupules et défaillances du réalisme balzacien », dans *Etudes balzaciennes*, nouvelle série, mars 1960, n° 10, p. 395-403 : « Devons-nous croire Balzac, écrit M. Castex, lorsqu'il raconte à Mme Hanska, en 1836, qu'il vient d'entrer pour la première fois dans une maison de jeu ? Nous l'avons vu tâtonner, il est vrai, pour des adresses qu'un vrai joueur aurait connues par cœur. Au moins s'est-il renseigné à bonne source, puisqu'il fournit, en fin de compte, des indications très exactes. Aucun exemple ne saurait mieux illustrer sa volonté de réalisme. »

(92) Quinze exemples.

(93) Cf. *ibid.*, 248-249 ; et CT, III, 830.

(94) MR, IX, 280 ; MJM, I, 161.

(95) III, 557.

(96) Seize exemples.

(97) Balzac, un an avant sa mort, dans une lettre à sa sœur, parlant de son mariage avec Mme Hanska sur le point de se réaliser, s'exprime comme un de ses héros : « Que

> La nature morale n'a-t-elle pas, comme la nature physique, ses gouffres et ses abîmes où les caractères forts aiment à se plonger en risquant leur vie, comme un joueur aime à jouer sa fortune ? (Ch, VII, 871).

Dans cette œuvre, l'enjeu politique ne se distingue pas de l'enjeu amoureux :

> Les Bleus égorgés, les deux officiers vivants, tous innocents du crime dont il demandait vengeance, étaient entre ses [Montauran] mains comme les cartes que dévore un joueur au désespoir (*ibid.*, 908) [98].

Par la suite, les expressions les plus fréquentes restent *le tout pour le tout, quitte ou double, dernier enjeu.* Le mot-thème se diversifie surtout dans les œuvres les plus tardives, où le progrès de la maîtrise technique, de même que dans la métaphore théâtrale, provoque un approfondissement du thème. Albert Savarus, comme les héros des *Chouans*, confond le double enjeu — amour, ambition :

> ... Jamais joueur, ayant dans sa poche les restes de sa fortune et la jouant au Cercle des Etrangers, dans une dernière nuit d'où il doit sortir riche ou ruiné, n'a eu dans les oreilles les tintements perpétuels, ... que j'éprouve tous les jours en jouant ma dernière partie au jeu de l'ambition (I, 814).

Les femmes de quarante ans ne trouvent

> que de lassant plaisirs en cherchant un bonheur qui les fuyait, soutenues dans cette chasse ardente par les irritantes satisfactions de la vanité, se piquant à ce jeu comme un joueur à sa martingale, car, pour elles ces derniers jours de beauté sont le dernier enjeu du ponte au désespoir (Bou, VII, 120).

L'élément le plus frappant, dans ce sous-groupe, est la part de calcul qui entre dans ces manœuvres désespérées : le tout pour le tout devient une forme de spéculation.

Le gros des métaphores s'attache à déterminer le rapport entre les notions de hasard et de calcul. Indiquons tout de suite que le calcul prédomine, ainsi que le prouve la comparaison statistique menée concurremment avec l'étude du contenu. Si parfois le contexte ne permet pas à lui seul de se prononcer sur la tendance dominante, nous verrons bientôt que le choix du nom de jeu apporte la précision nécessaire. Il est déjà significatif que le jeu d'échecs — *échiquier, pion, tour*, etc. — où la victoire dépend uniquement de l'habileté des adversaires [99], apparaisse le plus fréquemment [100].

---

veux-tu, pour moi, l'affaire actuelle, sentiment à part (l'insuccès me tuerait moralement) c'est tout ou rien, c'est quitte ou double... » (Cité par Proust, dans *Contre Sainte-Beuve*, Gallimard, « Idées », p. 219).

(98) Cf. aussi 853.

(99) Douze exemples.

(100) Pour une étude détaillée de la métaphore des échecs dans *La Comédie humaine*, voir l'article de David Mendelson, « Balzac et les échecs », *AB 1971*, p. 11-36. Cette étude applique « la théorie du jeu à la théorie de la littérature » (p. 25), tout en prenant pour point de départ et pour point d'arrivée la peinture des rapports sociaux.

Autres jeux d'adresse pure et de calcul, qui contribuent au même effet : les dames, le billard, le volant, les onchets [101]. Ils représentent déjà vingt-et-un exemples qui ne laissent aucune place au hasard. On peut y ajouter les quelques images où intervient la tricherie — tricheur, joueur de gobelets [102] — soit vingt-cinq exemples en tout. Mais l'adresse frauduleuse apparaît rarement au premier plan. Non que le souci du *fair play* entrave l'ascension du héros balzacien, et non que la tricherie s'oppose à l'autorité de la règle, puisqu'au contraire elle feint de la respecter. Mais si l'image mettait l'accent sur le manquement à cette règle, elle perdrait toute raison d'être. Son intérêt essentiel au contraire consiste à mettre en lumière le comportement des personnages qui y sont astreints.

D'autres jeux expriment uniquement l'abandon au hasard, à la chance : le *tapis vert* reparaît en tête, évocateur de la *roulette*, du *trente et quarante*, des *cornets de dés*. Le *ponte*, la *loterie*, le *dernier numéro d'un lot de famille*, les *dominos*, le *pari* [103] complètent la série. Reléguant au second plan le goût du risque, un certain fatalisme se fait jour : « Je réussirai ! Le mot du joueur, du grand capitaine, mot fataliste qui perd plus d'hommes qu'il n'en sauve » (PG, II, 918) [104]. La superstition bien connue du joueur, corollaire de sa croyance au hasard, se manifeste dans trois images dont la plus développée se trouve dans *Une ténébreuse affaire*, où le régisseur Michu, en apercevant Corentin pour la première fois, éprouve un « pressentiment mortel » :

> Les joueurs ont souvent, dans le monde, au jeu de l'écarté surtout, éprouvé comme une déroute intérieure en voyant s'attabler devant eux, au milieu de leur veine, un joueur, dont les manières, le regard, la voix, la façon de mêler les cartes leur prédisent une défaite. A l'aspect du jeune homme, Michu sentit une prostration prophétique de ce genre. Il fut atteint par un pressentiment mortel, il entrevit confusément l'échafaud (VII, 460) [105].

Dans la majorité des cas, on décèle un processus déformateur qui tend à minimiser le rôle du hasard. Deux allusions à la *martingale*, calcul destiné,

---

(101) Respectivement 2, 4, 2, 1 exemples.

(102) Respectivement 2 et 2 exemples.

(103) Respectivement 5, 2, 2, 2, 1, 3, 1, 1, 1 exemples. 24 exemples en tout.

(104) En ce sens, l'énormité du combat avec le hasard ne suscite pas une fascination comparable à celle qui s'exprime dans le passage des *Martyrs ignorés* que D. Mendelson rapproche du *Neveu de Rameau* (*art. cit.*, p. 13-15) : « Avec le calcul [qui permet de gagner] il n'y a plus que trois jeux possibles, le trictrac, la roulette et le creps. — C'est vrai. Là l'homme combat le hasard. A tous les autres jeux, un nombre de parties étant donné, la science est sûre de triompher. — Ne trouvez-vous pas quelque chose de gigantesque à se mesurer avec le hasard ? » (MI, X, 1133). La « théorie du jeu » qui se dégage du contenu de la métaphore cherche à conjurer le hasard plutôt qu'à l'affronter. A cet égard, l'hypothèse selon laquelle Balzac se serait souvenu des travaux de Laplace sur le calcul des probabilités apparaît comme fort vraisemblable (Mendelson, p. 17). Mais elle n'explique évidemment pas la fonction de l'image.

(105) Cf. PCh, IX, 228 et H, II, 281. Il n'y a pas, dans ces cas, véritable rupture entre image et texte littéral : un passage du *Père Goriot* tire un parti dramatique d'une autre forme de superstition particulière au joueur (II, 966). Cf. aussi le début de *La Peau de chagrin*. Balzac, toujours ouvert aux phénomènes occultes, surtout s'ils favorisent le suspense du récit, ne semble pas avoir contesté, dans son œuvre, la vérité de ces superstitions.

dans l'esprit du joueur, à conjurer les caprices du sort, illustrent ce processus à propos même des jeux de hasard. Nous avons déjà cité ci-dessus l'exemple des *Petits-Bourgeois* [106]. On en trouve un autre dans *Z. Marcas* :

> J'ai encore une fois oublié que le hasard est le résultat d'une immense équation dont nous ne connaissons pas toutes les racines. Quand on part du zéro pour arriver à l'unité, les chances sont incalculables. Pour les ambitieux, Paris est une immense roulette, et tous les jeunes gens croient y trouver une victorieuse martingale (VII, 747).

Il va sans dire que cette tendance s'affirme encore plus dans les jeux qui relèvent de l'adresse en même temps que du hasard. Seize exemples font de la compétence du joueur un facteur déterminant. A part la Bourse et le trictrac [107], ils désignent tous des jeux de cartes — brelan, bouillotte, écarté, whist (schlem) — où le joueur habile a toute latitude pour aider la chance à l'intérieur des règles, une fois les cartes distribuées. Contentons-nous d'en citer deux, qui de surcroît offrent l'avantage de faire ressortir le lien entre jeu et argent :

> ... La Bourse est comme une grande table de bouillotte où les habiles savent deviner le jeu d'un homme et l'état de sa caisse d'après sa physionomie (MR, IX, 306) ;
>
> D'abord, hommage au talent ! Notre ami n'est pas un gars, comme dit Finot, mais un gentleman qui sait le jeu, qui connaît les cartes et que la galerie respecte. Rastignac a tout l'esprit qu'il faut avoir dans un moment donné, comme un militaire qui ne place son courage qu'à quatre-vingt-dix jours, trois signatures et des garanties (MN, V, 596).

A ces seizes images, il convient d'adjoindre les seizes exemples, analysés précédemment [108], où domine l'idée de risque calculé — jouer gros jeu, quitte ou double, etc. —, ainsi que les vingt-cinq autres qui expriment uniquement l'habileté du joueur : cinquante-sept images donc, qui mettent l'accent sur l'intelligence ou le risque raisonné, contre les vingt-quatre où prévaut le hasard. La tendance est nette : à partir d'une situation donnée, la victoire est au plus adroit, et au plus audacieux. Idée profondément balzacienne de lutteur optimiste et conscient de sa force : comment ne pas penser à ce passage de la *Théorie de la démarche* où, évoquant les caprices de l'inspiration et les grandes inventions des hommes de génie — l'imprimerie, la machine à vapeur — Balzac conclut :

> ...Les niais appellent ces foudroiements de la pensée un hasard, sans songer que le hasard ne visite jamais les sots [109].

Le jeu, loin d'exprimer, dans son ensemble, la résignation aux bizarreries du sort, met en évidence la possibilité de les maîtriser. La lutte, le triomphe, voilà les notions qui soustendent l'image de jeu.

---

(106) VII, 120. Cf. *supr.*, p. 132.
(107) Respectivement 4 et 1 exemples.
(108) Cf. *supr.*, p. 132.
(109) Conard, O.D., II, p. 618.

Il n'est donc pas surprenant que celle-ci dépeigne surtout des situations sociales [110]. Certes, l'amour y a sa place : non pas la passion qui s'empare de l'être, mais la conquête et la lutte entre deux partenaires de force inégale. La victoire reviendra à l'homme assez habile pour ne pas se laisser prendre aux piège de l'émotion :

> ... Il faut... voir, dans le combat du confessional contre le canapé, ou du blanc contre le noir, de la reine contre le fou, des scrupules contre le plaisir, une partie d'échecs divertissante à jouer. Un homme tant soit peu roué, qui sait le jeu, donne le mat en trois coups, à volonté (DL, V, 201) ;

ou à la femme qui sait faire preuve des mêmes qualités. A ce jeu, Diane de Maufrigneuse a toujours gagné trop facilement, et elle aspire à des luttes plus sérieuses :

> Ce qui m'a manqué jusqu'à présent, c'était un homme d'esprit à jouer. Je n'ai eu que des partenaires et jamais d'adversaires. L'amour était un jeu au lieu d'être un combat (SPC, VI, 28).

Dans *La Cousine Bette*, Crevel, toujours à la conquête, par esprit de revanche, des maîtresses de Hulot, cherche à jouer au plus fin avec son ami :

> ... Je dépenserais bien cinquante mille francs pour enlever à ce grand bel homme sa maîtresse et lui prouver qu'un gros père à ventre de chef de bataillon et à crâne de futur maire de Paris ne se laisse pas souffler sa dame, sans damer le pion... (VI, 239) [111].

Sur quarante-quatre exemples qui décrivent la bataille sociale et politique [112], y compris le mariage [113], sept seulement relèvent de la notion de hasard, vingt-deux de l'adresse pure, et douze du risque calculé ou du hasard dirigé [114]. De plus, dans les œuvres où l'image remplit une fonction thématique, et où s'affirme donc le plus fortement son rôle de révélateur, elle décrit de préférence le mécanisme de l'ascension sociale et politique. La combinaison de ces deux facteurs nous met en possession de la formule clé de la métaphore de jeu et nécessite une étude particulière.

---

(110) Signalons quelques images qui ne se rattachent pas à ce noyau central et où le rapport des notions de calcul et de hasard décrit des situations diverses : la chasse (MM, I, 598) ; les courses de chevaux (B, II, 582) ; la conversation (B, II, 441 et PG, II, 887-888) ; la confiance dans le succès (PG, II, 991) ; le jeu lui-même (B, II, 351). On voit que l'écart demeure trop faible entre comparant et comparé pour que l'analogie soit vraiment signifiante.

(111) Cf. F30, II, 840 ; AEF, III, 221 ; Ma, IX, 814 ; S & M, V, 850 ; B, II, 542 & 592 ; MM, I, 471. De plus, trois images traduisent les dangers et les hasards du jeu de l'amour : Lys, VIII, 994 ; Ma, IX, 801 ; et Be, VI, 265 : « Une vraie courtisane... porte dans la franchise de sa situation un avertissement aussi lumineux que la lanterne rouge de la Prostitution, ou que les quinquets du Trente-et-Quarante. »

(112) Nous prenons ces termes dans leur sens le plus large.

(113) Six exemples.

(114) Les trois autres, sans exclure ces concepts clés, mettent plutôt l'accent soit sur la joie du succès (Col, II, 1104) ; soit sur le va-et-vient de l'argent (E, VI, 877) ; soit sur la lutte (Be, VI, 157). Le mariage est évoqué dans cinq autres exemples, le plus souvent comme une loterie (Phy, X, 864 ; ELV, X, 314 ; B, II, 522 ; MM, I, 434 ; CM, III, 139).

Le cycle de Vautrin, auquel il faut adjoindre *Le Lys dans la vallée*, se trouve au centre de notre examen. Autant à cause de son étalement dans le temps que des prises de position successives du personnage de Jacques Collin, il apporte lui-même les réponses aux questions qu'il soulève. Dans *Le Père Goriot*, cependant, ce ne sont pas encore tellement les images que l'intrigue qui exposent les impératifs sociaux auxquels il faut se conformer pour arriver. Certes on y trouve déjà sept images de jeu fort expressives — risque calculé, partie d'échecs, etc. — mais la véritable formulation métaphorique du problème n'apparaît qu'un an plus tard, dans *Le Lys dans la vallée*. On a déjà rapproché, à juste titre, — mais on a parfois eu trop tendance à les confondre — les conseils de Mme de Mortsauf à Félix de Vandenesse et ceux de Carlos Herrera à Lucien de Rubempré. Tous deux recommandent à leurs protégés respectifs de suivre la règle du jeu :

> J'ignore si les sociétés sont d'origine divine ou si elles sont inventées par l'homme, j'ignore également en quel sens elles se meuvent ; ce qui me semble certain est leur existence ; dès que vous les acceptez au lieu de vivre à l'écart, vous devez en tenir les conditions constitutives pour bonnes ; entre elles et vous, demain il se signera comme un contrat (Lys, VIII, 886).

La règle du jeu que préconise Mme de Mortsauf est cependant fort différente de celle que Rastignac a discernée dans *Le Père Goriot* et que Carlos Herrera va énoncer dans la troisième partie d'*Illusions perdues*. Le but est le même — arriver — mais, selon Mme de Mortsauf,

> la droiture, l'honneur, la loyauté, la politesse sont les instruments les plus sûrs et les plus prompts de [la] fortune (888).

Au contraire, elle définit dans les termes ci-dessous, pour les condamner sans appel, les moyens d'action adoptés par Rastignac :

> Expliquer la société par la théorie du bonheur individuel pris avec adresse aux dépens de tous, est une doctrine fatale dont les déductions sévères amènent l'homme à croire que tout ce qu'il s'attribue secrètement sans que la loi, le monde ou l'individu s'aperçoivent d'une lésion, est bien ou dûment acquis... A qui voit ainsi la société, le problème que constitue une fortune à faire, mon ami, se réduit à jouer une partie dont les enjeux sont un million ou le bagne, une position politique ou le déshonneur. Encore le tapis n'a-t-il pas assez de drap pour tous les joueurs, et faut-il une sorte de génie pour combiner un coup (887).

L'image apparaît donc, sous la plume de Mme de Mortsauf, pour définir une conception individualiste de la règle du jeu. Nous avons pu déceler cet individualisme — qu'il se marque par la monomanie, l'égoïsme, le « chacun pour soi » — dans tous les aspects de la métaphore de jeu que nous avons étudiés jusqu'à présent. L'exemple du *Lys* évoque des accessoires qui nous sont déjà familiers : l'enjeu, le tapis vert, mis au service de l'habileté personnelle. Mais il en fait ressortir les principes constitutifs en les situant nettement à l'intérieur de l'état social dont ils émanent. D'où le grossissement de l'image : les enjeux sont *un million ou le bagne*, l'habileté ne suffit pas, il faut *une sorte de génie*. Il est clair que le jeu représente le conflit entre l'individu et la société. La société est de beaucoup la plus forte : le choix que fait Mme de Mortsauf d'un jeu de hasard, dans cet exemple, met en lumière les risques énormes courus par l'individu. Dans ce conflit, la comtesse prend le parti de la société contre l'individu, dans l'intérêt même de l'individu : ce dernier, pour faire sa fortune, devra sacrifier son bonheur personnel aux valeurs sociales qu'elle énumère : « la droiture, l'honneur, la loyauté, la politesse ».

Ces valeurs sont les anciennes valeurs féodales. Si Mme de Mortsauf réprouve aussi fortement la conception du jeu qu'elle définit en des termes que reprendra, nous le verrons, Carlos Herrera, c'est en tant que survivante de l'ancienne tradition monarchique. A l'époque du *Lys*, Balzac est arrivé au terme de son évolution politique, ainsi que l'a démontré M. Bernard Guyon : son ralliement au point de vue légitimiste est un fait accompli. Il n'y a pas lieu de mettre en doute son adhésion politique aux valeurs professées par Mme de Mortsauf. Sans même avoir besoin d'invoquer les nombreux passages de *La Comédie humaine* où il déplore les progrès de l'individualisme, on sait qu'il doit condamner avec Mme de Mortsauf, du moins sur le plan idéologique — mais sans doute seulement sur ce plan — la position individualiste illustrée par la métaphore de jeu [115].

Le personnage de Vautrin, produit le plus extrême de cette position, non content d'exalter l'individualisme, le justifie en termes logiques. Ses conseils à Lucien de Rubempré, exacte contre-partie de ceux de Mme de Mortsauf à Félix, développent la même image, avec le même contenu, mais comme un exemple à suivre pour réussir :

> Quand vous vous asseyez à une table de bouillotte, en discutez-vous les conditions ? Les règles sont là, vous les acceptez. — Allons, pensa Lucien, il connaît la bouillotte. — Comment vous conduisez-vous à la bouillotte ?... dit le prêtre, y pratiquez-vous la plus belle des vertus, la franchise ? Non seulement vous cachez votre jeu, mais encore vous tâchez de faire croire, quand vous êtes sûr de triompher, que vous allez tout perdre. Enfin, vous dissimulez, n'est-ce pas ?... Vous mentez pour gagner cinq louis !... Que diriez-vous d'un joueur assez généreux pour prévenir les autres qu'il a brelan carré ? Eh ! bien, l'ambitieux qui veut

(115) André WURMSER, dans *La Comédie inhumaine* (Gallimard 1964), p. 168-174, n'a pas mieux vu que Georg LUKACS (*Balzac et le réalisme français*, Maspero, 1967, p. 63-64), la profonde différence qui sépare non seulement les valeurs de Mme de Mortsauf de celles de Carlos Herrera, mais même les moyens qu'elle propose. Il est nécessaire de relire le texte intégral de la lettre du *Lys* (VIII, 885-899) pour redonner leur véritable sens aux citations tronquées sur lesquelles s'appuie M. Wurmser. Un exemple précis : M. Wurmser cite et commente cette phrase de Mme de Mortsauf : « N'apportez ni au bazar du monde ni aux spéculations de la politique des trésors en échange desquels ils vous rendront des verroteries ». « Opération condamnable, dit M. Wurmser, puisque déficitaire. » Certes, mais déficitaire parce que contraire au *Noblesse oblige* que Mme de Mortsauf intercale à trois reprises au milieu de ses conseils. Autres expressions où elle associe les valeurs féodales à la réalisation du succès : « la société ne s'expliquera donc à vos yeux que comme elle s'explique dans tout entendement sain, par la théorie des devoirs » ; « Ne rien se permettre ni contre sa conscience, ni contre la conscience publique » ; « la politesse exquise, les belles façons viennent du cœur et d'un grand sentiment de dignité personnelle » ; « la vraie politesse implique une pensée chrétienne ; elle est comme la fleur de la charité, et consiste à s'oublier réellement » ; « Vous devez

> lutter avec les préceptes de la vertu, dans une carrière où ses antagonistes s'en privent, est un enfant à qui les vieux politiques diraient ce que les joueurs disent à celui qui ne profite pas de ses brelans : — Monsieur, ne jouez jamais à la bouillotte [116]... Est-ce vous qui faites les règles dans le jeu de l'ambition ? Pourquoi vous ai-je dit de vous égaler à la Société ?... C'est qu'aujourd'hui, jeune homme, la société s'est insensiblement arrogé tant de droits sur les individus, que l'individu se trouve obligé de combattre la société (IP, IV, 1026).

La vertu qui, selon Mme de Mortsauf, est la garantie du succès et implique la condamnation de l'attitude individualiste exprimée par la métaphore de jeu, devient, selon Carlos Herrera, le moyen le plus sûr d'échouer. Le schéma est le même dans les deux cas, mais la première appuyait son argumentation sur un ordre social qui, d'après le second, est périmé :

> la société s'est insensiblement arrogé tant de droits sur les individus, que l'individu se trouve obligé de combattre la société.

Ce nouvel ordre social justifie la révolte de l'individu. La règle du jeu, c'est la révolte. Et telle est bien la signification la plus fréquente de la métaphore de jeu. Pour marquer les chances de succès de l'individu, Carlos Herrera, à la différence de Mme de Mortsauf, choisit l'exemple d'un jeu qui, en mettant l'accent sur l'habileté du joueur, minimise le rôle du hasard.

Encore faut-il s'entendre sur les modalités de cette révolte : en fait, c'est la révolte de l'ordre nouveau contre l'ancien. Aux valeurs de droiture, d'honneur, de loyauté, de politesse, s'opposent les nouveaux préceptes : « dissimulation », « chacun pour soi » : « Que diriez-vous d'un joueur assez généreux pour prévenir les autres qu'il a brelan carré ? ». Plusieurs métaphores de jeu nous montrent les hommes employant d'autres hommes comme des pions ou des cartes pour arriver à leurs fins :

---

croire la voix qui vous recommande la noblesse en toute chose, alors qu'elle vous supplie de ne pas vous prodiguer inutilement » ; « toute finesse, toute tromperie est découverte et finit par nuire, tandis que toute situation me paraît être moins dangereuse quand un homme se place sur le terrain de la franchise » ; « Mais ferez-vous le bien comme un usurier prête son argent ? Ne le ferez-vous pas pour le bien en lui-même ? *Noblesse oblige!* ». Il convient d'intégrer ces pieuses maximes et leur sagesse mondaine dans l'ordre ancien au sein duquel elles sont présentées, à tort ou à raison, comme l'instrument du succès. La dignité bien comprise, le respect de soi, même mis au service d'une fortune personnelle, et malgré les nombreux accommodements qu'ils exigent avec la morale chrétienne, sont tout autre chose que l'individualisme impitoyable, règle du jeu de l'ordre nouveau, recommandé par Carlos Herrera dans l'image de la bouillotte que cite également M. Wurmser. Cf. à ce sujet notre analyse ici même.

(116) Balzac n'innove pas en utilisant la bouillotte comme modèle de jeu politique. Elle sert déjà de « comparant » dans une caricature qui a dû connaître son heure de célébrité. Cf., dans le catalogue de l'exposition Talleyrand (article 513, Bibliothèque Nationale, Paris, 1965) la description de cette caricature, parue dans *Le Journal ds Paris* le 10 juin 1815 sous le titre de *La Bouillotte :* « A ce jeu de cartes, qui n'est plus pratiqué de nos jours, s'adonnent Wellington, qui a misé sur la Belgique et qui fait le jeu, le roi de Prusse, qui « fait sur tout » en misant sur la Prusse et la Saxe, le tsar qui tremble pour cette partie et a misé sur la Pologne, l'empereur d'Autriche qui, après avoir misé sur l'Italie est las du jeu, et enfin Louis XVIII qui va quitter la table car le voilà décavé. Napoléon debout derrière lui déclare : Je suis rentrant. »

> Il [Rigou] tracassait le général comte de Montcornet, il faisait mouvoir les paysans par le jeu de fils cachés dont le maniement l'amusait comme une partie d'échecs où les pions vivaient, où les cavaliers couraient à cheval, où les fous comme Fourchon babillaient, où les tours féodales brillaient au soleil, où la Reine faisait malicieusement échec au Roi ! (Pay, VIII, 211) [117].

Dans cet exemple, Balzac tire un parti habile des possibilités de jeu de mots offerts par le nom des pions aux échecs. L'adjonction de l'adjectif « féodales », pour les tours, en dit long. Le bourgeois Rigou, prêtre défroqué, et enrichi par la Révolution française, représentant de l'ordre nouveau dans *Les Paysans*, est l'agent de la chute de la grande propriété féodale, représentée par Montcornet [118].

C'est en appliquant cette nouvelle règle du jeu que réussissent tous les ambitieux de *La Comédie humaine* [119]. Dans *Le Père Goriot* et dans *Splendeurs et Misères*, Balzac utilise à propos de Vautrin l'image de la partie d'échecs, jeu individualiste par excellence, et qui annule le hasard, nous l'avons dit : « Enfin, je ne suis ni un pion, ni un fou, mais une tour, mon petit » (II, 981). Carlos reprend l'image, mais pour admettre sa défaite, dans *La dernière incarnation de Vautrin* :

> Vous avez obtenu, monsieur, un succès complet dans notre affaire, dit Jacques Collin. J'ai été battu..., ajouta-t-il légèrement et à la manière d'un joueur qui a perdu son argent ; mais vous avez laissé quelques hommes sur le carreau... C'est une victoire coûteuse... — Oui, répondit Corentin, en acceptant la plaisanterie, si vous avez perdu votre reine, moi j'ai perdu deux tours... — Oh ! Contenson n'est qu'un pion, répliqua railleusement Jacques Collin (S & M, V, 1131).

Si Jacques Collin échoue, entraînant Lucien dans sa chute, c'est qu'il a lui-même été bien au-delà de la règle du jeu qu'il énonçait. Sa révolte est allée jusqu'au crime. Sa lutte contre la société s'est jouée en dehors des lois, seule différence qu'il reconnaisse entre lui et les arrivistes heureux : « Nucingen... a été Jacques Collin légalement et dans le monde des écus » (*ibid.*, 1136). Son attitude anarchique a donc été la cause de son échec :

---

(117) D'autres exemples de cet emploi des *pions* et des *cartes* se trouvent dans B, II, 592 ; AEF, III, 256 ; S & M, V, 1131 ; Be, VI, 480 ; PCh, IX, 46 ; Cath, X, 91. Cf. *infr.*, métaphore militaire, p. 189, l'image du simple soldat bon à se faire tuer pour les autres.

(118) Longtemps après les événements décrits dans *Les Paysans*, Blondet revoit l'ancienne propriété des Aigues, transformée : « Les bois mystérieux, les avenues du parc, tout avait été défriché ; la campagne ressemblait à la carte d'échantillons d'un tailleur » (VIII, 312). Georg Lukacs, qui commente ce passage dans son chapitre sur *Les Paysans* (p. 26, *op. cit*), fait allusion à la « haine aristocratique » de Balzac contre les paysans qui ont morcelé la terre, mais souligne l'exactitude de son analyse.

(119) La brillante carrière de Félix de Vandenesse, survivance de l'ordre ancien, s'effectue tout entière dans le sillage de la Restauration. *Une fille d'Eve* le montre, sous la Monarchie de Juillet, distancé par son beau-père, le magistrat comte de Granville (II, 62).

> Etre un volant entre deux raquettes, dont l'une s'appelle le bagne, et l'autre la police, c'est une vie où le triomphe est un labeur sans fin, où la tranquillité me semble impossible *(ibid.)*.

Puisque la société est la plus forte — et en ceci le diagnostic de Carlos Herrera rejoignait dès le début celui de Mme de Mortsauf — l'individu n'a aucune chance de succès en la combattant par le crime illégal. Vautrin, lutteur et révolté par tempérament, a mis vingt ans à l'admettre. Il se produit dans la marche des événements une sorte de jeu de bascule, où la société finit toujours par l'emporter :

> Eh bien ! j'ai vu, depuis vingt ans, le monde par son envers, dans ses caves, et j'ai reconnu qu'il y a dans la marche des choses une force que vous nommez la *Providence*, que j'appelais le *hasard*, que mes compagnons appellent la *chance*. Toute mauvaise action est rattrapée par une vengeance quelconque, avec quelque rapidité qu'elle s'y dérobe. Dans ce métier de lutteur, quand on a beau jeu, quinte et quatorze en main avec la primauté, la bougie tombe, les cartes brûlent, ou le joueur est frappé d'apoplexie... (*ibid.*, 1135-1136).

Nous arrivons ici au dernier état de la métaphore de jeu dans *La Comédie humaine*. Ce serait évidemment un contre-sens total que de voir dans l'emploi final qu'en fait Jacques Collin un ralliement aux valeurs de l'ordre ancien. Les mots de *Providence* ou de *mauvaise action* ne doivent pas nous tromper. L'espèce de justice immanente que définit Jacques Collin traduit une vision déterministe du nouvel ordre social, actionné par une force qu'on peut espérer canaliser en sa faveur — c'est la révolte à l'intérieur de la règle du jeu —, mais non pas annihiler par la rébellion anarchique. Cette force obéit à des lois si impératives que, si on les défie, elles neutralisent complètement la donne initiale, aussi favorable soit-elle. Malgré l'emploi de termes comme *hasard* ou *chance*, ces lois sont le contraire même du hasard. La partie qui se joue fonctionne selon la logique du système social, avec un degré de probabilité qui touche à la puissance absolue. Il est significatif que l'instrument de la chute de Carlos Herrera ait été Nucingen, symbole par excellence, dans toute *La Comédie humaine*, du nouveau capitalisme d'argent :

> Et qui nous adresse le premier coup d'épée ? un homme couvert d'infamies secrètes, un monstre qui a commis dans le monde des intérêts, de tels crimes (Voir *La Maison Nucingen*), que chaque écu de sa fortune est trempé des larmes d'une famille, par un Nucingen qui a été Jacques Collin légalement et dans le monde des écus (*ibid.*, 1136).

L'entrée de Jacques Collin dans la police est la solution de rechange la plus logique qui lui soit offerte. Elle marque pour l'ordre nouveau, qu'il avait depuis toujours discerné, une soumission aussi extrême que l'était sa révolte anarchique [120]. Son échec ne donne aucunement raison à Mme de Mortsauf, qui réduisait au minimum les chances de succès du joueur individualiste.

---

(120) Cf. *infr.*, métaphore criminelle, p. 165-169.

Les Nucingen et les Rastignac de *La Comédie humaine* sont là pour prouver que, dans l'ordre nouveau, le joueur rompu aux règles de la dissimulation et de l'intérêt personnel peut se tailler la part du lion. Les anciennes valeurs ne sont plus assez fortes pour le faire échouer. Balzac, dans les commentaires conservateurs dont il parsème ses analyses, peut déplorer leur déclin. Le contenu de la métaphore de jeu, avec une cohérence sans faille, proclame ce déclin.

Il apparaît au terme de notre examen que la présence, la forme et le contenu de la métaphore de jeu dans *La Comédie humaine* reflètent deux facteurs principaux.

D'abord un facteur personnel : l'ambition sociale de Balzac, disons même son arrivisme ; sa rancœur de roturier contre les privilèges de l'ancienne aristocratie, jointe à la conscience de sa propre supériorité, qui ne sera reconnue que grâce à la possibilité d'une prise de position individualiste ; enfin, la « tentation du surhomme », issue de son tempérament de lutteur optimiste, qui le porte à s'identifier partiellement à la révolte extrémiste de Vautrin. De tels traits expliquent la précision et la variété des détails, en un mot la fascination que trahit l'image à l'égard des chances de succès offertes par la notion de risque calculé.

Mais, si cet élément personnel détermine, jusqu'à un certain point, la nature et le pittoresque de la métaphore de jeu, il n'en éclaire pas le contenu profond à l'intérieur de *La Comédie humaine*. Ce contenu ressort seulement de la place qu'occupe l'image, et qu'il faut dégager, dans le conflit qu'elle exprime entre l'individu et la société. La métaphore de jeu implique un diagnostic social, qui lui donne ses véritables proportions.

M. Bernard Guyon, dans la conclusion de sa thèse, a mis en lumière la dichotomie propre à Balzac entre le romancier, qui « se place nécessairement au point de vue de l'individu » et « l'homme d'état » qui « se plaçant au point de vue de la société se propose comme fin première sa durée »[121]. Le premier terme coïncide manifestement avec l'élément personnel que nous avons distingué dans la métaphore de jeu. Mais il vaut la peine de situer la signification sociale de cette dernière par rapport au second : y a-t-il une véritable contradiction entre la pensée conceptuelle de Balzac, celle de l'homme d'état « qui se propose comme fin première la durée » de la société, et le contenu de la métaphore de jeu qui, nous l'avons dit, proclame le déclin des anciennes valeurs ? Apparemment, oui. L'adhésion de Balzac au point de vue de la monarchie légitimiste semble traduire sa tentative, dans la vie, pour assurer « la durée de la société » — l'ancienne.

En même temps, dans son œuvre, il dépeint et même admet, par sa dénonciation des progrès de l'individualisme, la mort de l'ancienne société. Il sait bien que les Nucingen vont rester. Et précisément, le contenu de la métaphore de jeu énonce une conception de l'individualisme qui va assurer leur maintien : elle condamne la solution extrémiste de Vautrin, et définit les préceptes de la nouvelle règle du jeu, où l'homme est à la merci de l'homme. La contradiction subsiste entre l'idéologie politique de Balzac et son diagnostic social, mais elle est plus sentimentale qu'intellec-

(121) *La Pensée politique et sociale de Balzac*, Armand Colin, 1947, p. 828-829.

tuelle : spéculation habile, insensibilité et dissimulation, pratiquées à l'intérieur des lois, sont les garanties de durée de la nouvelle société [122].

* * *

La prédominance de la peinture sociale dans le domaine comparé de la métaphore théâtrale et, plus encore, de la métaphore de jeu, entraîne une double conséquence.

Elle développe à l'extrême les notions de simulacre et de leurre, ce qui, sauf cas exceptionnels, exclut la possibilité d'une définition du moi, même précaire. La métaphore théâtrale pose sans la résoudre la question de l'identité du sujet. La métaphore de jeu, qui confond personnage et personne, ne l'examine même pas.

A cette question se trouve peu à peu adjointe, dans la métaphore théâtrale, la peinture des rapports de force, qui apparaît ensuite au premier plan de la métaphore de jeu. Ces derniers sont mis au service d'une exécution parfaite, soit dans la relation acteur-spectateur, soit dans l'univers clos de la compétition. Du moins pour le théâtre, on peut considérer ce second point comme un processus de déformation qui fait glisser du qualitatif au quantitatif non pas le champ notionnel de la métaphore dans *La Comédie humaine*, lequel demeure inchangé, mais sa signification. Quant au jeu, il ne connaît pas la même tension, et se situe d'emblée dans le domaine de la bataille sociale.

(122) Les analyses de Georg LUKACS, dans *Studies in European Realism*, dont les chapitres sur Balzac ont paru en français chez Maspero, Paris, 1967, restent le point de départ de l'interprétation marxiste, malgré la réserve que nous exprimons plus haut (cf. *supr.*, p. 137, note). Mais nous renvoyons plus particulièrement, pour notre étude des métaphores de jeu, aux remarques de Lucien GOLDMANN sur l'évolution de la forme romanesque au début du XIXe siècle : Cf. *Pour une sociologie du roman*, Coll. Idées, NRF, 1964, « Introduction aux problèmes d'une sociologie du roman », p. 19-57. Il formule, p. 53, à propos de *La Comédie humaine*, une hypothèse riche en possibilités de recherche : « ... Nous nous permettons de mentionner, à titre de suggestion tout à fait générale et hypothétique, l'éventualité selon laquelle l'œuvre de Balzac — dont il faudrait précisément, à partir de là, analyser la structure — constituerait la seule grande expression littéraire de l'univers structuré par les valeurs conscientes de la bourgeoisie : individualisme, soif de puissance, argent, érotisme qui triomphent des anciennes valeurs féodales de l'altruisme, de la charité et de l'amour ».

CHAPITRE IV

LE PATRIARCAT

Métaphores de situations sociales et métaphores d'argent

La culture de relais gouverne le domaine des métaphores de situations sociales. Elle se manifeste, formellement, par une surabondance de clichés. L'impression de stéréotype se trouve renforcée par deux autres facteurs : la faible ouverture sémantique propre aux catégories sociales, où le rapport entre comparant et comparé renvoie directement ou indirectement au rapport d'homme à homme ; et, malgré cette facilité de compréhension, la prédominance, là comme ailleurs, de la comparaison motivée et de l'assimilation motivée avec comparé. Celles-ci dérivent même parfois en simples rapprochements, où la fonction explicative joue le premier rôle [1].

Sauvage, criminel, courtisane, esclave et roi, militaire, prêtre, droit et justice : nous avons déjà signalé le caractère atemporel de la société décrite par la culture de relais [2]. Les sources contingentes n'y jouent à peu près aucun rôle : ainsi, Balzac avait d'excellentes connaissances juridiques, et pourtant les images de droit et de justice sont relativement faibles en nombre et en détails techniques. Inversement, si l'image du prolétaire est absente, ce n'est pas à cause du milieu social de l'auteur et du public, mais parce que le prolétaire appartient à une classe en formation et n'existe pas encore à l'état de cliché. Ni Balzac, ni son public ne songent à l'introduire dans le fond commun qui recèle les métaphores de métier [3]. Au contraire, les métiers manuels apparaissent comme terme de comparaison [4] parce qu'ils relèvent d'une tradition ancienne. Toutefois, ils forment un ensemble hétéroclite, d'un intérêt surtout pittoresque et anecdotique, et nous ne les examinons pas comme un réseau structuré [5].

---

(1) Cf. par ex., *infr.*, p. 166.

(2) Cf. *supr.*, p. 71.

(3) Par contre, Balzac y fait allusion un peu plus qu'on ne l'a dit dans la peinture sociale. Cf. par ex. FYO, V, 256, Bou, VII, 109, où figure le mot même de *prolétaire* ; CSS, VII, 35 ; DF, I, 925-936 ; Be, VI, 509-518. Pierre BARBÉRIS fait remarquer que Balzac ne décrit guère que l'artisan et l'ouvrier en chambre. Cf. *Balzac, une mythologie réaliste*, Larousse, 1971, p. 188-191, et aussi p. 212.

(4) 63 exemples relevés.

(5) Les exemples présentent souvent un grand intérêt stylistique. Les domaines représentés, très variés, apparaissent souvent aussi sous forme de cliché. Quelques métiers prédominent : le joaillier (6), le manœuvre (4), le boucher (5), inséparable de la métaphore animale, l'agriculteur et le vigneron (10), le bûcheron (2). Une vingtaine se classe dans la catégorie « divers » : y figurent le coiffeur, le maçon, le gendarme, la cuisinière, le croquemort, le fondeur de cloche, avec des connotations souvent facé-

Cependant, c'est Balzac qui choisit dans la culture de relais. Certaines catégories sociales se prêtent mieux que d'autres à la peinture des situations types de *La Comédie humaine* : là réside la véritable explication de leur présence, et même la seule. En cela, malgré leur caractère stéréotypé, elles ne diffèrent nullement des autres métaphores. Et de là provient le décalage entre la nomenclature des métiers constituée par les images, d'une part, et, d'autre part, les professions les plus largement représentées dans la fresque sociale de *La Comédie humaine*. L'image a pour fonction d'éclairer les mécanismes qui gouvernent l'univers romanesque, et non pas de décrire directement les couches sociales et professionnelles qu'il est censé représenter. D'où l'importance, sur le plan métaphorique, des métiers et des situations relativement peu diversifiés qui expriment la force de l'instinct, le calcul, ou la lutte [6]. Ainsi se forme une mythologie sociale. On cite souvent les remarques de Mircea Eliade sur le roman du XIXe siècle, qu'il désigne comme « le grand réservoir de mythes dégradés » [7]. La métaphore sociale, vu son faible degré d'invention, semble particulièrement apte à refléter des attitudes collectives. On se demandera s'il est possible de dégager, par rapport à ces attitudes, des mythes proprement balzaciens, en tenant compte, comme toujours, des aspects inter- et intratextuels.

Cette société métaphorique constitue l'exemple le plus patent, dans *La Comédie humaine*, à cause de la banalité de son signalement linguistique, du recours à un système de référence préexistant [8], et semble suggérer, peut-être trop vite, que Balzac adhère sans réserve ou sans réflexion aux codes et aux valeurs culturels de son époque. En fait, son point de vue est ambigu, ou du moins varie. Il est souvent complice, mais aussi, parfois, mythologue, quand il diagnostique le mal spécifique de son temps, quand il cesse de confondre l'historique et l'éternel. La confusion entre nature et culture est inscrite dans la mythologie sociale véhiculée par les clichés. Elle est inhérente à la forme même du cliché, qui désigne l'archétype, réel ou supposé, derrière le stéréotype [9], et qui, dans le cas du cliché culturel, escamote la composante historique au profit d'une essence atemporelle. Le mythe, dit Roland Barthes, fonde « une contingence en éternité », et telle est précisément « la démarche de l'idéologie bourgeoise » [10]. La

---

tieuses. Ils peuvent décrire certaines situations-types : effort intellectuel intense, mais peu raffiné ; habileté et minutie ; rapports de force, parfois simplement ressemblance physique. Mais il serait vain de chercher à les réduire tous à ces trois cas.

(6) Ce principe unificateur préside au plan que nous avons adopté. Certains métiers ne jouent qu'un rôle secondaire à l'intérieur d'une image : dans ce cas, il nous a paru plus logique de les aborder par un autre biais. Ainsi le commerce se rattache à la métaphore d'argent.

(7) *Images et symboles*, Gallimard, 1952, Avant-propos, p. 12. Cf. aussi Harry LEVIN, qui énumère quelques-uns de ces mythes, dont certains, comme celui du criminel, apparaissent précisément dans les catégories de métaphores sociales balzaciennes : *The Gates of Horn*, New York, Galaxy, 1966 (1re éd. 1963), p. 469.

(8) Cf. *supr.*, p. 85-86.

(9) Cf. *supr.*, p. 71.

(10) *Mythologies*, *op. cit.*, p. 229. Démarche qui se distingue de celle de l'aristocrate. Ce dernier, conscient de son passé historique, reconnaît la différence des autres tout en revendiquant la sienne. Le *Noblesse oblige*, contre-partie du privilège héréditaire, renvoie à un système de valeurs qui n'oblige que la classe noble, mettant l'accent sur l'origine socio-culturelle.

culture de relais, à l'époque de *La Comédie humaine*, reflète les valeurs bourgeoises et, particulièrement dans le domaine de la métaphore sociale, on remarque très souvent le poncif et l'image d'Épinal.

La métaphore d'argent ne relève pas seulement, comme les métaphores de situations sociales, d'un présent de culture, mais aussi d'un présent de création [11]. Du reste, on y trouve beaucoup moins de clichés, et une ouverture sémantique bien supérieure, assez souvent développée grâce à des dérivations très poussées. Cette recréation au niveau formel suggère d'emblée un contenu idéologique moins conformiste. Indiquons d'autre part que la métaphore monétaire met au premier plan le point de vue économique dans les différents domaines des rapports humains.

Ce n'est donc pas l'aspect formel qui justifie la réunion des métaphores sociales et des métaphores d'argent, mais la présence d'un sème qui leur est commun, repérable par dérivation, et plus ou moins actualisé selon les catégories de comparants. Toutes les catégories, en effet, renvoient à un principe centralisateur, autoritaire, qui les range également sous la rubrique du patriarcat. Au sens littéral, la métaphore du père est absente de *La Comédie humaine*. Il y a une double raison à cela. Tout d'abord, le point de vue masculin qui est celui du narrateur et de la culture dominante [12]. Ensuite, et c'est la raison qui nous intéresse ici, le fait même que cette métaphore est représentée, sous forme symbolique, dans les catégories sociales et monétaire.

C'est la métaphore d'argent qui éclaire ce procès de symbolisation, dont le modèle est fourni par l'analyse marxiste de la genèse de la forme monnaie. Cette dernière, au terme de l'analyse des différentes formes équivalent de la valeur qui la précèdent historiquement ou logiquement [13], se révèle comme la forme équivalent général. Marx lui-même a décelé, sans s'y attarder, l'homologie qui existe entre le rapport de valeur ou d'échange des marchandises et celui des humains : « En vertu du rapport de valeur, la forme naturelle de la marchandise B devient la forme de valeur de la marchandise A, ou bien le corps de B devient pour A le miroir de sa valeur. — Sous un certain rapport, il en est de l'homme comme de la marchandise. Comme il ne vient point au monde avec un miroir, ni en philosophe à la Fichte dont le Moi n'a besoin de rien pour s'affirmer, il se mire et se reconnaît d'abord seulement dans un autre homme. Aussi cet autre, avec peau et poil, lui semble-t-il la forme phénoménale du genre homme » [14].

La métaphore monétaire n'illustre donc pas seulement le phénomène d'équivalence propre à tout processus métaphorique. Elle ne fait pas non plus seulement ressortir, comme d'autres catégories, les équivalences que Balzac établit entre les différentes formes de la Pensée. En tant qu'équivalent général, elle éclaire l'aspect économique des rapports d'échange. La monnaie centralise l'échange affectif ou social, le capital est l'image de la puissance politique ou énergétique, l'or peut s'identifier avec l'énergie

(11) Expressions de Gérard GENETTE. Cf. *Figures*, Seuil, 1966, p. 168.

(12) Cf. *infr.*, « La métaphore humaine », p. 229 sq.

(13) *Le Capital*, I, I, éd. Garnier-Flammarion, p. 50-68.

(14) *Ibid.*, p. 54, et Note 17, p. 586. L'image employée par Marx anticipe le stade du miroir lacanien.

sexuelle. La relation de comparant à comparé désigne alors dans le phallus un autre équivalent général, propre à l'*ordre des pulsions*, comme la monnaie l'est à l'*ordre des marchandises*. Ainsi se manifeste l'isomorphisme de la valeur de la marchandise et des pulsions [15].

Les situations sociales retenues par le texte métaphorique gravitent, selon le même isomorphisme, autour du même principe centralisateur. Les comparants s'y définissent par référence au sème patriarcal, symbole d'ordre et d'autorité, soit qu'ils désignent la force établie (roi, armée, prêtrise, diplomatie, droit et justice), soit qu'ils la transgressent ou la mettent en péril (sauvage, criminel, courtisane [16]) [17]. Le roi, dans l'*ordre politique*, tient « le rôle d'équivalent général... La genèse de la forme monnaie est théoriquement homologue à la genèse de la *représentation* politique. Elle fournit le principe de la sujétion de plusieurs sous la souveraineté d'un seul. La personne juridique se constitue comme effacement des différences individuelles de même que pour la marchandise, comme valeur, s'effacent toutes les différences » [18]. Dans l'*ordre des rapports intersubjectifs*, l'image du père, à partir d'un certain stade de développement du moi, tient le rôle d'équivalent général, de médiateur entre le moi et les autres [19]. Tout se joue dans le registre de l'imaginaire. Ainsi s'explique, dans les mots-thèmes de la métaphore patriarcale, l'absence du père, auquel se substituent les représentants de l'autorité sociale (armée, église, justice).

Si c'est la genèse de la forme monnaie qui sert de modèle à la genèse des autres équivalents généraux, les métaphores d'argent et de situation sociale ne s'en situent pas moins dans « l'axe de la métaphore paternelle (monnaie, phallus, langue, monarque), métaphore centrale, centralisatrice, permettant l'ancrage de toutes les autres, pivot de toute législation symbolique, lieu de l'étalon (de « estel » : pieu, poteau) et de l'unité » [20]. Dans les deux catégories — argent et situations sociales — la relation de comparant à comparé, la signification même de l'image, renforce le sème de patriarcat inhérent aux comparants.

Nous en revenons, en effet, au contenu de la métaphore, au caractère ahistorique du mythe dans sa rencontre avec l'idéologie bourgeoise,

---

(15) Cette homologie et celles qui suivent sont développées tout au long des essais de Jean-Joseph Goux réunis sous le titre de *Freud, Marx : Economie et symbolique*, Seuil, 1973. Elles se trouvent amplement illustrées par les catégories sociales et monétaires du texte métaphorique balzacien. Dans l'ordre des pulsions, le primat du phallus représente la forme équivalent général des objets. Il fait suite aux stades oral et anal, qui correspondent aux formes simple et développée de la valeur (Goux, p. 66-68). Toutefois, l'équivalence argent-phallus, quoique la plus fréquente, est limitative, et l'image renvoie parfois au stade génital (Cf. Laplanche et Pontalis, p. 453) plutôt qu'au stade phallique : cf. *infr.*, p. 201, 203 (preuves linguistiques), 215.

(16) La fonction « régulatrice » de la courtisane dans la société bourgeoise n'apparaît guère sur le plan métaphorique.

(17) On retrouve cette tendance réductrice dans les équivalences que Balzac établit fréquemment, à l'intérieur d'un même passage, entre des métiers différents, — par exemple, dans *Ferragus*, entre espion, voleur, joueur, chasseur (V, 36). Cf. les remarques de Rose Fortassier, dans « Un procédé cher à Balzac ou le jeu des analogies », *AB 1970*, p. 307-315.

(18) Goux, p. 85.

(19) *Ibid.*, p. 56-63.

(20) *Ibid.*, p. 65.

et à la position de Balzac, complice ou mythologue, devant cette idéologie. Nous verrons que certains contenus de la métaphore illustrent ce que Roland Barthes appelle les « figures de rhétorique du mythe bourgeois » [21]. Ils révèlent un Balzac dupe ou complice. Mais d'autres contenus évitent l'écueil, et le posent en mythologue.

* * *

I. *LES MÉTAPHORES DE SITUATIONS SOCIALES*

Ce qui est vrai à propos d'une catégorie de cet ensemble n'est pas faux pour les autres. Mais l'accent se place différemment de l'une à l'autre. La suprématie de l'ordre se manifeste, au niveau du contenu, dans les images du roi et de l'esclave, dans les métaphores militaires, dans les métaphores d'état ecclésiastique. Au centre, l'image de la courtisane traduit la corruption des individus et de la société, et par contre-coup, la nécessité d'un équilibre. Les autres catégories — droit et justice, métaphores criminelles, image du sauvage — tout en évoquant la pression des forces sociales et, dans certains cas, les tentatives de révolte, parfois violentes et justifiées, des individus, insistent sur la responsabilité de ces derniers dans l'imperfection de la nature sociale. La référence à un principe d'ordre et d'équilibre, à la primauté de la force, sous-tend constamment ce tableau de l'anarchie, de la révolte et de la lutte. Ainsi, les comparants de sauvage, de criminel et de courtisane, qui mettent en péril l'ordre établi, se rattachent néanmoins à l'axe de la métaphore paternelle, à la fois par contraste, au niveau de la forme [22], et directement par leur signification, au niveau du contenu [23].

1. Le Sauvage : métaphores de race et de nationalité [24]

Les métaphores de race et de nationalité illustrent fort bien deux des processus dont nous avons parlé dans notre préambule.

Tout d'abord, elles manifestent certaines formes de la rhétorique du mythe bourgeois que Roland Barthes réunit dans la classe des *Essences*. Ce terme désigne un type de « figure », de déformation qui fait basculer l'historique dans l'éternel. Parmi ces figures, retenons pour l'instant l'*identification*, par laquelle on nie la différence de l'autre, et le *constat*, dont la maxime, l'aphorisme bourgeois constituent l'expression de choix. Le constat, « équivalent noble de la tautologie », entérine un rapport au monde fortement médiatisé, figé [25] : point n'est besoin, dans la métaphore de nationalité, de vérifier les traits spécifiques de chaque pays. La culture de relais offre un répertoire presque inépuisable d'expressions toutes faites souvent attestées par Boiste, et encore plus souvent par

(21) *Mythologies*, p. 238 sq.

(22) Forme au sens barthésien de « signifiant du mythe » (Cf. *Mythologies*, p. 200-202), c'est-à-dire ici par la catégorie métaphorique elle-même. Voir *supr.*, p. 93 et n. 19.

(23) Cf. *ibid.*, p. 239-243.

(24) 130 exemples relevés.

(25) *Mythologies*, p. 242-243.

Littré, et dont l'emploi justifie plus que tout autre le terme d'automatisme. Le constat fleurit et n'est jamais mis en question : le Breton est obstiné, le Hollandais ordonné, et ainsi de suite. De la sorte, « le contingent se fonde en éternité ». L'identification, au moins indirecte, double le constat ou se substitue à lui, dans la mesure où le sémantisme des comparants ne reflète pas une connaissance diversifiée, ni fondée sur une expérience directe. En effet, on remarque assez vite que la catégorie des races et des nationalités se manifeste surtout, non sans un naïf chauvinisme, comme une extension de l'image du sauvage. Sur cent-trente exemples relevés, une centaine est axée sur l'expression de la sauvagerie physique ou morale que Balzac attribue à de multiples groupes ethniques, et qui concrétise l'action d'êtres et de forces cruels.

Ainsi, et c'est le second processus illustré, le sauvage se révèle comme « l'équivalent général » des multiples races qui ont pour apanage la force brute, dispersée ou néfaste. Dans un certain nombre d'œuvres, les exemples constituent même une image-thème à ne pas négliger. Cette interprétation du sauvage reflète l'ambivalence de la pensée sociale de Balzac [26] : péjorative, l'image implique par définition la supériorité de la civilisation sur l'état de nature ; en même temps, du moins quand elle dépeint la civilisation et en particulier Paris, elle rabaisse la société la plus évoluée au niveau du pire état de nature.

Examinons d'abord brièvement la minorité d'images [27] qui ne se rattache pas au grand courant unificateur de la sauvagerie. Elle forme un ensemble hétéroclite qui présente cependant un intérêt documentaire et peut renseigner sur certains aspects de la réalité ou des préjugés contemporains. Dans *L'illustre Gaudissart*, une métaphore de nationalité associée à une image mécanique contient certainement une allusion à l'actualité :

> ... Il s'avançait lentement jusqu'aux joueurs, leur jetait un regard assez semblable au regard automatique des Grecs et des Turcs exposés sur le boulevard du Temple à Paris, et leur disait : — Allez-vous en ! (IV, 29) [28].

Les autres images se concentrent sur l'expression d'un trait soit physique [29], soit moral — le plus fréquent étant l'esprit de lucre [30].

Pour l'expression des ressemblances physiques, l'Angleterre vient en tête [31]. Propreté, fragilité, laideur [32]. L'anglophobie de Balzac perce dans *Honorine*, où le comportement physique trahit l'orgueil moral :

(26) Cf. Guyon, p. 264-267 et p. 669-672 en particulier.

(27) Une trentaine.

(28) Nous avons cherché en vain jusqu'à présent, dans Raser, *A Guide to Balzac's Paris*, et dans divers dictionnaires et encyclopédies, l'origine exacte de cette image.

(29) Seize exemples.

(30) Six sur quatorze exemples relevés.

(31) Six exemples.

(32) Cf. respectivement : Ath, II, 1162, AS, I, 758 ; Lys, VIII, 957, B, II, 377 ; FM, II, 14.

— De la lumière et du thé, lui dit-elle avec le sang-froid d'une lady harnachée d'orgueil par cette atroce éducation britannique que vous savez (II, 294).

L'image des autres pays ne réserve aucune surprise : diverses contrées exotiques évoquent la beauté brune de quelques personnages féminins. Lady Dudley est comparée à une danseuse indienne pour son charme voluptueux :

> La délicieuse Almée qui se roulait le soir sur ses tapis, qui faisait sonner tous les grelots de son amoureuse folie... (Lys, VIII, 993).

Plusieurs nationalités ont pour fonction d'exprimer l'âpreté au gain : le juif, le gênois, le Normand [33], les Suisses, les Genevois [34], le Bédouin :

> Diane d'Uxelles se gardait... de parler de d'Arthez. La marquise tournait autour de cette question comme un Bédouin autour d'une riche caravane (SPC, VI, 58) [35].

a) *Champ notionnel du « sauvage ».*

L'image du sauvage s'exprime par de multiples mots-thèmes [36]. On trouve l'*Iroquois*, le *Peau-Rouge*, le *Mohican*, le *nègre*, l'*anthropophage*, l'*homme des bois*. D'autres pays hors d'Europe fournissent l'*Esquimau*, le *Turc*, l'*Arabe*, le *Bédouin*, le *fakir*, l'*oriental*, le *Lapon*, le *Calmouque* (sic) le *Tartare*. L'Europe enfin est loin d'être considérée comme entièrement civilisée : elle fournit les comparants très fréquents de *Sarde*, *Corse*, et *paysan* [37]. Les *Romains* et les *Spartiates* sont aussi mentionnés pour une force d'âme et une intransigeance allant jusqu'à la dureté. A propos des premiers tout au moins, il s'agit là d'un processus déformateur incontestable, qui force le cliché du Romain dans la direction de la sauvagerie.

Les remarques de Léon-François Hoffmann sur « Balzac et les Noirs [38] » gardent toute leur pertinence si on les étend à l'image du sauvage que composent les métaphores de race et de nationalité : le discours fait montre d'un conformisme et d'une étroitesse d'esprit éminents. Comme le note M. Hoffmann à propos des Noirs, la reconnaissance, la fidélité dans l'attachement sont les seuls traits présentés comme entièrement favorables. C'est le cliché de l'Arabe, qui apparaît de temps en temps : « une reconnaissance d'Arabe, un dévouement de caniche, une amitié de sauvage » (FM, II, 24-25) — ces trois comparants pouvant être considérés comme synonymes et interchangeables. Or le trait n'apparaît que quatre fois dans

(33) Respectivement quatre, trois et deux ex.

(34) PMV, X, 927.

(35) Les tortures subies par le juif sont évoquées une seule fois, dans *Le Contrat de mariage* : « Quoique la contenance de madame Evangélista fût calme, jamais juif du moyen-âge ne souffrit dans sa chaudière pleine d'huile bouillante le martyre qu'elle souffrait dans sa robe de velours violet » (III, 121).

(36) Dans quinze exemples, l'image du sauvage est soulignée par une métaphore animale — en tête le tigre (4).

(37) Cf. « Les cosaques et les Paysans, espèces de bêtes féroces classées à tort dans le genre humain » (Be, VI, 231).

(38) Cf. *L'Année balzacienne 1966*, p. 297-308.

notre relevé [39]. Il y a ici conformité totale entre textes métaphorique et littéral : le Bon Sauvage est une espèce qui n'a pas cours dans *La Comédie humaine.*

Le thème contrasté de la civilisation et du désert, du monde et de la solitude, fournit des exemples plus nombreux et plus significatifs. La civilisation y apparaît plutôt comme une valeur positive, par rapport à l'état de nature. Balzac, là encore, est plus près de Voltaire que de Rousseau ou de Bernardin de Saint-Pierre [40]. Dans les premières pages de *Béatrix*, œuvre où l'image-thème du sauvage [71] est souvent associée à des métaphores animales, le contraste contribue à l'évocation de Guérande et de ses environs. Le charme de ce pays breton tient en partie à son caractère primitif. La description des marais salants et des paludiers qui en constitue l'élément le plus exotique comporte pourtant quelques traits défavorables :

> Cette riche nature... a pour cadre un désert d'Afrique bordé par l'Océan, mais un désert sans un arbre, sans une herbe, sans un oiseau, où, par les jours de soleil, les paludiers, vêtus de blanc et clairsemés dans les tristes marécages où se cultive le sel, font croire à des Arabes couverts de leurs burnous (II, 324).

Pour suggérer la distance sociale qui sépare les paludiers des paysans, Balzac recourt encore à une métaphore de pays lointain :

> Ces deux classes et celle des marins à jaquette, à petit chapeau de cuir verni, sont aussi distinctes entre elles que les castes de l'Inde (*ibid.*, 322).

Enfin le portrait du baron du Guénic présente ce vieux Breton comme une émanation du paysage :

> Cette physionomie, un peu matérielle d'ailleurs... offrait... des apparences sauvages, un calme brut qui ressemblait à l'impassibilité des Hurons, je ne sais quoi de stupide, dû peut-être au repos absolu qui suit les fatigues excessives et qui laisse alors reparaître l'animal tout seul (*ibid.*, 334).

On voit que les connotations exprimées de tristesse, de matérialité, de stupidité animale sont loin de donner l'avantage absolu à l'état de nature.

Cet état suscite le plus souvent une série de traits entièrement négatifs, et qui caractérisent aussi le Noir dans les romans où il apparaît comme personnage accessoire [42]. La comparaison avec le sauvage implique ignorance :

---

(39) Cf. aussi Gr, II, 187 ; RA, IX, 636 ; F30, II, 795.

(40) Deux exemples seulement consacrent la supériorité de l'isolement : « Aussi, comme un Lapon qui meurt au-delà de ses neiges, se fit-il une délicieuse patrie de sa cabane et de ses rochers ; s'il en dépassait la frontière, il éprouvait un malaise indéfinissable » (EM, IX, 690) ; cf. aussi H, II, 295. Dans S & M, l'esprit inculte d'Esther suscite une image qui accorde aussi une certaine qualité à l'état de nature : « ... la force avec laquelle la lumière entrait à la fois dans son intelligence pure comme celle d'un Sauvage... » (V, 679).

(41) Quinze exemples.

(42) Cf. HOFFMANN, *art. cit.*

> Votre femme était devant les plaisirs du mariage comme un Mohican à l'Opéra : l'instituteur est ennuyé quand le Sauvage commence à comprendre (Phy, X, 669) ;

rusticité excessive : « ... ce mobilier aussi simple qu'un wigham de Mohicans » (FE, II, 150) ; encore plus souvent barbarie :

> ...Vous qui... sans le langage ressembleriez à cette espèce si voisine du nègre, à l'homme des bois (Ser, X, 548).

Dans *Mémoires de deux jeunes mariées*, Balzac exploite à plusieurs reprises le thème de l'Arabe sauvage, mais dompté par la civilisation chrétienne, que représente la parisienne raffinée :

> Ce n'est plus Paris, c'est l'Espagne ou l'Orient ; enfin, c'est l'Abencerrage qui parle, qui s'agenouille devant l'Eve catholique en lui apportant son cimeterre, son cheval et sa tête. Accepterai-je ce restant de Maure ? (I, 196) [43].

L'insouciance, le manque de discipline apparaissent comme l'apanage du sauvage : c'est le jeune roué, dans *Béatrix*, qui se conduit à Paris comme le sauvage au désert :

> Il y a donc un moment où l'on s'ennuie de s'amuser ? dit la Palférine, de n'être rien, de vivre comme les oiseaux, de chasser dans Paris comme les Sauvages et de rire de tout ! (II, 596).

Enfin la faiblesse d'esprit, la sottise sont le propre des races non civilisées :

> Il était devenu complètement imprévoyant à la manière des nègres qui, le matin vendent leur femme pour une goutte d'eau de vie, et la pleurent le soir (RA, IX, 595).

La composante essentielle de la métaphore du sauvage, qui lui donne sa véritable raison d'être dans *La Comédie humaine*, est l'aptitude à la lutte. Les exemples [44] qu'il nous reste à examiner gravitent autour de cette notion. Unifiée de la sorte, l'image devient un véritable portrait avec ses parties constituantes. Finesse des sensations :

> ... Semblable aux Sauvages de l'Amérique, Etienne distinguait le pas de son père (EM, IX, 689) ;
>
> Aussi Farrabesche et son fils étaient-ils surtout développés du côté physique, ils possédaient les propriétés remarquables des sauvages (CV, VIII, 668) ;

silence, gravité, immobilité :

> Le silence et toute sa majesté ne se trouvent que chez le Sauvage. ... Je me trompe. Nous avons vu l'un des Iroquois du faubourg Saint-Marceau mettant la nature parisienne à la hauteur de la

(43) Il est juste d'ajouter que, sans être un « Bon Sauvage », le baron de Macumer a su conserver, sous le poli de l'homme civilisé, les solides qualités de cœur de l'Arabe : le contraste tourne donc, exceptionnellement dans ce roman, à son avantage, mais parce qu'il s'est frotté à la civilisation.

(44) 87 exemples.

> nature sauvage ; ... un vieillard a surpassé tout ce que nous connaissons de la fermeté nègre, et tout ce que Cooper a prêté aux Peaux-Rouges de dédain et de calme au milieu de leurs défaites (ZM, VII, 747) [45].

Ce trait favorise la dissimulation :

> ...L'air humble que se donnent presque tous les gens de la campagne, et sous lequel ils cachent leurs émotions et leurs calculs, comme les Orientaux et les Sauvages enveloppent les leurs sous une imperturbable gravité (TA, VII, 463) [46].

L'acuité des sensations se double de perspicacité morale : « ... Deux yeux froids, durs, sagaces et perspicaces comme ceux des sauvages... » (EHC, VII, 348) [47] ;

> Il n'y a rien au monde que les Sauvages, les paysans et les gens de province pour étudier à fond leurs affaires dans tous les sens ; aussi, quand ils arrivent de la Pensée au Fait, trouvez-vous les choses complètes. Les diplomates sont des enfants auprès de ces trois classes de mammifères (CA, IV, 400).

Ici, l'image du diplomate, rapprochée, de façon surprenante au premier abord, de celle du sauvage, fait ressortir la profonde unité de l'emploi des métaphores de situation sociale dans *La Comédie humaine* : toutes — et non pas seulement celles du sauvage ou du militaire — sont axées, plus ou moins directement il est vrai, sur l'aptitude à la lutte.

La cruauté enfin est le point d'aboutissement des traits précédents et, quantitativement, elle les relègue loin derrière :

> Elle sauta dessus comme un tigre sur sa proie, entortilla le corset autour de son poing, et le lui montra en lui souriant comme un Iroquois sourit à son ennemi avant de le scalper (P, III, 757) ;
> Diane lançait trois flèches dans un mot : elle humiliait, elle piquait, elle blessait à elle seule comme dix Sauvages savent blesser quand ils veulent faire souffrir leur ennemi lié à un poteau (CA, IV, 409).

Et c'est en général pour exprimer la cruauté que les diverses métaphores de race et de nationalité se confondent avec l'image du sauvage, — le Turc :

> Ils [les usuriers Gigonnet et Mitral] prêtent sur gage, ils vendent des habits, des galons, des fromages, des femmes et des enfants ; ils sont arabes-juifs-gênois-grecs-genevois-lombards et parisiens, nourris par une louve et enfantés par une Turque (E, VI, 1055) ;

le Sarde :

> La bouche, contractée aux deux coins, comme celle des Sardes, était toujours sur le qui-vive de l'ironie (UM, III, 273) [48] ;

---

(45) Cf. Dr, IX, 882 ; LL, X, 402.
(46) Cf. CP, VI, 636, 744 ; Ven, I, 904 ; H, II, 252 ; CM, II, 159.
(47) Cf. AS, I, 770.
(48) Cf. AS, I, 767.

le Calmouque :

> Petit et gros, brusque et leste comme un singe quoique d'un caractère calme, Michu avait une face blanche, injectée de sang, ramassée comme celle d'un Calmouque et à laquelle des cheveux rouges, crépus, donnaient une expression sinistre (TA, VII, 448) [49].

Le nègre, le tartare, l'Arabe [50] expriment aussi ce trait fondamental. Enfin, la sauvagerie corse, qui prendra, comme comparant, une telle extension dans *La Cousine Bette*, est mentionnée pour la première fois dans *La Vendetta* :

> Le charme de son visage se trouvait en quelque sorte démenti par un front de marbre où se peignait une fierté presque sauvage, où respiraient les mœurs de la Corse (I, 870).

b) *Domaines comparés.*

On peut se demander si le rapport de comparant à comparé contribue ou non à arracher l'image à la fixité des Essences, à la réintroduire dans la réalité contemporaine qu'elle est censée dépeindre. Or, on constate qu'elle décrit moins souvent la nature sociale que les rapports entre individus, c'est-à-dire une certaine nature humaine. De surcroît, quand elle aborde le domaine de la nature sociale, elle n'apporte aucun élément nouveau, puisqu'elle la fait découler des rapports individuels. Examinons systématiquement les œuvres où l'image constitue un réseau thématique, et le genre de situations et de personnages auxquels elle s'applique.

Seule *Béatrix* l'utilise avec quelque régularité dans la *peinture de l'amour* [51]. Béatrix, qui « a demandé ses avantages à la science des courtisanes », est « entraînée à l'emploi de ces moyens par une passion turque pour le beau Calyste » (II, 560) [52]. Turc, dans cet exemple, doit être pris au sens de « sans pitié », comme l'attestent Boiste et Littré ainsi que la suite du texte de Balzac :

> ... Elle s'était promis de lui faire croire qu'il était disgracieux, laid, mal fait, et de se conduire comme si elle le haïssait *(ibid.)*.

Les autres exemples traduisent le dévergondage amoureux et intellectuel : Camille Maupin, dont le visage offre « une impassibilité de sauvage » (375)

> a dépensé sa fortune à décorer les Touches de la plus inconvenante façon, pour en faire un paradis de Mahomet où les houris ne sont pas femmes (358).

Le Turc unit la force au goût du plaisir chez le critique Claude Vignon, qui, avec sa supériorité intellectuelle doublée d'une totale incapacité de créer, devient

---

(49) Dans *Ursule Mirouet*, les yeux du féroce Minoret-Levrault sont comparés à ceux des « Kalmouks venus en 1815 » (III, 266).

(50) Cf. respectivement : VF, IV, 227 ; UM, III, 275 ; PMV, X, 927.

(51) Six exemples sur onze.

(52) Cf. *ibid.*, 465-466.

> le Turc de l'intelligence endormi par la méditation. La critique est son opium, et son harem de livres faits l'a dégoûté de toute œuvre à faire (404) [53].

Peinture de rapports individuels encore dans *Albert Savarus* [54]. A la fin du roman, la duchesse d'Argaiolo est qualifiée de « sauvage créature » pour sa féroce rancune à l'égard du héros qui, croit-elle, l'a trahie, mais surtout le terme de sauvage désigne la *haine* qui s'installe entre Rosalie de Watterville et sa mère [55]. Dans *La Femme de trente ans* [56], la cruauté de la fille envers la mère est beaucoup plus gratuite :

> ... L'air dont ces paroles furent dites, l'accent que la comtesse y mit peignaient par de légères teintes un étonnement, un mépris élégant qui ferait trouver aux cœurs toujours jeunes et tendres de la philanthropie dans la coutume en vertu de laquelle les sauvages tuent leurs vieillards quand ils ne peuvent plus se tenir à la branche d'un arbre fortement secoué (II, 842) [57].

Certains êtres chez lesquels le principe de vie unique prend la forme de l'*idée fixe* participent plus que d'autres des traits spécifiques du sauvage : l'enfant, le paysan ou l'homme du peuple. C'est un passage de *La Cousine Bette* qui fait le mieux ressortir cette corrélation entre le système conceptuel de Balzac et l'image du sauvage :

> Elle ne domptait que par la connaissance des lois et du monde cette rapidité naturelle avec laquelle les gens de la campagne, de même que les Sauvages, passent du sentiment à l'action. En ceci peut-être consiste toute la différence qui sépare l'homme naturel de l'homme civilisé. Le Sauvage n'a que des sentiments, l'homme civilisé a des sentiments et des idées. Aussi, chez les Sauvages, le cerveau reçoit-il pour ainsi dire peu d'empreintes, il appartient alors tout entier au sentiment qui l'envahit, tandis que chez l'homme civilisé, les idées descendent sur le cœur qu'elles transforment ; celui-ci est à mille intérêts, à plusieurs sentiments, tandis que le Sauvage n'admet qu'une idée à la fois. C'est la cause de la supériorité momentanée de l'enfant sur les parents et qui cesse avec le désir satisfait ; tandis que, chez l'homme voisin de la Nature, cette cause est continue. La cousine Bette, la sauvage Lorraine, quelque peu traîtresse, appartenait à cette catégorie de caractères plus communs chez le peuple qu'on ne pense, et

---

(53) Cf. l'image de la courtisane, même page. Dans les deux cas, le critique est accusé de dévergondage intellectuel, avec la stérilité qui s'ensuit. Dans la peinture de la jalousie amoureuse chez Sabine du Guénic, la connotation de cruauté s'intensifie : « Et avec quelle fureur contenue une femme ne se jette-t-elle pas sur les pointes rouges de ces supplices de Sauvage ? » (*ibid.*, 563). Cf. *infr.*, métaphore d'agression, p. 332.

(54) Huit exemples.

(55) I, 849, 851, 852.

(56) Sept images.

(57) Malgré l'intérêt de cet exemple, l'image du sauvage n'est guère unifiée dans *La Femme de trente ans :* ni le thème central, ni la composition dispersée du roman ne s'y prêtaient.

> qui peut en expliquer la conduite pendant les révolutions (VI, 165) [58].

La cousine Bette, parfaite illustration de cette théorie, est « Sauvage », « Corse », « Mohican » tout à la fois [59]. Lui ressemblent tous les types humains énumérés dans la définition de Balzac : les enfants du corsaire, dans *La Femme de trente ans* :

> Les enfants arrêtaient sur leur aïeul des yeux d'une pénétrante vivacité ; et, habitués qu'ils étaient de vivre au milieu des combats, des tempêtes et du tumulte, ils ressemblaient à ces petits Romains curieux de guerre et de sang que David a peints dans son tableau de Brutus (F 30, II, 822) ;

le bon Schmucke, homme-enfant :

> L'innocence de Schmucke était une croyance si forte chez la Cibot, et c'est là l'un des grands moyens et la raison du succès de toutes les ruses de l'enfance, qu'elle ne put le soupçonner de mensonge... Quand les gens simples et droits se mettent à dissimuler, ils sont terribles, absolument comme les enfants, dont les pièges sont dressés avec la perfection que déploient les Sauvages (CP, VI, 744) ;

la servante d'*Adieu*, paysanne sourde et muette :

> ... L'on pouvait croire qu'elle appartenait à une des tribus de Peaux-Rouges célébrées par Cooper (IX, 757).

Jusqu'ici, on le voit, la peinture des rapports intersubjectifs renvoie à une nature humaine atemporelle. Elle tend aussi, comme d'ailleurs dans les autres catégories [60], à estomper le statut individuel des personnages. Les quelques détails datés, l'allusion aux révolutions dans l'exemple de *La Cousine Bette*, le tableau de Brutus et les Peaux-Rouges de Cooper n'en manifestent pas moins une tendance à la généralisation, quoique plus limitée.

L'image ne fait pas autre chose, quand elle peint une réalité historique précise, par exemple les campagnards des *Chouans* ou des *Paysans* [61]. Ces deux romans, l'un au début, l'autre à la fin de *La Comédie humaine*, présentent un emploi de la métaphore particulièrement intégré, centré sur la bêtise des paysans dans *Les Chouans*, sur leur ruse dans *Les Paysans*, et sur leur cruauté dans les deux. Dans la première œuvre, où dominent les

(58) On trouve un développement très voisin dans *Le Cousin Pons*, à propos de la Cibot (VI, 632). Dans *Les Paysans*, Balzac insiste sur l'impossibilité de tout principe moral chez des êtres que leur mode de vie maintient très proches de l'animal : « Par la nature de leurs fonctions sociales, les paysans vivent d'une vie purement matérielle qui se rapproche de l'état sauvage auquel les invite leur union constante avec la Nature. Le travail, quand il écrase le corps, ôte à la pensée son action purifiante, surtout chez des gens ignorants. Enfin, pour les paysans, la misère est leur *raison d'état*, comme le disait l'abbé Brossette » (VIII, 54). Cf. aussi ce passage de la *Théorie de la Démarche :* « Or, le sauvage et l'enfant font converger tous les rayons de la sphère dans laquelle ils vivent à une idée, à un désir ; leur vie est monophile, et leur puissance gît dans la prodigieuse unité de leurs actions ». (*Œuvres complètes, Calmann Lévy*, vol. 20, p. 589).

(59) VI, 162, 164-165, 230.

(60) Cf. *supr.*, p. 94.

(61) Respectivement sept et sept exemples relevés.

images-thèmes du sauvage et de l'animal, le développement mental des Vendéens en reste au stade le plus primitif. Pour les Bleus du commandant Hulot, Marche-à-terre semble surgi d'un autre monde :

> Il faisait croire à une absence si complète de toute intelligence, que les officiers le comparèrent tour à tour, dans cette situation, à un des animaux qui broutaient les gras pâturages de la vallée, aux sauvages de l'Amérique ou à quelque naturel du cap de Bonne-Espérance (VII, 776).

Et ce jugement s'étend à toute la population indigène :

> ... Les habitants de ces campagnes, plus pauvres de combinaisons intellectuelles que ne le sont les Mohicans et les Peaux-Rouges de l'Amérique septentrionale, mais aussi grands, aussi rusés, aussi durs qu'eux (*ibid.*, 778) [62].

Combattants d'une cruauté excessive, ils sont même à plusieurs reprises comparés à des cannibales, pour les « horreurs d'une guerre dont les atrocités eussent été peut-être reniées par les Cannibales » (VII, 780) [63]. De son côté, Mademoiselle de Verneuil, qui n'est cruelle que par amour, suscite, par contagion semble-t-il, une comparaison du même ordre :

> Semblable à un sauvage d'Amérique, elle interrogeait les fibres du visage de son ennemi lié au poteau, et brandissait le *casse-tête* avec grâce, savourant une vengeance toute innocente, et punissant comme une maîtresse qui aime encore (*ibid.*, 882-883) [63 bis].

On le voit, le rapport de comparant à comparé occulte la réalité historique du domaine comparé, que l'ensemble du roman restitue au contraire avec tant de force, et l'annexe au profit d'une vue généralisatrice.

Dans *Les Paysans* aussi, le moment historique est l'une des données majeures. Derrière les particularités du thème — la chute de la grande propriété sous les coups de bélier des paysans manœuvrés par la bourgeoisie — l'image du sauvage doit contribuer à traduire un aspect de la lutte sociale. Le paysan est un instrument de combat merveilleusement adapté :

> Il étudiait cette rigidité particulière au tissu des gens qui vivent en plein air, habitués aux intempéries de l'atmosphère, à supporter les excès du froid et du chaud, à tout souffrir enfin, qui font de leur peau des cuirs presque tannés, et de leurs nerfs un appareil

(62) Il ne nous paraît pas nécessaire de revenir ici sur l'influence de Cooper, évidente à partir des *Chouans*, et qui apparaît dans plusieurs de nos citations. Cette question a été traitée de façon exhaustive par plusieurs critiques. Cf. B. Guyon, p. 748, N. 41, et Maurice Bardèche, *Balzac romancier. La formation de l'art de Balzac*, Paris, Plon, 1940, p. 247, pour une mise au point concernant cette influence sur *Les Chouans*.

(63) Cf. *ibid.*, p. 942 et 968. Dans *La Peau de chagrin*, l'image du cannibale s'applique à Rastignac et à Raphaël qui se livrent à la joie d'avoir quelque argent à dépenser en débauches : « Il me montra son chapeau plein d'or, le mit sur la table, et nous dansâmes autour comme deux Cannibales ayant une proie à manger, hurlant, trépignant, sautant, nous donnant des coups de poing à tuer un rhinocéros » (IX, 14).

(63 *bis*) Il faut très probablement voir là une réminiscence d'un passage de *De l'Amour* (Ch. XXXVIII, « De la pique d'amour-propre »), lui-même emprunté à Volney. Cf. F. W. J. Hemmings, « Balzac's *Les Chouans* and Stendhal's *De l'Amour* », *in Balzac and the Nineteenth Century* (Mélanges Hunt), Leicester U.P., 1972, p. 104-106.

> contre la douleur physique, aussi puissant que celui des Arabes ou des Russes. — Voilà les Peaux-Rouges de Cooper, se dit-il, il n'y a pas besoin d'aller en Amérique pour observer des Sauvages (VIII, 34) [64].

Le curé de la paroisse compare sa tâche à celle du missionnaire :

> Monseigneur m'a envoyé ici en mission chez les Sauvages ; mais, ainsi que j'ai eu l'honneur de le lui dire, les Sauvages de France sont inabordables, ils ont pour loi de ne pas nous écouter, tandis qu'on peut intéresser les Sauvages de l'Amérique (73).

Comme dans *Les Chouans*, il se produit un phénomène de contagion chez ceux qui vivent en contact avec les paysans : ainsi le garde-général, doté d'une « sagacité de sauvage que son nouveau métier avait développée » (169). Ces exemples, si proches de ceux des *Chouans*, s'en distinguent pourtant du fait qu'ils soulignent la distance géographique en même temps que la ressemblance de nature : « il n'y a pas besoin d'aller en Amérique », « les Sauvages de France ». La démarche généralisatrice est donc un peu moins niveleuse, mais, pour l'essentiel, elle reste identique.

Qu'en est-il de la peinture de la société parisienne ? Tout d'abord, on constate qu'elle se confond avec la peinture de la lutte sociale dont Paris est le lieu par excellence. Pour survivre dans ce centre de la civilisation, il faut réunir les qualités du sauvage. Vautrin, qui réussira à s'intégrer à la société après en avoir enfreint les lois (mais non le code implicite) dans une lutte où il se montre aussi fort qu'elle, possède du sauvage et de l'animal la force physique et morale, canalisée par « la connaissance des lois et du monde » dont parle Balzac dans *La Cousine Bette*, et que son intelligence lui a permis de porter à un degré supérieur : telles semblent être chez lui les composantes du surhomme. Dans *Le Père Goriot*, « il est fort comme un Turc », avec sa « palatine sur l'estomac » (II, 1009). Au moment de son arrestation, son caractère fondamental se révèle plus nettement :

> ... Cet homme, qui ne fut plus un homme, mais le type de toute une nation dégénérée, d'un peuple sauvage et logique, brutal et souple (*ibid.*, 1015).

Plus tard, dans *Splendeurs et Misères*, c'est encore au moment de sa chute, à l'annonce de la mort de Lucien, que sa sauvagerie remonte à la surface :

> Monsieur de Grandville regarda lentement Jacques Collin et le trouva calme ; mais il reconnut bientôt la vérité de ce que lui disait le directeur. Cette trompeuse attitude cachait la froide et terrible irritation des nerfs du Sauvage (V, 1111).

Seule la douleur vient à bout de sa résistance de primitif :

> Qu'était devenue cette nature de bronze, ... dont les nerfs aguerris par trois évasions, par trois séjours au bagne, avaient atteint à la solidité métallique des nerfs du sauvage ? (*ibid.*, 1037) [65].

---

(64) Cf. *ibid.*, p. 35, 88, 225, 250.

(65) Le personnage de Contenson, dans *Splendeurs et Misères* aussi, gagne en signification si l'on songe à sa biographie, que nous conte *L'Envers de l'histoire contempo-*

D'autres catégories de métaphores sociales — le condottiere, le militaire par exemple — décrivent les autres vainqueurs de la lutte sociale. Vautrin est l'un des rares individus, avec Contenson, sans doute à cause de leur statut marginal, auxquels s'applique l'image du sauvage dans la peinture de la jungle parisienne. Autrement, c'est la sauvagerie collective qu'évoque la majorité des exemples. La société civilisée ne l'est pas assez. La cruauté et l'intérêt y règlent les rapports, depuis *La Peau de chagrin* jusqu'à *Splendeurs et Misères* : « Semblable aux jeunes Romains du cirque, elle ne fait jamais grâce au gladiateur qui tombe » (PCh, IX, 220) [66]. Nous retrouvons la même idée, et une image assez voisine, dans *La femme de trente ans* :

> La Société a su prendre son *mezzo termine* : elle se moque des malheurs. Comme les Spartiates qui ne punissaient que la maladresse, elle semble admettre le vol (II, 763).

A Paris, le seul but est l'intérêt, avec pour moyen d'action la cruauté :

> Paris, voyez-vous, [dit Vautrin à Rastignac] est comme une forêt du Nouveau Monde, où s'agitent vingt espèces de peuplades sauvages, les Illinois, les Hurons, qui vivent du produit que donnent les différentes chasses sociales ; vous êtes un chasseur de millions (PG, II, 939).

Mme de Beauséant n'y éveille ni pitié ni sympathie, mais admiration :

> Les plus insensibles l'admirèrent, comme les jeunes Romains applaudissaient le gladiateur qui savait sourire en expirant (*ibid.*, 1059).

Plus tard, Lucien, qui se trouve il est vrai dans une position particulièrement précaire, puisqu'il n'est qu'à demi accepté par la société, dit à Esther :

> ... Je suis au milieu du monde comme le sauvage au milieu des pièges d'une tribu ennemie (S & M, V, 740).

Isolé du contexte, ce tableau, comme les précédents, laisse dans l'ombre les particularités temporelles et géographiques qui sont pourtant la préoccupation majeure et avouée du « secrétaire » de la Société française du XIXe siècle. Mais, s'il est incomplet, il ne dénature pas tout à fait la pensée de Balzac. Il attire l'attention sur un aspect de cette pensée qui s'exprime parfois aussi hors du texte métaphorique : sa croyance à une relation de cause à effet entre nature individuelle et nature sociale. La réunion d'une multitude d'individus en un endroit donné, qui est l'un des moteurs de la civilisation, crée un terrain d'élection pour les instincts primitifs de l'homme, qui y trouvent de nombreuses occasions de s'exercer. S'il existe une société

---

raine. Les épisodes respectifs où il apparaît dans S & M et EHC ont d'ailleurs été composés parallèlement, ou peu s'en faut. Celui de S & M est peut-être antérieur d'un an, mais il est permis de penser que Contenson avait déjà sa biographie dans l'esprit de Balzac. Autrefois compromis dans des affaires de chouannerie et coupable d'actes de cruauté physique et morale, il est doté d'un physique effrayant : « Calme comme un sauvage, les mains hâlées... Le col de velours ressemblait à un carcan, sur lequel débordaient les plis rouges d'une chair de caraïbe » (V, 745-746).

(66) Cf. *ibid.*, p. 221.

civilisée, elle est régie, comme la société primitive, par la loi du plus fort. En mettant l'accent sur la corrélation entre rapports individuels et état social, l'image du sauvage rend la nature humaine responsable de la situation : vue essentialiste donc, a-historique, qui semble ne pas tenir compte du facteur économique et politique.

Le stéréotype déteint sur la réalité vivante du domaine comparé et prive l'événement de ses racines temporelles, faisant ressortir l'aspect le plus réactionnaire de la pensée de Balzac. La répression pure et simple des instincts primitifs, selon lui seul facteur efficace d'ordre social, demeure l'idéal à atteindre. Le contenu des métaphores de race et de nationalité se place dans le prolongement des déclarations de l'*Avant-Propos* de 1842, qui articule de la même manière le rapport entre état sauvage et civilisation :

> L'homme n'est ni bon ni méchant, il naît avec des instincts et des aptitudes ; la Société, loin de le dépraver, comme l'a prétendu Rousseau, le perfectionne, le rend meilleur ; mais l'intérêt développe aussi ses penchants mauvais. Le Christianisme, et surtout le Catholicisme, étant, comme je l'ai dit dans LE MÉDECIN DE CAMPAGNE, un système complet de répression des tendances dépravées de l'homme, est le plus grand élément d'Ordre Social (I, 8).

Certes, ces déclarations, qui ne prétendent d'ailleurs pas expressément s'appliquer à d'autre pays que la France, s'annoncent comme un programme pour l'avenir, mais c'est un programme sclérosé, où fait défaut toute notion d'une relativité temporelle ou politique, qui s'éternise dans un présent indéfini, et conçoit l'Eglise comme entité sociale et principe d'autorité immuables, chargés de régenter la sauvagerie individuelle. Autant et plus que par sa forme d'équivalent général des races et des nationalités, la métaphore du sauvage rejoint par sa signification l'axe de la métaphore patriarcale.

2. Criminel-victime-bourreau [67]

La métaphore criminelle se définit relativement au même principe d'autorité, mais nous allons voir qu'elle occupe une position un peu plus ambiguë, qui résulte des caractéristiques suivantes : tout d'abord, formellement, elle présente des dérivations plus nombreuses, qui renouvellent le cliché. Parfois aussi les comparés, et même certains comparants, sont davantage ancrés dans l'histoire, facteur qui peut influer sur la signification de l'image. Ce recul partiel du stéréotype est à rapprocher du prestige qui s'attache au personnage de Vautrin, en tant que révolté, dans *La Comédie humaine.* Enfin, si les rapports intersubjectifs prédominent encore dans le domaine comparé, le jeu des forces sociales occupe aussi une place importante.

Parmi les mots-thèmes, *criminel* vient en tête, puis *victime*, enfin *bourreau*. *Bagne* et *forçat* sont presque aussi fréquents. Quand ils suscitent la mention de la *marque* ou du *fer* du forçat, celle du *sang* qui coule sur l'échafaud, ils se rapprochent des métaphores de blessure. Les autres

(67) 97 exemples relevés.

mots-thèmes viennent très loin derrière : le *contrebandier* (1), le *maraudeur*[68], qui connotent la sympathie plus que le blâme. *Forban*, *flibustier* désignent les « corsaires » de la vie sociale, les êtres sans scrupules qui savent impunément faire leur chemin dans le monde : banquiers, criminels, politiciens. Enfin, le *meurtrier*, l'*assassin*, le *prisonnier*, le *galérien* complètent la série, sans compter quelques trouvailles qui apparaîtront au cours de nos exemples.

a) *Champ notionnel de l'image et applications intersubjectives.*

Traditionnellement, le criminel se présente comme un révolté anarchique plutôt que comme un redresseur de torts. C'est pour la transgresser qu'il s'oppose à la loi sociale, non pour la transformer. Ce sens caractérise tous les emplois de la métaphore chez Balzac. D'autres sens s'y ajoutent, qui relèvent d'un processus de déformation particulier à l'œuvre.

Dans les deux cas, la notion de *transgression* sous-tend les divers emplois de l'image. Elle peint des situations où le personnage se trouve *en marge* de la norme morale ou sociale. Parfois, l'évasion s'accomplit sans heurt, par la ruse et la dissimulation :

> Je m'étais plié naguère au despotisme du comte comme un contrebandier paie ses amendes (Lys, VIII, 853).

Plus souvent, l'image met l'accent sur les sortilèges de la transgression. Aux yeux de Raphaël, ils métamorphosent la chambre de Rastignac, son compagnon de débauche :

> La vie s'y dressait avec ses paillettes et ses haillons, soudaine, incomplète comme elle est réellement, mais vive, mais fantasque comme dans une halte où le maraudeur a pillé tout ce qui fait sa joie (PCh, IX, 148).

Quelques exemples accordent une véritable supériorité morale à ces révoltés pour leur énergie et l'exceptionnelle solidarité[69] qui les lie entre eux :

> Va ! ma pauvre fille, je garderai tous tes secrets avec une probité de voleur, c'est la plus loyale qui existe (AEF, III, 256).

L'idée de transgression passe à l'arrière-plan quand la métaphore criminelle se concentre sur la peinture des rapports de force. Cet emploi, bien que compatible avec le sémantisme traditionnel de l'image, manifeste un processus de déformation sous l'influence du domaine comparé. Il découle du point de vue énergétique qui pénètre l'image. La notion de *tyrannie* prédomine alors. Bornons-nous pour l'instant à en examiner les applications au niveau intersubjectif. Dans *Béatrix*, l'image illustre diversement le sous-titre initial du roman, *Les Amours forcés*. Les « galériens de l'amour » ne sont pas seulement Béatrix et Conti, mais Camille

---

(68) Et apparentés (une dizaine en tout).

(69) Par exemple, une « assurance de meurtrier » (Cor, IX, 907) ; « fins spéculateurs... semblables à d'anciens forçats qui ne s'effraient plus des galères » (PCh, IX, 15). Cf. *Le Code des gens honnêtes*, éd. Conard, p. 67, qui fait l'éloge des qualités supérieures du voleur (*cit.* par GUYON, p. 210).

Maupin, Calyste du Guénic et même M. de Rochefide. Calyste est en proie à tous les tourments d'un amour non partagé [70]. Béatrix elle-même est coupable de ne pas le payer sincèrement de retour : elle l'avoue en baptisant du nom de « roche Tarpéienne » le rocher d'où Calyste l'a précipitée pour la punir de se refuser à lui [71]. La femme de quarante ans (Camille Maupin) « se saisit de l'amour comme le condamné à mort s'accroche aux plus petits détails de la vie » (416). Arthur de Rochefide, comblé des faveurs de Mme Schontz, s'attache de plus en plus à elle : « Ceci fut le dernier clou qui compléta le ferrement de cet heureux forçat » (562). Et surtout le couple de Béatrix et de Conti est prisonnier d'un lien aussi fort et aussi pesant que le lien conjugal :

> Le forçat est toujours sous la domination de son compagnon de chaîne. Je suis perdue, il faudra retourner au bagne de l'amour (503 ; cf. 413) [72].

De la tyrannie dont l'homme est victime découle une autre connotation de l'image, la *pitié* [73] implicite :

> Semblable au criminel qui se pourvoit en cassation contre son arrêt de mort, un délai, quelque court qu'il fût, lui semblait une vie entière (MCP, I, 19).

ou explicite :

> L'attente d'une mort ignominieuse est moins horrible peut-être pour un condamné que ne l'était pour madame Grandet et pour sa fille l'attente des événements qui devaient terminer ce déjeuner de famille (EG, III, 603-604).

La *culpabilité*, enfin, se manifeste souvent à côté de la transgression, avec une intensité que souligne le développement du discours de l'auteur :

> — Je vous suis odieux ! dit le baron en laissant échapper le cri de sa conscience.
>
> Nous sommes tous dans le secret de nos torts. Nous supposons presque toujours à nos victimes les sentiments haineux que la vengeance doit leur inspirer ; et, malgré les efforts de l'hypocrisie, notre langage ou notre figure avoue au milieu d'une torture imprévue, comme avouait jadis le criminel entre les mains du bourreau (Be, VI, 367) [74].

---

(70) II, 463.

(71) 499.

(72) Dans *Le Lys*, l'image traduit la tyrannie que M. de Mortsauf exerce sur sa femme (VIII, 874, 875) et sur Félix (853 et 954) et celle que Lady Dudley exerce sur Félix : « Ces plaisirs, subite révélation de la poésie des sens, constituent le lien vigoureux par lequel les jeunes gens s'attachent aux femmes plus âgées qu'eux ; mais ce lien est l'anneau du forçat, il laisse dans l'âme une ineffaçable empreinte ». Cf. aussi 980 et 987.

(73) Cf. AS, I, 838 ; CT, III, 831 ; MD, IV, 192 ; H, II, 263, 278, 298.

(74) Cf. *ibid.*, p. 379 et *infr.*, métaphore d'agression, p. 332. Bette (VI, 244), Marneffe (290-291) et Crevel réunissent culpabilité, souffrance et cruauté.

La faute va souvent de pair avec le secret. L'adultère est un

> lien terrible aussi fort entre deux brigands qui viennent d'assassiner un homme, qu'entre deux amants coupables d'un baiser (F30, II, 774) [75].

Dans *La Femme de trente ans* [76], Mme d'Aiglemont apparaît à la fois comme coupable et victime : victime d'abord des conventions sociales qui l'ont empêchée de vivre un amour heureux [77]. Mais victime aussi de ses propres fautes : l'image, dans la dernière partie, aide à cimenter l'unité de cette œuvre quelque peu disparate, en présentant les tortures de « la mère coupable » comme son châtiment :

> Elle attendait impatiemment le lever de sa fille, et néanmoins elle le redoutait, semblable au malheureux condamné à mort qui voudrait en avoir fini avec la vie, et qui cependant a froid en pensant au bourreau (II, 841) ;
> Mme d'Aiglemont avait bâti son cachot de ses propres mains et s'y était murée elle-même pour y mourir (*ibid.*).

b) *Autres domaines comparés.*

On vient de voir, dans ses applications intersubjectives, comment se ramifie la complémentarité sémantique des deux couples initiaux criminel-victime et bourreau-victime et comment, en passant de l'un à l'autre, le criminel peut faire figure de victime, ou même la victime de criminel. Avant d'examiner les répercussions d'un tel glissement dans la peinture sociale, suivons-en une autre illustration, cette fois au niveau intrasubjectif, dans *La Peau de chagrin.*

Le portrait de Raphaël associe aux composantes de la victime et du criminel — pitié et culpabilité — le thème de la mort en sursis. L'examen révèle le rapport de cause à effet qui unit la culpabilité de Raphaël et la destruction de l'individu provoquée par une dépense excessive [78]. Au bord du suicide, victime de l'état social, qui l'a réduit à la misère, mais plus encore victime de sa propre faiblesse, donc criminel, Raphaël apparaît, dans la scène de la maison de jeux qui ouvre le roman, comme condamné à mort [79], sans que se dégage déjà sa propre responsabilité. Au contraire, dans cette ouverture, les allusions à la Révolution semblent mettre l'accent sur l'injustice de son sort :

> ... La sensation neuve qui remua ces cœurs glacés quand le jeune homme entra. Mais les bourreaux n'ont-ils pas quelquefois pleuré

(75) On notera encore une fois l'interversion du comparant et du comparé. Cf. AEF, III, 255 ; Ch, VII, 1000. Dans *Le Père Goriot*, le remords de Rastignac apparaît comme un luxe assez hypocrite : « Il éprouva ces nobles et beaux remords secrets dont le mérite est rarement apprécié par les hommes quand ils jugent leurs semblables, et qui font souvent absoudre par les anges du ciel le criminel condamné par les juristes de la terre » (II, 924) — duplicité de Rastignac ou du narrateur ?

(76) Cinq exemples.

(77) II, 707, 746.

(78) Douze exemples.

(79) IX, 14, 15.

> sur les vierges dont les blondes têtes devaient être coupées à un signal de la Révolution ? (15).

Ces premières pages, qui accordent un développement particulier à l'image du criminel [80], sont empreintes d'un romantisme sombre et majestueux. Songeant peut-être à Faust, Balzac tente de donner à Raphaël une envergure luciférienne :

> Comme, lorsqu'un célèbre criminel arrive au bagne, les condamnés l'accueillent avec respect, ainsi tous ces démons humains, experts en tortures, saluèrent une douleur inouïe, une blessure profonde que sondait leur regard, et reconnurent un de leus princes à la majesté de sa muette ironie, à l'élégante misère de ses vêtements (*ibid.*, 16).

Mais Raphaël, pâle préfiguration de Vautrin, n'a pas l'étoffe d'un grand révolté. Qui plus est, l'objet de sa révolte demeure mal défini. Par la suite, le point de vue intrasubjectif s'affirme avec plus de clarté et la culpabilité de Raphaël se joue entièrement dans sa propre conscience. Le voici, prêt au suicide, se dirigeant vers le magasin d'antiquités où sa vie va changer. C'est l'imminence de la mort qui justifie, superficiellement, l'image du criminel condamné :

> Il marchait comme au milieu d'un désert..., n'écoutant à travers les clameurs populaires qu'une seule voix, celle de la mort ; enfin perdu dans une engourdissante méditation, semblable à celle dont jadis étaient saisis les criminels qu'une charrette conduisait du Palais à la Grève, vers cet échafaud, rouge de tout le sang versé depuis 1793 (18) [81].

Mais il est significatif qu'au sortir du magasin, muni de la peau de chagrin, Raphaël coure « avec la prestesse d'un voleur pris en flagrant délit » (43). Ce détail, malgré sa banalité, suggère la culpabilité pour ainsi dire ontologique du héros, lequel vit de temps emprunté, sinon volé. Le récit qu'il fait ensuite à Blondet de sa jeunesse suggère une culpabilité analogue. Il relate un épisode particulièrement caractéristique où, malgré de violents remords, il a, pour pouvoir miser au jeu, puisé dans la bourse que lui avait confiée son père. Il ressent ce jour-là « l'une des plus terribles joies » de sa vie, « une de ces joies armées de griffes et qui s'enfoncent dans notre cœur comme un fer chaud sur l'épaule d'un forçat » (76). Heureux d'avoir gagné, mais grâce à un argent qui lui paraissait mal acquis, il se dépeint « comme un condamné qui, marchant au supplice, a rencontré le roi » (78) [82], image qui associe la notion de faute au principe d'autorité par rapport auquel elle se définit. Le dernier exemple apparaît, vers la fin du roman, après un intervalle de quatre-vingt pages, et rattache le thème de la culpabilité au symbolisme de la peau de chagrin. Raphaël n'a jamais été qu'un mort en sursis. Le pouvoir que lui conférait la peau a mis en évidence son insuffisance foncière. Avant de la posséder, il vivait

(80) Six exemples des pages 14 à 22.

(81) Cf. *ibid.*, 22.

(82) Cf. aussi, dans le récit de Raphaël, p. 88 et 156.

dans la débauche : « Galérien du plaisir, je devais accomplir ma destinée de suicide » (156). Après, il n'a rien fait. En vain, plus tard, il s'accrochera à la vie :

> Semblable à ces criminels d'autrefois, qui, poursuivis par la justice, étaient sauvés s'ils atteignaient l'ombre d'un autel, il essayait de se glisser dans le sanctuaire de la vie (237).

Au niveau thématique, le réseau de la métaphore criminelle dans *La Peau de chagrin* transforme la victime en criminel et introduit, dans la dépense de vie qui entraîne la mort de Raphaël, une culpabilité constitutive, que les événements du récit n'expliquent qu'après coup [83].

On remarque pourtant, même si le comparant se cantonne le plus souvent dans l'intemporel, quelques cas où ses dérivations sémantiques tendent à lui assigner des attaches historiques, grâce aux allusions à la Révolution française [84]. Ce trait nuance quelque peu la signification de l'image en la reliant, par un fil du reste assez lâche, au contenu social du roman : le malheur de Raphaël ne vient plus de lui, mais de sa pauvreté d'aristocrate ruiné par un régime de parvenus. Il est alors victime sans paraître coupable. Il faut bien dire que ces passages ne sont pas les mieux intégrés du récit, car la révolte sociale de Raphaël reste inexistante.

Quoi qu'il en soit, l'image traduit, dans d'autres œuvres, une conscience sociale un peu plus poussée, avec ou sans « temporalisation » des comparants. A l'inverse de la métaphore du sauvage, elle considère, du moins en apparence, l'imperfection des relations intersubjectives comme la conséquence, et non comme la cause, de l'imperfection sociale, démarche incomplète elle aussi, mais qui tient compte de la relativité historique, et qui apporte un correctif au point de vue opposé. En effet, ce sont alors les institutions elles-mêmes qui constituent le domaine comparé. Le bagne du mariage entretient la tyrannie des rapports individuels et la structure familiale, d'où il est impossible de s'évader, sert directement de cible. L'épouse des *Petites misères de la vie conjugale* se venge en ces termes de sa dépendance financière :

> Vous brodez ces pantoufles-là pour votre cher Adolphe ? Adolphe est posé devant la cheminée en homme qui fait la roue. — Non, madame, c'est pour un marchand qui me les paye ; et, comme les forçats du bagne, mon travail me permet de me donner de petites douceurs (X, 960).

Mêmes rapports de force et de faiblesse entre les deux belles-sœurs, dans le ménage des *Petits-Bourgeois* :

> Une fois qu'elle aperçut des meurtrissures faites par le collier au cou de sa victime, elle en eut soin comme d'une chose à elle, et Céleste connut des temps meilleurs. En comparant le début à la suite, elle prit une sorte d'affection pour son bourreau (VII, 86) [85].

(83) Cf. *infr.*, métaphore d'argent, p. 221 sq.

(84) IX, 15, 18, *cit.*, *supr.*, p. 163.

(85) Cf. P, III, 749 ; RA, IX, 550, 623 ; EM, IX, 654-655 ; Ma, IX, 839 ; PMV, X, 999.

Image-thème dans *Le Père Goriot* [86], la métaphore criminelle y est axée sur une critique de l'état social, qui cherche à justifier l'égoïsme et le manque de scrupule des individus. C'est le joug de leur pauvreté qui permet à Mme Vauquer d'exercer sa tyrannie sur ses pensionnaires : « Le bagne ne va pas sans l'argousin, vous n'imagineriez pas l'un sans l'autre » (II, 852) [87] :

> Ces cabanons lui appartenaient. Elle nourrissait ces forçats acquis à des peines perpétuelles, en exerçant sur eux une autorité respectée (860).

Moins sordide dans son décor, la haute société n'est pas moins cruelle. Mme de Beauséant adresse à Rastignac, « en y mettant des formes » (942), les conseils que répétera Vautrin :

> Mais si vous avez un sentiment vrai, cachez-le comme un trésor, ne le laissez jamais soupçonner, vous seriez perdu. Vous ne seriez plus le bourreau, vous deviendriez la victime (912).

C'est d'après le même raisonnement que Vautrin proclame la supériorité des « corsaires » de la vie sociale [88]. Entre les deux, Rastignac accorde la préférence à la sphère des hors-la-loi, quand Mme de Nucingen refuse de croire son père à l'agonie pour ne pas se priver d'aller au bal :

> Il voyait le monde comme un océan de boue dans lequel un homme se plongeait jusqu'au cou, s'il y trempait le pied. — Il ne s'y commet que des crimes mesquins ! se dit-il. Vautrin est plus grand. Il avait vu les trois grandes expressions de la société : l'Obéissance, la Lutte et la Révolte ; la Famille, le Monde et Vautrin (1056-1057).

On sait que, finalement, Rastignac optera pour le Monde et la Lutte, mais est-ce scrupule, opportunisme ou manque d'envergure ? L'image n'autorise pas la première explication. Elle se rattache en tout cas à cette lignée de personnages chez qui la transgression va jusqu'à la révolte et au crime, et qui comprend, avant d'aboutir à Vautrin, le pirate Argow [89], Victor, le corsaire des *Deux rencontres*, futur épisode de *La Femme de trente ans*, Ferragus et les Treize, et même Wilfrid, dans *Séraphîta*. C'est à propos de ce dernier que Balzac associe pour la première fois, avant *Splendeurs et Misères*, Caïn et le forçat — le révolté, le crime et le châtiment :

> ... Ces marques dénonçaient un Caïn auquel il restait une espérance, et qui semblait chercher quelque absolution au bout de la

(86) Neuf exemples.

(87) Cf. « Asie était là, comme l'argousin dans le bagne (S & M, V, 793).

(88) Cf. en particulier p. 935 et 941.

(89) Il est à noter qu'Argow est l'un des premiers « portraits » de Balzac : il a une grosse tête, il est petit, mais fort, etc. On sait avec quelle complaisance sont campés tous ces personnages, et quelle fascination ils exercent sur Balzac. Cf. la *Préface* d'*Histoire des Treize :* « Cette religion de plaisir et d'égoïsme fanatisa treize hommes qui recommencèrent la société de Jésus au profit du diable. Ce fut horrible et sublime » (V, 15). Cf. aussi le commentaire de B. Guyon, p. 559-561, qui aborde cette question en plus d'un endroit de sa thèse : p. 168-170 (*Annette et le criminel* et influence du *Corsaire* de Byron), 171 (influence du *Caleb Williams* de Godwin), 447-449 (prestige des vies d'opposition aux yeux de Balzac).

> terre. Minna soupçonnait le forçat de la gloire en cet homme, et Séraphîta le connaissait (X, 523) [90].

Ainsi, la confusion des valeurs est le contenu le plus caractéristique de la métaphore criminelle dans *La Comédie humaine*. En effet, le discours du narrateur, le plus souvent par le véhicule de l'image, ne cesse de proclamer qu'il n'y a aucune différence intrinsèque entre la Lutte et la Révolte, entre le crime légal et illégal. Nucingen ou Jacques Collin, c'est tout un [91]. On peut voir dans cette superposition des deux personnages un exemple de « ninisme », figure de rhétorique du mythe bourgeois « qui consiste à poser deux contraires et à balancer l'un par l'autre de façon à les rejeter tous deux [92] ». Il y a bien une forme de rhétorique, en effet, à traiter comme équivalents le crime légal (par exemple les tours de passe-passe financiers de Nucingen) et le crime illégal (l'assassinat chez Vautrin). Cette rhétorique, Balzac y a recours avec persistance, et elle trahit la profonde ambiguïté de sa pensée [93]. Il critique la société bourgeoise tout en adoptant sa démarche même — cette confusion des valeurs inévitable dans une période où la nouvelle idéologie est en train de supplanter l'ancienne. De la sorte, la satire dénonce au moyen d'un raisonnement douteux les maux contemporains les plus spécifiques issus du nouvel état social, de la montée du capitalisme d'argent : c'est ici que la comparaison se fait plus explicite et côtoie le simple rapprochement, pour évoquer « les corsaires que nous décorons du nom de Banquiers et qui prennent une licence de mille écus comme un forban prend ses lettres de marque » (MR, IX, 268). Seule l'observance de la légalité distingue du crime la réussite sociale et financière. On retrouve dans *Le Contrat de mariage*, par un rapprochement analogue, la condamnation de ces crimes impunis que sont les « adroits calculs des gens du monde »,

> ... ces habiles traîtrises plus funestes que ne l'est un franc assassinat commis sur la grande route par un pauvre diable, guillotiné en grand appareil (III, 129).

Commentant le double fiasco, social et conjugal, de Paul de Manerville, de Marsay lui recommande, avec une logique cynique, le mépris du code moral :

> Pour toi, cet accident n'est-il pas comme la marque à l'épaule qui décide un forçat à se jeter dans une vie d'opposition systématique et à combattre la société ? (CM, III, 197-198) [94].

Là encore, il n'est pas vraiment question de sortir de la légalité, mais, à la différence du forçat, de « combattre la société » en lui empruntant ses propres armes.

---

(90) Cf. S & M, V, 1005.

(91) S & M, V, 1136. Cf. *supr.*, métaphore de jeu, p. 139-140.

(92) *Mythologies*, p. 241.

(93) Barthes estime que « ce traitement *libéral* n'eût pas été possible il y a seulement cent ans ; à ce moment-là le bien bourgeois ne composait pas, il était tout raide ». Certes, Balzac a été considéré comme « immoral ». On peut concéder qu'il est en avance sur son époque, mais il a bel et bien recours, ici, à ce « traitement *libéral* ».

(94) Cf. CM, III, 205-206.

Allant plus loin encore que la métaphore de jeu [95], la métaphore criminelle, par cette confusion constante entre « crime » légal et illégal, traduit un point de vue anarchique plutôt que bourgeois, dont l'argumentation se résume à peu près comme suit : la société, par son injustice, pousse au crime ; certains crimes, légaux, demeurent impunis ; donc le criminel est doublement victime. Qui plus est, l'application même de la loi se confond avec l'oppression :

> Les privilèges d'un président de Cour d'assises sont-ils bien dignes d'envie ? Vous avez presque fait l'office du bourreau (AR, IX, 981).

Or, tout en se rattachant incontestablement à la critique du domaine social, l'image n'en renvoie pas moins à la conception de l'individu particulière à Balzac. En effet, l'amoralisme de son point de vue anarchique s'explique en partie par l'équivalence qu'il établit entre les actions humaines quant à la dépense d'énergie qu'elles exigent, équivalence qui se manifeste, sur le plan individuel et social, par le règne de la loi du plus fort. Il est significatif que la métaphore criminelle puisse servir de véhicule à la théorie unitaire, non seulement dans *La Peau de chagrin*, où la thèse de l'usure des forces vitales annexe tous les réseaux métaphoriques, mais aussi dans un passage de *La Cousine Bette* d'autant plus frappant qu'il est directement attribué à la voix narrative. L'image révèle alors clairement son armature conceptuelle. Elle décrit les derniers moments de Crevel. Celui-ci, inconscient de la gravité de son mal, nargue le danger avec une vitalité surprenante, et se livre à une dernière orgie de calembours qui pourrait passer pour une sorte d'héroïsme, si elle n'était simplement le signe de sa nullité :

> Hulot fils contemplait tristement son beau-père, en se demandant si la bêtise et la vanité ne possédaient pas une force égale à celle de la vraie grandeur d'âme. Les causes qui font mouvoir les ressorts de l'âme semblent être tout à fait étrangères aux résultats. La force que déploie un grand criminel serait-elle donc la même que celle dont s'enorgueillit un Champcenetz allant au supplice ? (VI, 508).

Les « ressorts de l'âme », c'est-à-dire le domaine de la dépense énergétique, échappent au code moral encore plus sûrement que ceux de la réussite sociale, qui du moins se définissent par rapport à ce code. Il ne s'agit même plus de transgression ici, mais d'un amoralisme absolu, selon lequel, en termes de dépense, tout se vaut [96]. Cependant, la dernière phrase, qui réunit le crime et l'héroïsme, les considère l'un comme l'autre sous l'angle individuel. Et c'est bien ce point de vue individuel qui se dissimule derrière la confusion des valeurs propre à la satire collective de la société.

---

(95) Cf. *supr.*, p. 139-141.

(96) De même, dans *Ursule Mirouet*, le narrateur s'interroge en ces termes : « Enfin, peut-être le crime a-t-il sa doctrine de perfection ? Un commencement de mal veut sa fin, une première blessure appelle le coup qui tue. Peut-être le vol conduit-il à l'assassinat ? » (III, 421).

Le contenu de la métaphore criminelle est donc complexe et ambigu. Balzac ne s'explique pas jusqu'au bout sur son ambiguïté. Mais, de toute façon, il ne donne pas ici dans le réductionnisme entre nature individuelle et nature sociale qui affaiblit la portée de la métaphore du sauvage. Il tient compte, au contraire, des données respectives des deux domaines et ne confond pas leur peinture. La rhétorique du mythe recule au profit d'une conscience historique plus poussée.

Certes, Balzac sacrifie au mythe romantique de la révolte contre l'injustice sociale et, au moins dans la première partie de *La Peau de chagrin*, il s'abstient aussi bien de motiver ce mythe que de le censurer, donnant l'impression de recourir à un stéréotype dont on ne sait s'il est dupe ou complice. Mais à mesure que se développe le personnage de Raphaël et le néant de sa révolte, la référence au mythe disparaît. Dans la suite de *La Comédie humaine*, elle prend une tout autre signification. Peut-on encore parler d'une rhétorique ? Pas au sens d'une confusion entre culture bourgeoise et nature, mais certainement, et non moins bourgeoisement, au sens d'une confusion des valeurs telle que nous l'avons analysée. Le mythe du grand révolté correspond à deux facteurs qui appartiennent en propre à Balzac : d'une part son culte de l'énergie et ses tendances anarchiques ; de l'autre sa théorie unitaire. Ces deux facteurs aboutissent à l'affirmation de la loi du plus fort sur les deux plans — social et intersubjectif. Et là, entre l'aspect social et l'aspect énergétique, réside la confusion la plus flagrante. Mais ce n'est pas l'habituelle confusion entre l'inégalité sociale et celle des individus, considérées toutes deux comme interdépendantes et immuables. C'est la confusion anarchique entre l'oppression (aspect à la fois énergétique et social) et la légalité (aspect purement social), confusion qui, dans une société foncièrement injuste, autorise toutes les transgressions. D'où un emploi personnel et parfaitement intégré de la métaphore du criminel, qui trouve son illustration idéale dans le mythe de Vautrin, hors-la-loi et révolté.

Le point de vue énergétique, en accordant une telle supériorité au grand criminel, met en péril la force de l'autorité patriarcale. La métaphore ne traduit pas le blâme devant l'infraction et l'exercice de la force anarchique, mais seulement une volonté de puissance, qui peut se doubler de pitié pour la victime soit innocente, soit criminelle, quand sa force échoue devant une plus grande force.

Si la victoire revient pourtant au patriarcat, c'est en premier lieu parce que, dans le texte métaphorique, le crime social porte toujours avec lui le poids de la transgression et de la culpabilité. Tant qu'il y a transgression, il y a loi. Mais de quelle loi s'agit-il ? Loi morale, loi sociale, ou loi naturelle, — autrement dit loi du plus fort ? Les exemples prouvent que la transgression s'identifie souvent avec la pratique de la loi du plus fort, et s'exerce alors en opposition à la loi morale et sociale. C'est en ce sens tout d'abord que s'affirme le primat du principe d'autorité : la notion même de « crime légal » implique l'existence de la loi. Mais le point de vue énergétique, nous l'avons vu, se définit en dehors de la notion de transgression, donc en dehors de ce principe d'autorité. Il s'agit là d'un aspect de l'image profondément original, et irréductible au sème patriarcal. Pour voir le criminel se soumettre à la hiérarchie de l'ordre social, il faut quitter le plan du discours et considérer la carrière finale de Vautrin.

Son entrée dans la police entérine la suprématie de la société en faisant coïncider la loi du plus fort, donc la loi naturelle, avec la loi sociale [97], et occulte la notion de transgression. Dans ce cas, le plan de l'histoire est plus conformiste que le texte métaphorique.

3. Courtisane

La courtisane est le troisième et dernier personnage de la mythologie sociale qui, par définition, semble s'opposer à l'autorité patriarcale. En fait, le contenu de la métaphore [98] réaffirme cette autorité encore plus clairement que les deux catégories précédentes.

a) *Champ notionnel de l'image.*

Malgré de multiples dérivations que favorise sa parenté avec la métaphore féminine, l'image de la courtisane est employée dans un sens traditionnel qui ne heurte ni les préjugés, ni les convictions morales du public : c'est la femme vénale et corrompue. Le type de la courtisane rachetée par l'amour, si important dans l'imagerie romantique et dans *La Comédie humaine,* et dont les deux vertus sont l'*humilité* et le *dévouement,* n'apparaît que dans quatre exemples :

> Elle aimait, elle aimait comme aiment les courtisanes et les anges, avec orgueil, avec humilité (B, II, 563) [99].

L'ensemble évoque le *plaisir,* et surtout l'*esprit de lucre,* souvent avec l'appoint d'une métaphore d'argent, comme les deux moteurs principaux des actions humaines.

L'image met l'accent sur l'humeur capricieuse et *tyrannique* de la courtisane, et en fait un symbole de *séduction* et de *volupté* [100]. La *Physiologie du mariage* exploite ce thème sur un mode libertin aux connotations encore positives, pour dépeindre la métamorphose qui s'opère chez la femme infidèle et dont bénéficie le mari :

> Vous n'aviez reçu qu'une femme gauche et naïve des mains de l'Hyménée, le Célibat généreux vous en rend une dizaine. Un mari joyeux et ravi voit alors sa couche envahie par la troupe folâtre de ces courtisanes lutines dont nous avons parlé dans la Méditation sur les *Premiers Symptômes.* Ces déesses viennent se grouper, rire et folâtrer sous les élégantes mousselines du lit nuptial. La Phénicienne vous jette ses couronnes et se balance mollement, la Chalcidisseuse vous surprend par les prestiges de ses pieds blancs et délicats, l'Unelmane arrive et vous découvre, en parlant le dialecte de la belle Ionie, des trésors de bonheur inconnus dans l'étude approfondie qu'elle vous fait faire d'une seule sensation (X, 874).

---

(97) Cf. *supr.*, métaphore de jeu, p. 140.

(98) Quarante-huit exemples relevés.

(99) Cf. aussi In, III, 41 ; Ath, II, 1162 ; Do, IX, 326.

(100) Respectivement trois et huit exemples.

Mais du plaisir, on passe vite à l'*excès* et à la *corruption* [101] : « Quoiqu'il tombe avec la facilité d'une courtisane dans les excès... » (B, II, 404) ; et de là à l'*indifférence* et au *dégoût* [102]. Plusieurs de ces éléments subsistent combinés dans le groupe le plus important, où domine la notion de *vénalité* sans fard [103]. Nous en verrons des exemples en examinant les domaines comparés.

b) *Domaines comparés.*

A des époques très différentes, Paris suscite l'image de la courtisane, qui se justifie pour la capitale génératrice de tentations, de cruautés, de dépense excessive. C'est sans doute dans *Les Comédiens sans le savoir* que l'on trouve l'un des derniers emplois du mot, égayé par l'accent méridional du cousin Gazonal :

> Je me *défiais bienn* de cette grande bagasse de ville ; mais depuis ce matin, je la *mprise !* La pauvre province tant mesquine est une honnête fille ; mais Paris c'est une prostituée, avide, menteuse, comédienne, et je suis *bienn* content de n'y avoir *rienn* laissé de ma peau (VII, 59) [104].

Le provincial fraîchement débarqué ne fait pas toujours preuve d'une méfiance aussi salutaire :

> Ce luxe agissait sur son âme comme une fille des rues agit avec ses chairs nues et ses bas blancs bien tirés sur un lycéen (IP, IV, 746) [105].

L'appât du gain ou du plaisir, le mensonge ou la séduction suscitent quelques situations-types, plus fréquentes ou plus caractéristiques que les autres : d'abord l'employé en face du gouvernement, qu'il s'agisse du haut fonctionnaire [106], ou du subalterne mal payé :

> Condamné à mépriser le gouvernement qui lui retirait à la fois considération et salaire, l'employé se comportait en ce moment avec lui comme une courtisane avec un vieil amant, il lui donnait du travail pour son argent (E, VI, 874).

Aussi bien le pouvoir corrompu : la Monarchie, ou l'Eglise — « la Prostituée romaine » (Cath, X, 265) :

> Originale en tout, tu défendais jadis à tes amants épuisés de manger, et ils ne mangeaient pas... Semblable à quelque courtisane gâtée par ses adorateurs... (JCF, IX, 265) [107].

La peinture de la prostitution intellectuelle constitue un thème reparaissant beaucoup plus proche des préoccupations personnelles de

---

(101) Sept exemples.
(102) Deux exemples. Cf. *infr.*, p. 171, MD, IV, 152.
(103) Dix-neuf exemples.
(104) Cf. aussi PMV, X, 964 et ZM, VII, 741.
(105) Cf. PG, II, 946.
(106) E, VI, 888.
(107) Cf. PCh, IX, 44.

Balzac. L'inventeur des *Aventures d'une idée heureuse*, pour arriver à ses fins, « prostitue » son idée dans le lit de Marion de l'Orme, sa maîtresse. La phrase unit curieusement la courtisane réelle à la courtisane métaphorique :

> ... un soir ou un matin, on ne sait précisément à quelle heure, Charles de Lamblerville fit coucher son idée avec Marion, la prostitua, lui mit des parfums à la tête, aux mains, partout, la mit en cornette de point d'Angleterre, la mit nue, l'offrit à la courtisane, la lui exposa, la mit entre eux, furtivement après un rire ou après une querelle, mais elle avait déjà vingt-sept ans, l'idée, c'était une grande fille (X, 1174).

Mais l'image se rattache surtout à la satire des milieux littéraires. Le poète contraint par la pauvreté [108] et, surtout, le critique font les frais de la comparaison. Balzac assouvit là une vieille rancœur. Lousteau, dans *La Muse du département*, est décrit comme « fatigué parfois de ces tournoiements de la vie littéraire, ennuyé du plaisir comme l'est une courtisane » (IV, 152). Un long développement de *Splendeurs et Misères* accorde une certaine supériorité morale à la courtisane par rapport au critique, grâce à l'interversion des termes de la comparaison. La courtisane, terme comparé, rivalise avec le critique littéraire, qui devient ainsi le symbole de la vénalité. Dans cette comparaison inversée [109], c'est le critique que Balzac fustige. Aussi, sur le plan des signifiés, la courtisane joue bien le rôle de comparant, lequel lui est d'ailleurs restitué dans la seconde et surtout dans la dernière phrase :

> Les femmes qui ont mené la vie alors si violemment répudiée par Esther arrivent à une indifférence absolue sur les formes extérieures de l'homme. Elles ressemblent au critique littéraire d'aujourd'hui, qui, sous quelques rapports, peut leur être comparé, et qui arrive à une profonde insouciance des formules d'art : il a tant lu d'ouvrages, il en voit tant passer, il s'est tant accoutumé aux pages écrites, il a subi tant de dénoûments, il a vu tant de drames, il a tant fait d'articles sans dire ce qu'il pensait, en trahissant si souvent la cause de l'art en faveur de ses amitiés et de ses inimitiés, qu'il arrive au dégoût de toute chose et continue néanmoins à juger. Il faut un miracle pour que cet écrivain produise une œuvre, de même que l'amour pur et noble exige un autre miracle pour éclore dans le cœur d'une courtisane (V, 680).

Un dernier domaine comparé, et le plus important, se prête à une analyse un peu plus poussée du rapport entre argent et sexualité, déjà suggéré dans les autres domaines. Il s'agit des images qui peignent le mariage comme une prostitution légale, et qui forment un groupe unifié [110] chaque fois que l'œuvre aborde la situation conjugale. Elles dénoncent ou bien l'excès de plaisir, s'il devient la poursuite principale du mari ou de la femme, ou bien les calculs inévitables de la femme qui assure son

---

(108) IP, IV, 699.
(109) Cf. *supr.*, p. 45.
(110) Douze exemples.

existence matérielle par l'accomplissement du devoir conjugal — point de vue constant et qui s'exprime dès la *Physiologie du mariage*, où Balzac tourne en dérision la comédie à laquelle se livre l'épouse pour obtenir de l'argent :

> Alors... se passent dans un ménage les scènes d'amour les plus délicieuses. Alors une femme s'assouplit... elle se roule autour de vous, elle vous enlace, elle vous enserre, elle se prête à toutes vos exigences, jamais ses discours n'auront été plus tendres ; elle les prodigue ou plutôt elle les vend ; elle arrive à tomber au-dessous d'une fille d'Opéra, car elle se prostitue à son mari. Dans ses plus doux baisers, il y a de l'argent, dans ses paroles, il y a de l'argent (X, 794).

Trois autres œuvres, assez différentes les unes des autres, reprennent ce sens de l'image sur le mode sérieux et approfondissent la signification sociale de cet état de choses. Il s'agit de *La Femme de trente ans*, du *Contrat de mariage*, de *Mémoires de deux jeunes mariées*. Dans la première domine la sympathie pour l'héroïne à qui sa dépendance économique et morale ne permet pas de se refuser à un mari qu'elle n'aime plus :

> Il fallait avoir l'âme de Julie pour sentir comme elle l'horreur d'une caresse calculée, pour se trouver froissée par un baiser froid ; apostasie du cœur encore aggravée par une douloureuse prostitution (II, 718) [111].

La même nécessité sociale et matérielle gouverne toutes les héroïnes de *La Comédie humaine*. Mais Balzac ne se contente pas de plaindre, il met le doigt sur la plaie. Dans *Le Contrat de mariage*, sa dénonciation des complices obligés de l'opération — la mère, le futur mari, puis l'épouse elle-même — en met en relief le caractère mercantile : la fille à marier joue le rôle de la marchandise et le prétendant celui d'acheteur et de propriétaire. Pour la mère, il s'agit de marier sa fille avec une dot insuffisante, et elle fait preuve d'une certaine logique en invoquant les pratiques de la prostitution pour exiger du futur mari quelques sacrifices financiers :

> Un homme n'était-il pas trop heureux d'avoir une fille comme Natalie ? Le trésor qu'elle avait conservé ne valait-il pas une quittance ? Beaucoup d'hommes n'achètent-ils pas une femme aimée par mille sacrifices ? Pourquoi ferait-on moins pour une femme légitime que pour une courtisane ? (III, 109).

Le fiancé lui-même est « ivre de désirs » et souhaite « sa prétendue comme un lycéen peut désirer une courtisane » (119). Cette comparaison n'est pas seulement un trait de satire épisodique. Elle constitue une image-clé dans *Le Contrat de mariage*. La mère, par quelques conseils habiles, enseigne son rôle de courtisane légale à sa fille, et la dissuade

---

(111) La marquise d'Aiglemont elle-même reprend plus tard cette comparaison : « Telle est notre destinée, vue sous ses deux faces : une prostitution publique et la honte, une prostitution secrète et le malheur » (752). Cf. « Mais la Société sera certainement incorrigible, et continuera de considérer la femme mariée comme une corvette à laquelle son pavillon et ses papiers permettent de faire la course, tandis que la femme entretenue est le pirate que l'on pend faute de lettres » (MR, IX, 278).

d'avoir des enfants. Natalie maintient son mari dans sa servitude amoureuse, le trompe et le ruine sans qu'il comprenne jamais ce qui lui arrive. Excès de dépense, amoureuse et financière : c'est bien le rapport qui existe entre l'amant et la courtisane. Une fois la propriété acquise, le mari doit au contraire savoir régler sa passion et thésauriser son bien. Le mariage ne peut survivre qu'en équilibrant le désir et la dépense : on voit comment l'image de la courtisane réintroduit l'idée maîtresse du principe de vie unique [112] et de la répartition de l'énergie vitale.

Si l'analyse sociologique du *Contrat de mariage* va plus loin que celle de *La femme de trente ans*, c'est qu'elle explique l'échec du mariage par l'incapacité de l'époux à se conformer au principe d'ordre patriarcal. La modération conjugale est la condition de la stabilité familiale et sociale. La mère et l'épouse du *Contrat de mariage* ont le tort de ne pas s'associer à ce point de vue et de faire tourner à leur avantage personnel le jeu de la dépense et du revenu.

La même leçon d'équilibre social, sexuel et financier caractérise *Mémoires de deux jeunes mariées*, l'une des grandes œuvres, avec *La femme de trente ans*, qui traitent des problèmes du mariage du point de vue de la femme, tout en condamnant d'ailleurs les excès courtisanesques du même point de vue patriarcal que *Le Contrat de mariage*. Ici, les deux aspects de l'image, financier et amoureux, sont dédoublés entre les deux héroïnes qui se renvoient l'une à l'autre le reproche de prostitution. Louise de Chaulieu, qui est du parti de l'amour fou, accuse Renée de l'Estorade de se prêter à l'hypocrisie des impératifs sociaux :

> S'il t'aime, et je n'en doute pas, il ne s'apercevra jamais que tu te conduis dans l'intérêt de ta famille comme les courtisanes se conduisent dans l'intérêt de leur fortune (I, 190).

Mais le gros des images s'en prend aux excès amoureux de Louise, qui, en s'y livrant à l'intérieur du mariage, « déprave » cette « institution ». Sa mère discerne très tôt la pente sur laquelle s'engage la jeune fille : « Ma chère petite, tu l'as traité comme Tullia traite ton frère » (229), Tullia étant la danseuse qu'entretient le duc de Rhétoré. Renée ne se fait pas faute de lui répéter le reproche : « Tu es, comme te le disait ta mère, une folle courtisane » (260) [113]. Finalement, Louise elle-même fait son *mea culpa*, car l'amour sur lequel elle a tout misé la conduit au soupçon et à l'espionnage indigne :

> Je roulais dans la fange sociale au-dessous de la grisette, de la fille mal élevée, côte à côte avec les courtisanes, les actrices, les créatures sans éducation (I, 316).

---

(112) Dans *Massimilla Doni*, par contre, la référence à la courtisane, appliquée à la république du XIIIe siècle que Vendramin visite durant ses visions d'opiomane, a surtout valeur de métaphore féminine, pour dépeindre la monomanie (cf. *infr.*, p. 238), en établissant une équivalence entre les passions respectives auxquelles sont en proie les différents personnages de la nouvelle : « Vendramin fut le seul que le médecin ne put guérir. L'amour d'une patrie qui n'existe plus est une passion sans remède. Le jeune Vénitien, à force de vivre dans sa république du treizième siècle, et de coucher avec cette grande courtisane amenée par l'opium... (IX, 387).

(113) Cf. 265.

Ses regrets empruntent là pour s'exprimer une terminologie révélatrice non seulement de ses propres préjugés aristocratiques, mais des données du problème selon Balzac. Le mariage est une institution sociale, il ne sert à rien d'essayer d'en détourner les fins : voilà pour Louise. Celle-ci n'aura pas d'enfants, car la stérilité accompagne inévitablement les excès d'une union qui fait du plaisir légalisé son unique objet [114]. Comme toute institution sociale, le mariage implique l'hypocrisie et la répression des désirs de l'individu. La survie est à ce prix : voilà pour Renée et ses sœurs. Mais leur dévouement et leur retenue ont pour fruit et même parfois pour récompense la maternité qui assure le maintien de l'ordre existant. Il est frappant de voir comment, dans *Mémoires de deux jeunes mariées*, l'image de la courtisane est rejetée à l'extérieur de l'institution : elle ne peint presque plus les misères du mariage en tant que prostitution légale, mais les excès courtisanesques qui en détournent les fins sociales quand les époux se livrent à la passion. Dans les deux cas, qu'elle accuse ou qu'elle défende l'institution, elle constate la réalité du principe patriarcal.

Au total donc, c'est une leçon d'ordre, de mesure, et, plus rarement, de désintéressement, qui se dégage du contenu négatif de la métaphore. Cette peinture conservatrice dépasse pourtant le simple stéréotype quand elle s'attaque au problème du mariage, soit qu'elle en dénonce l'injustice pour la femme, soit qu'elle en présente une conception énergétique et, toujours, parce qu'elle en révèle les assises économiques. Mais elle ne va pas jusqu'à envisager, avec l'évolution de la société, la possibilité d'une autre structure.

En abordant les catégories sociales dont les mots-thèmes se rattachent positivement au principe patriarcal, on peut se demander si la notion de pouvoir établi a le même contenu concret que dans les catégories négatives où elle sert au départ de point de référence. Autrement dit, le rapport de comparant à comparé présente-t-il la même acceptation implicite des institutions existantes ?

4. Roi-maitre-esclave [115]

La métaphore royale est certainement l'un des stéréotypes les plus communs du langage. Si elle dépasse peut-être encore en banalité celle de race et de nationalité, ses propriétés spécifiques lui permettent d'acquérir une signification particulièrement intégrée dans *La Comédie humaine.*

a) *Champ notionnel de l'image.*

Roi, *prince*, *souverain* et accessoirement, *maître*, *esclave*, *serf*, *maître-valet*, *maître-écolier* [116] *:* les mots-thèmes de cette première série dessinent

(114) Déjà, dans *Le Contrat de mariage*, le vieux notaire exprimait cette loi sociale : « J'ai entendu dire que les jeunes mariés qui s'aimaient comme des amants n'avaient pas d'enfants. Le plaisir est-il donc le seul but du mariage ? N'est-ce pas plutôt le bonheur et la famille ?... comme le disait la duchesse de Sully, la femme du grand Sully, une femme n'est pas un instrument de plaisir, mais l'honneur et la vertu de la maison » (III, 178). On trouve dans *Béatrix* un rappel de cette opposition entre Eros et Agape : « L'amour n'est pas le but, mais le moyen de la famille ; ne va pas imiter cette pauvre petite baronne de Macumer. La passion excessive est inféconde et mortelle » (II, 568). Dépense excessive d'un côté, stérilité de l'autre.

(115) Quatre-vingts exemples relevés.

(116) Respectivement vingt-trois, onze et six exemples relevés.

clairement une opposition entre les deux points extrêmes de la force et de la faiblesse, du haut et du bas, sur laquelle se greffent le plus souvent les connotations de *tyrannie* et de *dévouement*, de suprématie en bien et en mal [117]. Le *luxe*, l'*ostentation*, la *beauté* vont de pair avec la royauté [118] : « L'intempérance, mon cher ! est la reine de toutes les morts » (PCh, IX, 145) [119]. Et le pouvoir abusif peut aller jusqu'à la *cruauté* : « Tu as été sanguinaire [reproche le narrateur à l'Eglise dans *Jésus-Christ en Flandre*] comme une reine hébétée de volonté » (IX, 264).

b) *Domaines comparés.*

Ce sont les mêmes, ou peu s'en faut, que dans les catégories précédentes. Cependant, la différence des mots-thèmes peut infléchir la vision ou même introduire des contenus nouveaux.

La peinture de l'amour [120] se situe dans la tradition « néo-courtoise » romantique. Elle se concentre sur la royauté de la femme, royauté encore plus spirituelle que temporelle, qui frôle le mysticisme amoureux [121] et ne laisse pas de place à la passion physique. Dans l'épisode le plus romanesque de *La Femme de trente ans*, la fille du marquis d'Aiglemont, mariée à un pirate, domine à la fois le cœur de son mari et les mers sur lesquelles règne ce dernier :

> Enfin Hélène semblait être la reine d'un grand empire au milieu du boudoir dans lequel son amant couronné aurait rassemblé les choses les plus élégantes de la terre (II, 822) [122].

Un certain parallélisme se crée entre mot-thème, cadre et sujet : alors que la tyrannie de la courtisane ne suscite pas l'image royale, les femmes qui s'érigent ou sont érigées en souveraines appartiennent aux meilleures familles de l'aristocratie ou de la vieille bourgeoisie — phénomène particulier de sélection réciproque, où le comparant entraîne un rang social élevé chez la femme comparée, et où l'élévation sociale va de pair avec l'élévation spirituelle [123]. Il est facile ici de repérer à l'œuvre la confusion idéologique entre ordre naturel et ordre social.

Dans le domaine intellectuel, l'image de l'esclavage de l'esprit [124] prend la relève de celle de la prostitution. Le critique littéraire reste la cible de prédilection : Nathan, dont le « talent ressemble à celui de ces pauvres filles qui se présentent dans les maisons bourgeoises pour tout

---

(117) Trente exemples.

(118) B, II, 399 ; F30, II, 708 ; Ven, I, 869, 871, 892. L'image royale peut aussi suggérer le silence, l'orgueil, l'isolement : MM, I, 584 ; MJM, I, 170 ; Ser, X, 463 : cf. *infr.*, p. 180.

(119) Cf. Ma, IX, 793, 837.

(120) Vingt-quatre exemples relevés.

(121) RA, IX, 581 ; Lys, VIII, 857.

(122) Cf. *ibid.*, 821, 823, 829.

(123) Douze exemples de la catégorie maître-esclave et maître-valet mettent l'accent, dans la peinture de l'amour, sur le dévouement de l'esclave ou la tyrannie du maître (cf. MM, I, 432 ; AEF, III, 216). Trois exemples de *Béatrix* associent l'image de la royauté à celle du forçat, sur le thème de la tyrannie amoureuse.

(124) DF, I, 972.

faire » (FE, II, 88) ; Claude Vignon, « espèce d'esclave acheté pour faire du Bossuet à dix sous la ligne » (PCh, IX, 53) [125].

Mais la plus haute royauté, comme la pire servitude, est celle de la pensée et de l'imagination [126]. Balthazar Claës, Frenhofer, le Titien [127] sont des rois. Le ton se hausse pour proclamer cette vérité trop rarement admise :

> ... A part le comédien, le prince et l'évêque, il est un homme à la fois prince et comédien, un homme revêtu d'un magnifique sacerdoce, le Poète qui semble ne rien faire et qui néanmoins règne sur l'Humanité quand il a su la peindre (IP, IV, 882) [128].

M. Bernard Guyon a examiné l'influence possible des saint-simoniens sur cette conception de l'artiste [129]. Toutefois, il faut bien reconnaître que la mission sociale et religieuse de ce dernier n'apparaît pas, dans ces quelques exemples, au premier plan des préoccupations de Balzac. Il s'inquiète beaucoup plus de la supériorité intellectuelle qui place l'artiste au-dessus du commun des mortels et lui permet de « régner sur l'Humanité [130] ». Le principe centralisateur doit se concrétiser de façon nouvelle, mais il n'est pas mis en question. Un passage antérieur de *La Duchesse de Langeais* (1833), plus explicite et plus révélateur, le rattache aux transformations sociales que Balzac non seulement perçoit, mais appelle de ses vœux. Il s'agit d'une méditation sur le déclin inéluctable et mérité de l'aristocratie héréditaire, lequel annonce l'avènement d'un autre pouvoir. Celui-ci doit naître de la supériorité créatrice de trois nouvelles forces :

> L'art, la science et l'argent forment le triangle social où s'inscrit l'écu du pouvoir, et d'où doit procéder la moderne aristocratie. Un beau théorème vaut un grand nom. Les Rotschild, ces Fugger modernes, sont princes de fait. Un grand artiste est réellement un oligarque, il représente tout un siècle, et devient toujours une loi (V, 147).

Utopique ou non quand il place l'art et la science au même niveau que l'argent en tant que formes équivalent de la royauté dans l'ordre politique, Balzac ne fait que substituer l'oligarchie à l'aristocratie héréditaire, et ne sort pas de l'axe de la métaphore paternelle. C'est vers 1834 qu'un développement du *Médecin de campagne* énonce la correspondance entre l'ordre politique et le domaine énergétique :

---

(125) Cf. IG, IV, 17. Mieux traité dans *Béatrix*, « il est obligé, par le poids même de sa tête, de tomber dans la débauche pour abdiquer pendant quelques instants le fatal pouvoir de son omnipotente analyse » (B, II, 404).

(126) Dix exemples.

(127) Cf. respectivement, RA, IX, 488, 546 ; ChO, IX, 402.

(128) Cf. R, III, 870. L'ivresse même peut aboutir à un résultat analogue, en stimulant la faculté imaginative (PCh, IX, 152).

(129) *Op. cit.*, p. 324-329.

(130) D'autres textes, cités par M. Guyon, p. 681-682, développent cette idée avec conviction : la lettre d'envoi à Mme Hanska du *Prêtre catholique*, et la *Lettre adressée aux écrivains français du XIXe siècle*, pour annoncer la création de la Société des Gens de Lettres, qui datent toutes deux de 1834.

> Ce que je nomme en ce moment le *privilège* n'est pas un de ces droits abusivement concédés jadis à certaines personnes au détriment de tous ; non, il exprime plus particulièrement le cercle social dans lequel se renferment les évolutions du pouvoir. Le pouvoir est en quelque sorte le cœur d'un état. Or, dans toutes ses créations, la nature a resserré le principe vital, pour lui donner plus de ressort : ainsi du corps politique (VIII, 440).

Le principe unitaire informe l'idéal oligarchique de même qu'il explique la « nature humaine » : la comparaison tend à transformer en causalité un simple rapport d'homologie. Aussi personnelle que soit chez Balzac cette application du principe unitaire, elle reproduit fidèlement la démarche conservatrice.

Les mots-thèmes complémentaires de cette catégorie ne mettent pas toujours en lumière avec la même netteté le statut de l'image royale en tant qu'équivalent général, mais la polarisation subsiste dans la peinture de la société, où l'image du serf, de l'esclave [131], reparaît pour décrire la condition de créatures incapables de lutter contre une contrainte qui les écrase : poids des conventions, servage du troupier [132], des amants en face du mari [133]. Le servage de l'écolier « attaché sur un banc à la glèbe de son pupitre » (LL, X, 376), n'est qu'un aspect fragmentaire d'une hiérarchie des extrêmes à laquelle rien n'échappe :

> Rassemblez-vous des enfants dans un collège. Cette image en raccourci de la société, mais image d'autant plus vraie qu'elle est plus naïve et plus franche, vous offre toujours de pauvres ilotes, créatures de souffrance et de douleur (PCh, IX, 221).

A ce stade l'image, selon le processus habituel, tend à présenter comme une réalité universelle un ordre social connu et familier. C'est encore vrai du sous-fifre honnête en pure perte raillé par Vautrin, et qui appartient à toutes les époques, malgré la précision historique de la toile de fond :

> Je ne vous parle pas de ces pauvres ilotes qui partout font la besogne sans être jamais récompensés de leurs travaux, et que je nomme la confrérie des savates du bon Dieu (PG, II, 937) [134].

Même la tyrannie que Gobseck exerce sur ses débiteurs subit un travestissement identique. On dira que l'usurier aussi est de toutes les époques :

> Chaque matin il recevait ses tributs et les lorgnait comme eût fait le ministre d'un nabab avant de se décider à signer une grâce (Gb, II, 669).

La vie mondaine suscite quelques dérivations un peu moins générales. L'image sert à peindre les petites sociétés qui se forment en province comme à Paris, et qui gravitent autour d'un personnage important par sa

---

(131) Dix exemples.
(132) MR, IX, 278.
(133) Lys, VIII, 859.
(134) Des Lupeaulx, le haut fonctionnaire des *Employés*, tire du moins quelque profit de ses complaisances (VI, 886, 1073).

situation ou par sa naissance [135]. Souvent, ce personnage est une femme : Eugénie Grandet, Mme d'Espard, Mme de Beauséant, Mme Clapart, Mme de Watteville [136]. L'empire du salon est un empire féminin. Ce trait correspond à un certain type de société, même si les limites historiques en sont vagues. Dans *Le Contrat de mariage*, Paul de Manerville exerce à son tour cette royauté grâce à son élégance parisienne [137]. Le cliché devient image-thème dans *Le Bal de Sceaux*, pour traduire l'orgueil et l'isolement de Mlle de Fontaine :

> ... Ils s'accordèrent tous pour former une petite cour à la hautaine Emilie. Ce pacte d'intérêt et d'orgueil ne fut cependant pas tellement bien cimenté que la jeune souveraine n'excitât souvent des révolutions dans son petit Etat (I, 81-82) [138].

L'orgueil [139], ou simplement le sentiment de l'inégalité sociale, créent une distance énorme entre les individus. Dans *Ursule Mirouet*, l'héroïne a vivement conscience de tout ce qui la sépare de Mme de Portenduère, dont elle aime le fils, et éprouve une émotion profonde en entrant chez elle pour la première fois :

> ... L'enfant fut saisie d'un tremblement nerveux comme si elle se fût trouvée en présence de la reine de France et qu'elle eût une grâce à lui demander. Depuis son explication avec le docteur, cette petite maison avait pris les proportions d'un palais, et la vieille dame toute la valeur sociale qu'une duchesse devait avoir au Moyen-Age aux yeux de la fille d'un vilain (III, 379) [140].

On ne trouve, dans les deux exemples ci-dessus, qu'une « temporalisation » fort timide des comparants, mais elle suffit à dénoncer le mythe d'une inégalité de classe fondée en nature. La corrélation qui existe entre un point de vue critique, démystificateur, et la temporalisation des comparants est particulièrement sensible dans un passage de la *Physiologie du mariage*, livre avancé pour l'époque, où Balzac présente déjà le tableau de la famille patriarcale qui se retrouve dans toute son œuvre [141]. Ce passage développe en une parabole autonome le champ sémantique de l'image royale, à partir d'une dérivation qui présente la monarchie comme *constitutionnelle*. Le cliché perd donc son caractère atemporel et s'adapte à une satire aussi acérée qu'elle se révélera éphémère dans la suite de *La Comédie humaine* :

> Et voilà bien l'ingratitude des femmes ! S'il y a quelque chose de plus ingrat qu'un roi, c'est un peuple ; mais, monsieur, la femme est encore plus ingrate qu'eux tous. Une femme mariée en agit

(135) Vingt exemples.

(136) Cf. respectivement III, 630 ; III, 42 ; II, 1059 ; I, 626 ; I, 752.

(137) III, 91.

(138) Cf. p. 75 et 83.

(139) Cf. PG, II, 946.

(140) Cf. FA, II, 214-215. Quelques clichés du courtisan se rattachent à ce sous-groupe : cf. MM, I, 358 ; Gb, II, 645 ; In, III, 64 ; ChO, IX, 389 ; LL, X, 364 ; Ser, X, 481.

(141) Douze exemples. Dans In, III, 27 et F30, II, 762-763, c'est la femme qui règne à l'intérieur du foyer domestique, mais les connotations restent patriarcales.

> avec nous comme les citoyens d'une monarchie constitutionnelle avec un roi : on a beau assurer à ceux-là une belle existence dans un beau pays ; un gouvernement a beau se donner toutes les peines du monde avec des gendarmes, des chambres, une administration et tout l'attirail de la force armée, pour empêcher un peuple de mourir de faim, pour éclairer les villes par le gaz aux dépens des citoyens, pour chauffer tout son monde par le soleil du quarante-cinquième degré de latitude, et pour interdire enfin à tous autres qu'aux percepteurs de demander de l'argent ; il a beau payer, tant bien que mal, les routes, ... eh ! bien, aucun des avantages d'une si belle *utopie* n'est apprécié ! Les citoyens veulent autre chose ! ... Ils n'ont pas honte de réclamer encore le droit de se promener à volonté sur ces routes, celui de savoir où va l'argent donné aux percepteurs ; et enfin le monarque serait tenu de fournir à chacun une petite part du trône, s'il fallait écouter les bavardages de quelques écrivassiers, ou adopter certaines idées tricolores, espèces de polichinelles que fait jouer une troupe de soi-disant patriotes, gens de sac et de corde, toujours prêts à vendre leurs consciences pour un million, pour une femme honnête ou une couronne ducale (X, 741).

Cet exemple, qui date d'une époque où Balzac sympathisait encore avec les revendications libérales, assimile l'exploitation de la femme à l'exploitation du peuple et insinue qu'il ne faut pas espérer les satisfaire ni l'un, ni l'autre par l'autorité. Mais le parti-pris patriarcal s'affirme déjà sur un point : le pouvoir doit être absolu et centralisé, ou il ne sera pas, d'où les dangers d'une constitution. Sur ce point, Balzac ne variera pas. Par la suite, l'image se plie en sens inverse à l'expression d'une conception traditionnelle de la cellule familiale. Tous les autres exemples que nous avons relevés perdent en tout ou en partie leurs dérivations historiques, pour exprimer la nécessité, sinon le bien-fondé, de l'autorité paternelle. Certes, celle-ci est souvent le prétexte de plaisanterie aimables [142] ou grinçantes :

> Jamais cette fille, qui se nomme Dinah, ne me jugera ; jamais elle ne me contrariera ; je serai sa chambre haute, son Lord, ses communes (CM, III, 202-203).

Mais, même quand il plaisante, Balzac pense que la disparition de l'autorité paternelle et maritale serait aussi néfaste que les autres manifestations d'individualisme qu'il déplore dans l'évolution de la société. Dans *Le Curé de village*, le patriarcat revêt une dignité biblique :

> Ces vieillards qui, depuis longtemps, avaient résigné leur autorité à leur fils, le père du criminel, étaient, comme de vieux rois après leur abdication, redescendus au rôle passif des sujets et des enfants (VIII, 618).

---

(142) Cf. PG, II, 925-926 ; BS, I, 89 ; S & M, V, 1098. Dans *Eugénie Grandet*, la terreur sous laquelle le père Grandet tient sa femme suscite l'image maître-écolier : « La pauvre femme s'endormit comme l'écolier qui, n'ayant pas appris ses leçons, craint de trouver à son réveil le visage irrité du maître » (III, 554).

Ce régime traditionnel n'est plus remis en question dans *La Comédie humaine*. La fonction du mari, sinon sa personne, jouit d'un prestige incontesté et nécessaire :

> Ne se rencontre-t-il pas beaucoup d'hommes dont la nullité profonde est un secret pour la plupart des gens qui les connaissent ? ... Ces gens ressemblent aux rois dont la véritable taille, le caractère et les mœurs ne peuvent jamais être ni bien connus ni justement appréciés, parce qu'ils sont vus de trop loin ou de trop près... Néanmoins... il leur est bien difficile de tromper leurs femmes, leurs mères, leurs enfants ou l'ami de la maison ; mais ces personnes leur gardent presque toujours le secret sur une chose qui touche, en quelque sorte, à l'honneur commun ; et souvent même elles les aident à en imposer au monde (F30, II, 704-705).

Ainsi exploitée, l'image royale se signale par la communauté idéologique du comparant et des comparés qui reflète le culte de la famille, de l'ordre et de la tradition, du droit d'aînesse [143] et d'un pouvoir fort et unique.

L'image royale occupe une place à part dans l'ensemble des catégories qui constituent la mythologie sociale du texte métaphorique balzacien. En effet, même parmi les catégories positives, elle est la seule à jouer directement le rôle d'équivalent général dans l'ordre politique et social, elle est la seule à se rattacher directement à l'axe de la métaphore paternelle. Les autres institutions sociales — armée, Eglise, justice — illustrent sans aucun doute le principe d'autorité, mais concrétisent de façon plus diffuse la notion de pouvoir central. Il faut donc les considérer comme des équivalents atténués de l'image royale.

L'adéquation entre la métaphore paternelle et la métaphore du roi détermine le trait le plus saillant de la seconde : elle coïncide immédiatement avec le point de vue unitaire, elle en est en fait la manifestation par excellence, en tant qu'équivalent général direct. La notion de focalisation sous-tend les rapprochements les plus inattendus, jusqu'à la personnification royale du froid, qui se présente comme un jeu d'associations sur le sème de polarité :

> Là donc se rencontraient toutes les majestés du froid éternellement assis sur le pôle, et dont le principal caractère est le royal silence au sein duquel vivent les monarques absolus (Ser, X, 463).

De même, dans l'exemple de *La Duchesse de Langeais* [144], le triangle *unitaire* du pouvoir introduit une série de comparants qui condensent l'action du savant, du banquier et de l'artiste en un symbole unique : « ... *Un beau théorème* vaut un grand nom. Les Rotschild... sont *princes* de fait. Un grand artiste représente tout *un siècle* et devient toujours *une loi* ». Enfin, la correspondance la plus étroite se réalise dans le sous-groupe consacré à la famille, où a lieu la rencontre directe du père, en tant que personnage comparé, avec le monarque, en tant qu'émanation de la métaphore paternelle — tous deux représentants d'un pouvoir unique et absolu.

---

(143) Balzac jeune était contre le droit d'aînesse. Guyon (p. 110) renvoie sur ce point à *L'Héritière de Birague*.

(144) *Supr.*, p. 176.

L'image royale, équivalent général de la valeur sociale et politique, présente par son contenu une acceptation nuancée de la société existante. Elle ne remet pas en question l'autorité paternelle et masculine. Elle ne nie pas l'inégalité entre individus, elle dit simplement que les préséances héréditaires ne reflètent plus cette inégalité. Elle propose donc de faire coïncider hiérarchie sociale et mérite personnel, en substituant l'oligarchie du mérite — un certain mérite — à l'aristocratie. Ce faisant, elle implique un renouvellement qualitatif, et d'ailleurs très partiel, des valeurs anciennes. Mais, par définition, elle ne peut proposer un changement d'ordre structural : un patriarcat remplace l'autre.

5. L'armée [145]

Sans posséder toujours le même caractère archétypal que la métaphore royale, la métaphore militaire n'en a pas moins accédé au rang de cliché depuis longtemps. Elle se prête, dans son développement sémantique, à l'expression d'une polarité analogue, quoique moins tranchée, entre le haut et le bas de la hiérarchie, mais elle présente aussi des dérivations sans rapport direct avec la notion de pouvoir central. C'est que, si elle paraît directement liée à la structure patriarcale de la société que l'armée a pour charge de défendre, en réalité elle possède un passé parfois douteux : le soldat peut être mercenaire, le général peut passer à l'ennemi. Ces antécédents expliquent que le champ notionnel de l'image ne se rattache parfois que d'assez loin à la hiérarchie des extrêmes et que sa signification se rapproche dans certains cas de celle du sauvage ou du criminel. Bien entendu, elle se définit néanmoins, comme ces dernières, par rapport au principe patriarcal.

La métaphore militaire, à laquelle il faut adjoindre les métaphores de chasse et de pêche, entretient des rapports évidents avec la métaphore d'agression. Leur pourcentage suit quelquefois une courbe parallèle : ainsi, dans *Le Lys dans la vallée*, où les métaphores de blessure sont très nombreuses, on observe une recrudescence des métaphores militaires. Mais la plupart du temps, elles apparaissent séparément.

a). *Champ notionnel de l'image.*

Le sous-groupe le plus disparate [146] évoque des *traits physiques*. Appliquée à une femme, l'image présente facilement un caractère comique ou caricatural, et dénonce le manque de grâce et de féminité [147]. On note aussi, parmi les attributs physiques du *soldat*, le vêtement, les cicatrices, la sévérité d'expression due à la souffrance [148]. Les exemples ne dépassent pas le stade du cliché descriptif.

---

(145) Cent-six exemples relevés — 71 métaphores militaires et 24 duel, chasse, pêche, oiseleur.

(146) Quatorze exemples.

(147) Ainsi de la servante Nanon (EG, III, 494, 524) ; de Sylvie Rogron (P, III, 705) ; de madame de Clagny : « La femme du Procureur du Roi, qui, selon l'expression de monsieur Gravier, aurait pu mettre en fuite un jeune Cosaque en 1814, se raffermit sur ses hanches comme un cavalier sur ses étriers... » (MD, IV, 123).

(148) Cf. respectivement : Fer, V, 45 ; PCh, IX, 148 ; LL, X, 439.

Quels traits et quelles actions l'*analogie morale* avec le soldat [149] décrit-elle ? La naïveté et l'enthousiasme [150], le courage de routine, l'obéissance passive, le loyalisme [151], le maraudage [152], le silence à l'attaque « des enfants silencieux comme des soldats sous les armes » (Pay, VIII, 288) :

> Ils y allèrent, non comme les soldats français vont à l'assaut, mais silencieux comme des Allemands, poussés qu'ils étaient par une gourmandise naïve et brutale (MC, VIII, 326).

Plusieurs autres exemples rapprochent l'enfant et le soldat [153], pour la simplicité et la survivance des réactions instinctives que garantit la vie militaire. Si les qualités bonnes et mauvaises du soldat ne font aucune place à la réflexion ni au raisonnement, elles le rapprochent souvent du sauvage et connotent une *aptitude à la lutte au moins physique.*

Le tableau change en partie quand le mot-thème n'est plus le soldat, mais le *général*, le *capitaine*, le *chevalier* [154], la *bataille* et, accessoirement, le *duel*, la *chasse*, la *pêche*. Les connotations principales sont l'*habileté* et l'*expérience* [155], qui déterminent l'entraînement à la débauche :

> Vous passez les nuits sans sommeil, vous vous faites enfin un tempérament de colonel de cuirassiers, en vous créant vous-même une seconde fois, comme pour fronder Dieu ! Quand l'homme s'est ainsi métamorphosé, quand, vieux soldat, le néophyte a façonné son âme à l'artillerie, ses jambes à la marche... (PCh, IX, 151) ;

l'endurcissement du médecin [156] ; la méfiance de l'homme qui ne veut pas livrer son secret [157]. Les rapports entre les êtres s'affirment de plus en plus comme une lutte de force et d'adresse [158] : c'est alors que la chasse, la pêche, le duel renforcent la métaphore militaire [159]. Certains exemples rapprochent le soldat et le général et traduisent ainsi explicitement la hiérarchie des extrêmes.

En résumé, la métaphore dénote par définition l'agressivité ou la domination et, parfois, un effort physique pénible. Mais avant tout, elle met l'accent d'une part sur la science et l'habileté du stratège tendu vers sa victoire, d'autre part sur sa force morale, qui unit l'endurcissement à l'insensibilité.

---

(149) Seize exemples.
(150) Col, II, 1104 ; FE, II, 118 ; et JCF, IX, 257.
(151) PG, II, 984 ; MF, I, 1033 ; CB, V, 532 ; MC, VIII, 477.
(152) PG, II, 935-936 ; F30, II, 818.
(153) Cf. Col, II, 1104.
(154) Quinze exemples relevés du chevalier, de la chevalerie.
(155) Douze exemples.
(156) PCh, IX, 213.
(157) H, II, 262.
(158) Sept exemples.
(159) Cf. *infr.*, p. 185, 187.

b) *Domaines comparés.*

Encore une fois, ils se partagent entre l'amour, la vie mondaine et l'ascension sociale [160], mais les connotations spécifiques de cette catégorie mettent en relief la conquête et la stratégie.

Dans le *domaine amoureux*, l'image relève d'une longue tradition, essentiellement virile, qui s'explique par le symbolisme sexuel de l'arme : ce n'est pas un hasard si Don Juan est aussi fort aux armes qu'en matière de séduction [161]. La métaphore de la conquête amoureuse, dont les lettres de Valmont, dans *Les Liaisons dangereuses*, ont déjà épuisé toutes les possibilités, est aussi rebattue qu'elle est universelle : elle illustre fort bien les liens entre l'archétype et le stéréotype [162]. La conquête sera charnelle : brutale dans *Les Paysans*, comme il convient aux personnages du roman, à mi-chemin entre l'animalité et l'humanité :

> Depuis trois jours, il guettait la Péchina ; de son côté la pauvre enfant se savait guettée. Il existait entre Nicolas et sa proie la même entente qu'entre le chasseur et le gibier (VIII, 170),

ou pour Hulot dont la monomanie est de moins en moins déguisée avec les années :

> Il fut comme le chasseur apercevant le gibier : devant un empereur, on le met en joue ! (Be, VI, 437) ;

adoucie et civilisée dans *Un homme d'affaires* :

> Homme à grandes conquêtes, Maxime n'avait connu que des femmes titrées ; et, à cinquante ans, il avait bien le droit de mordre à un petit fruit soi-disant sauvage, comme un chasseur qui fait une halte dans le champ d'un paysan sous un pommier (VI, 810) [163].

Les autres applications de l'image dans ce domaine manifestent deux processus de déformation, qui opèrent dans des directions très différentes. Le premier n'apparaît que dans *Le Lys dans la vallée* [164] et, tout en conservant à l'image son caractère atemporel, il lui attribue des connotations incompatibles avec l'expression de la conquête amoureuse : c'est que, dans ce roman, la métaphore de blessure annexe en grande partie la métaphore militaire, qui se distingue alors par la peinture presque exclusive des conflits intrasubjectifs des personnages et connote l'épreuve [165], le

---

(160) Respectivement 22, 8 et 21 exemples relevés.

(161) Cf. Ferenczi, *Thalassa*, Payot, p. 184, et *infr.*, métaphore d'agression, p. 326 sq.

(162) Cf. *supr.*, p. 71.

(163) Cf. MM, I, 423 ; PG, II, 978 ; B, II, 449. La force physique cède la place à la stratégie dans la métaphore militaire proprement dite : cf. B, II, 457, 613.

(164) Huit exemples.

(165) La tentation que connaît Félix est vue comme le pire des dangers, danger recherché comme une forme d'épreuve : « ... J'arrivai devant sa porte, je m'y couchai, l'oreille appliquée à la fente, j'entendis son égale et douce respiration d'enfant... Cette heure de nuit passée au seuil de sa porte... ; cette heure, sotte aux yeux de plusieurs, est une inspiration de ce sentiment inconnu qui pousse des militaires, quelques-uns

dévouement, l'esprit de sacrifice. On a plus d'une fois critiqué, en arguant de sa disproportion, le parallèle établi par Balzac dans l'*Avant-propos de 1842* :

> La bataille inconnue qui se livre dans une vallée de l'Indre entre madame de Mortsauf et la passion est peut-être aussi grande que la plus illustre des batailles connues... Dans celle-ci, la gloire d'un conquérant est en jeu ; dans l'autre, il s'agit du ciel (I, 13).

Mais ce parallèle est celui-là même de la métaphore militaire dans *Le Lys*. Mme de Morsauf, « attentive comme la sentinelle sur qui se repose le salut de tous et qui épie le malheur » (VIII, 798), a été préparée à ce rôle dès les premiers temps de son mariage

> jusqu'au jour où, comme l'enfant arraché par Napoléon aux tendres soins du logis, elle eut habitué ses pieds à marcher dans la boue et dans la neige, accoutumé son front aux boulets, toute sa personne à la passive obéissance du soldat (832) [166].

Félix de Vandenesse se met à l'unisson, et apprend à jouer supérieurement au trictrac, afin de conduire à sa guise les parties qu'il fait avec le comte : humble témoignage qu'il n'hésite pas à comparer à « l'effort du soldat qui périt ignoré » (823). Même l'image du chasseur, au lieu de mettre l'accent sur l'idée de capture, évoque la « douloureuse patience » (822) de Félix, et les affres de la jalousie chez Lady Dudley, qui sait

> étouffer des gémissements souvent légitimes avec l'énergie du chasseur qui ne s'aperçoit pas d'une blessure en poursuivant son bouillant hallali (949).

Ces quelques exemples, qui constituent donc une anomalie dans l'emploi de la métaphore militaire, peuvent servir de prélude à l'analyse des métaphores de blessure dans *Le Lys*, dont la majorité décrit la souffrance et la lutte intérieure de Mme de Mortsauf.

La peinture de l'amour, même quand elle revient au topos de la conquête, ne reste pas toujours aussi atemporelle : deux éléments peuvent lui conférer une détermination socio-historique, et le second au moins constitue un autre processus de déformation. Tout d'abord, l'importance accordée, dans le réseau thématique d'*Honorine*, à la conquête de l'épouse par le mari. Ce thème, à la fois romantique et bourgeois, semble une acquisition culturelle récente. S'il se situe dans la lignée de la *Nouvelle Héloise*, et peut-être même de *La Princesse de Clèves*, il innove en mettant au centre de l'intrigue la transformation du mariage de convenance en mariage d'amour. La stratégie passe alors au premier plan, même si, dans *Honorine*, elle est vouée à l'échec — et c'est ici que l'image entre en jeu. Le narrateur et le comte Octave concentrent toutes leurs facultés à la mise au point d'un plan de bataille qui doit ramener la comtesse à son mari. La capture de cet être fragile et insaisissable suscite l'image de l'oiseleur :

---

m'ont dit avoir joué leur vie, à se jeter devant une batterie pour savoir s'ils échapperaient à la mitraille, et s'ils seraient heureux en chevauchant ainsi l'abîme des probabilités, en fumant comme Jean Bart sur un tonneau de poudre » (908-909).

(166) Cf. *ibid.*, p. 837, 932.

> Il n'existe plus qu'un moyen de triomphe : la ruse et la patience avec lesquelles les oiseleurs finissent par saisir les oiseaux les plus défiants, les plus agiles, les plus fantasques et les plus rares (II, 281 ; cf. 294).

Cet exemple accorde déjà de l'importance à la tactique préparatoire, qui domine dans la métaphore militaire :

> Nous restâmes, le comte et moi, jusqu'à deux heures du matin à nous promener le long des fossés de la Bastille, comme deux généraux qui, la veille d'une bataille, évaluent toutes les chances, examinent le terrain, et reconnaissent qu'au milieu de la lutte la victoire dépend d'un hasard à saisir (II, 296) [167].

L'autre élément caractérise le sous-groupe de la chevalerie qui, sauf de rares exceptions [168], ne met pas l'accent sur la vénération courtoise, mais sur l'aventure et le combat [169]. Les épreuves que doit traverser pour sa Dame l'amoureux de la Restauration le poussent dans l'arène sociale et l'image du chevalier ne sépare pas la conquête sociale de la conquête amoureuse. Louis Lambert caresse un moment cette forme d'ambition [170]. Dans plusieurs exemples, les prédicats du groupe comparé, ou même ceux du groupe comparant, se réfèrent explicitement à la réalité contemporaine :

> La comtesse avait été prise par des idées dignes du temps de la chevalerie, *mais complètement modernisées...* Etre secrètement *la créatrice d'une grande fortune*, aider un homme de génie à lutter avec le sort et à le dompter, lui broder son écharpe pour le tournoi, lui procurer des armes... (FE, II, 113-114).

Pour Delphine de Nucingen, le chevalier et sa dame doivent devenir les associés d'une entreprise d'ascension sociale :

> Autrefois les dames ne donnaient-elles pas à leurs chevaliers des armures, des épées, des casques, des cottes de mailles, des chevaux, afin qu'ils pussent aller combattre en leur nom dans les tournois ? Eh! bien, Eugène, les choses que je vous offre sont *les armes de l'époque*, des outils nécessaires à qui veut *être quelque chose* (PG, II, 1024-1025).

Ces dérivations sémantiques empêchent l'image de passer complètement à l'état de mythe intemporel [171].

---

(167) La situation conjugale suscite une image analogue dans *Une fille d'Eve*, où Vandenesse tend à négliger, à l'endroit de sa femme, ses connaissances en psychologie féminine, « comme sur le champ de bataille, au milieu du feu, pris dans les accidents d'un site, le plus grand général oublie une règle absolue de l'art militaire » (II, 80).

(168) Cf. AS, I, 789 ; Lys, VIII, 829.

(169) F30, II, 801.

(170) LL, X, 428.

(171) Cf. MJM, I, 161. Parfois, la Dame s'efface complètement et la chevalerie évoque une lutte sociale dénuée de toute aura sentimentale : cf. Gb, II, 642 ; CT, III, 839 et *infr.*, p. 186-187.

La *vie mondaine* aussi [172] peut susciter ce genre de détermination, y compris dans le groupe comparant. Le retour périodique de la saison parisienne fait les frais d'une satire anodine :

> Les hivers sont pour les femmes à la mode ce que fut jadis une campagne pour les militaires de l'Empire (FM, II, 32) [173].

Les gens du monde constituent une « burlesque armée » où, si « l'homme à la mode représente le maréchal de France, l'homme élégant équivaut à un lieutenant général » (CM, III, 84-85) [174]. Plus traditionnellement, la conversation comporte, en France, « un assaut de maîtres d'armes où chacun fait briller son fleuret, et où celui qui n'a rien pu dire est humilié » (Do, IX, 340).

Mais le monde intéresse surtout Balzac comme le lieu par excellence de l'*ascension sociale* et des batailles majeures qui se livrent entre les individus ou les groupes [175] : ce n'est pas pour briller, mais pour conquérir la dot d'Eugénie, que les invités du père Grandet sont « endimanchés jusqu'aux dents » (III, 561) [176]. Dans les rapports sociaux, des plus insignifiants aux plus lourds de conséquence, les hommes doivent s'armer d'une perspicacité à toute épreuve pour entrer en lice avec quelque chance de succès. L'art de la conversation ne sert alors que de tremplin :

> Cette application de la lorgnette à la vue morale est le secret de nos conversations et tout l'art du courtisan. N'en pas user, c'est vouloir combattre sans armes des gens bardés de fer comme des chevaliers bannerets (PCh, IX, 135).

Les exemples les plus caractéristiques marquent un net recul dans la détermination historique des comparants et même des termes comparés. Ce recul s'affirme en même temps que les préoccupations individualistes de l'ambitieux, et il y a une corrélation évidente entre les deux éléments. Alors que l'individualisme émerge comme l'une des valeurs de la nouvelle société bourgeoise [177], l'image en retient seulement l'aspect général. Ainsi, chez Rastignac, lutteur particulièrement doué, elle met d'abord en vedette les qualités innées :

> Sa vue morale avait la portée lucide de ses yeux de lynx. Chacun de ses doubles sens avait cette longueur mystérieuse, cette flexibilité d'aller et de retour qui nous émerveille chez les gens supérieurs, bretteurs habiles à saisir le défaut de toutes les cuirasses (PG, II, 929).

Vautrin sert d'instructeur à Rastignac et l'admoneste par un raisonnement spécieux qui confond code social anarchique et droit militaire [178] :

---

(172) Huit exemples.
(173) Cf. BS, I, 87, 89-90.
(174) Cf. FE, II, 139 ; Ven, I, 869.
(175) Vingt et un exemples.
(176) Cf. *supr.*, p. 59.
(177) Cf. *supr.*, métaphore de jeu, p. 141 et Note.
(178) Cf. *supr.*, métaphore criminelle, p. 166 sq.

> Votre premier effroi se passera comme celui du conscrit sur le champ de bataille, et vous vous accoutumerez à l'idée de considérer les hommes comme des soldats décidés à périr pour le service de ceux qui se sacrent rois eux-mêmes (II, 981).

Il y a là une forme dérivée de « vaccine » et un exemple caractéristique de « privation d'histoire », deux des figures de la rhétorique du mythe bourgeois que Barthes a identifiées [179]. En effet, le raisonnement tend à justifier la cruauté de la lutte sociale par celle de la loi militaire et, est-il besoin de le souligner, il implique la pérennité de l'une comme de l'autre. La leçon de Vautrin aura trouvé un terrain favorable. Voici Rastignac à l'époque de *La Maison Nucingen* :

> L'Egoïsme arma de pied en cap ce jeune noble. Quand le gars trouva Nucingen revêtu de la même armure, il l'estima comme au Moyen-Age, dans un tournoi, un chevalier damasquiné de la tête aux pieds, monté sur un barbe, eût estimé son adversaire houzé, monté comme lui (V, 642) [180].

Ces quelques citations sous-entendent que l'ascension sociale exige la même âpreté sous tous les régimes, message qui s'exprime moins clairement, ou parfois même est contredit hors du texte métaphorique. Pareillement, la chasse à l'homme à laquelle se livre le policier napoléonien n'est pas historiquement définie, et au contraire les avantages qu'elle offre sont montrés comme fondés en nature :

> L'homme de police a toutes les émotions du chasseur ; mais en déployant les forces du corps et de l'intelligence, là où l'un cherche à tuer un lièvre, une perdrix ou un chevreuil, il s'agit pour l'autre de sauver l'Etat ou le prince, de gagner une large gratification. Ainsi la chasse à l'homme est supérieure à l'autre chasse de toute la distance qui existe entre les hommes et les animaux (TA, VII, 524) [181].

Inlassablement, la réussite sociale est présentée comme une bataille acharnée, sans scrupules, où les vainqueurs doivent leur victoire à l'écrasement total des vaincus [182]. Dans ce sous-groupe, les mots-thèmes réintroduisent souvent la hiérarchie des extrêmes. Il peut aussi arriver que les dérivations sémantiques perdent un peu de leur généralité. *Illusions perdues* et *Le Contrat de mariage* méritent une mention spéciale à cet égard. Le premier peint la montée en grade du journaliste :

---

(179) *Vaccine* : « figure qui consiste à confesser le mal accidentel d'une institution de classe pour mieux en masquer le mal principiel » (*Mythologies*, p. 238).

(180) Cf. IP, IV, 1026, 1019.

(181) Même l'activité effrénée du commis-voyageur, « l'une des plus curieuses figures créées par les mœurs de l'époque actuelle » (IG, IV, 11), est saisie dans sa généralité, au moyen d'une métaphore de pêche : cf. IV, 13, qu'on peut opposer à IV, 12.

(182) Cf. IP, IV, 651 ; Ath, II, 1158-1159 ; AS, I, 835, 837 ; FE, II, 132. La société entière, à la fois armée et champ de bataille, ne fait pas fi des obligations de la hiérarchie : la morale « conforme le devoir social au rang, aux positions. La peccadille du soldat est un crime chez le général, et réciproquement » (MM, I, 416). Mais ce « Noblesse oblige » ne représente qu'un aspect exceptionnel de la bataille sociale.

> ... Que voulez-vous être ? — Mais rédacteur travaillant bien et partant bien payé. — Vous voilà comme tous les conscrits qui veulent être maréchaux de France ! (IP, IV, 670) ;
>
> Cet esprit mobile aperçut dans le Journal une arme à sa portée. Il se sentait habile à la manier, il la voulut prendre... Dans l'armée de la Presse, chacun a besoin d'amis, comme les généraux ont besoin de soldats ! Lousteau, lui voyant de la résolution, le racco-lait en espérant se l'attacher... L'un voulait passer caporal, l'autre voulait être soldat (684) [183].

Dans la seconde citation, les assimilations avec comparé (« aperçut dans le Journal une arme à sa portée », « l'armée de la Presse ») unissent assez étroitement les comparants à la réalité sociale qu'ils décrivent, ce qui atténue l'effet de généralisation. Le procédé est un peu différent dans *Le Contrat de mariage*, mais il n'ancre pas moins le tableau dans la réalité contemporaine. L'image-thème y est axée, dans la première partie, sur la bataille de contrat, lequel devient à son tour, dans la seconde partie, un symbole de la bataille conjugale, elle-même image en miniature de la bataille sociale. La mère de la mariée [184] et les deux notaires sont les grands tacticiens de cette affaire :

> Ces condottieri matrimoniaux qui s'allaient battre pour leurs clients, et dont les forces personnelles devenaient si décisives en cette solennelle rencontre, les deux notaires... (III, 113) [185].

Dans la lettre finale d'Henri de Marsay à Paul de Manerville, qui formule la « morale » de l'histoire, l'image englobe la société entière, et manifeste l'absence de scrupules propre à tous les ambitieux victorieux de *La Comédie humaine:*

> Ne nous faut-il pas, à nous autres jeunes roués, un ami sur lequel nous puissions compter, quand ce ne serait que pour le compro-mettre en notre lieu et place, pour l'envoyer mourir comme simple soldat afin de sauver le général ? (204) [186].

Le réseau thématique, en reliant les trois domaines comparés, montre leur interdépendance, qui reflète le rapport des forces sociales contemporaines : la défaite conjugale et la faillite sociale de Paul de Manerville, incapable de mettre en pratique les règles de la stratégie, s'expliquent l'une par l'autre.

De toutes les catégories de métaphores sociales que nous venons d'analyser, la métaphore militaire est la seule qui ne serve jamais à l'expression du principe de vie unique. Si par sa forme, au sens barthésien de signifiant du mythe [187], elle constitue une représentation dérivée de l'équivalent royal et patriarcal, par sa signification elle semble d'abord

---

(183) Nous n'avons relevé aucun exemple du topos romantique de la « noblesse de l'esprit » exprimé par la réunion de « la plume et l'épée ». Cf. CURTIUS, *Littérature européenne...*, p. 221, qui cite le mot de Balzac à propos de Napoléon : « Ce qu'il a commencé par l'épée, je l'achèverai par la plume. »

(184) III, 108.

(185) Cf. *ibid.*, 132.

(186) Cf. *ibid.*, 206.

(187) *Mythologies*, p. 200-202, et *supr.*, p. 93.

s'en éloigner et se rapproche des métaphores du sauvage et du criminel. L'individualisme outrancier de la bataille sociale qu'elle illustre s'exerce aux dépens de la communauté et apparaît comme une menace pour l'autorité patriarcale.

En fait, l'opposition entre le soldat et le général renvoie bel et bien à une notion centralisatrice : le faible de cœur et d'esprit n'a aucune chance de survivre. Mais il constitue un instrument indispensable. C'est lui le simple soldat qui se fait tuer pour assurer le triomphe des grands capitaines, généraux, condottieri, chevaliers et chasseurs : de Marsay, Vautrin, Rastignac, les vainqueurs de *La Comédie humaine*. L'application de ce processus à la réalité contemporaine immédiate explique que, dans plusieurs sous-groupes, la conquête amoureuse apparaisse comme subsidiaire ou en tout cas inséparable de la conquête sociale. De la sorte, la signification de la métaphore militaire rejoint celle de la métaphore royale et décrit directement l'établissement du nouveau patriarcat, édifié au moyen du soldat et de l'esclave et, comme dans la métaphore de jeu, sans contrevenir à la loi sociale. Celle-ci maintient le potentiel anarchique de la lutte dans les limites convenables [188].

6. L'Église [189]

La métaphore ecclésiastique offre bien des traits communs avec la métaphore militaire. Elle constitue comme elle, par sa forme, une représentation dérivée du patriarcat, et elle présente aussi certaines connotations sans rapport avec lui, mais spécifiques de l'état religieux. De même, dans la mesure où elle possède une signification unifiée, elle exprime des traits intellectuels et moraux qui favorisent l'ascension sociale.

Les exemples ne traduisent qu'assez peu des qualités à proprement parler morales, encore moins des vertus chrétiennes. Un seul décrit la *charité*, à propos du juge Popinot :

> Partout où des fonctions gratuites étaient à exercer, il acceptait et agissait sans emphase, à la manière de *l'homme au petit manteau* qui passe sa vie à porter des soupes dans les marchés et dans les endroits où sont les gens affamés (In, III, 24).

Cinq autres la *chasteté* — forcée d'ailleurs [190] — un autre l'*intrépidité* [191]. Quelques-uns, la *discipline*, l'exactitude, le silence de la règle monacale, parfois pour en dénoncer la froideur, et enfin, la *retraite* hors du tourbillon de la vie sociale [192]. Tous les autres se situent dans la tradition satirique,

(188) La culture de la terre ou de la vigne se prête parfois à la description du succès ou de l'ascension sociale : Balzac fait allusion dans *Eugénie Grandet* à « tous les instruments aratoires dont se sert un jeune oisif pour labourer la vie » (III, 509), et Rastignac utilise la même métaphore dans *Le Père Goriot* : « ... Mais je ne puis me passer des outils avec lesquels on pioche la vigne dans ce pays-ci » (II, 917).

(189) Soixante exemples relevés, dont quatre inquisiteurs qui connotent la finesse.

(190) Par exemple PCh, IX, 93.

(191) Col, II, 1097.

(192) Huit exemples, par ex. MCP, I, 30.

soit comique, soit sévère. Parfois Balzac reprend les imputations médiévales : *gourmandise* et *concupiscence* du prêtre [193] : il parle d'une

> œillade de province où, par habitude, les femmes mettent tant de réserve et de prudence dans leurs yeux qu'elles leur communiquent la friande concupiscence particulière à ceux des ecclésiastiques pour qui tout plaisir semble ou un vol ou une faute (EG, III, 513) [194].

La *dissimulation* apparaît déjà. Elle constitue évidemment le grief essentiel souvent résumé par le terme de jésuite, qui dit tout [195]. Cet usage n'innove, pas par rapport à celui du dix-huitième siècle, mais Balzac sait à l'occasion varier le détail de la comparaison :

> Enfin, elle devait se montrer affectueuse pour l'auteur de sa défaite !... Il n'y a d'analogue à cette situation que certaines hypocrisies qui durent des années dans le sacré collège des cardinaux ou dans les chapitres des chefs d'ordres religieux (CP, VI, 590).

Quand il ne reproche pas son hypocrisie au prêtre, il le traite avec une désinvolture voltairienne : il lui comparera le commis-voyageur, « prêtre incrédule qui n'en parle que mieux de ses mystères et de ses dogmes » (IG, IV, 11). Mais la critique, superficielle d'ailleurs, se nuance de respect [196], quand elle reprend l'alliance familière des trois robes :

> Il n'y a que les prêtres, les magistrats et les médecins pour agir ainsi : la robe est toujours terrible (UM, III, 318).

Respect de la force donc. Même sur le mode facétieux, la hiérarchie religieuse résume la hiérarchie sociale : Raphaël, en songeant que la richesse va bientôt lui permettre de dominer ses compagnons de débauche, s'exclame : « Allons, canaille de la haute société, bénissez-moi. Je suis pape » (PCh, IX, 156) [197]. La persévérance dans la ruse explique le pouvoir de l'Eglise :

> Profond comme un moine, silencieux comme un Bénédictin en travail d'histoire, rusé commme un prêtre.. (Pay, VIII, 211).

On aura remarqué que les dérivations métaphoriques contiennent peu d'allusions contemporaines précises. Toutefois, les connotations prin-

---

(193) Six exemples.

(194) Cf. en particulier PG, II, 885 ; PCh, IX, 111 et 225.

(195) Cf. le personnage du Père de Lunada, dans *Le Centenaire*.

(196) Cf. le commentaire de M. B. Guyon, *op. cit.*, p. 200-201, à propos de l'*Histoire impartiale des jésuites*, brochure rédigée par Balzac, pour des raisons mercantiles, en 1824, et consacrée à la défense de la Compagnie de Jésus : « ... sans que Balzac lui-même en prît peut-être clairement conscience, ces théories qu'il ne soutenait que par jeu ou par calcul, correspondaient profondément à sa philosophie générale, à cette interprétation du monde purement positiviste que nous lui avons vu élaborer au cours des années précédentes... Il plaide pour des causes auxquelles il ne croit pas. Mais il le fait à l'aide d'arguments qui sont le prolongement logique de sa pensée la plus profonde. »

(197) Cf. aussi PG, II, 984 et PCh, IX, 67. Il est à noter que, dans *La Peau de chagrin*, l'image ecclésiastique apparaît à onze reprises. Elle traduit en particulier les privations physiques et morales que Raphaël a connues dans sa jeunesse (75, 93), puis l'étouffement progressif de toute vie en lui et autour de lui (167, 224, 225, 232).

cipales se prêtent au jeu de l'ambition individuelle propre à la nouvelle société : la ruse, la dissimulation et, dans un certain nombre de cas, la règle ecclésiastique elle-même apparaissent comme un moyen de succès et de domination [198].

7. Droit et justice [199]

Cette métaphore, dernière représentation sociale du patriarcat, s'écarte du modèle unitaire plus souvent que les précédentes. En effet, elle ne traduit pas régulièrement la montée du nouveau pouvoir. Certes, elle met en œuvre la notion d'un principe d'ordre et d'autorité, mais celui-ci se caractérise fréquemment par son action négative, qui entrave plus qu'elle ne favorise l'ascension.

L'intérêt principal de cette catégorie est d'énoncer avec beaucoup de netteté la distinction entre loi officielle d'un côté, loi naturelle et loi sociale de l'autre. Par suite, elle accorde, au moins qualitativement [200], une place non négligeable aux rapports intersubjectifs. Ceux-ci sont réglés par la loi naturelle, qui impose son code justicier — d'où une récurrence, après la métaphore criminelle, de la notion de faute et de châtiment :

> En toute autre chose, la duplicité, le manque de foi, les promesses inexécutées rencontrent des juges, et les juges infligent des châtiments ; mais il n'en est pas ainsi pour l'amour, qui doit être à la fois la victime, l'accusateur, l'avocat, le tribunal et le bourreau ; car les plus atroces perfidies, les plus horribles crimes demeurent inconnus, se commettent d'âme à âme sans témoins, et il est dans l'intérêt bien entendu de l'assassiné de se taire. L'amour a donc son code à lui, sa vengeance à lui : le monde n'a rien à y voir. Or, j'ai résolu, moi, de ne jamais pardonner un crime, et il n'y a rien de léger dans les choses du cœur (MJM, I, 215-216).

Cette parenté avec la métaphore criminelle va plus loin : elle réintroduit indirectement la composante anarchique de cette dernière catégorie, la confusion entre crime « légal » et crime illégal, ainsi que le droit pour l'offensé ou la victime de se faire justice eux-mêmes, par la vengeance personnelle.

La loi naturelle ne contrevient pas forcément à la loi officielle. Elle peut s'exercer parallèlement à elle et la suppléer dans ses lacunes. Ainsi s'établit le glissement de la loi naturelle à la loi sociale, et, dans le domaine comparé, le passage des rapports intersubjectifs à la peinture sociale :

> L'une des gloires de Royer-Collard est d'avoir proclamé le triomphe constant des sentiments naturels sur les sentiments imposés...

---

(198) La ruse et le secret prédominent aussi chez les *diplomates* (treize exemples), associés à la corruption : « Pour la haute société, ces passages de la vie, ces congrès diplomatiques sont comme de petits coins honteux où chacun jette ses ordures » (CM, III, 129). Par rapport à la précédente, cette série met l'accent sur la finesse et la profondeur, aux dépens de la discipline de vie. Il n'y a pas lieu de s'y attarder.

(199) Vingt-sept exemples relevés.

(200) Six exemples s'appliquent au domaine du cœur.

> Enfin le Droit naturel a des lois qui n'ont jamais été promulguées et qui sont plus efficaces, mieux connues que celles forgées par la Société. Lucien venait de méconnaître, et à son détriment, la loi de solidarité qui l'obligeait à se taire et à laisser Jacques Collin se défendre (S & M, V, 991) [201].

L'ambition personnelle échoue si elle enfreint ce code naturel, puis social, dont les impératifs entraînent dans leur sillage, à côté d'une certaine solidarité, le soupçon, la torture, la culpabilité et le châtiment. Chaque être trouve un autre être en face de lui qui a le pouvoir de le rappeler à l'ordre. Ce rapport de force fonctionne au profit d'un principe social, — tyrannie de l'argent :

> Ils [Mme de Restaud et Maxime du Trailles] étaient en ce moment tous deux devant leur juge, qui les examinait comme un vieux dominicain du seizième siècle devait épier les tortures de deux Maures, au fond des souterrains du Saint-Office (Gb, II, 647) ;

préjugés de classe :

> S'il n'existe pas de Cour d'assises pour la haute société, elle rencontre le plus cruel de tous les procureurs-généraux, un être moral, insaisissable, à la fois juge et bourreau : il accuse et il marque (Ma, IX, 828).

Cet être moral ne pratique pas la doctrine de l'Evangile. Même quand l'image évoque le succès qui doit couronner l'observance du code et la victoire de la force qui en est inséparable, elle souligne en même temps l'égoïsme de l'ambitieux :

> Le Méridional en était à son premier calcul. Entre le boudoir bleu de madame de Restaud et le salon rose de madame de Beauséant, il avait fait trois années de ce *Droit parisien* dont on ne parle pas, quoiqu'il constitue une haute jurisprudence sociale qui, bien apprise et bien pratiquée, mène à tout (PG, II, 905-906) [202].

Le code social se présente donc comme une élaboration du code naturel. Tous deux sont implicites. Tous deux sont au service de motivations personnelles. Le lien entre domaine intersubjectif et domaine social confère à ce tableau un caractère de permanence que corrige en partie la précision historique de certaines dérivations [203].

Dans toutes les catégories sociales qui constituent par leur forme une représentation positive de la métaphore paternelle, la notion de pouvoir

---

(201) Cf. F30, II, 750.

(202) Cf. F30, II, 1031.

(203) Il vaut la peine de signaler une curieuse image de *Modeste Mignon*, qui ne reflète pas les constantes que nous avons dégagées, mais qui traduit bien le caractère altier de l'héroïne : « Elle imagina qu'en devenant irréprochable catholiquement parlant, elle arriverait à un tel état de sainteté, que Dieu l'écouterait et accomplirait ses désirs ». Il s'agit pour elle de trouver un mari. Elle « assigne Dieu ». En vain. « Un jour où elle avait *cité* Dieu pour la troisième fois... De ce coup, elle destitua Dieu de toute puissance » (I, 395-396).

établi recèle, par rapport aux formes antagonistes du sauvage, du criminel et de la courtisane, un contenu différent : celui-ci renvoie aux nouvelles valeurs qui gouvernent la société bourgeoise et surtout à l'individualisme, condition du succès. Une telle mutation est inhérente à la structure métaphorique, qui repose sur la distance sémantique, aussi faible soit-elle, entre groupe comparant et groupe comparé. Puisque les comparants empruntés aux catégories du monarque, de l'armée, de l'Eglise et de la Justice représentent le pouvoir traditionnel, les forces sociales que représentent les comparés doivent avoir un contenu distinct. Les connotations communes aux deux groupes se rattachent à un même principe abstrait de force et d'autorité, et la distance sémantique se réfugie dans la différence concrète du contenu des institutions.

Au terme de cette analyse des métaphores de situations sociales, deux questions subsistent, sur lesquelles il importe de faire le point : la corrélation établie par Balzac entre nature sociale et nature individuelle et ses implications idéologiques ; le statut du principe unitaire tel qu'il se dégage des diverses catégories, considérées directement, indirectement ou même négativement comme formes équivalent général de la valeur sociale et énergétique.

Nous avons vu que la « temporalisation » explicite des comparés, et encore plus des comparants, démythifie la croyance à une imperfection sociale fondée en nature. Toutes les catégories, sauf peut-être la métaphore du sauvage, contiennent des exemples de ce processus, qui assigne clairement à Balzac un rôle de mythologue. Mais dans les autres exemples, qui l'emportent quantitativement, la peinture sociale, malgré la virulence de la critique, se situe dans le prolongement de la peinture intersubjective et établit un lien causal ou même une identification de l'une à l'autre. Et, de toute façon, dans les deux cas la notion même de hiérarchie et la structure centralisatrice ne sont pas mises en question.

Identifier la nature sociale à la nature individuelle, que Balzac considère comme une donnée permanente et immuable, c'est tomber dans la privation d'histoire que dénonce Roland Barthes comme trait de l'idéologie bourgeoise. Et de là à accepter la structure sociale, sinon son contenu, comme fondée en nature, il n'y a qu'un pas, que Balzac franchit. Quand l'image exprime les nouvelles valeurs et en particulier l'individualisme, la démarche idéologique est doublement bourgeoise, qui occulte la composante historique afin de véhiculer une valeur précisément bourgeoise.

Quelle relation y a-t-il entre les vues historiques de Balzac et sa mythologie sociale ? Leur parenté est incontestable et on ne trouve pas de solution de continuité de l'une à l'autre. Tout d'abord, le fait est que les métaphores peignent la réalité contemporaine, même si c'est pour lui conférer, trop souvent, un caractère atemporel. (A ce propos, il faut remarquer que c'est de toute façon une tendance du processus métaphorique que de fonder « une contingence en éternité », même si cette tendance est beaucoup plus marquée dans le cas du stéréotype. Faut-il en conclure que le recours à la métaphore est une démarche idéologiquement bourgeoise ? Evidemment non. En réalité, la question ne se pose avec tant d'acuité qu'à cause de la convergence entre la société comme catégorie comparante et la société comme groupe comparé.) Ensuite, le discours non-métaphorique balzacien fournit une analyse sociale fortement ancrée dans l'Histoire, aspect auquel on a d'ailleurs jusqu'à présent accordé le plus d'attention. Ces deux faits empêchent toute rupture, et ne suscitent pas non plus de véritable contradiction, entre la mythologie sociale de Balzac et sa conception de l'Histoire. Ce qui en tout cas les caractérise l'une et l'autre, c'est l'aspiration à l'unité.

Toutefois, cette aspiration ne se manifeste pas toujours de la même manière dans les deux domaines. Sur le plan métaphorique, elle entraîne l'absence des aspects intermédiaires — simplification à laquelle ne se prête pas aussi bien le discours historique. On voit les contours d'une société : le fort et le faible, l'esclave et le révolté, le vainqueur et le vaincu. En mettant l'accent sur le haut et sur le bas de l'échelle, la mythologie sociale introduit un ordre qui n'existe pas au même degré dans la société, ni dans la nature [204].

Si la tentation anarchique s'exprime avec une telle insistance au sein de cet ordre, c'est peut-être parce que la réalité sociale comparée est le lieu même de la lutte entre l'ordre ancien et l'ordre nouveau, et de la victoire du second. La tension entre l'élan anarchique et le principe d'autorité apparaît comme un reflet, sinon comme une conséquence, de cette lutte, qui du moins favorise son développement. Le passage est accompli quand l'individualisme se transforme d'élan anarchique en valeur bourgeoise et devient un facteur de succès : la structure patriarcale se maintient tout en changeant de teneur.

Ces péripéties successives se nouent et se dénouent dans les divers contenus de l'image, qui immobilise les aspects les plus saillants de la fresque historique de *La Comédie humaine*. Il est clair que l'adhésion explicite de Balzac à un pouvoir fort se situe dans l'axe de la métaphore patriarcale au même titre que les métaphores de situations sociales. Vautrin ne fait que prendre la relève de Napoléon ou de Catherine de Médicis. L'Histoire rejoint la mythologie : ainsi, l'image royale, en tant qu'équivalent général direct de la valeur politique, acquiert un statut archétypal que met au jour son identification avec le principe de vie unique [205] et qui s'affirme encore dans l'*Avant-propos* de 1842 où la Pensée, c'est-à-dire, pour Balzac, l'énergie, est désignée comme « l'élément social » et où reparaît l'analogie entre le collectif et l'individuel : « ... La vie sociale ressemble à la vie humaine » [206].

La doctrine énergétique de Balzac, dans la plupart de ses applications sociales, se confond bien avec la démarche idéologique bourgeoise, dont il reste complice. Mais elle est encore bien autre chose [207] — un paradigme qui informe sa pensée dans tous les domaines et dont les illustrations

(204) On a souvent fait remarquer le parallélisme qui existe, dans *La Comédie humaine*, entre le domaine social et le domaine naturel (Cf. Guyon, p. 226-228 et 406-407), ou bien entre « sphères » spirituelle et sociale (Cf. Nykrog, en partic. Ch. IV ; Guyon, p. 414-416 ; et *Les Proscrits*, X, 338-341). L'*Avant-propos* de 1842 énonce le parallèle entre espèces zoologiques et espèces sociales qui se retrouve dans la vaste catégorie des métaphores animales. Mais, dans le texte métaphorique, l'échelle sociale n'est pas la réplique de l'échelle de Jacob : on y décèle beaucoup de degrés manquants.

(205) Cf. *supr.*, p. 176-177.

(206) I, 8.

(207) Cf. *supr.*, p. 144.

prennent valeur de paradigme à leur tour. C'est ce phénomène que repère Pierre Barbéris quand il écrit que « le monarchisme de Balzac ne doit pas être jugé en termes de contenu. Il a valeur instrumentale et non pas dogmatique. Comme il fonctionne le plus souvent sous forme de littérature, quelles que soient ses sources, il est exactement un *langage* » [208]. Ce langage, que nous appellerons mythologique, les métaphores de situations sociales le pratiquent sans entraves, dégagées qu'elles sont des exigences référentielles du réalisme historique.

* * *

II. *LA MÉTAPHORE D'ARGENT*

La métaphore d'argent [209] n'atteint pas l'importance quantitative des grandes images fondamentales de *La Comédie humaine* : métaphores physiologiques et religieuses, dans le domaine humain, métaphores animales, végétales, lumineuses, dans le domaine naturel. On y trouve quelques clichés qui se répètent assez souvent, comme *fortune*, *richesses* ou *trésor*, mais, dans l'ensemble, elle se signale par l'extrême diversité des mots-thèmes, concommittante de la souplesse des dérivations sémantiques et du nombre d'œuvres où les exemples constituent un réseau thématique. Jusqu'à présent, en effet, nous n'avons rencontré aucune catégorie comportant un tel nombre de mots-thèmes : cent cinquante-quatre, sans même inclure les nombreux dérivés [210]. Cette profusion, ainsi que l'ouverture sémantique plus grande entre comparant et comparé, affaiblit au maximum l'impression générale de stéréotype.

Malgré quelques chevauchements qui apparaîtront au cours de l'analyse et qui s'expliquent d'eux-mêmes, ces mots-thèmes sont assez clairement différenciés. Leur répartition obéit à trois données principales, dont le simple énoncé suggère en partie le degré de surdétermination qui affecte l'image : la genèse de la forme monnaie en tant qu'équivalent général dans l'ordre des marchandises ; la double qualité de l'or et de l'argent, à la fois métaux dotés de propriétés intrinsèques et forme équivalent général ; enfin, la coexistence de la monnaie de métal et de la monnaie de papier. Esquissons brièvement quelques-uns des problèmes qui se rattachent à ce tableau et leurs répercussions dans le domaine de l'image, où ils déterminent trois groupes principaux.

En premier lieu, *l'or* — et accessoirement l'argent — ne devient monnaie que parce qu'il a été marchandise, c'est-à-dire produit du travail humain et expression d'un rapport social [211]. Mais c'est à cause de ses

---

(208) *Balzac, une mythologie réaliste*, *op. cit.*, p. 205.

(209) 246 exemples relevés.

(210) Par exemple, pour *vendre*, nous ne comptons ni vente, ni vendeur, et ainsi de suite.

(211) Idée développée par MARX (*Le Capital*, p. 80-82), mais déjà perçue au XVIIIe siècle, par exemple par TURGOT : « ... C'est donc comme marchandise que l'argent est non pas le signe, mais la commune mesure des autres marchandises... » (*Œuvres*, t. I, p. 146-147, *cit.* par Michel FOUCAULT, *Les Mots et les choses*, Gallimard, 1966, p. 195). Les économistes du XVIIe siècle ne voient dans la monnaie une richesse que parce qu'elle

qualités intrinsèques qu'il l'emporte comme monnaie, c'est-à-dire comme équivalent général, sur les autres marchandises. Ce double phénomène se reflète dans le contenu de l'image d'*or statique*. D'une part, la valeur de l'or y apparaît beaucoup plus souvent comme le résultat des propriétés du métal — « de là la magie de l'argent » [212] — que comme l'expression d'un rapport social. Ainsi, le mot-thème de l'*or* ne décrit pas le va-et-vient des marchandises, mais la possession matérielle du métal précieux. D'autre part, même dans la seule perspective marxiste qui, nous le verrons, ne rend pas compte de tous les aspects de l'image, les qualités intrinsèques du métal ne constituent pas l'explication complète du statisme de l'or. Car, réciproquement, la « marchandise monnaie » est l'équivalent général par excellence du superflu en valeurs d'usage. C'est cette fonction d'équivalent général qui incite le vendeur à se limiter à l'échange immédiat et à arrêter la circulation de l'or pour le thésauriser en tant qu' « expression sociale du superflu et de la richesse » [213]. Le symbolisme de l'or est donc essentiellement statique grâce à l'action conjuguée de ses qualités matérielles et de son rôle d'équivalent général.

C'est quand l'or est considéré seulement comme l'expression ou le signe de la valeur sociale, et non comme marchandise dans sa réalité matérielle [214], qu'il peut être remplacé par la monnaie de papier. Et c'est comme équivalent général que la monnaie — toute monnaie — décrit un mouvement de va-et-vient, soit borné et refermé sur lui-même, soit ouvert. D'où les deux autres sens de la métaphore d'argent, qui peut exprimer, en termes beaucoup plus abstraits, soit l'*échange commercial*, soit la *spéculation*. Le caractère limité de l'échange commercial, joint au manque de qualités intrinsèques de la monnaie comme simple signe de la valeur, confère une portée restrictive à ce groupe qui se prête tout particulièrement à la satire du mercantilisme et de l'esprit de lucre. Au contraire, le dernier groupe, celui de la spéculation, tire parti du potentiel dynamique de la monnaie comme équivalent général, sans se laisser entraver par son défaut de propriétés naturelles.

La comparaison chronologique entre les deux premiers groupes et le troisième fournit certaines indications, intéressantes sinon concluantes. Nous avons en particulier cherché à voir si, autour de 1837, année de composition de *La Maison Nucingen*, apparaissait une évolution dans le choix ou dans l'emploi des termes les plus fréquents, car c'est vers cette date que Balzac semble avoir pénétré plus avant dans les arcanes de la spéculation [215]. Cette comparaison n'est pas vraiment décisive, étant

---

est d'abord *signe* de richesse, et ceux du XVIe qu'à cause des vertus intrinsèques du métal (*ibid.*, p. 188-189).

(212) MARX, I, II, p. 82.

(213) MARX, I, III, p. 106.

(214) « Le fait que l'argent dans certaines de ses fonctions peut être remplacé par de simples signes de lui-même, a fait naître cette autre erreur qu'il n'est qu'un simple signe. / D'un autre côté, il est vrai, cette erreur faisait pressentir que sous l'apparence d'un objet extérieur, la monnaie déguise en réalité un rapport social. Dans ce sens toute marchandise serait un signe, parce qu'elle n'est valeur que comme enveloppe matérielle du travail humain dépensé dans sa production. » (*Ibid.*, I, II, p. 81.)

(215) Cf. J.-H. DONNARD, *Les Réalités économiques et sociales dans « La Comédie humaine »*, Paris, 1961, p. 312-318.

donné que Balzac a moins écrit après 1837 qu'avant [216]. Toutefois, le groupe de la monnaie d'or contient cinquante-quatre exemples avant 1837, vingt-sept après, et celui de l'échange commercial respectivement soixante-trois et vingt-cinq, tandis que celui de la spéculation inverse les proportions, quoique faiblement : il compte vingt-huit exemples avant 1837 et trente-trois après. On peut interpréter cette augmentation comme le signe d'une assimilation plus poussée des nouvelles formes d'économie par le texte métaphorique. En même temps, la maîtrise grandissante avec les années qui marque régulièrement le recours à l'image favorise dans ce dernier groupe un renouvellement de la théorie unitaire.

A. L'or originel [217]

Le premier groupe de la métaphore d'argent est dominé par les mots-thèmes qui désignent la monnaie métallique. Celle-ci se définit par rapport à la pièce d'or, qui ne le cède elle-même qu'au métal solide. L'image ne présente que rarement quelque trace de la genèse de l'or en tant que marchandise et produit du travail humain, et c'est l'oubli de cette genèse, joint au prestige naturel du métal, qui explique la valeur absolue de l'or et même sa fétichisation [218]. Le contenu de l'image est axé sur la notion de cette valeur absolue qui, sauf dans les exemples de rendement, apparaît donc comme inhérente aux objets plutôt que comme résultant de l'échange. Cet état de choses n'exclut pas l'expression du concept d'échange, mais celui-ci, chaque fois que la valeur réside dans les objets, prend une forme négative : ou bien il ne se manifeste qu'à l'état virtuel (antithèse or-billon) ou bien il exprime une dévaluation (frappe de la monnaie, échange inégal), ou bien encore il se situe antérieurement au contenu de l'image (thésaurisation). Enfin, on constate que l'équivalence entre comparant et comparé peut être d'origine synecdochique et qu'il existe très souvent une relation de contiguïté et d'analogie entre comparants principaux et secondaires.

Aux raisons fondamentales qui expliquent la suprématie de la monnaie d'or s'ajoute peut-être une raison d'actualité, toutefois très secondaire. La monnaie de papier, à l'époque de Balzac, souffre encore de la méfiance occasionnée un siècle plus tôt par la tentative de Law et, pendant la Révolution, par l'émission des assignats. On lui préfère les espèces sonnantes et trébuchantes [219]. Dans ce sens, nous avons trouvé *l'or* mentionné treize fois sans complément [220]. Les *lingots d'or*, les *pièces d'or*, les *louis*, les *écus*, la *pièce de vingt francs*, la *pièce de quarante francs*, le *napoléon*, le *ducat* [221] représentent les monnaies lourdes. S'y ajoutent des

(216) De plus, notre inventaire n'est pas complètement exhaustif. Mais il s'agit là d'une objection assez secondaire, du fait qu'il a été conduit en tenant compte, dans toute la mesure du possible, du pourcentage total des images dans *La Comédie humaine*,

(217) 81 exemples relevés.

(218) Cf. *Le Capital*, I, I, « Le caractère fétiche de la marchandise et son secret », et I, II, p. 80-82.

(219) Cf. *Histoire générale des civilisations. Le XIX*e *siècle*, Paris, PUF, 1961, p. 39.

(220) « Gigonnet et Mitral jetèrent sur les trois employés un de ces regards profonds où éclatait la couleur de l'or... » (E, VI, 1055).

(221) Respectivement 2, 6, 5, 3, 1, 1, 1, 1 exemples relevés.

expressions telles qu'*apprenti gobe-or* pour désigner un avare, *picotin d'or, mines du Potose* [222], *besant* et le cliché [223] *trésor* qui toutes évoquent l'or pour son potentiel économique, même douteux, comme dans le cas du besant. Cette série comprend aussi les mots qui font allusion au mode de fabrication de la pièce d'or : *valeur métallique, frapper monnaie, aloi, Monnaie, balancier, peser, balance de peseur d'or, étalon* [224]. On peut leur adjoindre les termes qui suggèrent simplement de fortes sommes : *fortune, richesses* et *riche, mille francs, million, Banque* [225]. La *monnaie d'argent* n'apparaît que cinq fois dans nos exemples : les degrés de valeur sont nettement tranchés.

En effet, à l'or s'opposent directement le *billon* et la *petite monnaie* [226], à laquelle il convient d'ajouter *monnaie* tout seul dans le même sens, *menue monnaie, pièce de cent sous, sou, gros sous, pièce de cinquante centimes, liard* [227]. *Démonétiser, faux-monnayeur, fausse monnaie* [228] complètent la série. Ces termes, beaucoup moins nombreux que les premiers, assurent la même fonction : ils expriment par contraste la qualité positive de l'or.

L'histoire de la monnaie, ou du moins certains de ses épisodes, est inscrite dans ces deux séries opposées de mots-thèmes. En effet, l'usure des pièces a provoqué une scission entre poids et valeur nominale, d'où la notion de démonétisation. Marx rattache à cette distinction entre « existence métallique et existence fonctionnelle des espèces » l'apparition de la monnaie divisionnaire, jetons de cuivre par exemple, première étape de la symbolisation de la monnaie avant l'apparition des billets [229]. En même temps, dès le XVIe siècle, on s'est aperçu qu'une « monnaie circule d'autant plus vite qu'elle est moins bonne » [230] : le caractère statique du groupe de la monnaie d'or illustre cette loi.

Le contraste de base entre pièce d'or et billon ou pièce démonétisée se manifeste dans quelques exemples qui opposent des degrés éloignés de valeur, ou impliquent une perte de valeur — aspect physique :

> ... La jeune Juive qui se trouvait là comme un napoléon tout neuf dans un sac de gros sous (MC, VIII, 511) [231] ;

portée sociale insignifiante :

> Mais parmi toutes les figures plus ou moins comiques auxquelles cette assemblée devait son caractère, il s'en trouvait une particulièrement effacée comme une pièce de cent sous républicaine (CB, V, 461),

---

(222) Cf. respectivement MM, I, 367 ; IG, IV, 17 ; CM, III, 196.
(223) Respectivement 1 et 28 exemples.
(224) Respectivement 1, 1, 1, 2, 2, 3, 1 et 1 exemples.
(225) Respectivement 2, 5, 3, 5 et 1 exemples.
(226) Respectivement 2 et 7 exemples.
(227) Respectivement 1, 1, 5, 2, 3, 1 et 2 exemples.
(228) Respectivement 2, 1, 1 exemples.
(229) *Le Capital*, p. 103-104. Voir aussi FOUCAULT, p. 180-181.
(230) FOUCAULT, p. 182.
(231) Cf. Col, II, 1129 ; MD, IV, 92.

ou digne d'attention :

> Aussi avait-on essayé de démonétiser le jeune monsieur Amédée de Soulas à l'aide de ce mot : — C'est un *homme très avancé* (AS, I, 758) ;

déchéance physique, morale et financière :

> « ... Ma parole d'honneur, tu ressembles aux pièces de vingt francs que les juifs d'Allemagne ont lavées et que les changeurs refusent » (Be, VI, 432) [232].

La transformation du métal en monnaie établit une antithèse analogue, mais plus précise. Elle s'effectue sous l'effet d'une forte contrainte, qui aboutit à une dévaluation très marquée : exceptionnellement, c'est la pièce d'or elle-même qui exprime alors une diminution de valeur. L'échange, dans ce cas, s'effectue à l'intérieur de l'image et prend la forme d'une conversion synecdochique du comparant principal au comparant secondaire. Les exemples relevés concernent tous les trois la valeur intellectuelle. Dans *Louis Lambert*, l'image dénonce l'exploitation dirigée de l'intelligence par des éducateurs dénués de sensibilité. Le héros est

> déplanté par Corinne de ses belles campagnes pour entrer dans le moule d'un collège auquel chaque intelligence, chaque corps doit, malgré sa portée, malgré son tempérament, s'adapter à la règle et à l'uniforme comme l'or s'arrondit en pièces sous le coup du balancier (X, 376) [233].

Dans *Illusions perdues*, c'est la corruption des milieux littéraires et artistiques qui dévalue le talent et les qualités morales :

> Depuis deux heures, aux oreilles de Lucien, tout se résolvait par de l'argent. Au Théâtre, en Librairie comme au Journal, de l'art et de la gloire, il n'en était pas question. Ces coups du grand balancier de la Monnaie, répétés sur sa tête et sur son cœur, les lui martelaient (IV, 712).

L'opposition entre le métal et le billon ou la petite monnaie peut prendre, par contiguïté, une autre forme, celle d'un *échange inégal* où le sujet se trouve soit lésé, soit, parfois, avantagé. Encore une fois, la valeur peut résider dans le talent ou dans les idées intellectuelles :

> Là seulement [à Paris], vous échangerez vos idées ; ... là, vous serez compris et ne risquerez pas de mettre en jeu des pièces d'or contre du billon (AEF, III, 209) ;
>
> ... Retenant et prodiguant des phrases toutes faites qui se frappent régulièrement à Paris pour donner en petite monnaie aux sots le sens des grandes idées ou des faits (F30, II, 706) [234].

---

(232) Les courtisanes — ici Josépha, ailleurs Mme Marneffe, la Schontz dans *Béatrix* — emploient volontiers des métaphores d'argent.

(233) Dans *Melmoth réconcilié*, où l'image s'en prend au système des concours, la conversion synecdochique n'est pas actualisée dans l'énoncé, mais elle est implicite : « [Le Gouvernement] dresse à ce métier des jurés peseurs de talents qui essaient les cervelles comme on essaie l'or à la Monnaie (IX, 268). Cf. CV, VIII, 691, *cit. infr.*, p. 217, et *argent niveleur*, *infr.*, p. 206.

(234) Cf. MD, IV, 70 ; IP, IV, 752 ; CB, V, 348 et ELV, X, 312.

Dans le domaine des relations intersubjectives, l'image exprime une perte ou un profit également arbitraires :

> L'amour est un faux monnayeur qui change continuellement les gros sous en louis d'or, et qui souvent aussi fait de ses louis des gros sous (VF, IV, 280) [235] ;
>
> ... Des gens qui vous paient en jalousie et en sourires, qui vous vendent la fausse monnaie de leurs phrases, de leurs compliments et de leurs adulations contre les lingots d'or de votre courage, de vos sacrifices, de vos inventions pour être belle, bien mise, spirituelle, affable et agréable à tous (MJM, I, 253) [236].

Les trois formes d'opposition qui précèdent considèrent bien l'or ou la pièce d'or comme le lieu d'une valeur absolue, que le mécanisme de l'échange a pour fonction de confirmer, en exprimant non pas une équivalence, mais au contraire une inégalité de base. Même la frappe de la monnaie, qui ne modifie pourtant pas le poids réel du métal, donc sa valeur, suggère une dévaluation. Plus l'or reste proche de sa forme brute, plus s'affirme sa suprématie. L'échange est faussé par un processus de déformation lié à cette idéalisation du métal concret. Quant à la valeur elle-même, le domaine comparé en définit le contenu. Ou bien elle est d'ordre affectif, ou bien elle tend à se confondre avec l'intellect. Dans les deux cas, elle exprime le danger d'un gaspillage ou d'une dissolution de l'énergie. Le principe unitaire n'est pas vu comme un surplus de vitalité destiné à fructifier en circulant, mais comme une source vitale qu'il ne faut pas entamer. La nécessité de l'épargne est implicite dans cette interprétation de la dévaluation.

Elle se trouve développée dans le sous-groupe de la *thésaurisation*, où le concept d'échange reste extérieur à l'image qui, le plus souvent, retire l'or du circuit économique. La monnaie de métal, survivance d'un système périmé, évoque le bas de laine ou le trésor enfoui dans le sol. Soustraite à l'échange, la pièce d'or affirme sa valeur intrinsèque. Elle symbolise l'accumulation et la possession, dont la jouissance se suffit à elle-même. Ici commence à s'expliquer la relation axiale de l'image avec la métaphore paternelle et l'homologie, illustrée plus en détail que dans les métaphores de situations sociales, entre l'ordre des marchandises, l'ordre des pulsions et l'ordre des rapports intersubjectifs [237]. Cette homologie est d'origine fantasmatique et s'explique à la fois par la contiguïté référentielle [238] qui rapproche dans l'inconscient les images d'ingestion, de digestion, de gestation, de conception, et par le rapport analogique qui les unit symboliquement à l'argent. Ce n'est pas la relation de comparant à comparé, mais la juxtaposition de comparants empruntés à une ou plusieurs de ces catégories en même temps qu'à l'or, qui est le plus éclairante. On trouve en général représentés les trois ordres de l'homologie : les com-

---

(235) Cf. PMV, X, 916.

(236) L'échange est moins arbitraire, s'il reste inégal, dans cette image du *Cousin Pons* : « Vous tous qui ne pouvez plus boire à ce que, dans tous les temps, on a nommé la *coupe du plaisir*, prenez à tâche de collectionner quoi que ce soit (on a collectionné des affiches !), et vous retrouverez le lingot du bonheur en petite monnaie (CP, VI, 533).

(237) Cf. *supr.*, p. 145-146.

(238) Cf. *supr.*, p. 25, N. 34 et p. 28-29.

parés renvoient à l'ordre des rapports intersubjectifs, la métaphore monétaire, comparant principal, à l'ordre des marchandises, et les comparants secondaires (incorporation, etc.) à l'ordre des pulsions. Les rapports internes qui relient ces trois ordres homologues se résument comme suit : il existe une analogie symbolique entre l'or ou l'argent, dans l'ordre des marchandises, et les formes équivalent qui caractérisent, dans l'ordre des pulsions, les stades oral, anal et phallique. Les différentes formes équivalent de l'ordre des pulsions sont unies entre elles par une contiguïté spatiale et temporelle. Et c'est un rapport d'inclusion qui unit au phallus, objet partiel promu au rôle d'équivalent général dans l'ordre des pulsions, l'image paternelle, équivalent général des autruis dans l'ordre des rapports intersubjectifs.

Il faut spécifier que la métaphore de thésaurisation n'établit pas seulement une homologie entre équivalents généraux des différents ordres, mais aussi, et plus souvent, entre l'or, équivalent général, et des formes équivalent particulières — objets partiels relevant des stades oral et anal, et correspondant aux formes simple et développée de la valeur [239]. Nous reviendrons bientôt sur cette caractéristique à propos de la peinture de l'avarice. Notons enfin que les équivalences argent-nourriture-digestion-sexualité intervertissent facilement comparants et comparés sur le plan formel : on les rencontre non seulement dans la catégorie des métaphores monétaires, où l'argent joue le rôle de comparant, mais aussi dans diverses catégories de métaphores physiologiques où il joue le rôle de comparé : leur origine et leur portée ne varient pas.

Un de ces exemples canoniques qui résument toute une catégorie, ou peu s'en faut, met en lumière l'origine psychanalytique de la métaphore monétaire, aussi bien sous l'angle de la spéculation que sous celui de la thésaurisation. Il réunit en effet la référence au phallus, promu forme équivalent général, et celle aux autres objets partiels, formes équivalent particulières, et introduit dans l'expression de la fécondité une différenciation sexuelle (« enceintes d'écus ») généralement absente de l'image et renvoyant au stade génital. La métaphore développe l'allégorie de l'homme-idée du Canal de l'Essone et fait allusion aux aventures administratives qui ont empêché l'exécution du projet de canal :

> Cet effroyable type de malheur social, long comme un tœnia, ressemblait aux sacoches de la Banque..., quand elles en partent pour revenir enceintes d'écus. Mais elle était partie de la Banque depuis soixante-dix ans sans y rentrer, cette pauvre sacoche, en quête de ses millions, et la gueule béante comme un boa qui rampe à jeun (AIH, X, 1161).

Peu d'images actualisent aussi explicitement un tel phénomène de condensation. Le ténia et le boa, symboles phalliques, suggèrent la virtualité d'un échange productif qui serait assuré par l'entrée des écus dans les sacoches de la Banque, où ils pourraient fructifier et se multiplier : de même la construction du canal serait une excellente spéculation. Simultanément,

(239) Cf. Marx, I, i, p. 50-68 et Goux, p. 66-68.

l'échec de la quête aux millions et l'espoir, même déçu, de la thésaurisation, transforment l'image de génération et de gestation (sacoches enceintes) en une image d'incorporation (sacoches-ténia-gueule-à jeun) et le ténia lui-même suggère une digestion boulimique, sinon autophagique. Cette seconde série de métaphores, qui renvoie aux stades oral et anal, relie la non-réalisation de l'échange aux formes équivalent particulières. Celles-ci font fonction d'équivalent général, puisqu'elles sont associées à l'argent. Ce décalage est à la source de la double loi qui régit l'aspect statique ou dynamique de la métaphore monétaire : l'association argent-phallus et/ou fécondation, qui rapproche deux formes équivalent général, est décelable dans un certain nombre de métaphores à connotation positive et dynamique qui décrivent la circulation et la spéculation [240]. L'association archaïque argent-objets partiels présente le plus souvent des connotations négatives et décrit le statisme de l'or [241].

La présence de la composante sexuelle et alimentaire pourrait voiler ce caractère négatif, si la mention de l'avarice ne figurait fréquemment à ses côtés soit comme comparant, soit comme comparé :

> Malheureusement au milieu d'eux Madame du Gua voyait tout ; et, comme un avare qui donne un festin, elle paraissait leur compter les morceaux et leur mesurer la vie (Ch, VII, 874) [242].

Le cas de l'avarice, et de toutes les manies d'accumulation, qui s'expliquent par une fixation au stade anal, constitue la forme la plus névrotique du statisme de l'or. Si la métaphore monétaire n'actualise pas cette fixation [243], elle y renvoie en rapprochant l'avarice et d'autres traits qui partagent la même origine ; — méfiance et inquiétude :

> Cette lettre que je touchais durant le voyage comme un avare tâte une somme en billets qu'il est forcé de porter sur lui (Lys, VIII, 895) [244] ;

---

(240) Cf. *infr.*, p. 205 sq.

(241) Cette chaîne d'associations trouve son assise dans de nombreux textes de Freud. Elle repose sur l'incorporation, but commun des activités sexuelle et alimentaire pendant le stade oral (Cf. *Trois Essais sur la théorie de la sexualité*, Gallimard, « Idées », p. 95), qui explique la théorie infantile de la gestation, laquelle confond, comme l'exemple des *Aventures d'une idée heureuse*, ventre sexuel et ventre digestif. Elle illustre aussi l'identité symbolique plus complexe entre fèces, argent, pénis, enfant (cf. *ibid.*, p. 80), que développe en détail l'essai « Sur les transformations des pulsions, particulièrement dans l'érotisme anal » (1917) (in *Complete Psychological Works*, Standard Edition, London, vol. 17, p. 130-131).

(242) On trouve un rapprochement positif argent-nourriture dans le « picotin d'or » qui doit assurer la subsistance du commis-voyageur (IG, IV, 17). Dans la métaphore alimentaire comme dans la métaphore d'argent, le rapprochement a le plus souvent des connotations négatives. Cf. aussi PCh, IX, 171, qui associe l'avarice à l'impuissance, *infr.*, p. 223.

(243) Fixation manifeste, par contre, dans une métaphore physiologique de *La Fille aux yeux d'or* : « Dans ce troisième cercle social, espèce de ventre parisien, où se digèrent les intérêts de la ville et où ils se condensent sous la forme dite *affaires*, se remue et s'agite par un âcre et fielleux mouvement intestinal, la foule des avoués, médecins, notaires, avocats, gens d'affaires, banquiers, gros commerçants, spéculateurs, magistrats » (V, 262). Cf. aussi *infr.*, métaphore alimentaire, p. 271-273, et sensations internes, p. 279.

(244) Cf. In, III, 28.

circonspection et perspicacité :

> Son front jaune était plissé comme celui des hommes habitués à ne rien croire, à tout peser, et qui, semblables aux avares faisant trébucher leurs pièces d'or, cherchent le sens et la valeur exacte des actions humaines (Cor, IX, 901) [245].

La référence à l'or minéral, associée à d'autres attitudes névrotiques, est une variation sur le thème de l'avarice. Des mots comme *enfouir*, *engloutir*, *enfermer* [246] traduisent des situations affectives où le sujet cherche à soustraire au monde l'objet de son amour :

> Nos trésors doivent être si bien enterrés, que le monde entier les foule aux pieds sans les soupçonner (MJM, I, 217).

La maison, la chambre peuvent tenir lieu de refuge souterrain :

> Le père Rouget, quoi que pût lui dire M. Hochon, vint dans la rue prendre Flore par la main, comme un avare eût fait pour son trésor ; il rentra chez lui, l'emmena dans sa chambre et s'y enferma (R, III, 1075).

La dépendance de Jean-Jacques Rouget à l'égard de la Rabouilleuse est d'ailleurs comparée à celle de l'enfant pour sa mère [247]. Il vit retiré du monde, entièrement absorbé dans son amour jaloux [248].

Seuls les quelques exemples de *rendement* [249] s'écartent de cette conception statique et actualisent le potentiel productif de l'or. On peut discerner celui-ci chaque fois que l'image exprime une ouverture vers l'extérieur. Il se traduit parfois au moyen des clichés de *richesses* et de *trésors*, dont *La Recherche de l'Absolu* [250] exploite le double sens : Balthazar Claës, à la recherche d'un « trésor », prive les siens des « trésors » de la prospérité et de l'affection familiales :

> Ha ! s'écria Balthazar, je vous rendrai des trésors... — Les seuls trésors que nous possédions en Flandre, cousin, c'est la patience et le travail (IX, 613) [251].

Le serviteur Lemulquinier, qui s'identifie à son maître, ne doute pas du succès final : « ...Il avait des réponses sibylliques et toujours grosses de trésors » (527). Il faut noter l'équivoque de « grosses », qui réintroduit l'image de gestation à côté de la notion de productivité. Le cliché archétypal est l'une de ces « preuves linguistiques » qui consignent des associations que la psychanalyse a élucidées. Témoin le cliché renouvelé qui

---

(245) Cf. *ibid.*, 919-920, et Ven, I, 871 (avidité).

(246) Six exemples relevés.

(247) III, 978, 1068.

(248) Pour d'autres exemples de repli et de captation plus ou moins caractérisés, cf. Lys, VIII, 800 et 831 ; Fré, XI, 66. L'image du coffre-fort présente les mêmes connotations : « ... Des anges au doux sourire, à l'air rêveur, à figures candides, dont le cœur est un coffre-fort » (Be, VI, 266). Cf. « ... La femme qui venait de bouleverser cette caisse doublée de fer appelée Nucingen » (S & M, V, 717).

(249) Neuf exemples, plus trois d'héritage.

(250) Huit métaphores d'argent.

(251) Cf. 572. Pour les autres exemples de *La Recherche de l'Absolu*, cf. 536, 636.

décrit le père Grandet, après la mort de sa femme, aux petits soins pour Eugénie, dont il entend capter l'héritage : «... Enfin, il la couvait comme si elle eût été d'or » (III, 622) [252]. Le surnom qui, en vertu du cratylisme, devient parfois le nom propre du personnage romanesque, peut lui aussi servir de preuve linguistique. Ainsi, certains avares balzaciens portent leur cannibalisme en exergue : Gobseck, l'avare le plus monomane de *La Comédie humaine* ; Gobenheim, surdéterminé par le sobriquet d' « apprenti gobe-or » (MM, I, 367) [253].

Dans cinq exemples, c'est la pièce d'or elle-même qui se caractérise par son potentiel de rendement. Tous les cinq se cantonnent dans l'expression du gain matériel, produit du travail ou de toute autre spéculation :

> ... Ces mots : Voilà un temps d'or ! se chiffrent de porte en porte. Aussi chacun répond-il au voisin : Il pleut des louis, en sachant ce qu'un rayon de soleil, ce qu'une pluie opportune lui en apporte (EG, III, 482).

L'homologie des équivalents généraux or-phallus se concrétise quand le domaine comparé renvoie à l'exploitation sexuelle d'un homme riche et puissant :

> Monsieur Marneffe paraissait être à mille lieues de croire que le Jupiter de son ministère eût l'intention de descendre en pluie d'or chez sa femme (Be, VI, 221).

Si cette source de profit est un personnage peu généreux, l'image réunit le repli et l'ouverture : dans *La vieille fille*, le chevalier de Valois conseille à Suzanne d'exploiter le célibataire du Bousquier en lui faisant endosser la responsabilité de sa prétendue grossesse : « Le vieux garçon est le coffre-fort naturel d'une jeune fille » (IV, 223) [254]. Quant à Nucingen, il n'est pas seulement « une caisse doublée de fer », mais un « étang à pièces d'or » [255].

Ce n'est pas un hasard si ces exemples expriment, par une métonymie de la cause fondée sur une série de contiguïtés spatiales, l'or pour la richesse, et la richesse pour la « production ». A partir du moment où l'image perd son caractère statique, elle laisse entrevoir la genèse de la forme équivalent général, l'origine sociale de la pièce d'or en tant que marchandise et produit du travail humain. Mais, plus souvent enfoui

---

(252) Marx relève et utilise de ces preuves linguistiques où, comme chez Balzac, incubation et gestation se confondent : « pondre des œufs d'or » (p. 120), « argent qui pond de l'argent, monnaie qui fait des petits » (121). Il cite un passage d'Aristote sur l'usurier : « ... L'intérêt fait avec de l'argent plus d'argent. De là son nom (*Tókos*, né, engendré), car les enfants sont semblables aux parents » (p. 128). Cf. Grandet : « Vraiment, les écus vivent et grouillent comme des hommes : ça va, ça vient, ça sue, ça produit » (EG, III, 604).

(253) Ces deux surnoms constituent, il est vrai, des métaphores alimentaires, mais, nous l'avons dit, le rapprochement entre argent et nutrition distribue indifféremment comparants et comparés. C'est aussi la métaphore alimentaire qui décrit l'avarice de Gobseck : cf. *infr.*, p. 271 sq.

(254) Cette prétendue grossesse doit être mise en parallèle avec l'impuissance de du Bousquier, personnage qui suscite précisément ici une métaphore de repli.

(255) S & M, V, 717 et 1099.

et immobilisé, le superflu reste stérile et improductif, et peut aller jusqu'à se détruire lui-même :

> Semblable à l'avare satisfait de savoir que ses caprices peuvent être exaucés, elle n'allait peut-être plus jusqu'au désir (DL, V, 159) [256].

On thésaurise pour éviter la dissolution de l'énergie, et l'énergie s'annihile parce qu'on a thésaurisé. Le principe unitaire, concentré dans la monomanie, se consume et s'éteint.

B. La circulation de la monnaie

Les deux groupes de l'échange commercial et de la spéculation décrivent au contraire les transformations du principe unitaire. S'ils conservent ainsi des attaches évidentes avec le groupe de l'or originel, ils illustrent les formes rudimentaires ou complexes de la circulation. Quand l'argent circule, l'homologie que développe le rapport entre comparants et comparés est régulière : elle rapproche les équivalents généraux des trois ordres — marchandises, pulsions, relations intersubjectives — et oppose la monnaie phallique à l'or anal.

a) *L'échange commercial* [257].

L'image d'échange commercial saisit l'un des moments de la circulation simple, l'une des opérations complémentaires de vente et d'achat qui la constituent : « Toute vente est achat, et réciproquement... Vente et achat sont un acte identique, comme rapport réciproque de *deux personnes polariquement opposées*, du possesseur de la marchandise et du possesseur de l'argent [258] ». Cette opération de base suscite une cinquantaine de mots-thèmes axés sur la *vente* (négociant, marchand, chiffrer, bazar, marché, peser, entreprise commerciale, numéroter, mesurer, barême, etc.) et l'*achat* (s'acquitter, payer, coûter, acquérir, solder, versement, arrhes, arriéré, etc.). Des mots à sens mixte évoquent les objets et les modalités de l'opération : marchandise, somme, contrat, gage, propriété, bilan, total, évaluer, commerce, compter, quittance, avoir, caisse, marché, balance, acompte. La métaphore exprime un échange de valeurs équivalentes. C'est donc ici encore la valeur, fondée sur l'utilité respective des objets pour le vendeur et l'acheteur, qui crée l'échange et qui est reconnue au préalable : « La circulation ou l'échange des marchandises ne crée aucune valeur » [259]. Cette situation rudimentaire se distingue pourtant du simple troc entre valeurs d'usage, grâce à l'emploi de la métaphore monétaire. En effet l'argent, comme équivalent général de la marchandise, agrandit le décalage entre valeur d'usage et valeur d'échange. Si l'une s'attache à un objet défini et particulier, l'autre, représentée par la monnaie, perd ses traits distinctifs. Ce progrès vers l'abstraction supprime toute différence qualitative entre les objets.

---

(256) Cf. *infr.*, p. 225-226.
(257) 92 exemples relevés.
(258) Marx, I, iii, p. 96.
(259) *Ibid.*, II, v, p. 127.

Balzac a saisi ce phénomène. Il le commente en mythologue :

> L'argent autrefois n'était pas tout, on admettait des supériorités qui le primaient. Il y avait la noblesse, le talent, les services rendus à l'Etat ; mais aujourd'hui *la loi fait de l'argent un étalon général* (Be, VI, 501) [260].

Sans nul doute cette peinture, aussi exacte soit-elle, est mise au service de son monarchisme légitimiste. Le contraste tourne régulièrement à l'avantage de l'ancienne société :

> Dans une ville où les problèmes sociaux se résolvent par des *équations algébriques*, les aventuriers ont en leur faveur d'excellentes chances (S, VI, 82) [261].

L'argent « niveleur [262] » prédomine dans le groupe de l'échange commercial, qui relie sa suprématie à la réalité contemporaine : d'où une forte homogénéité entre les termes de la comparaison, qui repose le plus souvent sur un rapport métonymique. Positions sociales et sentiments sont pesés, étiquetés, réduits en essences anonymes et interchangeables [263] :

> Certes, si les sacristies humides où les prières se pèsent et se paient comme des épices, si les magasins des revendeuses... n'existaient pas, une Etude d'avoué serait de toutes les boutiques sociales la plus horrible (Col, II, 1089).

La vénalité [264] n'est que l'autre face de ce nivelage : « L'aspect de la monnaie ne trahissant point ce qui a été transformé en elle, tout, marchandise ou non, se transforme en monnaie. Rien qui ne devienne vénal, qui ne se fasse vendre et acheter ! La circulation devient la grande cornue sociale où tout se précipite pour en sortir transformé en cristal monnaie. ... De même que toute différence de qualité entre les marchandises s'efface dans l'argent, de même lui, niveleur radical, efface toutes les distinctions » [265]. Ce rapport logique fonde sur une métonymie de la cause, le plus souvent par contiguïté spatiale directe ou indirecte, le tableau satirique de la société bourgeoise que trace la métaphore monétaire.

> ... Par ces temps où la pièce de cent sous est tapie dans toutes les consciences, où elle roule dans toutes les phrases (CP, VI, 662).

La relation causale qui unit l'homme et l'argent en entraîne une seconde entre l'homme et le crime, soulignée, dans l'exemple ci-dessous, par l'équivoque de EST (entretient des rapports, appartient à) :

> J'ai plus tard rencontré de ces gens, nés riches, qui, n'ayant jamais manqué de rien, ne connaissent pas le problème de cette

---

(260) C'est Bianchon qui parle, autant dire Balzac.

(261) Cf. le commentaire de Roland BARTHES dans *S/Z*, *op. cit.*, p. 46-47.

(262) MARX, I, iii, p. 107.

(263) Cf. *Mythologies*, *op. cit.*, p. 243 : « ... La morale bourgeoise sera essentiellement une opération de pesée : les essences seront placées dans des balances dont l'homme bourgeois restera le fléau immobile. Car la fin même des mythes, c'est d'immobiliser le monde. »

(264) Une trentaine d'exemples.

(265) MARX, I, iii, p. 107.

> règle de trois : *Un jeune homme* EST *au crime comme une pièce de cent sous* EST *à X* (Ath, II, 1158).

Les charges en apparence les plus honorables sont ravalées au rang de boutique, de bazar [266]. Un ministère ou une chaire constituent des valeurs marchandes et échangeables : « Comme monnaie du portefeuille, il voulut une chaire dans l'Instruction publique » (FE, II, 130). La fille à marier est une marchandise, et la conclusion du mariage, nous l'avons vu, une affaire [267] qui se poursuit tout au long de la vie conjugale et où sont également quantifiés argent, situations et sentiments comme trois parties interchangeables. L'épouse apporte sa quote-part en accomplissant sans enthousiasme le devoir conjugal :

> Si ta femme aimait les bénéfices sociaux du mariage, elle en trouvait les charges un peu lourdes. La charge, l'impôt, c'était toi (CM, III, 196) [268].

Les enfants à leur tour font leur entrée dans l'entreprise familiale en tant que marchandise, mot qui doit suggérer à la fois leur provenance anonyme et leur prix de revient :

> Quand, après être restée longtemps séparée de son mari, une femme lui fait des agaceries un peu trop fortes, afin de l'induire en amour, elle agit d'après cet axiome du droit maritime : le pavillon couvre la marchandise (Phy, X, 865) [269].

Si des considérations économiques se mêlent à l'amour, elles introduisent le même nivelage entre sentiments et intérêts : « ... La stratégie de la passion... ne varie pas. Le cœur et la caisse sont toujours en rapports exacts et définis » (B, II, 577). Cette remarque, que fait Balzac à propos d'une femme entretenue et de son amant, et que Valérie Marneffe reprend à son compte quand elle s'adresse à son protecteur Crevel [270], vaut aussi pour le couple de Lousteau et de Mme de la Baudraye, dans *La Muse du département* : « ...Ce pauvre garçon... s'imposait au logis un sourire semblable à celui du débiteur devant son créancier » (IV, 187).

Quand les considérations financières ne se mêlent pas directement aux sentiments et à la morale, l'image illustre à première vue un rapport proprement analogique pour dépeindre le nivelage qui affecte les valeurs affectives, et la sécheresse mathématique qui préside à toutes les activités humaines. L'homme d'état idéal, selon de Marsay, doit « avoir, dans son moi intérieur, un être froid et désintéressé..., et qui nous souffle à propos de toute chose l'arrêt d'une espèce de barême moral » (AEF, III 211). L'image emprunte, pour la dénoncer, l'une des figures de la rhétorique du mythe bourgeois, la « quantification de la qualité » [271], qui réduit pour les peser les valeurs à un commun dénominateur :

---

(266) Cf. F30, II, 752-753 (« bazar humain ») ; Lys, VIII, 891 (« le bazar du monde »).

(267) Cf. *supr.*, métaphore de la courtisane, et BS, I, 87 ; CM, III, 109, 125 ; MJM, I, 209 ; MM, I, 566-567 ; Be, VI, 150.

(268) Cf. *ibid.*, 196-197 et Phy, X, 640-641, 794.

(269) Cf. CM, III, 86-87 ; AEF, III, 233.

(270) Be, VI, 304, 407.

(271) *Mythologies*, p. 241-242.

> ... L'habile négociant analysa lourdement les ressources que les lois et les mœurs pouvaient offrir à Augustine pour sortir de cette crise ; il en numérota pour ainsi dire les considérations, les rangea par leur force dans des espèces de catégories, comme s'il se fût agi de marchandises de diverses qualités ; puis il les mit en balance, les pesa... (I, 57).

C'est là que l'attitude de Balzac redevient ambiguë, car la morale de l'histoire révèle que ces calculs tatillons apportent le bonheur au petit commerçant, et qu'Augustine meurt de ne pas s'y être soumise. Il n'est pas de bonheur possible, dans une telle société, en dehors d'une organisation commerciale de l'existence [272] :

> Ils avaient accepté la vie comme une entreprise commerciale où il s'agissait de faire avant tout honneur à ses affaires (*ibid.*, 56).

Pour ce jeune ménage de commerçants, affaires et amour ne font qu'un. On s'aperçoit alors que la métaphore, une fois de plus, est une métonymie : pour être riches, pesons nos sentiments. Grandet, cas extrême, énonce une identification synecdochique entre vie et argent, quand Eugénie lui abandonne son héritage :

> Va, mon enfant, tu donnes la vie à ton père ; mais tu lui rends ce qu'il t'a donné ; nous sommes quittes. Voilà comment doivent se faire les affaires. La vie est une affaire. Je te bénis (III, 624).

L'équivalence vie-argent apparaît même en dehors de toute considération financière et identifie la valeur au principe unitaire dans le domaine inter- et intrasubjectif. La loi d'équilibre du *Tout se paye* prend ici son sens le plus balzacien. Ce qui se dépense d'un côté se regagne de l'autre, et ce qui s'acquiert se paie par une dépense correspondante. Tel est l'aspect le plus caractéristique de la métaphore d'échange commercial. Bonheur et malheur oscillent à l'intérieur d'un circuit fermé, où la somme d'énergie utilisée ne varie pas. C'est dans la peinture de la passion amoureuse que cette loi se dégage le plus clairement. L'amour est une valeur, qui se déprécie une fois appropriée :

> ... La conscience de l'immense valeur d'un amour absolu se perd bientôt, comme le débiteur se figure, au bout de quelque temps, que le prêt est à lui (Be, VI, 322).

Toutes les dépenses semblent justifiées pour acquérir « ces chimères de race que les femmes achètent à des prix fous » (MM, I, 438) [273]. L'amour exige des sacrifices, des *impôts* [274], auxquels c'est la femme encore qui se résigne le plus aisément :

> ... Elle explique les chagrins antérieurs comme la soulte exigée par le destin pour les éternelles félicités qu'elle donne au jour des fiançailles de l'âme (Lys, VIII, 840) [275] ;

---

(272) Une trentaine d'exemples.

(273) Cf. FA, I, 238.

(274) DF, I, 940 ; Phy, X, 855 ; et dans d'autres domaines Ma, IX, 836 ; Cath, X, 294 ; LL, X, 382.

(275) Cf. *ibid.*, 853.

> ... Si vous étiez mordu par un désir envieux, pensez que ce beau couple, aimé de Dieu, a d'avance payé sa quote-part aux malheurs de la vie (UM, III, 479).

Si on ne paie pas d'avance son bonheur futur, on doit payer son bonheur passé :

> ... Le jour où mes soupçons auraient rencontré l'indifférence, le loyer qui attend la jalousie, eh ! bien... je serais morte (MJM, I, 324).

Ce système de vases communicants, qui favorise le nivelage, englobe le domaine moral :

> Pourquoi les femmes n'auraient-elles pas des défauts ? Pourquoi les déshériter de l'Avoir le plus clair de la nature humaine ? (CM, III, 90).

Le concept de paiement soumet la conduite de l'être humain à une forme de justice distributive. Les autres existent, indifféremment, en tant qu'instruments de récompense et de punition, de bonheur et de malheur :

> La plus corrompue [des femmes] exige, même avant tout, une absolution pour le passé, en vendant son avenir, et tâche de faire comprendre à son amant qu'elle échange contre d'irrésistibles félicités, les honneurs que le monde lui refusera (F30, II, 763).

Cette citation fait ressortir la confusion entre bonheur et récompense, malheur et châtiment implicite dans les exemples précédents. On souffre pour être heureux, et on est puni parce qu'on a été heureux. Les quatre termes de l'équivalence sont interchangeables et exigent la même dépense d'énergie.

Ainsi, l'équivalent général, en cataloguant les essences, les confond. Même en dehors de toute préoccupation vénale, l'argent peut intervenir à nouveau dans cette arithmétique, non par une simple analogie, mais comme agent de l'histoire, pour abattre encore mieux les cloisons entre tous les domaines, y compris celui de l'au-delà : « L'homme est toujours certain d'être payé de retour par Dieu », lit-on dans *Albert Savarus*. Un épisode d'*Une double famille* laisse entrevoir cette dimension métaphysique du mécanisme niveleur inhérent à la société contemporaine, où l'argent peut à la fois tout représenter et tout procurer. Le comte de Granville, plutôt que de secourir, maintenant qu'elle est mourante, la femme qui l'a autrefois abandonné, donne en aumône un billet de mille francs à un vieux chiffonnier, avec ordre de dépenser la somme au cabaret : « Voilà mon compte soldé avec l'enfer, et j'ai eu du plaisir pour mon argent » (DF, I, 989). Il fait la charité, dit-il, pour se procurer une satisfaction égoïste, seule contrepartie qu'il ait trouvée à la perte de ses illusions :

> ... Je paie une sensation comme je paierais demain d'un monceau d'or la plus puérile des illusions qui me remuait le cœur. Je secours mes semblables, pour moi, par la même raison que je vais au jeu » (I, 987).

L'argent énergétique est donc à la fois le symbole et le moyen de l'équivalence généralisée des sentiments.

Nulle œuvre ne met mieux cette loi en lumière que *Le Père Goriot* [276], où la monnaie, sur le plan de l'histoire comme sur le plan métaphorique, joue le rôle de commun dénominateur entre les actions, les sentiments et la force vitale du personnage principal. L'image, d'abord axée sur l'exploitation réciproque à laquelle se livrent les personnages, mus par l'intérêt ou par la passion, et sur les liens entre « le cœur et la caisse », déborde vite ces limites pour retrouver son sens originel de principe centralisateur.

Le début du roman dépeint les locataires de la pension Vauquer, cupides au sein de la pauvreté, avec leurs « faces froides, dures, effacées comme celles des écus démonétisés » (II, 855). Mme Vauquer, avec ses « yeux ridés, dont l'expression passe du sourire prescrit aux danseuses à l'amer renfrognement de l'escompteur » (852), est un de ces

> individus nés mercenaires qui ne font aucun bien à leurs amis ou à leurs proches, parce qu'ils le doivent ; tandis qu'en rendant service à des inconnus, ils en recueillent un gain d'amour-propre (865) [277].

Dans le grand monde, on se préoccupe avant tout de la valeur sociale de l'individu-marchandise. Le vocabulaire ne change pas beaucoup, et les sentiments encore moins :

> Ce regard fut comme un baume qui calma la plaie que venait de faire au cœur de l'étudiant le coup d'œil d'huissier-priseur par lequel la duchesse l'avait évalué (908).

Si Vautrin stigmatise Mlle Michonneau par l'appellation de « vieille vendeuse de chair » (1015), la duchesse de Langeais déclare à propos du mariage du comte de Restaud avec une fille Goriot :

> Il a fallu être amoureux fou, comme l'était Restaud, pour s'être enfariné de mademoiselle Anastasie. Oh ! il n'en sera pas le bon marchand ! Elle est entre les mains de monsieur de Trailles, qui la perdra (909).

Mais c'est la passion paternelle du père Goriot qui illustre le mieux l'union du cœur et de la caisse, soit l'homologie entre l'ordre des rapports intersubjectifs, l'ordre des pulsions et l'ordre des marchandises. L'action centralisatrice de sa passion est d'abord mise en parallèle avec l'acquisition de sa fortune :

> Deux sentiments exclusifs [son amour pour sa femme et ses filles] avaient rempli le cœur du vermicellier, en avaient absorbé l'humide comme le commerce des grains employait toute l'intelligence de sa cervelle (920).

Cette concentration intense de passion et de richesse va bientôt être compensée par une dépense excessive de sentiment qui provoque en même temps la ruine matérielle du père Goriot :

> Notre cœur est un trésor, videz-le d'un coup, vous êtes ruiné. Nous ne pardonnons pas plus à un sentiment de s'être montré

(276) Vingt exemples de métaphores monétaires.
(277) Cf. 1077, et *infr.*, *spéculation*, p. 214.

> tout entier qu'à un homme de ne pas avoir un sou à lui. Ce père avait tout donné. Il avait donné, pendant vingt ans, ses entrailles, son amour ; il avait donné sa fortune en un jour (911).

L'argent du père Goriot devient un symbole de sa substance vitale, et même sexuelle :

> Le bonhomme [il va voir sa fille] descendit le premier et jeta dix francs au cocher, avec la prodigalité d'un homme veuf qui, dans le paroxysme de son plaisir, ne prend garde à rien (1022).

Pour rester riche, il faut contrôler ses passions. Goriot est l'antithèse des commerçants de *La Maison du chat-qui-pelote* [278]. L'épuisement de sa fortune illustre le lien inextricable entre argent et sexualité. Il coïncide avec le désespoir et la déchéance où le jette l'abandon de ses filles. «*Homme à passions* » selon Vautrin (884), il vendrait tout pour elles (885) : « ... Moi, moi qui vendrais le Père, le Fils et le Saint-Esprit pour leur éviter une larme à toutes deux ! » (973). Ce sentiment trouve son corollaire dans l'attitude mercenaire de ses filles :

> Je les aime tant, que j'avalais tous les affronts par lesquels elles me vendaient une pauvre petite jouissance honteuse (1070).

Madame de Restaud a « escompté jusqu'à la mort de son père » (1061). L'équilibre du *Tout se paie* se manifeste doublement dans le cas de Goriot : ayant tout donné — sa vie comme son argent — il meurt. En même temps, tout ce qu'il a donné est passé du côté de ses filles. Le principe des vases communicants s'applique là aussi.

La métaphore de l'échange commercial est bien le reflet d'un point de vue moniste, où l'économie de l'existence obéit au système des équivalences [279]. Sur le plan social, l'argent niveleur, valeur suprême et moyen d'échange universel, illustre les manifestations du principe d'ordre patriarcal qui régit la société bourgeoise et précise le tableau déjà esquissé par l'image de la courtisane. Dans le domaine inter- et intrasubjectif, il continue à éclairer les liens entre argent et sexualité. Plus généralement, il identifie la valeur aux sentiments fondamentaux, interprétés comme des modifications de l'énergie, et qui déterminent bonheur et malheur, récompense et punition, quatre parties d'une somme invariable. Mais la monnaie phallique particularise ce processus familier : elle entraîne la centralisation

---

(278) Cf. *supr.*, p. 208.

(279) En psychanalyse, « *Economique* qualifie tout ce qui se rapporte à l'hypothèse selon laquelle les processus psychiques consistent en la circulation et la répartition d'une énergie quantifiable (énergie pulsionnelle), c'est-à-dire susceptible d'augmentation, de diminution, d'équivalences ». Cette définition recouvre des phénomènes qu'on pourrait qualifier de « balzaciens » : « Ainsi un symptôme mobilise une certaine quantité d'énergie, ce qui a pour contrepartie un appauvrissement au niveau d'autres activités, le narcissisme ou investissement libidinal du moi se renforce aux dépens de l'investissement des objets, etc. ». On songe à la relation thésaurisation-avarice-impuissance (cf. *infr.*, p. 225). On peut pousser le parallèle encore plus loin en se référant à la thèse d'un des successeurs de Freud : « D. Lagache insiste sur l'idée, inspirée notamment de la phénoménologie, selon laquelle l'organisme structure son entourage, et sa perception même des objets, en fonction de ses intérêts vitaux, valorisant dans son milieu tel objet, tel champ, telle différence perceptive... ». LAPLANCHE et PONTALIS, *op. cit.*, article *Economique*, p. 125 et 127.

spatiale du principe unitaire, qu'elle assigne aux organes vitaux de la conception physique et mentale. Ce phénomène est particulièrement sensible dans les exemples d'*Eugénie Grandet* et du *Père Goriot*.

« Là où il y a égalité, il n'y a pas de lucre [280] ». Les possibilités réduites de la circulation simple, dont l'image ne retient d'ailleurs qu'une seule opération, expliquent l'orientation négative du groupe de l'échange commercial, et la facilité avec laquelle il s'adapte précisément à la satire du mercantilisme. Car ce que l'image critique, ce n'est pas la perspective du bénéfice — attitude qui serait tout à fait étrangère à Balzac — mais la mesquine arithmétique de l'existence. Et dès qu'elle adopte le point de vue énergétique, il devient malaisé de démêler la satire du constat.

Or, la notion de spéculation ouvre de nouvelles possibilités, et assigne au principe unitaire une faculté d'expansion insoupçonnée. Et c'est justement à cause de cette connotation positive (qui n'exclut d'ailleurs pas le risque de catastrophe) que la satire sociale se fait moins virulente et plus ambiguë.

b) *La Spéculation* [281].

Le groupe de l'échange commercial exploite une notion traditionnelle, tandis que celui de la spéculation est le reflet d'une réalité économique véritablement moderne. Non que cette réalité ait sa source au XIXe siècle. Elle est née à la fin du Moyen-Age, et a fleuri au XVIe siècle, en même temps que la Banque, dans le sillage de la découverte du Nouveau Monde. L'afflux en Europe de l'or et de l'argent venus d'Amérique ont perfectionné la technique financière, progrès qui s'est poursuivi au XVIIe et surtout au XVIIIe siècles. D'où l'apparition ou le développement d'une terminologie nouvelle. Si le mot de *change* existait dès le XIIe siècle, *effet de change* n'apparaît qu'au XIVe siècle, *Banque* au XVe. *Capital* date du XVIe siècle, *escompte* de la fin du même siècle, *action* est attesté en 1669, *Bourse* en 1677, *billet de banque* en 1716. *Spéculateur*, *spéculatif*, *spéculation*, au sens financier, apparaissent au XVIIIe siècle, et *spéculer* comme terme de Bourse est attesté en 1801 seulement [282]. Nous avons déjà indiqué [283] que la France est en retard sur les autres pays d'Europe occidentale dans l'emploi de la monnaie de papier. Il en va de même dans le domaine du crédit [284], donc de la technique bancaire en général. Cela explique peut-être le rôle assez important que joue encore l'*usure* dans les images de spéculation chez Balzac. Mais compte tenu du décalage chronologique qui retarde l'emploi métaphorique d'un mot, et grâce au coup de fouet de la révolution industrielle et économique qui se manifeste enfin en France au début du XIXe siècle, Balzac fait figure de novateur par l'aisance avec laquelle il assimile et intègre dans son système des notions aussi récentes.

---

(280) MARX, II, v, p. 124.
(281) 61 exemples relevés.
(282) Ces termes-clés n'épuisent évidemment pas la liste des mots-thèmes du groupe de la spéculation. Nous en avons relevé une soixantaine.
(283) Cf. *supr.*, p. 197.
(284) Ce retard est encore sensible à l'époque où Balzac écrit : cf. J.-H. DONNARD, p. 279. La France, pays catholique où d'autre part le commerce est peu développé, interdit encore le prêt à intérêt au XVIIIe siècle : cf. *Histoire générale des civilisations, Le XVIIIe siècle*, PUF, 1959, p. 120. Mais il y a des infractions à cette loi.

Dès le dix-septième siècle, on perçoit que la circulation des marchandises, réalisée par la monnaie — on achète pour vendre — multiplie les denrées et augmente la richesse. L'échange, à son tour, crée de la valeur [285]. Il appartiendra à Marx de montrer que c'est en prolongeant la journée de travail de l'ouvrier sans augmentation de salaire que le capitaliste crée cette plus-value et que, si la circulation en elle-même ne crée pas de valeur, elle seule peut actualiser la plus-value [286]. Mais, du moins, l'image reflète clairement à la fois le bénéfice de la circulation, et la notion de temps de travail que recouvre la marchandise-monnaie. Cette notion, dans les exemples, est concrétisée par celle de durée. Il y a un temps de travail derrière la marchandise-monnaie, et il y a un temps de travail plus long derrière la plus-value de l'argent. Les comparants du groupe de la spéculation montrent la monnaie au travail, devenue capital et occupée à produire avec de l'argent (A) plus d'argent (total A') [287].

Appliqué au domaine social et intersubjectif, ce processus entraîne inévitablement la même quantification de la qualité que dans le groupe de l'échange commercial. La spéculation suscite toute une gamme de calculs, d'audaces et de réticences, et l'enthousiasme ou l'approbation le disputent à une satire plus désabusée que sévère. Si, sur le plan de l'histoire, les pertes sont aussi éclatantes et aussi nombreuses que les gains, les seconds l'emportent sur le plan métaphorique [288]. Cette attitude optimiste ne va pas sans rappeler celle qui caractérise la métaphore de jeu. Mais la ressemblance s'arrête là. L'image de spéculation s'appuie sur la notion de rapport et non sur celle de réussite.

Le plus souvent donc, le *profit* récompense la spéculation. Métonymique ou métaphorique, l'image décrit les avantages pécuniaires, sociaux ou affectifs qui découlent de l'investissement. La relation A-A', qui distingue dans l'équivalent général argent le capital A du résultat final A' (la somme du capital et de la plus-value), rapproche souvent en termes de valeur deux comparés de nature différente. Ainsi, le profit pécuniaire que fait miroiter Gaudissart, par contiguïté temporelle, au terme de la création artistique, est le produit du talent fertilisé par le travail :

> Car le talent, monsieur, le talent est une lettre de change que la Nature donne à l'homme de génie, et qui se trouve souvent à bien longue échéance... hé ! hé ! — Oh ! la belle usure ! s'écria Margaritis (IG, IV, 35) [289].

Talent et *lettre de change* constituent le comparé et le comparant principaux (le capital A), cependant qu'*échéance*, comme comparant secondaire, désigne la somme (A') du capital de talent et de la plus-value financière qui en résulte. La différence de nature entre les valeurs est plus sensible

(285) Foucault, p. 190-191, 212.
(286) Marx, cf. en particulier I, vi, 136 ; III, vii, 150-151 ; II, v, 128.
(287) *Ibid.*, II, iv.
(288) Trente-quatre exemples de profit contre treize de perte.
(289) Cf. FE, II, 105 ; IP, IV, 828 ; B, II, 579.

si c'est d'un investissement sentimental que découle le profit social et, indirectement, pécuniaire. Mais le travail qui, sous la même forme énergétique, est à l'origine du capital sentimental comme de la plus-value matérielle, contribue au même nivelage que celui de l'échange commercial :

> ... Il comptait sur madame Vatinelle à qui, malheureusement, il devait toutes ses infortunes, et les chagrins d'amour sont souvent comme la lettre de change protestée d'un bon débiteur, elle porte intérêt (CP, VI, 707) [290].

Souvent aussi, l'image a une valeur purement analogique, et le profit prend un contenu affectif qui assigne une plus grande homogénéité à la relation A-A′. L'individu organise sa vie ou ses actions en vue de la somme de bonheur ou de plaisir qu'il peut en retirer, et qui doit, du moins en théorie, dépasser sa mise de fonds initiale. Un médecin de province s'acquiert une réputation de savant (A) :

> Et cet homme avait fini par se regarder comme une des célébrités de la Bourgogne ; les *rentes* les plus solides ne sont pas les rentes sur l'Etat, mais celles qu'on se fait en *amour-propre* (A′) (Pay, VIII, 231).

L'amour se prête aux mêmes bénéfices, soit en sentiment :

> Ceci n'est pas sage, reprit-elle, quelle folie ! Cette consonance dite dans les larmes par sa voix, quel paiement de ce qu'on devrait appeler les calculs usuraires de l'amour ! (Lys, VIII, 884) ;

soit en volupté :

> ... Il alla voir madame Marneffe à laquelle il apporta la lettre de sa femme pour lui montrer le désastre dont elle était la cause, et, pour ainsi dire, escompter ce malheur, en demandant en retour des plaisirs à sa maîtresse (Be, VI, 356) [291].

Certains exemples démythifient plus explicitement la quantification de la qualité dont ils sont l'illustration :

> N'auriez-vous donc fait le bien que pour en percevoir cet exorbitant intérêt appelé reconnaissance ? dit en riant Benassis. Ce serait faire l'usure. — Ah ! je sais bien, répondit Genestas, que le mérite d'une bonne action s'envole au moindre profit qu'on en retire ; la raconter, c'est s'en constituer une rente d'amour-propre qui vaut bien la reconnaissance (MC, VIII, 398) [292],

paroles auxquelles la Schontz apporte un écho cynique (et métonymique), car chez elle la plus-value doit toujours se résoudre en profit matériel :

> ... Nos actions généreuses sont comme les actions de Couture, dit-elle en regardant à la glace pour voir quelle personne arrivait, il faut les placer à temps (B, II, 599).

---

(290) Cf. F30, II, 706 ; FA, II, 209 ; PM, I, 1015 et 1022-1023 ; MM, I, 406 ; CM, III, 84.

(291) Cf. FM, II, 46.

(292) Cf. In, III, 28.

La spéculation, de même que l'échange, confond l'ordre des marchandises et celui des relations intersubjectives. Comme *La Maison du chat-qui-pelote*, *Le Père Goriot* et *Eugénie Grandet*, *Mémoires de deux jeunes mariées* associe la vie affective des personnages à l'établissement d'une fortune :

> Comment, ma chère, dans l'intérêt de ta vie à la campagne, tu mets tes plaisirs en coupes réglées, tu traites l'amour comme tu traiterais tes bois ! (I, 190).

Ainsi raille Louise de Chaulieu. Mais la coupe des bois leur alloue une plus-value qui s'étend au domaine moral. Toute la vie humaine est une illustration de la parabole des talents de l'Evangile. La constitution d'un majorat pour son fils aîné représente, dans l'esprit de Renée de l'Estorade, une preuve d'amour et une garantie de bonheur. Non seulement les récompenses que la vie doit apporter au dévouement de la mère s'expriment en termes de spéculation :

> La maternité est une entreprise à laquelle j'ai ouvert un crédit énorme, elle me doit trop aujourd'hui, je crains de n'être pas assez payée : elle est chargée de déployer mon énergie et d'agrandir mon cœur, de me dédommager par des joies illimitées (I, 210) [293],

mais tout le roman démontre l'interdépendance matérielle et morale du succès de l'entreprise familiale. Le patriarcat ne trouve pas de défenseur plus persuasif que la métaphore de spéculation, affranchie de l'égalité débilitante qui caractérise l'échange commercial [294]. Dès à présent, les liens sont manifestes entre la vie et l'argent, mais il n'y a pas encore identification précise entre la monnaie et le principe unitaire [295].

La transition du profit à la perte s'opère grâce à la notion de risque qui caractérise quatorze des exemples relevés. L'investissement, s'il multiplie les chances de gain, augmente aussi l'importance de la perte. Parfois, l'espoir du succès domine encore [296]. Mais, le plus souvent, l'inquiétude et le danger passent au premier plan :

> L'avare s'arrêta, se tourna vers sa compagne, en examina le visage comme s'il eût regardé, manié et remanié une lettre de change douteuse à escompter, et poussa son terrible soupir (Ch, VII, 945) ;
>
> Nous regardions notre Marcas, comme des armateurs qui ont épuisé tout leur crédit et toutes leurs ressources pour équiper un bâtiment, doivent le regarder mettant à la voile (ZM, VII, 760) [297].

(293) Cf. *ibid.*, p. 301.

(294) En fait, dans *Mémoires de deux jeunes mariées*, l'image de spéculation, appliquée au mariage, supplante celle de la courtisane, et confirme le préjugé favorable qui s'attache à l'entreprise de Renée de l'Estorade. Cf. *supr.*, p. 174.

(295) Cf. *infr.*, p. 216-217.

(296) Cf. FE, II, 90, 103 ; UM, III, 300.

(297) Cf. MCP, I, 36 ; UM, III, 370 ; Bou, VII, 191 ; Lys, VIII, 887.

Enfin, chaque fois que le capital investi se trouve positivement entamé, on frôle le désastre ou on y tombe [298]. Quelques mots-thèmes nouveaux s'ajoutent aux précédents : *faillite, tirer à vue, usufruitier*. Le terme même de *capital* apparaît plus fréquemment, ce qui révèle peut-être une tendance à développer plus explicitement la relation A-A′ quand elle est présentée comme vouée à l'échec.

A nouveau, l'amour, et surtout la fin de l'amour, sont vus en termes de dépense et de pertes quantifiables :

> Vivre avec une femme mariée ?... C'est tirer à vue sur le malheur, c'est avaler toutes les couleuvres du vice sans en avoir les plaisirs (MD, IV, 166).

Sans nul doute, les considérations financières ne sont pas absentes de ce jugement et la métaphore est aussi une métonymie. Mais le rapprochement qui suit a surtout une valeur analogique. Bixiou dépeint les deux amants, le jour où ils ne s'aimeront plus, se « battant comme les actionnaires d'une commandite attrapés par leur gérant ! Votre gérant, à vous, c'est le bonheur » *(ibid.)*. De même, dans *La Cousine Bette*, Montès, quand il comprend que Valérie le trompe avec Wenceslas, est « calme comme un failli, le lendemain du bilan déposé » (VI, 493) [299].

On est bien près de l'épuisement et de la mort [300]. Les exemples suivants précisent l'équivalence vie-argent. Jacques Collin y a recours pour définir la vie en suspens du forçat évadé :

> Qu'est-ce qu'un forçat condamné à perpétuité !... S'il s'évade, vous pouvez vous défaire si facilement de lui ! c'est une lettre de change sur la guillotine ! (S & M, V, 1115).

Le début de *La fausse maîtresse* démythifie le style de vie et d'ameublement de l'aristocratie. A cause de l'incertitude politique, l'existence ne constitue plus le capital, mais seulement l'usufruit, d'où l'accumulation des objets pour combler ce vide essentiel :

> Tel est un boudoir en 1837, un étalage de marchandises qui divertissent les regards, comme si l'ennui menaçait la société la plus remueuse et la plus remuée du monde. Pourquoi rien d'intime, rien qui porte à la rêverie, au calme ? Pourquoi ? personne n'est sûr de son lendemain, et chacun jouit de la vie en usufruitier prodigue (FM, II, 18) [301].

C'est surtout quand l'image évoque le moment même du désastre que le capital investi tend à s'identifier matériellement au principe de vie. Dans *Béatrix*, seul roman où le groupe de la spéculation constitue un réseau organisé, l'amour, et surtout ses tourments, semble porter atteinte à l'existence physique des personnages :

---

(298) Treize exemples relevés, contre trente-quatre exprimant le profit.

(299) Deux images du *Lys* unissent le jeu et l'argent pour traduire le désespoir : VIII, 986 (« impuissance... joueur à son dernier enjeu »), 994 (« joueur ruiné »).

(300) Six exemples.

(301) On songe à la pièce d'Ionesco, *Amédée ou comment s'en débarrasser*.

> On veut bien quitter une femme, mais on ne veut pas être quitté par elle. Quand les amants en arrivent à cette extrémité, hommes ou femmes s'efforcent de conserver la priorité, tant la blessure faite à l'amour-propre est profonde. Peut-être s'agit-il de tout ce qu'a créé la société dans ce sentiment qui tient bien moins à l'amour-propre qu'à la vie elle-même attaquée alors dans son avenir : il semble que l'on va perdre le capital et non la rente (II, 506) [302].

Au moment même où il associe encore une fois l'argent au principe vital, le commentaire de Balzac discerne une confusion entre nature et société, et l'ingérence de la seconde dans la première — exemple d'autant plus remarquable de la fonction démythifiante d'une grande partie des métaphores monétaires que le point de vue énergétique est ahistorique par définition. Bien loin de « fonder le contingent en éternité », l'image, ici, assigne une cause sociologique et une limite temporelle à un sentiment qui tient « à la vie elle-même ».

Sans être exclusive, la perspective ahistorique prédomine pourtant dans les exemples isolés où l'identification vie-capital prend une forme tout à fait physiologique et se concentre dans les organes vitaux. L'excès de dépense suscite un écoulement de substance. Le comte de Mortsauf hypocondriaque et spéculateur malheureux, incapable de distinguer sa maladie de sa ruine, assigne un lieu central à ses tourments :

> ... Au milieu d'une phrase il s'interrompait pour parler de sa moelle qui le brûlait, ou de sa cervelle qui s'échappait à flots, comme son argent (Lys, VIII, 873).

Dans *César Birotteau*, la notion de capital est associée à la dépense excessive de *fluide nerveux*. Le héros éprouve

> en lui-même l'indéfinissable épuisement qui suit les luttes morales excessives où se dépense plus de fluide nerveux, plus de volonté, qu'on ne doit en émettre journellement et où l'on prend pour ainsi dire sur le capital d'existence (V, 506).

« Mutilation » cérébrale encore, provoquée par le système des concours, qui exigent un trop gros effort de *cerveaux* trop jeunes :

> La Quintinie tuait des orangers pour donner à Louis XIV un bouquet de fleurs, chaque matin, en toute saison. Il en est de même pour les intelligences. La force demandée à des cerveaux adultes *(sic)* est un escompte de leur avenir (CV, VIII, 691).

---

(302) *Béatrix* contient un des rares emplois positifs de l'image du *capital*, pour évoquer l'acuité du premier chagrin, et la réaction de l'organisme qui se défend : « La douleur, de même que le plaisir, a son initiation. La première crise, comme celle à laquelle Sabine avait failli succomber, ne revient pas plus que ne reviennent les prémices en toute chose... Le capital de nos forces a fait son versement pour une énergique résistance » (II, 562). Réciproquement, l'abandon total à la passion est une spéculation sans avenir : « Un grand amour est un crédit ouvert à une puissance si vorace, que le moment de la faillite arrive toujours » (II, 608). Les autres images de spéculation de *Béatrix* émaillent surtout les discours de la Schontz, en harmonie avec son rôle de courtisane, et sont axées sur la notion de profit : cf. II, 579, 582, 599, 601. Cf. aussi 593.

Melmoth réconcilié exploite de façon unique l'identification physiologique vie-capital et revient à la satire sociale en attribuant un objet singulier aux fluctuations des valeurs de Bourse. La vision fantastique y étend à l'autre vie le champ de la spéculation : l'éternité offre à la plus-value la possibilité d'une expansion sans limite en ce monde [303]. Le caissier Castanier a vendu son âme au diable contre une puissance terrestre absolue. L'opération ressemble d'abord à un simple échange commercial. Mais ses proportions démesurées en transforment le caractère. Castanier domine bientôt tous les secrets de l'univers et en vient non seulement à mépriser l'existence humaine, mais à désirer la vie éternelle à laquelle il n'avait jamais songé auparavant : « Par cela seul qu'il avait renoncé à son éternité bienheureuse, il ne pensait plus qu'à l'avenir de ceux qui prient et qui croient » (IX, 299). Ainsi, dès ce stade, la part de paradis qu'il a abandonnée contre une plus-value terrestre est précisément une part (non sans équivoque sans doute), qu'il pourra racheter pour augmenter son capital de vie. Car le capital A, c'est la vie entière, qui inclut l'espoir de la vie future. Dans « l'entreprise de l'éternité », seul l'accès à la vie éternelle, après la mort, donnera toute son amplitude au terme A′. En attendant, le conte spécule sur les deux contenus possibles de la plus-value, qu'on vend et qu'on achète à l'avance. L'échange, qui est bien l'un des aspects de cette spéculation, s'exerce entre les plus-value céleste (le paradis) et infernale (la puissance en ce monde). Castanier, en investissant son capital de vie, a réalisé, mais seulement sur le plan humain, la forme A′ de la spéculation. C'est un marché de dupes à côté de ce qu'il a perdu. Cependant, il lui reste la possibilité de racheter sa part de paradis en se défaisant de ses actions sur l'enfer. C'est ici que la satire apparaît et réintroduit l'argent niveleur. Le pacte diabolique n'est pas seulement affaire de fantastique, mais affaire de Bourse, car Dieu lui-même fait partie des financiers :

> Il est un endroit où l'on cote ce que valent les rois, où l'on soupèse les peuples, où l'on juge les systèmes, où les gouvernements sont rapportés à la mesure de l'écu de cent sous, où les idées, les croyances sont chiffrées, où tout s'escompte, où Dieu lui-même emprunte et donne en garantie ses revenus d'âmes, car le pape y a son compte courant. Si je puis trouver une âme à négocier, n'est-ce pas là ? (IX, 305).

Castanier se rend donc à la Bourse et propose le marché à Claparon, spéculateur en détresse :

> Je connais une affaire... qui vous obligerait à... vendre votre part de paradis. N'est-ce pas une affaire comme une autre ? Nous sommes tous actionnaires dans la grande entreprise de l'éternité (306).

Une fois l'affaire conclue, Castanier, ayant regagné son éternité, meurt en chrétien. Il faut souligner que, s'il gagne ainsi sa vie en la perdant et accède à la forme maximale du stade A′, c'est grâce à l'argent niveleur, qui lui a permis de mesurer le néant des valeurs humaines et de se tourner vers le ciel. De son côté, Claparon paye ses effets et, « convaincu de son

(303) Cf. *supr.*, p. 47-48.

pouvoir », prend peur et se défait à son tour de ses actions sur l'enfer ou, autrement dit, rachète sa part de paradis :

> L'inscription sur le grand-livre de l'enfer, et les droits attachés à la jouissance d'icelle, mot d'un notaire que se substitua Claparon, fut achetée sept cent mille francs (308) [304].

L'opération se répète à plusieurs reprises, mais la valeur de l'âme baisse au cours de ces achats-ventes successifs, car — ironie — le manque de foi est tel en ce lieu que personne ne croit « à ce singulier contrat » et que chacun met son âme à fort bas prix.

Finalement, le cours de l'âme va tomber à zéro à la suite de la dernière transaction. Le dernier acheteur-vendeur a échangé son âme contre dix mille francs et l'enfer, pour obtenir les faveurs d'une madame Euphrasie :

> Le pacte consommé, l'enragé clerc alla chercher le châle, monta chez madame Euphrasie ; et, comme il avait le diable au corps, il y resta douze jours sans en sortir en y *dépensant tout son paradis*, en ne songeant qu'à l'amour et à ses orgies au milieu desquelles *se noyait le souvenir de l'enfer et de ses privilèges. / L'énorme puissance* conquise par la découverte de l'Irlandais *se perdit* ainsi (309).

L'identification de l'argent et du principe vital dans la dépense sexuelle [305] aboutit à l'anéantissement simultané des plus-values céleste et infernale, c'est-à-dire de l'âme et de l'argent équivalent général. L'espoir du ciel s'efface en même temps que la menace de l'enfer. Réduit par la débauche à sa dimension terrestre — sans âme — le capital de vie se trouve fortement entamé. Il reste au conte à narrer son annihilation finale. Le clerc connaît le châtiment des amours vénales. Ayant voulu se soigner seul, il s'administre une dose, bien sûr excessive, de vif-argent (ou mercure) qui l'emporte, selon le mot d'un personnage, « dans la planète de Mercure » (310) [306]. Faut-il assimiler Mercure à l'enfer ? Bien que le cadavre soit devenu « noir comme le dos d'une taupe », ou pour cette raison même, la conclusion exprime plutôt l'incrédulité moqueuse d'un impie. Peut-être Castanier est-il monté au ciel, mais rien ne le dit. Par contre, la débauche du dernier détenteur renvoie dos à dos le ciel et l'enfer.

L'image ne suggère que faiblement la complexité des mécanismes financiers que *La Maison Nucingen* démonte avec une si évidente maîtrise [307]. Mais du moins *Melmoth réconcilié*, en jouant sur la dimension

---

(304) Balzac, nous semble-t-il, n'a pas entièrement résolu les difficultés terminologiques de la situation : Claparon *paye* sept cent mille francs, mais *achète* son salut. L'argent qu'il donne est l'équivalent de l'inscription sur l'enfer. Son partenaire *achète* l'inscription sur l'enfer du salut de son âme, ou bien il *vend* son âme. Mais l'emploi du terme unique *acheter* pour désigner ces diverses actions reflète bien l'identité de l'opération vente-achat.

(305) Cf., dans l'*échange*, PG, II, 1022 et EG, III, 624, p. 211 et 208 *supr.*

(306) La fin de *Melmoth réconcilié* est une série d'équivoques sur la nature du mal et le nom du remède. Cf. la fin de *Béatrix*, *supr.*, p. 79.

(307) Cf. l'analyse de Maurice BOUVIER-AJAM, « Les opérations financières dans *La Maison Nucingen* », *Europe*, jan.-fév. 1965, p. 28-51.

temporelle, donne-t-il une idée des possibilités fabuleuses que recèle la spéculation pour Balzac. Déjà dans *La Peau de chagrin*, on trouve une exploitation très poussée de l'équivalence temps-argent. Plus généralement, l'intrigue du roman met en œuvre les trois sens principaux de la métaphore [308] avec une cohésion qui justifie une analyse d'ensemble. Elle se prête particulièrement à l'identification entre argent et principe de vie, puisqu' elle met directement en cause la vie même du héros. Il est vrai que l'amour reste l'intermédiaire de choix : ainsi l'identification s'établit tantôt directement, tantôt indirectement. Les soucis matériels qui harcèlent Valentin avant l'obtention de la peau introduisent une composante métonymique dans la métaphore qu'il emploie pour décrire ses relations avec Foedora : « Ce cœur de femme était un dernier billet de loterie chargé de ma fortune » (IX, 106). Après une conversation où se révèle la froideur mercantile de la jeune femme, Valentin, qui rend la misère responsable de ses déboires sentimentaux, reprend le parallèle entre la vie et l'argent:

> Il ne s'agissait plus d'argent, mais de toutes les fortunes de mon âme. J'allais au hasard, en discutant avec moi-même les mots de cette étrange conversation ; je m'égarais si bien dans mes commentaires que je finissais par douter de la valeur nominale des paroles et des idées ! (113).

L'équivoque sur *fortunes*, qui reparaîtra, permet la dérivation de « valeur nominale », qui renouvelle le cliché et en développe l'un des contenus virtuels. La corruption de l'argent s'étend au domaine intellectuel et intersubjectif.

Par la suite, l'argent ne joue pas seulement un rôle déterminant dans la destinée des deux personnages principaux, il ne fait qu'un avec leur vie et leur amour. Qu'on se souvienne du passage où Pauline retrouve Valentin. Celui-ci, en montant l'escalier pour aller la rejoindre, se peint mentalement la femme idéale, mettant le luxe qui doit l'entourer au même rang que les qualités de cœur et d'esprit :

> ... Spirituelle, aimante, artiste, comprenant les poètes, comprenant la poésie et vivant au sein du luxe ; en un mot Foedora douée d'une belle âme, ou Pauline comtesse et deux fois millionnaire, comme l'était Foedora (182).

Pauline pauvre n'était pas aimable, et elle ratifie ce jugement dans l'expression de la joie délirante à laquelle elle se livre en revoyant Raphaël. Les mots de *fortunes* et de *richesses* qui reviennent sans cesse sur ses lèvres présentent leur double sens, matériel et moral, tout au long du dialogue :

> — *Riches, riches, heureux, riches*, ta Pauline est riche. Mais moi, *je devrais être bien pauvre aujourd'hui. J'ai mille fois dit que je paierais ce mot : il m'aime, de tous les trésors de la terre.* O mon Raphaël ! j'ai des millions. *Tu aimes le luxe*, tu seras content ; mais tu dois *aimer mon cœur* aussi, *il y a tant d'amour pour toi* dans ce cœur ! Tu ne sais pas, mon père est revenu. *Je suis une riche héritière.* Ma mère et lui me laissent entièrement maîtresse de mon sort ; je suis libre, comprends-tu ?

(308) Onze exemples.

> ... *Je me serais vendue* au démon pour t'éviter un chagrin ! Aujourd'hui, *mon* Raphaël, car tu es bien à moi : à moi cette belle tête, à moi ton cœur ! Oh ! oui, *ton cœur, surtout, éternelle richesse! Eh! bien, où en suis-je ? reprit-elle après une pause. Ah ! m'y voici : nous avons trois, quatre, cinq millions,* je crois. Si j'étais pauvre, je tiendrais peut-être à porter ton nom, à être nommée ta femme ; mais, en ce moment, je voudrais te sacrifier le monde entier, je voudrais être encore et toujours ta servante. Va, Raphaël, en t'offrant mon cœur, ma personne, ma fortune, je ne donnerais rien de plus aujourd'hui que le jour où j'ai mis là, dit-elle en montrant le tiroir de la table, certaine pièce de cent sous. Oh ! comme alors ta joie m'a fait mal (183-184).

Valentin ne se montre pas en reste :

> *Moi aussi, j'ai des millions ;* mais que sont maintenant les richesses pour nous ? Ah ! *j'ai ma vie*, je puis te l'offrir, prends-la (184).

Une fois encore, on constate que l'argent niveleur est le moyen et le symbole de l'amour. D'autre part, l'énormité de sommes évoquées est la mesure des sentiments que se portent Pauline et Valentin. La métamorphose de la pièce de cent sous en millions dilate en proportion le cœur de Raphaël et lui permet de rendre à Pauline les richesses qu'elle lui offrait depuis longtemps.

Ce grossissement très marqué doit être mis en rapport avec le thème de la vie en suspens, qui multiplie l'enjeu à l'infini. Décrivant, au début du roman, le magasin d'antiquités, Balzac se lance dans une méditation sur le temps et sur la vie, et compare « toute la création connue » que Valentin vient de contempler avec les « créations inconnues » des œuvres géologiques de Cuvier [309] :

> En présence de cette épouvantable résurrection due à la voix d'un seul homme, la miette dont l'usufruit nous est concédé dans cet infini sans nom, commun à toutes les sphères et que nous avons nommé LE TEMPS, cette minute de vie nous fait pitié (30).

Dès le début du roman donc, cette méditation introduit le sujet central du temps et de la mort et, grâce à la métaphore monétaire, sa parenté fantasmatique avec l'argent. Ce n'est pas un hasard, en effet, si la lutte pour la vie — cette vie elle-même symbolisée par l'argent — prend pour Raphaël la forme d'une lutte contre le temps : l'équivalence du temps et de l'argent, qu'illustre le dicton bien connu, découle de leur commune signification pour l'inconscient et manifeste un égal sentiment de culpabilité [310]. On vient de voir que, par rapport à « l'immensité de l'espace et du temps », la vie de l'homme n'a pas de réalité et ne représente qu'un « usufruit ». Les métaphores du criminel et du condamné à mort, dont

---

(309) Cf. p. 30, 30, 29.

(310) Cf. Norman BROWN, *Life Against Death* (titre français *Eros et Thanatos*), Vintage Books, New York, 1959, « Time is Money », p. 276-277 par exemple.

l'emphase surprend dans la scène où, jeune homme, Valentin puise dans la bourse de son père pour miser au jeu [311], assignent au sentiment de la faute une place importante dans les rapports compliqués que le héros entretient avec l'argent. Simultanément, elles évoquent l'effroi de Raphaël, mort en sursis, devant la fuite des instants, et préfigurent le symbolisme de la peau. Ainsi se trouve établi dans le roman le complexe culpabilité, temps, argent. Valentin éprouve d'ailleurs à l'égard de son père un remords « archétypal » qui semble tout à fait incompréhensible au niveau du réalisme psychologique [312]. Parce qu'il se sent coupable au départ, il ne peut spéculer avec profit, à l'inverse de Rastignac, qui lui déclare joyeusement :

> ... Je fais des dettes, on les paie. La dissipation, mon cher, est un système politique. La vie d'un homme occupé à manger sa fortune devient souvent une spéculation... (98-99).

« Je fais des dettes, on les paie » : cette petite phrase est une addition de 1845, qui dégage admirablement le sens des observations de Rastignac. Celui-ci oppose au spéculateur traditionnel le dissipateur qui, « si par hasard il perd ses capitaux », a de la chance, « encore des amis, une réputation et toujours de l'argent » (99). « — La vie, Madame, est un emprunt perpétuel », lit-on dans *Mercadet (Le Faiseur)* [313]. Dès *La Peau de chagrin*, Balzac exalte les promesses aussi bien que les risques de ce « système politique ». Il en connaît la pratique et la théorie. L'idée que la valeur s'accroît par la consommation est déjà familière au XVIIIe siècle [314], et le proverbe *Qui fait des dettes s'enrichit* ne dit rien de très différent. La métaphore développe assez peu cet aspect essentiel de la spéculation, mais elle démontre amplement la nécessité de la dépense et de l'investissement.

A l'inverse, la seule possibilité de spéculation qui s'offre à Valentin est une recherche systématique du désastre. Pour oublier Fœdera, il a songé à la noyade ou à l'opium. Rastignac lui propose une forme de suicide plus attrayante : les orgies, dépense excessive d'énergie vitale qui conduit peu à peu à la mort :

> A d'autres, cet argent suffirait pour vivre, mais nous suffira-t-il pour mourir ? Oh ! oui, nous expirerons dans un bain d'or (148).

Les dettes qu'il accumule le poursuivent et suscitent en lui un délire de remords hallucinatoire, au sein duquel se dresse le fantôme de son père [315]. En même temps, la débauche se révèle sans effet. La vie s'obstine, et l'image de la rente *(viagère)* neutralise celle de la dette :

> Chaque matin, la mort me rejetait dans la vie. Semblable à un rentier viagier, j'aurais pu passer tranquillement dans un incendie (156).

---

(311) Cf. *supr.*, p. 163 et IX, 77-78.

(312) On pourrait qualifier cette culpabilité d'œdipale. Cf. IX, 75 et BROWN, « Owe and Ought », p. 266-270.

(313) Acte I, sc. VI, Bibliophiles de l'Originale, T. XXIII, p. 232 (1839-1844).

(314) FOUCAULT, par exemple p. 207, 213.

(315) Cf. IX, p. 153-155.

A trois reprises, la comparaison avec l'avare suggère au contraire les réactions de défense, donc de repli, qui s'offrent aux hommes comme le vieux marchand d'antiquités [316]. Valentin, pour sa part, se refusant à tout calcul du temps de sa passion pour Fœdora, n'a pas mesuré sa dépense. Il oppose lui-même à celui de l'avare son rythme vital actif et généreux :

> Je n'ai pas disséqué mes sensations, analysé mes plaisirs, ni supputé les battements de mon cœur, comme un avare examine et pèse ses pièces d'or (123-124).

Mais quand la possession de la peau lui a fait comprendre que tout acte de vie entraîne une perte de vie, il adopte à son tour l'attitude de repli prônée par l'antiquaire. Le parallèle physiologique entre l'amour et l'argent explique le rapprochement entre l'impuissant et l'avare :

> C'était le coup d'œil profond de l'impuissant qui refoule ses désirs au fond de son cœur, ou celui de l'avare jouissant par la pensée de tous les plaisirs que son argent pourrait lui procurer et s'y refusant pour ne pas amoindrir son trésor (171).

A la fin du roman, ayant fui Pauline et les désirs, Valentin, moribond, rentre pourtant à Paris. Les lettres de Pauline l'attendent, qui lui rappellent que son temps de vie est mesuré et risquent de le raccourcir encore :

> Il ouvrit la première sans empressement, et la déplia comme si c'eût été le papier grisâtre d'une sommation sans frais envoyée par le percepteur (242) :

— expression de l'ennui, certes, par lequel il se protège de toute sensation intense, mais aussi signe que le moment est venu de régler ses comptes avec l'éternité et de renoncer même à l' « usufruit » de l'existence. L'identité du temps et de l'argent se manifeste donc jusqu'à la fin du roman [317].

Dans les trois groupes de la métaphore, l'homologie initiale entre l'ordre des marchandises, l'ordre des pulsions et l'ordre des relations intersubjectives tend à se transformer en une étroite interaction, concrétisée en particulier par les diverses localisations physiologiques du principe unitaire. Si cette interaction caractérise avec une telle régularité le sens de l'argent chez Balzac, c'est parce que, finalement, la valeur se définit en termes d'énergie. L'équivalent général, dans son système, c'est l'énergie. Comme l'argent, elle représente une somme quantitative et quantifiable et, comme lui, elle rend toutes choses égales. D'un côté, elle se diversifie dans les différentes formes qualitatives de la Pensée, mais, de l'autre, ce mouvement est inversé à chaque instant et chaque forme revient au commun

(316) IX, 40.

(317) *L'illustre Gaudissart* (1833), en une dizaine de pages éblouissantes, développe l'équivalence temps-argent, qu'il concrétise sous la forme d'une assurance... sur la vie, fondée sur le capital intellectuel des hommes de talent (cf. *supr.*, p. 213). Nous nous limitons ici à un seul extrait de ce morceau étonnant sur « les hommes d'avenir ». « Or, nous avons eu l'idée de capitaliser à ces hommes ce même Avenir, de leur escompter leurs talents, en leur escomptant quoi ?... le temps *dito*, et d'en assurer la valeur à leurs héritiers. Il ne s'agit plus là d'économiser le temps, mais de lui donner un prix, de le chiffrer, d'en représenter pécuniairement les produits que vous espérez en obtenir dans cet espace intellectuel (IV, 33). Cf. *infr.*, p. 226.

dénominateur de sa source initiale. La métaphore monétaire pose donc l'équivalence *argent-valeur-travail-temps-énergie*, tous termes quantifiables.

Ce sont les termes *temps* et *travail* de l'équivalence, repérables dans les groupes de la circulation simple et de la circulation du capital, qui ancrent fermement l'image dans la réalité contemporaine et lui confèrent sa portée sociologique. On voudrait pouvoir délimiter les frontières de la satire, mais c'est chose à peu près impossible. Certes, elle est incontestable dans la peinture du mercantilisme, mais, dès que l'image analyse le rôle de l'argent dans toutes les sphères humaines ou, à plus forte raison, illustre simplement le processus de répartition de l'énergie vitale, la « quantification de la qualité » apparaît avant tout comme une loi inéluctable et naturelle, quoique développée par le fonctionnement des institutions. Seul, l'exemple de *Béatrix* fait exception en attribuant à la société la responsabilité d'un sentiment qu'on a l'habitude de considérer comme naturel [318]. Mais la satire de la Bourse se concilie parfaitement avec l'histoire du salut de Castanier dont elle fournit même les moyens. Point n'est besoin de mettre l'humour entre parenthèses. La spéculation, promesse de profit, introduit une note nettement optimiste dans l'économie de l'existence.

Il reste à articuler plus précisément la dialectique de la thésaurisation et de la circulation. Elle repose sur la valeur d'échange de la marchandise-monnaie.

Nous avons vu que la monnaie, équivalent général de tous les objets, en symbolise à elle seule la possession, qu'elle éternise en se pétrifiant [319]. Avant Marx, c'est à la thésaurisation que Balzac associe le culte de l'or qui prévaut à son époque et qui sape l'ancienne moralité :

> — D'où vient ce mal profond ? demanda la baronne. — Du manque de religion, répondit le médecin, et de l'envahissement de la finance, qui n'est autre chose que l'*égoïsme solidifié* (Be, VI, 501).

Il s'agit là, si l'on veut, d'un lieu-commun de la satire contemporaine [320], mais que Balzac dépasse en le reliant à l'or statique. En fait, on trouve chez lui, sur ce point, les éléments d'une théorisation que Marx a reprise, parfois avec les mêmes mots, anticipant ainsi l'étude qu'il projetait sur Balzac, mais qu'il n'a jamais écrite. Quand Gobseck déclare que « l'or contient tout en germe » (II, 629), *Le Capital* lui fait écho en termes balzaciens : « La société moderne qui, à peine née encore, tire déjà par les cheveux le dieu Plutus des entrailles de la terre, salue dans l'or, son saint Graal, l'incarnation éblouissante du *principe même de sa vie* [321] ». Il est logique que ce soit l'avarice de Grandet et de Gobseck qui inspire à Balzac ses remarques les plus profondes sur la nouvelle religion. En particulier,

---

(318) Cf. *supr.*, p. 217.

(319) Marx, I, iii, 106.

(320) Comparer : « Ils ont pour église un comptoir, pour confessional un bureau et pour bible un agenda ; leur dépôt de marchandises est leur sanctuaire ; la cloche de la Bourse leur sonne l'angélus, l'or est leur Dieu, et le crédit leur credo ». (Henri Heine, *Lettres de Berlin*, cité dans *Histoire générale des civilisations : Le XIXe siècle, op. cit.*, p. 38).

(321) I, iii, p. 108. Nous soulignons à cette page et aux pages suivantes les termes-clés des citations.

il perçoit le processus d'abstraction qui accompagne inévitablement le fétichisme de l'argent et entraîne un ascétisme aussi rigoureux que l'ascétisme chrétien :

> Les avares ne croient point à une vie à venir, le présent est tout pour eux... Maintenant le cercueil est une transition peu redoutée. L'avenir, qui nous attendait par delà le requiem, a été transposé dans le présent. Arriver *per fas et nefas* au paradis terrestre du luxe et des jouissances vaniteuses, *pétrifier son cœur et se macérer le corps* en vue de possessions passagères, comme on souffrait jadis le martyre de la vie en vue des biens éternels, est la pensée générale ! (EG, III, 553),

paroles sur lesquelles il n'est guère possible à Marx d'enchérir : « Pour retenir le métal précieux en qualité de monnaie, et par suite d'élément de la thésaurisation, *il faut qu'on l'empêche de circuler ou de se résoudre comme moyen d'achat en moyens de jouissance.* Le thésauriseur sacrifie donc à ce fétiche tous les penchants de sa chair. Personne plus que lui ne prend au sérieux l'évangile du renoncement [322]. »

Il n'est pas de personnages plus ascétiques que Grandet, Gobseck et leurs émules de moindre envergure, ni que l'antiquaire de *La Peau de chagrin*, symbolisé par le tableau du *Peseur d'or*, qui refuse le Pouvoir et le Vouloir au profit du Savoir, c'est-à-dire de la jouissance abstraite. Nous avons en passant signalé l'association, dans le texte métaphorique, de l'avarice et de l'impuissance [323] : personne de plus chaste que l'avare dans *La Comédie humaine*. Il diffère indéfiniment la jouissance, justement parce qu'il se croit en mesure de la réaliser à l'instant s'il le désire. Ainsi se poursuit l'homologie entre l'ordre des marchandises et l'ordre des pulsions : la monnaie est retirée de la circulation, mais c'est pour garantir une possibilité de jouissance généralisée, parce que située à un niveau abstrait : « Dès lors en effet que la valeur d'échange est parvenue, dans l'argent, à l'autonomie, " la soif *instinctive* des richesses particulières " peut se changer " en soif *abstraite* de jouissance ", en " soif de jouissance sous une forme générale [324] " ». Voilà pourquoi Gobseck peut dire à Derville : « Vous n'arriverez jamais à séparer l'âme des sens, l'esprit de la matière. L'or est le spiritualisme de vos sociétés actuelles » (Gb, II, 636 [325]). Dans le passage sans doute le plus célèbre de la nouvelle, il va jusqu'à voir dans la possession de l'équivalent général le seul bonheur *réel* :

> Reste en nous le seul sentiment vrai que la nature y ait mis : l'instinct de notre *conservation.* Si vous aviez vécu autant que moi, vous sauriez qu'il n'est qu'une seule chose matérielle dont la

(322) *Le Capital*, I, iii, p. 108.

(323) PCh, IX, 171, cité *supr.*, p. 223.

(324) Marx, *Fondements de la critique de l'économie politique*, Paris, Anthropos, 1967, p. 163, cité par Goux, p. 80-81.

(325) « Le regard d'un homme accoutumé à tirer de ses capitaux un intérêt énorme contracte nécessairement, comme celui du voluptueux, du joueur ou du courtisan, certaines habitudes indéfinissables, des mouvements furtifs, avides, mystérieux qui n'échappent point à ses coreligionnaires. Ce langage secret forme en quelque sorte la franc-maçonnerie des passions » (EG, III, 485).

> valeur soit assez certaine pour qu'un homme s'en occupe. Cette chose..., c'est l'OR. L'or représente toutes les forces humaines... Partout les sens s'épuisent, et il ne leur survit qu'un seul sentiment, la vanité. La vanité, c'est toujours le *moi*. La vanité ne se satisfait que par des flots d'or. Nos fantaisies veulent du temps, des moyens physiques ou des soins. Eh ! bien, *l'or contient tout en germe, et donne tout en réalité* (Gb, II, 629) [326].

Cette « réalité », pour Gobseck, c'est la perfection de la jouissance abstraite.

L'acquisition concrète des biens ne peut se réaliser que par la circulation. Un passage de *L'Illustre Gaudissart* juxtapose les deux fonctions de la valeur d'échange. L'assurance sur la vie, garantie par le capital de talent, met en œuvre la monnaie dynamique à la suite de l'or statique :

> ... *Solidifier* les espérances, *coaguler*, financièrement parlant, les désirs de fortune de chacun, lui en *assurer la réalisation* ! (IV, 38).

L'argent ne reste pas le symbole abstrait du bonheur, mais redevient le moyen de *vivre*. Celui qui reste toujours en deçà de l'exécution ne connaît qu'une existence incomplète. Si je retiens l'argent, écrit Marx, « il s'évapore entre mes mains, simple simulacre de la richesse qu'il est [327] ». En fait, un passage du *Martyr calviniste*, postérieur à *Gobseck*, va jusqu'à considérer la pauvreté matérielle comme le lot de l'avare moral :

> ... La pensée, prise comme moyen unique de domination, engendre des *avares politiques, des hommes qui jouissent par le cerveau...* Pitt, Luther, Calvin, Roberspierre *(sic)*, tous ces Harpagons de domination meurent sans un sou... Potemkin, Mazarin, Richelieu, ces hommes de pensée et d'action qui tous trois ont fait ou préparé des empires, ont laissé chacun *trois cents millions. Ceux-là avaient du cœur*, ils aimaient les femmes et les arts, ils bâtissaient, ils conquéraient... (Cath, X, 183-184).

L'argent illustre l'antimonie stérilité-fécondité. L'homme pauvre ne vit pas, l'avare vit par la pensée, mais se refuse à toute dépense — argent ou énergie vitale [328], et l'homme complet allie les deux attitudes : il est riche et ne recule devant aucune dépense. Voilà qui justifie à la fois les dépenses fabuleuses [329] et les dettes bénéfiques. L'échange commercial, refermé sur lui-même, marque un faible progrès par rapport à la thésauri-

(326) Ce passage est une addition de 1835. Cf. Bernard LALANDE, « Les états successifs d'une nouvelle de Balzac : *Gobseck* », *RHLF*, 1939 et 1947.

(327) *Fondements*, *op. cit.*, p. 176, cité par GOUX, p. 81, n. 99. Cf. *supr.*, p. 205.

(328) Cf. le passage de la *Théorie de la démarche* qui décrit Fontenelle : « Fontenelle a touché barre d'un siècle à l'autre par la stricte économie qu'il apportait dans la distribution de son mouvement vital. Il aimait mieux écouter que de parler ; aussi passait-il pour infiniment aimable. Chacun croyait avoir l'usufruit du spirituel académicien, etc. » Fontenelle, pauvre en fluide vital, s'est conduit comme un avare : « Cette petite machine délicate, tout d'abord condamnée à mourir, vécut ainsi plus de cent ans » (*Œuvres complètes*, Calmann Lévy, vol. 20, p. 599-600).

(329) « Dès la paix de 1815, Nucingen avait compris que l'argent n'est une puissance que quand il est en quantités disproportionnées » (MN, VI, 631).

sation. L'économie bien entendue repose sur la spéculation, dont la métaphore consacre le succès.

Il est vrai que les avares de *La Comédie humaine* sont tous quelque peu usuriers, ou même spéculateurs [330]. Ils ne pourraient s'enrichir autrement. Mais, sur le plan énergétique, leur destinée confirme le sens de l'argent : ils ne vivent pas et leur physique émacié s'explique par leur tendance cannibalique, qui se retourne contre eux-mêmes. D'ailleurs, c'est la nuit que Grandet fait circuler son argent [331] : ainsi pactisent l'or originel et la monnaie féconde.

* * *

Nous avons indiqué au cours de ce chapitre la situation respective des métaphores de situations sociales et de la métaphore monétaire, au niveau du comparant [332], vis-à-vis du sème patriarcal. En bref, le sauvage, le criminel et la courtisane se définissent négativement par rapport au principe centralisateur, qu'ils mettent en péril ; l'armée, l'Eglise et la justice positivement, mais indirectement ; enfin, le roi à la fois positivement et directement, en tant qu'équivalent général de la valeur dans l'ordre politique. L'analyse que Marx a fournie de la genèse de la forme monnaie fait de l'argent, équivalent général de la valeur dans l'ordre des marchandises, le paradigme des autres formes de la métaphore patriarcale, — père, monarque, phallus.

Essayons maintenant de faire le point de la situation au niveau de la signification ou du contenu, c'est-à-dire du rapport entre comparants et comparés. Elle est extrêmement complexe, et il n'est pas question de revenir ici sur toutes les nuances des analyses qui précèdent. *Sur le plan social*, le patriarcat est l'expression d'un pouvoir fort, centralisateur et masculin. Conservateur, il soutient les institutions existantes, dont il peut changer le contenu, mais non la structure, qu'il s'agisse de la hiérarchie sociale ou familiale. Il connaît son identification la plus étroite avec l'argent, dont la suprématie s'affirme dans la nouvelle société. *Sur le plan énergétique*, la domination patriarcale se confond avec celle du principe de vie unique (sauf dans le cas de la métaphore militaire). L'association inconsciente argent-phallus s'actualise dans un certain nombre d'exemples et surdétermine l'appartenance patriarcale de la métaphore monétaire.

La question de l' « intentionalité » de l'auteur — Balzac complice ou mythologue — est intéressante, mais souvent impossible à trancher. Elle n'est pas vraiment pertinente, dans la mesure où la métaphore patriarcale peint de toute façon une fresque sociale sans pareille, qui contient les éléments d'une analyse marxiste, et souvent cette analyse elle-même. D'un côté, Balzac s'identifie au patriarcat, ce qui entraîne le plus souvent son adhésion à l'ancienne société. De l'autre, il souhaite accéder au sommet

---

(330) P.-G. Castex insiste à juste titre sur ce point à propos de Grandet : cf. « L'ascension de M. Grandet », *Europe*, *op. cit.*, p. 262.

(331) Remarque de Jean-Pierre Richard, *Etudes sur le Romantisme*, Seuil, 1971, p. 122.

(332) C'est-à-dire, rappelons-le, au niveau de la forme au sens de signifiant du mythe (Barthes, *Mythologies*, p. 202, et *supr.*, p. 93).

de la hiérarchie, ce qui entraîne le rejet des anciennes valeurs *(La Duchesse de Langeais* [333]*)*. D'un côté, il dénonce le mercantilisme et la quantification de la qualité, la prostitution du mariage. De l'autre, il lui arrive de satiriser la nouvelle société au moyen d'une rhétorique insidieusement bourgeoise [334], rhétorique qu'il est fort capable de dénoncer à d'autres moments [335]. Enfin, les métaphores de situations sociales font de l'inégalité naturelle la cause et la justification de l'inégalité sociale, tandis qu'au contraire la métaphore monétaire assigne une origine sociale et historique à la suprématie de l'argent, et parfois même à la dépense et au rendement énergétiques. Toutefois, elle montre elle aussi le principe unitaire, ramené à sa signification essentielle, comme une donnée première et ahistorique.

---

(333) Cf. *supr.*, p. 176.
(334) Cf. *supr.*, p. 147, 166 sq., 186.
(335) Cf. *supr.*, p. 206, 207, 218, etc.

Chapitre V

LE CORPS HUMAIN

Nous venons de voir que l'argent représente toujours autre chose que lui-même, essentiellement l'énergie, produit de l'organisme. Dans les faits, sinon en théorie, cette énergie assigne précisément une limite quantitative à la capacité d'expansion de la monnaie — vérité que Bianchon rappelle à Rastignac en ces termes :

> Les affections de l'homme se satisfont dans le plus petit cercle aussi pleinement que dans une immense circonférence. Napoléon ne dînait pas deux fois, et ne pouvait pas avoir plus de maîtresses qu'en prend un étudiant en médecine quand il est interne aux Capucins. Notre bonheur, mon cher, tiendra toujours entre la plante de nos pieds et notre occiput ; et, qu'il coûte un million par an ou cent louis, la perception intrinsèque en est la même au dedans de nous (PG, II, 961).

La référence physiologique qui sous-tend déjà le contenu de la métaphore d'argent se développe et passe au premier plan dans les catégories que nous abordons maintenant.

I. *LA MÉTAPHORE HUMAINE*

Les images qui ont pour terme de comparaison l'être humain sont souvent banales de forme et de contenu, vu leur faiblesse d'ouverture quand elles réunissent deux types humains [1]. Elles se présentent en général comme des assimilations motivées avec comparé, et prennent parfois presque la forme d'explications. Pourtant, elles abondent en rapprochements révélateurs, et l'on y décèle des constantes qui leur donnent une place dans la vision d'ensemble. Deux catégories d'êtres humains reparaissent sur le plan métaphorique avec assez de régularité pour justifier l'examen : il s'agit de l'enfant et de la femme.

Dans le groupe consacré à *l'enfance* [2], l'élément positif l'emporte nettement et traduit, à travers toute *La Comédie humaine*, la nostalgie

---

(1) C'est le cas le plus fréquent. Cf. J. M. Burton, *H. de Balzac and his Figures of Speech*, p. 8 : « In many cases, of course, the similarity is so great that the comparison could hardly be called a figure of speech ».

(2) Cent onze exemples relevés.

d'un bonheur perdu [3]. Il y a là plus qu'un cliché collectif : on est mis en alerte par la fréquence de l'automatisme. Cette figure avait déjà frappé J. M. Burton qui la rapproche du fait que, dans sa correspondance, Balzac aime à se comparer lui-même à un enfant, alors que l'enfant ne tient qu'une faible place parmi ses personnages [4]. Notre inventaire général confirme les observations de J. M. Burton, fondées sur trois romans seulement, et sans doute a-t-il raison de discerner dans la métaphore enfantine une espèce de projection de l'auteur [5].

Quantitativement, c'est le couple *mère-enfant* qui vient en tête [6] pour évoquer une affection totale et réciproque. Il n'est pas aisé de faire la part de l'élément personnel, à côté des références intertextuelles, dans un tel lieu-commun. Pourtant, c'est celui-là, croyons-nous, qui explique le développement de certains exemples et leur fonction dans plusieurs romans. Deux données complémentaires de la vie affective de Balzac expliquent en partie le caractère saillant de l'image : le manque d'affection maternelle dont il a souffert dans son enfance, souvenir dont l'amertume est allée croissant avec les années ; sa longue et première liaison avec une femme d'un an plus âgée que sa propre mère, Mme de Berny, qui inaugure une constante de son comportement amoureux : « ... Toujours, il s'est adressé à des femmes mariées (ou liées avec un autre homme, précédemment ou en même temps) [7] ». Pierre Citron, dans un article important sur la « psychologie de Balzac », met ce fait en rapport avec l'homosexualité latente ou avouée de Balzac. Quoi qu'il en soit, dans l'image du couple mère-enfant [8], soit transposition de l'expérience vécue, soit revanche sur le passé, l'amour entre l'homme et la femme recommence l'amour filial et maternel. Un épisode du *Vicaire des Ardennes* exploite d'ailleurs ce thème à propos de l'amour coupable qu'éprouve pendant quelque temps Mme de Rosann pour Joseph, sans savoir qu'il est son fils. Par la suite, elle passe sans effort de la passion au sentiment maternel. Ce raccourci fait ressortir la constance de l'identification, chez Balzac, entre les deux sentiments.

L'image met souvent en relief l'abnégation maternelle du plus aimant dans le couple, à laquelle répondent chez l'autre confiance et abandon :

---

(3) Quelques images traduisent le jeu capricieux d'une tête sans cervelle : « Il réveilla sa noble, sa sainte et pure femme, et lui jeta l'histoire de ces trois années dans le cœur, en sanglotant comme un enfant à qui l'on ôte un jouet » (Be, VI, 384) ; une seule l'injustice et le parti-pris ; six la cruauté, dont celle de l'enfant « qui tracasse un insecte » (CB, V, 559).

(4) Cf. *op. cit.*, p. 11.

(5) Cf. le récit de la première visite de Balzac chez Mme Récamier : « La joie naïve qu'exprima Balzac, après avoir été présenté à la maîtresse de la maison, ne peut être comparée qu'à celle d'un enfant ; et il fallut que cet homme eût recours alors à ce qui lui restait de raison pour ne pas se jeter dans les bras de tous les assistants. Cet excès de satisfaction aurait même été ridicule, si elle n'eût pas été sincère et si franchement exprimée. » (E. Delécluze, *Souvenirs de soixante années*, Michel Lévy, Paris, 1862, p. 285, cit. par B. Guyon, *op. cit.*, p. 312).

(6) Trente-trois exemples.

(7) Pierre Citron, « Sur deux zones obscures de la psychologie de B. », *AB 1967*, p. 25.

(8) Dans les deux-tiers des cas (22 sur 33). Les autres images du couple mère-enfant, à la fois moins développées et moins significatives, associent la même idée de confiance et de tendresse à d'autres situations affectives.

Thaddée Paz, Eugénie Grandet, Madame de Mortsauf [9]. Dans *La Rabouilleuse*, où Flore Brazier réussit à s'attacher le malheureux Jean-Jacques Rouget, vieux garçon faible et presque arriéré, l'abnégation fait place à un dévouement tout matériel de la part de Flore, qui sait se rendre indispensable, et à une dépendance physique autant que sentimentale du côté de Jean-Jacques :

> ... Elle le prima par tant de supériorité, d'intelligence et de force, qu'il devint le serviteur de sa servante. Ce grand enfant alla de lui-même au-devant de cette domination, en se laissant rendre tant de soins, que Flore fut avec lui comme une mère est avec son fils. Aussi Jean-Jacques finit-il par avoir pour Flore le sentiment qui rend nécessaire à un enfant la protection maternelle (III, 978 ; cf. 1068).

A maintes reprises, c'est l'homme, dans le couple des amants, qui est comparé à une mère : le comte de Bauvan dans *Honorine* ; Louis Lambert ; Brigaut dans *Pierrette* à cause du rôle de défenseur qu'il va jouer auprès de son amie d'enfance [10]. La composante féminine présente alors une signification spiritualiste et euphémisante. Ces personnages se distinguent par une délicatesse de sentiments exceptionnelle. En même temps, leur amour manque de hardiesse : ou bien il n'est pas payé de retour, comme pour Thaddée ou le comte de Bauvan, ou, du moins, il ne se réalise pas physiquement, comme pour Louis Lambert et Brigaut [11].

La mère se rapproche de la divinité par sa fonction créatrice, et le caractère sacré de l'image maternelle peut en faire l'un des véhicules du mysticisme amoureux. L'amant — ou l'amante — devenu l'enfant humble, adorateur et confiant, rend un culte à l'objet aimé : Louise de Chaulieu, puis Macumer, dans *Mémoires de deux jeunes mariées* [12], tentent successivement d'adopter ce rôle.

Il arrive enfin que le rapport mère-enfant décrive des couples masculins : Schmucke et Pons, Carlos Herrera et Lucien. Le premier, incapable d'apprécier les chefs-d'œuvre que Pons rapporte au logis, cherche pourtant à partager sa joie :

> Il répondait : « Ui ! c'esde pien choli ! » aux admirations de son ami, comme une mère répond des phrases insignifiantes aux gestes d'un enfant qui ne parle pas encore (CP, VI, 568) [13].

Le cas de Jacques Collin est plus complexe, et son ambiguïté sexuelle donne sa pleine force de métaphore féminine à l'image de la mère. C'est lui qui, comparé à une mère, rend un culte au lieu d'en être l'objet. Depuis la rencontre qui clôt *Illusions perdues*, Lucien est devenu sa création.

---

(9) Cf. respectivement FM, II, 46 ; EG, III, 573 ; Lys, VIII, 785, 898.

(10) Cf. respectivement II, 274 ; LL, X, 437 ; P, III, 746.

(11) Cf. *infr.*, l'examen de la métaphore féminine, p. 241-242.

(12) I, 179, 220. Cf. DL, V, 211, 217 ; CM, III, 184.

(13) Cf. 572 et, pour l'image maîtresse-amant, 567, 570. Cf. aussi MC, VIII, 319 et DV, I, 615.

Mais la démesure de Vautrin, l'immensité de sa douleur et de son adoration pour Lucien, motivent la connotation religieuse :

> ... Ce corps que je baisais comme un insensé, comme une mère, comme la Vierge a dû baiser Jésus au tombeau... (S & M, V, 1112).

Au total, l'image maternelle décrit l'homme un peu plus d'une fois sur deux. Cette fréquence répond à deux significations différentes de l'image : celle de superlatif, qui fait abstraction du sème féminin, pour exprimer l'absolu de l'amour et du dévouement. Mais aussi une seconde qui s'appuie sur le rôle créateur de la mère, où l'on retrouve une projection de l'auteur.

La fécondité constitue l'un des thèmes majeurs de *La Comédie humaine* et Balzac se conçoit comme le créateur par excellence. La métaphore maternelle et androgyne qui termine *Le Curé de Tours* représente l'exemple le plus caractéristique de ce thème :

> L'égoïsme apparent des hommes qui portent une science, une nation, ou des lois dans leur sein, n'est-il pas la plus noble des passions, et en quelque sorte, la maternité des masses : pour enfanter des peuples neufs ou pour produire des idées nouvelles, ne doivent-ils pas unir dans leurs puissantes têtes les mamelles de la femme à la force de Dieu ? (III, 846) [14].

Séparée de celle de la mère, l'image de l'enfant continue à traduire la nostalgie du bonheur perdu. L'insouciance, la candeur [15], le merveilleux enfantin [16] expliquent la capacité au bonheur qui peut subsister chez l'adulte. La projection est manifeste dans le portrait de d'Arthez, comparé à un génial enfant tout au long des *Secrets de la princesse de Cadignan.* Même chez les enfants que sont Schmucke et Pons, dont la pureté contraste avec le monde sordide où ils évoluent, Balzac a mis beaucoup de lui-même.

Enfin, le thème de la croissance affective et intellectuelle prolonge celui de la création. La peinture de l'amour enfant [17] prend facilement un caractère physiologique :

> L'amour est peint en enfant chez tous les peuples parce qu'il ne se conçoit pas lui-même sans toute la vie à lui... Eh ! bien, ce sentiment avait son terme indiqué par la nature. Il était mort-né (MM, I, 565).

A partir de là, l'image peut se mettre à décrire la croissance de toute forme d'idée : parfois sur le mode facétieux [18], parfois avec sérieux, en reprenant le thème de la fécondité créatrice :

> Voir une idée qui point dans le champ des abstractions humaines comme le soleil au matin et s'élève comme lui, qui, mieux encore,

---

(14) Cf. Be, VI, 318.
(15) Dix-neuf exemples.
(16) Associé aux chants ou aux contes des nourrices. Cf. MM, I, 401 ; PCh, IX, 33 et 199 ; H, II, 287.
(17) EG, III, 587.
(18) IG, IV, 17.

grandit comme un enfant, arrive à la puberté, se fait lentement virile... (PCh, IX, 91) [19].

Le principe unitaire s'affirme dans les deux derniers sens de la métaphore enfantine : intensité du désir, union du frère et de la sœur.

L'impétuosité du *désir enfantin*, qui fait l'objet d'une douzaine d'images dispersées dans les œuvres les plus différentes, suppose une forte concentration d'énergie vitale. Balzac s'en explique dans *Un prince de la Bohème*, en lui comparant l'idée fixe qui gouverne la femme amoureuse :

> La femme est, selon moi, l'être le plus logique, après l'enfant. Tous deux, ils offrent le sublime phénomène du triomphe constant de la pensée unique. Chez l'enfant, la pensée change à tout moment ; mais il ne s'agite que pour cette pensée et avec une telle ardeur que chacun lui cède, fasciné par l'ingénuité, par la persistance du désir. La femme change moins souvent ; mais l'appeler fantasque est une injure d'ignorant. En agissant, elle est toujours sous l'empire d'une passion, et c'est merveille de voir comme elle fait de cette passion le centre de la nature et de la société (VI, 848).

S'il s'agit de logique, elle est toute passionnelle : la femme comme l'enfant n'émerge que rarement hors de la sphère instinctive. Dans *La Cousine Bette*, Balzac établit le même parallèle, mais entre l'enfant et le Sauvage [22]. Il le reprend dans *Splendeurs & Misères*, à propos des criminels après le crime. Pour une fois, l'acte est plus épuisant que le désir :

> ... Ils sont affaiblis comme la femme qui vient d'accoucher. Energiques à effrayer dans leurs conceptions, ils sont comme des enfants après la réussite. C'est, en un mot, le naturel des bêtes sauvages, faciles à tuer quand elles sont repues (V, 1062).

L'enfant, la femme, le Sauvage — bête sauvage ou criminel — trois êtres chez qui domine l'instinctivité, constituent dans ces exemples un terme de comparaison à peu près interchangeable. La monomanie est le point extrême de la concentration énergétique et cette image dépeint exclusivement diverses formes d'idée fixe — amour, avarice — où, même si le sujet exerce son activité bien au-dessus de la sphère instinctive, il s'y trouve ramené par la tyrannie de sa passion : Gobseck, « le vieil enfant », jouant avec les diamants, « plus enfant que vieillard, ou plutôt enfant et vieillard tout ensemble » (II, 648) ; Grandet, proche de la mort :

> Il demeurait des heures entières les yeux attachés sur les louis, comme un enfant qui, au moment où il commence à voir, contemple stupidement le même objet ; et, comme à un enfant, il lui échappait un sourire pénible (III, 626).

Au contraire, une union douce et forte, spirituelle autant que physique, inspire l'image du *couple fraternel*, qu'elle protège des dangers qui menacent l'amour :

---

(19) Cf. Be, VI, 318 ; LL, X, 395-396.
(22) Cf. VI, 165, et *supr.*, p. 154.

> Les deux époux passèrent alors la journée ensemble, se mettant plus avant au cœur l'un de l'autre qu'ils n'y avaient jamais été, semblables à deux enfants qui, dans un moment de peur, se serrent, se pressent, et se tiennent, s'unissant par l'instinct (Fer, V, 67).

Dans *Le Lys*, où son sens se dégage le plus clairement, l'image évoque le bonheur de l'enfance :

> La joie tumultueuse d'une petite fille en liberté, si gracieuse dans ses gestes, si agaçante dans ses propos, n'était-elle pas aussi la vivante expression de deux âmes libres qui se plaisaient à former idéalement cette merveilleuse créature rêvée par Platon, connue de tous ceux dont la jeunesse fut remplie par un heureux amour (VIII, 926).

La nostalgie des premiers temps de la vie ne fait qu'une avec celle de l'androgynie initiale. Un degré plus haut, et nous arrivons à *Séraphîta* : c'est l'éternité que contemplent Minna et Wilfrid pendant l'ascension de Séraphîta, et c'est le mystère sacré qui les fait trembler,

> la vie sur le bord de laquelle ils se tenaient serrés l'un contre l'autre, tremblants et illuminés, comme deux enfants se tiennent sous un abri devant un incendie... (X, 580).

Le lien charnel qui unit le couple du frère et de la sœur s'affirme moins que pour le couple mère-enfant. Mais l'aspiration mystique à la fusion androgyne présente une origine matérielle. La parenté des deux images fait de l'amour entre l'homme et la femme la somme des deux amours de l'enfance : mère-enfant, frère-sœur.

La nostalgie de l'androgynie adelphique [23] relève d'une longue tradition qui se poursuit tout au long du XIXe siècle et qu'on retrouve jusque dans *L'Invitation au voyage* ou *La Mort des amants*. Elle s'exprime dans *Le Vicaire des Ardennes* [24]. Les deux héros ont grandi ensemble, comme Paul et Virginie, ils se croient frère et sœur, comme René et Amélie le sont réellement, ne peuvent s'empêcher de s'aimer, même après avoir compris la culpabilité de leur amour, se séparent, et plus tard meurent de douleur. Balzac dépeint longuement le paradis perdu de leurs amours enfantines. Dans *Annette et le criminel*, l'héroïne a grandi avec son cousin et fait maintes allusions à leurs communs souvenirs. Avant de se retrouver dans *L'Enfant maudit*, le thème se perd dans *Eugénie Grandet* : si Eugénie aime son cousin, elle ne l'a pas connu enfant [25]. Son importance dans les

---

(23) Cf. aussi Mes, I, 170 ; Fer, V, 30 ; PCh, IX, 174 et notre étude « Balzac et l'androgyne », *op. cit.*

(24) F. Germain rappelle aussi *Sténie* où Job aime sa sœur de lait, Tullius et Marianine, dans *Le Centenaire*, Abel et Catherine, dans *La dernière fée*, qui ont grandi ensemble : cf. *Enfant maudit*, PUF, 1965, Intr. p. 96.

(25) Il y a dans *La Recherche de l'Absolu* (IX, 559 et 560) une longue métaphore enfantine qui se rattache indirectement au thème de l'androgynie adelphique. Il s'agit avant tout d'une métaphore musicale où l'amour ouvre à Marguerite et à Emmanuel, lors de leur première rencontre, les portes d'un paradis retrouvé, d' « une patrie ».

Œuvres de jeunesse se rattache à un courant du dix-huitième siècle qui donne au regret de l'androgynie adelphique la forme d'un éloge de l'inceste :

> S'agit-il d'un thème noir ou d'un thème rose ? [demande F. Germain]. L'un et l'autre, en vérité ; car si l'inceste est un crime selon la loi, les Philosophes se plaisent à établir qu'il est innocent selon la nature, à prouver même qu'il fut un devoir pour les fils d'Adam et pour ceux de Noé. Le rôle joué par l'inceste, dans la querelle philosophique, est sans rapport avec son importance réelle, mais l'occasion était trop belle de soutenir que la société reproche comme un crime la plus naturelle des tendresses. S'il y a matière à scandale dans le thème de l'inceste, il y a aussi un rêve d'innocence et de liberté que développe le *Vicaire* [26].

Ce dernier sens, malgré l'aspiration idéaliste qu'il exprime, renforce l'origine et la portée avant tout matérialiste de la métaphore enfantine chez Balzac. Celle-ci présente l'enfant comme un être instinctif dans ses affections, dans ses désirs, dans ses craintes, dans ses jeux. Aussi bien le couple fraternel que celui de la mère et de l'enfant, aussi bien les images axées sur la croissance que sur l'impétuosité du désir soulignent les attaches physiologiques de toutes les formes d'amour.

Le groupe de la femme est encore plus important [27]. Il constitue lui aussi un ensemble assez unifié qui nécessite une étude séparée [28].

C'est pour les aspects les plus conventionnels, quoique les plus divers, de la féminité que la femme sert de comparant. La *petite-maîtresse* — mot à la mode, tic de langage — est souvent chargée de suggérer les agaceries du « charme » féminin : nervosité, recherche minutieuse d'élégance, coquetterie, caprice, violence. Autres défauts stéréotypés : la jalousie, l'exigence, l'amour de la force, diverses formes de vénalité :

> ... La France, femme capricieuse, veut être heureuse ou battue à son gré... Jamais nation ne fut plus complaisante, elle était alors comme une femme fatiguée qui devient facile ; jamais pouvoir ne fit alors plus de maladresses : la France et la femme aiment mieux les fautes (DL, V, 150) ;
> Jouant, dans son ménage, le rôle de la femme, il en eut les féroces exigences : il reprochait à Dinah le peu de fraîcheur de sa mise, tout en profitant de ce sacrifice qui coûte tant à une maîtresse ; absolument comme une femme qui, après vous avoir ordonné de passer par un égout pour lui sauver l'honneur, vous dit : — Je n'aime pas la boue ! quand vous en sortez (MD, IV, 184).

Dans l'ensemble, la métaphore féminine a pourtant une valeur positive, qu'elle évoque des qualités morales ou des visions de beauté. Certes,

---

(26) *L'Enfant maudit*, Intr., p. 96. Cf. aussi Pierre Moreau, *Amours romantiques*, Paris, 1963, Ch. III, « Interdits et malédictions ».

(27) 128 exemples auxquels s'ajoutent les 48 exemples de l'image de la courtisane (cf. *supr.*, p. 169 sq.), soit au total 176.

(28) Passons sur les notations simplement descriptives (Gam, IX, 416), parfois péjoratives (PCh, IX, 16) ou caricaturales (6 ex.).

la finesse d'esprit peut aller jusqu'à frôler l'artifice ou même l'atteindre [29]. Mais souvent, elle s'allie à la délicatesse, celle-ci limitée, il est vrai, au groupe des vierges [30]. La pudeur, la honte s'expriment dans des images plaisantes qui mettent l'accent sur la timidité supposée de la jeune fille, plus que sur son ignorance véritable :

> Emile Blondet, quoique professeur en mystification, ne put s'empêcher de rougir comme une vierge à qui l'on dit une histoire un peu leste dont le mot lui est connu (Pay, VIII, 71).

Parfois, la jeune fille est réellement innocente. Mais en général, elle appartient à la lignée des pensionnaires décrites dans la *VIe Méditation* de la *Physiologie du mariage :*

> Une fille sortira peut-être vierge de sa pension ; chaste, non. Elle aura plus d'une fois discuté en de secrets conventicules la question importante des amants, et la corruption aura nécessairement entamé le cœur ou l'esprit, soit dit sans antithèse (X, 658).

La féminité s'affirme quand le comparant suggère le charme [31], la sensualité [32], la volupté :

> La terre, sous cette couverture, était tiède comme une femme à son lever, elle exhalait des odeurs suaves et chaudes, mais sauvages ; l'odeur des cultures était mêlée à l'odeur des forêts (Pay, VII, 293) ;

ou même la volupté frénétique :

> Enfin, tu as eu tes dernières passions ! Terrible comme l'amour d'une femme de quarante ans, tu as rugi ! tu as voulu étreindre l'univers entier dans un dernier embrassement, et l'univers qui t'appartenait t'a échappé (JCF, IX, 265),

ou malsaine :

> C'était un de ces rudes goguenards qui se plaisent dans le mal comme les femmes turques dans le bain (CA, IV, 391).

Enfin, plus rarement, passion idéale [33]. Il n'y a pas lieu de traiter à part le couple maîtresse-amant [34], qui se rattache à l'image féminine de l'amour et de la volupté.

Une assez forte minorité de comparants [35] présente ainsi la femme en tant qu'objet amoureux, soit par le choix des détails physiques — beauté, chevelure, parure — soit par la situation évoquée — faute, aveu, rendez-vous — ou les deux à la fois :

> Sous l'ombrelle de soie blanche qui la garantissait des chauds rayons du soleil, elle ressemblait à une jeune mariée sous son

(29) Cf. Dés, VII, 1079 ; Ch, VII, 823.
(30) Vingt-neuf exemples relevés.
(31) PCh, IX, 21.
(32) Dés, VII, 1083.
(33) PCh, IX, 247-248 ; AvP, I, 3.
(34) Vingt-six exemples relevés.
(35) Trente-cinq.

voile, à une vierge prête à se livrer aux enchantements de l'amour (II, 719-720) [36].

Le portrait de la femme tracé par les comparants relève donc entièrement du cliché, en bien comme en mal. S'il existe un courant unificateur au sein de ces éléments disparates, c'est celui de la volupté.

L'examen des domaines comparés se révèle plus fructueux [37]. Limitons-le aux emplois reparaissants qui constituent un véritable réseau thématique, véhicule de révélations indirectes sur les personnages. Le cas n'est pas rare. Léon-François Hoffmann a déjà étudié en détail les exemples d'*Une passion dans le désert* et du *Curé de Tours* [38]. Résumons ses analyses. Il interprète de façon convaincante le « blanc » que Balzac a ménagé vers la fin du premier récit :

> Eh ! bien, alors, achevez l'histoire ? — C'est horriblement difficile, mais vous comprendrez ce que m'avait déjà confié le vieux grognard... (VII, 1093).

Le lecteur inattentif aurait pu ne pas remarquer les nombreux indices que Balzac a semés à la fois pour faire deviner et pour déguiser la vérité trop nue. Dans le monologue intérieur du soldat perdu dans le désert, et surtout dans les comparaisons qui lui viennent à l'esprit en regardant la panthère, Balzac a accumulé les détails anthropomorphiques et les images féminines :

> ... Le soldat admirait la croupe rebondie de la panthère... Il y avait tant de grâce et de jeunesse dans ses contours ! C'était joli comme une femme. La blonde fourrure de la robe se mariait par des teintes fines au ton du blanc mat qui distinguait les cuisses (Dés, VII, 1033) [39].

C'est grâce à l'image que se trouve suggéré, et même expliqué, l'amour contre nature qui fait le sujet de la nouvelle.

A propos du *Curé de Tours*, L.-F. Hoffmann a montré comment les « célibataires » déplacent leur capacité de jouissance et de passion sur des objets licites et anodins : l'appartement de son ami, l'abbé Chapeloud,

---

(36) Cf. une image assez ancienne qui présente un politicien « maniant l'Europe comme une jeune fille qui s'amuserait à fouetter l'eau de son bain ! » (AEF, III, 234). Elle apparaît d'abord dans la tirade sur Napoléon des *Contes bruns*, éd. Conard, VII, p. 395, qui date de 1831 et a été introduite dans AEF en 1842.

(37) Signalons l'association navire/femme (on sait que la comparaison inverse — femme/navire — est fréquente dans *La Comédie humaine*) : « On a bien raison de dire qu'il n'y a rien de plus beau que frégate à la voile, cheval au galop et femme qui danse » (II, 884). Cf. F30, II, 813. Mentionnons aussi l'influence du cadre ou du sujet même sur des exemples isolés. Dans *Honorine*, le décor du récit, associé au sujet, suscite une comparaison assez forcée : « Quand les flots de la Méditerranée se suivent comme les aveux d'une femme à qui vous les arrachez parole à parole » (II, 248). Dans la description des bouquets du *Lys*, l'image suggère les désirs réprimés de Félix : « Autour du col évasé de la porcelaine, supposez une forte marge uniquement composée des touffes blanches particulières au sédum des vignes en Touraine ; vague image des formes souhaitées, roulées comme celles d'une esclave soumise » (VIII, 858).

(38) Cf. *AB 1964*, « Mignonne et Paquita », p. 181-186 et *AB 1967*, « Eros en filigrane », p. 89-105.

(39) Cf. 1077, 1079.

est l'objet de tous les vœux de l'abbé Birotteau, et les images traduisent l'intensité et l'origine profonde de son désir. L'abbé Birotteau devient amant, l'appartement femme convoitée, possédée et trop tôt perdue. La passion ne s'éveille que peu à peu chez l'abbé. Avant d'être meublé, « l'appartement ressemblait à une belle femme en haillons » (III, 787).

> Le début de cette concupiscence mobilière fut semblable à celui d'une passion vraie, qui, chez un jeune homme, commence quelquefois par une froide admiration pour la femme que plus tard il aimera toujours (786).

Par la suite, l'abbé Birotteau, prenant possession de l'appartement, se trouve « dans la situation d'un amant sur le point d'être heureux » (796-797). Le jour où il pressent la fin de cette liaison, « l'expression de sa physionomie [révèle] les douleurs du plus tendre adieu qu'un amant ait jamais fait à sa première maîtresse... » (*ibid.*, 792) [40].

La monomanie, dans ces exemples, se présente comme un transfert d'énergie sexuelle. Les phénomènes de déplacement et de sublimation avant la lettre ne sont pas rares dans *La Comédie humaine*. Nous en avons analysé quelques-uns à propos de la métaphore d'argent. Balzac les décrit à plusieurs reprises, non seulement dans *Le Curé de Tours* [41], mais aussi, par exemple, dans les développements de *La Cousine Bette* sur la virginité :

> Pour quiconque observe le monde social, ce sera toujours un objet d'admiration que la plénitude, la perfection et la rapidité des conceptions chez les natures vierges.
>
> La Virginité, comme toutes les monstruosités, a des richesses spéciales, des grandeurs absorbantes. La vie, dont les forces sont économisées, a pris chez l'individu vierge une qualité de résistance et de durée incalculable. Le cerveau s'est enrichi dans l'ensemble de ses facultés réservées. Lorsque les gens chastes ont besoin de leur corps ou de leur âme, qu'ils recourent à l'action ou à la pensée, ils trouvent alors de l'acier dans leurs muscles ou de la science infuse dans leur intelligence, une force diabolique ou la magie noire de la Volonté (VI, 230).

La métaphore féminine se rattache ici aux théories bien connues de Balzac sur la chasteté. Elle n'est pas seule à peindre la monomanie dans *La Comédie humaine :* toutes les catégories se prêtent à l'expression du point de vue moniste et, plus généralement, le principe de vie s'identifie à l'énergie psychique. Mais, dans le cas de la métaphore féminine, il renvoie directement à l'explication sexuelle. On en trouve d'autres exemples, en particulier dans *La Recherche de l'Absolu*, dans *Le Père Goriot* et dans *Le Cousin Pons*. Dans la première œuvre, Balthazar Claës ne peut se consacrer à la fois à la science et à sa femme, et le progrès de ses recherches

---

(40) Cf. une image analogue, mais isolée, des *Petits-bourgeois*, à propos d'une vieille fille dont les mœurs sont au-dessus de tout soupçon, et qui a l'espoir de faire une opération immobilière très avantageuse : « Ecoutez, mon petit, dit Brigitte en regardant l'avocat d'un air presque amoureux, avant tout il faudrait voir la maison. Où est-elle ? » (VII, 181).

(41) Cf. III, 846, déjà cité ci-dessus, p. 232.

a pour contre-partie l'abandon de sa femme. Celle-ci se découvre « une rivale dans la science qui lui enlevait son mari », et les dérivations de la métaphore développent le parallèle, en accordant la supériorité à la sublimation intellectuelle sur l'amour conjugal :

> Comment tuer une rivale invisible ?... Que tenter contre la coquetterie des idées qui se rafraîchissent, renaissent plus belles dans les difficultés, et entraînent un homme si loin du monde qu'il oublie jusqu'à ses plus chères affections ? Enfin un jour, malgré les ordres sévères que Balthazar avait donnés, sa femme voulut au moins ne pas le quitter, s'enfermer avec lui dans ce grenier où il se retirait, combattre corps à corps avec sa rivale en assistant son mari durant les longues heures qu'il prodiguait à cette terrible maîtresse. Elle voulut se glisser secrètement dans ce mystérieux atelier de séduction... (IX, 507) [42].

Dans *Le Père Goriot*, le parallélisme est plus poussé. Les images expriment, sans en voiler toujours l'audace, le caractère un peu trouble de la passion sénile. Expliquant à Rastignac comment il obtient des nouvelles de ses deux filles,

> le vieillard ressemblait à un amant encore assez jeune pour être heureux d'un stratagème qui le met en communication avec sa maîtresse sans qu'elle puisse s'en douter (II, 943).

Plus tard, allant voir Delphine avec Rastignac,

> le bonhomme descendit le premier et jeta dix francs au cocher, avec la prodigalité d'un homme veuf qui, dans le paroxysme de son plaisir, ne prend garde à rien (1022) [43].

Enfin réuni à sa fille, il se livre à des manifestations de tendresse excessives :

> Il se couchait aux pieds de sa fille pour les baiser ; il la regardait longtemps dans les yeux ; il frottait sa tête contre sa robe ; enfin il faisait des folies comme en aurait fait l'amant le plus jeune et le plus tendre (1027).

A tel point que Rastignac éprouve une jalousie passagère. Le père Goriot lui-même, dans la lucidité de l'agonie, s'écrie : « Mes filles, c'était mon vice à moi ; elles étaient mes maîtresses, enfin tout ! » (1069) [44].

Le cas du *Cousin Pons* fait l'objet d'une élucidation plus développée. La femme et le couple maîtresse-amant y apparaissent comme une image-thème qui décrit simultanément, selon des degrés différents de sublimation, l'amitié de Pons et de Schmucke, la « gastrolâtrie » de Pons, la passion de Pons et de Magus pour leur collection de tableaux. La chasteté de Schmucke, de Pons et de Magus ne peut guère être mise en doute : l'amitié, la bonne cuisine et la peinture sont les trois objets du déplacement. La laideur de Pons l'a forcé à renoncer à l'amour et au mariage :

---

(42) Cf. 611.

(43) Cf. *supr.*, métaphore d'argent, p. 211.

(44) Rappelons que nous ne séparons pas, dans notre étude, l'image du couple maîtresse-amant de celle de la femme. Les exemples du *Père Goriot* justifient tout particulièrement cette assimilation.

> Cet artiste, doué d'une âme tendre, rêveuse, délicate, forcé d'accepter le caractère que lui imposait sa figure, désespéra d'être jamais aimé. Le célibat fut donc chez lui moins un goût qu'une nécessité. La gourmandise, le péché des moines vertueux, lui tendit les bras ; il s'y précipita comme il s'était précipité dans l'adoration des œuvres d'art et dans son culte pour la musique. La bonne chère et le Bric-à-Brac furent pour lui la monnaie d'une femme ; car la musique était son état, et trouvez un homme qui aime l'état dont il vit ? A la longue, il en est d'une profession comme du mariage, on n'en sent plus que les inconvénients (VI, 536-537).

La bonne chère procure une jouissance sensuelle plus proche des plaisirs de l'amour que la possession d'un bel appartement [45], comme le souligne l'équivoque de *combat :*

> La digestion, en employant les forces humaines, constitue un combat intérieur qui, chez les gastrolâtres, équivaut aux plus hautes jouissances de l'amour (*ibid.*, 537).

Le parallèle reparaît quand Pons, à juste titre offensé, se prive de fréquenter les différents parents dont la table pourvoyait à la satisfaction de son innocente passion. Son désespoir s'exhale dans les mêmes termes :

> Il ne pensait plus qu'aux agréments de la société, de même qu'un vieux homme à femmes regrette une maîtresse quittée coupable de trop d'infidélités !... S'il y a quelque chose de plus triste que le génie méconnu, c'est l'estomac incompris. Le cœur dont l'amour est rebuté, ce drame dont on abuse, repose sur un faux besoin ; car si la créature nous délaisse, on peut aimer le créateur, il a des trésors à nous dispenser. Mais l'estomac !... Rien ne peut être comparé à ses souffrances ; car, avant tout, la vie ! Pons regrettait certaines crèmes, de vrais poèmes ! certaines sauces blanches, des chefs-d'œuvre ! certaines volailles truffées, des amours ! et par-dessus tout les fameuses carpes du Rhin qui ne se trouvent qu'à Paris et avec quels condiments ! Par certains jours Pons s'écriait : — « O Sophie ! » en pensant à la cuisinière du comte Popinot. Un passant, en entendant ce soupir, aurait cru que le bonhomme pensait à une maîtresse, et il s'agissait de quelque chose de plus rare, d'une carpe grasse ! (*ibid.*, 571-572) [46].

Dans la passion des tableaux qui anime Pons et où les élans du cœur et de l'âme tiennent plus de place que la sensualité, le ton se fait un peu plus sérieux :

> Il possédait son musée pour en jouir à toute heure, car les âmes créées pour admirer les grandes œuvres ont la faculté sublime

(45) Cf. *infr.*, métaphores de nourriture.

(46) Mentionnons ici une métaphore d'argent qui souligne l'équivalence gourmandise-sexualité : « La Table est, à Paris, sous ce rapport, l'émule de la courtisane ; c'est, d'ailleurs, la Recette dont celle-ci est la Dépense » (*ibid.*, 534).

> des vrais amants ; ils éprouvent autant de plaisir aujourd'hui qu'hier, ils ne se lassent jamais, et les chefs-d'œuvre sont, heureusement, toujours jeunes (*ibid.*, 532) [47].

Mais c'est surtout à propos d'Elie Magus que Balzac exploite l'image. La malignité et l'avarice du marchand de tableaux, en transposant la passion au niveau abstrait, la font dévier vers le libertinage :

> Cette âme vouée au lucre, froide comme un glaçon, s'échauffait à la vue d'un chef-d'œuvre, absolument comme un libertin, lassé des femmes, s'émeut devant une fille parfaite, et s'adonne à la recherche des beautés sans défauts. Ce Don Juan des toiles, cet adorateur de l'idéal, trouvait dans cette admiration des jouissances supérieures à celle que donne à l'avare la contemplation de l'or. Il vivait dans un sérail de beaux tableaux ! (634).

La monomanie se double du plaisir d'abuser un rival :

> Quand un chef-d'œuvre se trouvait dans les conditions où il le voulait, la vie de cet homme s'animait ; il avait un coup à monter, une affaire à mener, une bataille de Marengo à gagner. Il entassait ruse sur ruse pour avoir sa nouvelle sultane à bon marché (636).

Le plaisir de la difficulté accroît la convoitise :

> Pouvoir examiner la magnifique collection du pauvre musicien, c'était, pour Elie Magus, le même bonheur que celui d'un amateur de femmes parvenant à se glisser dans le boudoir d'une belle maîtresse que lui cache un ami (639) [48].

Depuis l'époque du *Curé de Tours* [49] Balzac a précisé et approfondi sa théorie. Commentaire et images tracent à présent plus qu'un « filigrane » de l'Eros de Pons et de Magus. La délicatesse de l'art y perd peut-être, mais la pensée s'affirme avec une fermeté accrue.

Nous avons déjà amorcé l'étude des personnages masculins qui font l'objet d'une métaphore féminine à propos du couple mère-enfant [50]. Ici, quand l'analogie suggère un trait moral, elle présente un caractère épisodique. Par contre, s'il s'agit d'une ressemblance physique, elle se répète et sert à révéler des constitutions féminines.

Le personnage de Charles Grandet est un exemple du premier cas. Chez lui, le raffinement des gestes et de la toilette trahit la faiblesse morale [51]. Mais les autres exemples mettent l'accent sur le caractère physiologique de la ressemblance : Séraphîta est un androgyne asexué [52] et sa « voix pure comme celle d'une jeune fille » (X, 475-476) fait tressaillir Minna. Si la différenciation sexuelle existe, elle ne se manifeste

---

(47) On sait que les « vrais amants », sont ceux qui savent aimer toujours la même femme. Cf. Be, VI, 385.

(48) Cf. 654.

(49) Le choix de variantes que présente M. Hoffmann (*op. cit.*, p. 102-105) l'indiquait déjà.

(50) Cf. *supr.*, p. 231-232.

(51) III, 523, 539, 540, 598 et passim.

(52) Cf. notre article sur l'androgyne, déjà cité.

guère. Le portrait d'Etienne d'Hérouville, dont l'union avec Gabrielle demeure chaste, accumule les traits féminins et se termine sur ces mots :

> Vous eussiez cru voir une tête de jeune fille malade placée sur un corps d'homme débile et contrefait (EM, IX, 693) [53].

Chez Louis Lambert aussi, l'enveloppe matérielle apparaît comme empreinte de fragilité et de délicatesse. Et il se croit, et sans doute se trouve, dans l'impossibilité de consommer son amour pour Pauline, ce qui l'incite à une tentative d'auto-castration [54]. Les métaphores qui traduisent sa nature féminine sont fort nombreuses :

> Aussi..., quand le séjour de la classe lui eut fait perdre sa coloration presque végétale, le vîmes-nous devenir pâle et blanc comme une femme (369).

Parfois, « sa voix se faisait douce comme une voix de femme qui laisse tomber un aveu » *(ibid.)*. Il est « souvent vaporeux autant qu'une femme, ... tout malade de son génie comme une jeune fille l'est de cet amour qu'elle appelle et qu'elle ignore » (376). Ses élans spiritualistes sont donc présentés comme une forme de sublimation. L'image suggère aussi le caractère un peu exalté de l'amitié qui unit le narrateur et le héros adolescents, en la comparant à l'amour entre amants : « Nous nous habituâmes, comme deux amants, à penser ensemble » (X, 378) [55]. « Jamais amant et maîtresse ne versèrent en se séparant plus de larmes que nous n'en répandîmes » (X, 400) [56]. Dans cette amitié exemplaire, Louis sert de guide moral et intellectuel. Comme l'enfant maudit, et même plus que lui, il pousse très loin l'ascèse spirituelle, ce qui est encore vrai de Séraphîtus-Séraphîta. L'emploi de la métaphore à propos de ces trois personnages s'explique en partie par la place privilégiée qu'occupe la femme, par rapport à l'homme, dans l'échelle des êtres. Mais ce facteur ne rend pas compte du caractère physiologique de l'image.

Car, fait plus remarquable, l'analogie de nature n'est pas seulement métaphorique. Certes, c'est parce qu'il plane déjà au-dessus de l'humanité vulgaire que Séraphîtus-Séraphîta est inaccessible à l'amour charnel, et sa féminité s'affirme en même temps que son progrès dans la voie de la purification. Mais Balzac éprouve le besoin de le doter, aux yeux des simples mortels, d'un physique ambivalent, selon qu'il est vu par l'homme ou par la femme chez qui il suscite une attirance amoureuse. C'est que l'être humain moyen a besoin d'une étape charnelle dans sa marche vers la sainteté. Séraphîta, Louis Lambert, l'enfant maudit exercent sur les autres une emprise à la fois sensuelle et mystique qui assigne une origine physiologique à leur spiritualité.

Dans cette première série d'exemples, le comparant a une valeur explicative. Mais dans la description extérieure des personnages masculins,

(53) Cf. aussi 709.

(54) Cf. X, 442.

(55) Cette phrase apparaît pour la première fois dans la *Notice biographique sur Louis Lambert*, *Nouveaux Contes philosophiques*, 1832.

(56) Cette deuxième phrase se trouve dans le manuscrit original. Cf. l'édition critique de Jean Pommier et de Marcel Bouteron, Corti, 1954.

laquelle doit être distinguée du portrait physiologique, la référence est tout d'abord culturelle, comme l'a montré Bernard Vannier : « Pour les personnes, la beauté porte la marque de la féminité [57] ». Cependant, l'élégance excessive du dandy, à laquelle aspire Balzac, surdétermine chez lui ce genre de comparaison. Ainsi, l'émerveillement de Rastignac, après sa métamorphose vestimentaire, n'est pas évoqué sans quelque complaisance : « Il se permit des singeries enfantines autant qu'en aurait fait une jeune fille en s'habillant pour le bal » (PG, II, 963). De Marsay, Maxime de Trailles, d'Esgrignon, La Palférine, le comte de Soulas, Lucien de Rubempré, ces hommes à la mode ou qui le deviennent, suscitent des commentaires analogues. Enfin, chez Félix de Vandenesse, l'image ne connote pas seulement la beauté ou le raffinement de l'élégance, mais à nouveau la féminité, dans un passage où Marie de Vandenesse oppose en esprit à son mari le charme plus viril de Raoul Nathan :

> Rien au monde ne contrastait mieux que le désordonné, le vigoureux Raoul, et Félix de Vandenesse, soigné comme une petite-maîtresse, serré dans ses habits... (*ibid.*, II, 95).

Reste Lucien, chez lequel reparaît, dans un contexte profane, la composante physiologique, et qu'il est impossible de mettre sur le même plan que les personnages précédents. Pierre Citron [58] procède à une enquête aussi perspicace que minutieuse sur les tendances homosexuelles qu'on a parfois prêtées à Balzac. Il rappelle que les relations de Balzac et de Jules Sandeau — un des modèles reconnus de Lucien — ont suscité soupçons et accusations de la part des contemporains. Le caractère de Lucien lui-même lui paraît constituer une preuve interne, beaucoup plus importante que les anecdotes biographiques, mais qui leur donnerait du poids. Et en effet, la répétition de l'image féminine à propos de Lucien traduit plus qu'un simple souci de cohésion au niveau du réalisme psychologique : une sorte d'attirance. Comme pour les personnages des *Etudes philosophiques*, elle présente une assise physique et physiologique, mais qui s'exprime par des détails plus concrets :

> ... Un homme aurait été d'autant plus tenté de le prendre pour une jeune fille déguisée, que, semblable à la plupart des hommes fins, pour ne pas dire astucieux, il avait les hanches conformées comme celles d'une femme (IP, IV, 486).

Dès l'époque des premières *Illusions perdues* [59], le personnage est fixé dans sa vérité physique qui détermine aussi ses amours, ses amitiés, sa vie sociale. Il est naturellement vu comme femme par Carlos Herrera. Ce dernier, qui perd en partie sa maîtrise de soi en apprenant la mort de Lucien, arrive tout juste à idéaliser, dans son discours à M. de Grandville, la nature de son amour :

---

(57) *Op. cit.*, p. 142.

(58) « Sur deux zones obscures... », *art. cit.*

(59) Voici le texte exact du manuscrit : « ... Un homme eût été d'autant plus tenté de le prendre pour une femme déguisée, qu'il avait, comme la plupart des hommes fins, adroits, pour ne pas dire astucieux, la hanche assez semblable à celle d'une femme ». La phrase apparaît sous sa forme actuelle dans l'édition originale de 1837.

> ... Le bien naissait dans ce cœur comme les fleurs se lèvent dans les prairies. Il était faible, voilà son seul défaut, faible comme la corde de la lyre, si forte quand elle se tend... Enfin Lucien était une femme manquée (S & M, V, 1112).

L'image féminine naît elle aussi sur les lèvres d'Esther qui voit chez Lucien les mêmes qualités que Carlos :

> Il n'y a d'ailleurs que nous qui connaissions assez les hommes pour apprécier un Lucien. Un Lucien, voyez-vous, est aussi rare qu'une femme sans péché ; quand on le rencontre, on ne peut plus aimer que lui : voilà (677).

Balzac peint Lucien sans illusions, mais avec amour. Il revient sans cesse sur son charme féminin. Sans sous-estimer sa faculté créatrice, on est tenté de lui prêter la passion de Carlos Herrera, à cause des nombreuses touches féminines dont il embellit sans cesse le portrait de Lucien. Et cela d'autant plus que Lucien n'est pas un cas vraiment unique. Dans toute *La Comédie humaine*, l'image de la femme, dans les portraits d'homme, révèle plus ou moins la même complaisance, ou le même goût. Et s'il est traditionnel que la beauté suscite une métaphore féminine, la prédilection pour les détails d'élégance vestimentaire semble dépasser la norme culturelle.

Notre analyse de la métaphore féminine aboutit à une double conclusion. Tout d'abord, même dans ses aspects spiritualistes, cette image a des racines physiologiques, trait qui s'affirme quand on passe au plan de l'instinctivité. Elle fait voir toute passion comme un déplacement d'énergie sexuelle.

Ensuite, si le champ notionnel de la métaphore féminine relève de la culture de relais — la femme étant vue de préférence parée, coupable ou en situation galante — la relation de comparant à comparé ne se prête pas à un type unique de lecture. Chez Balzac comme chez ses prédécesseurs, l'idéal de la beauté et de l'élégance masculines est féminin. Mais le narcissisme du détail et, plus encore, son caractère physiologique chez Lucien et chez les personnages des *Etudes philosophiques*, sont le signe d'un intérêt bisexuel assez peu déguisé.

La métaphore humaine, jusque dans les exemples qui échappent le moins à l'automatisme, exprime donc directement ou indirectement la prédominance de la force instinctive, tant à cause des natures d'êtres les plus fréquemment citées — femme, enfant, vieillard —, qu'à cause des comportements qui leur sont attribués. L'instinct détermine l'amour, le zèle, la délicatesse, aussi bien que l'égoïsme le plus tenace. Mais son caractère irrationnel en fait un élément imprévisible qui peut transformer le dévouement en férocité. L'homme apparaît d'abord dans sa nature animale. Nous savons déjà que ses différents avatars sociaux, tout en le disciplinant parfois, ne le modifient pas véritablement [60].

---

(60) Mentionnons deux sous-groupes dont l'infériorité numérique rejoint le manque de spécificité : relations familiales et amicales (21 ex.), hommes (20 ex., dont 11 vieillards). Parfois, ces images relèvent de la personnification (PCh, IX, 153). D'autres expriment, au moins indirectement, la prédominance de l'instinctivité. Beaucoup sont conven-

II. *LES MÉTAPHORES PHYSIOLOGIQUES*

A. Cannibalisme et nutrition

La place de choix qu'occupe la métaphore alimentaire chez Balzac [61] reflète sa richesse de formes et de significations dans le psychisme individuel et collectif, laquelle est inséparable des fantasmes de cannibalisme qui caractérisent la phase orale dans le développement infantile. Sur ce point, les recherches de la psychanalyse et de l'anthropologie se rejoignent. L'origine fantasmatique de l'image explique d'ailleurs qu'au niveau linguistique elle fleurisse particulièrement dans les sociétés non-cannibaliques : « La prohibition de la chair humaine libère l'usage métaphorique du cannibalisme : précisément parce qu'on ne transgresse pas l'interdit, les représentations cannibaliques servent à signifier autre chose et pas seulement, quoique souvent, d'ordre sexuel [62] ».

Le lait est évidemment l'archétype alimentaire ou l'aliment primordial [63]. En même temps, le rapport de l'enfant avec le sein maternel représente son premier rapport avec un objet extérieur, rapport ambivalent d'amour et de haine. Selon Abraham et Freud, le stade oral se divise en deux phases successives qui correspondent à un développement différent de l'agressivité [64]. L'opposition entre le lait et le sein, qui détermine l'opposition entre liquide et solide, caractérise ces deux phases, la première de succion vampirique (qui serait même pré-ambivalente d'après Abraham, c'est-à-dire dépourvue d'agressivité) et la seconde de morsure proprement cannibalique. En anthropologie, les termes d'*avalage* et de *croquage*, auxquels la baleine de Jonas et l'ogre du Petit Poucet, celui-ci bien plus lourd de menace, peuvent servir de prototype [65], correspondent à la distinction entre phase vampirique et phase cannibalique. Ces transformations mythologiques présentent l'intérêt d'établir une équivalence entre succion et avalage, utile pour la suite de notre examen : l'absence de morsure et de manducation importe plus que la nature solide ou liquide de l'aliment.

Les quelques divergences théoriques que nous venons de signaler permettent de rendre compte un peu mieux de certains emplois métaphoriques. Mais l'essentiel pour notre étude réside dans les oppositions entre liquide et solide, avalage et croquage, et surtout dans la polarité amour-haine sur laquelle sont axés tous les contenus de l'image. Ces trois séries peuvent coïncider terme à terme selon les axes liquide-avalage (succion)-amour et solide-croquage (morsure)-haine. Mais il y a de notables

---

tionnelles dans leurs présuppositions, sinon dans leur forme : l'affection y règne entre le père et le fils, le mariage y est monotone, le frère y aime sa sœur. Il faut sans doute rattacher la rareté de la métaphore masculine au fait que, surtout dans ces exemples conventionnels, le point de vue du sujet parlant est celui de l'homme.

(61) 305 exemples relevés.

(62) Jean Pouillon in « Manières de table, manières de lit », *Nouvelle Revue de Psychanalyse*, n° 6, *Destins du cannibalisme*, Automne 1972, p. 15.

(63) Cf. Gilbert Durand, *op. cit.*, p. 275.

(64) Mélanie Klein n'établit pas la même distinction et attribue dès l'origine une force égale aux pulsions négatives et aux pulsions positives. Cf. *Envy and Gratitude*, Basic Books Inc., New York, 1957 et *Our Adult World and Its Roots in Infancy*, *ibid.*, 1963. Les *Essais de psychanalyse* ont été publiés en traduction française, Payot, 1967.

(65) Durand, p. 218, reprend ces exemples à la suite de Bachelard.

exceptions : le vampirisme ne va pas toujours sans agressivité, et le solide n'est pas toujours objet de haine — en fait, le rapprochement nutrition-sexualité s'appuie sur les nourritures solides plutôt que liquides. Ce trait suggère que l'ambivalence haine-amour caractérise les deux phases de l'incorporation, quoi qu'en dise Abraham.

La métaphore alimentaire met en œuvre une quatrième série binaire, qui détermine « le rapport du Même et de l'Autre, impliquant la référence au rapport narcissique-objectal [66] ». Il s'agit de la double démarche de l'introjection et de la projection. L'introjection, très proche de l'incorporation, s'en distingue pourtant dans la mesure où elle concerne non seulement un objet corporel (par exemple le sein), mais aussi les pulsions, et les qualités qui sont inhérentes à l'objet [67]. Toutes deux président à l'identification. L'objet bon ou mauvais est incorporé, introjecté et le sujet s'en approprie les caractéristiques par identification. Dans ce processus, le sujet est en proie à la convoitise et à l'envie, mais il connaît aussi la gratitude. La projection, démarche complémentaire, pourvoit aux allers et retours vers autrui des pulsions bonnes et mauvaises. La personnalité finale sera plus ou moins intégrée selon le degré de succès avec lequel le moi aura réussi, la gratitude succédant à l'envie, à surmonter ses pulsions négatives, à s'identifier avec le bon objet [68]. Le terme de cannibalisme recouvre donc à la fois les deux aspects, positif et négatif, de l'incorporation.

Les deux grands groupes de la métaphore alimentaire dans *La Comédie humaine* se répartissent selon cette polarité amour-haine. Le premier évoque la force créatrice, la jouissance, le bonheur, et peint les états mystiques, l'ivresse mentale. Le second évoque la cupidité, l'avarice, la destruction ou l'autodestruction, et peint les relations sociales et affectives. Cette double signification de l'image détermine le caractère à la fois substantiel (jouissance/poison) et dynamique (nutrition/cannibalisme) de son contenu. Il nous arrivera, en accord avec l'usage courant, d'employer de préférence le terme de nutrition pour le groupe positif, et celui de cannibalisme pour le groupe négatif.

I. *Amour* [69].

a) *L'incorporation mystique.*

La peinture des états mystiques illustre la coïncidence positive des termes liquide, avalage et amour. Dans la mythologie, l'avalage décrit les concepts de transsubstantiation. Nourriture veut dire connaissance, d'abord divine, puis plus tard scientifique [70]. Le miel est presque inséparable du lait. Le mystique tend à les confondre et à les « décanter » en un breuvage sacré. Par analogie, le vin, emblème du sang (par exemple le sang du

(66) Cf. André Green, « Cannibalisme : réalité ou fantasme agi », *Nouvelle Revue de Psychanalyse*, *op. cit.*, p. 31 et passim.

(67) Cf. Laplanche et Pontalis, *op. cit.*, p. 210, et André Green, *op. cit.*, p. 39-40.

(68) Mélanie Klein, *Envy and Gratitude*, *op. cit.*

(69) 118 exemples.

(70) Curtius, *op. cit.*, p. 166-168. Tous ces sens apparaissent chez Dante : cf. Walter Naumann, « Hunger und Durst als Metaphern bei Dante », *Romanische Forschungen*, 1940, p. 13-36.

Christ), symbolise les vérités divines [71]. On a affaire à tout un circuit d'images qui, par l'intermédiaire de la vigne [72], englobe jusqu'aux mythologies végétales, et dont quelques traces subsistent chez Balzac dans une minorité d'exemples [73] axés sur l'expression du *mysticisme amoureux*. Les mots-thèmes prolongent la tradition : *nourriture* et ses dérivés viennent en tête. Les *ondes*, le *lait*, plus souvent que les *fruits* et le *miel*, assouvissent la soif et la faim du fidèle.

Dans *Séraphîta* [74], la métaphore reflète la continuité de l'amour terrestre à l'amour divin — thème central du roman. La passion que Wilfrid, pécheur à demi repenti, éprouve pour Séraphîta, passe de la morsure destructrice du contenant à la succion bénéfique du contenu :

> Après avoir épuisé la coupe de l'amour terrestre que ses dents avaient broyée, il apercevait le vase d'élection où brillaient les ondes limpides, et qui donne soif des délices immarcescibles à qui peut approcher des lèvres assez ardentes de foi pour n'en point faire éclater le cristal (X, 525) [75].

Dans *Le Lys* et dans les *Etudes philosophiques*, l'amour maternel, prémices ou substitut de la passion, est l'une des composantes du mysticisme amoureux [76]. Les dérivations métaphoriques développent le sémantisme liquide de l'image ou lui substituent des connotations voisines, grâce à des termes comme *infuser*, *envelopper*, *draperies*. La mère, dans l'éducation de l'enfant maudit, fait succéder la nourriture intellectuelle à l'allaitement :

> ... La pauvre mère, qui assistait aux leçons, semblait vouloir lui infuser la connaissance des choses, comme naguère, au moindre cri, elle lui versait des flots de lait (IX, 691) [77].

Plus tard, l'image de la jeune fille aimée relaie celle de la mère :

> Quant à Etienne, il se transformait sous le regard créateur de ces yeux fins ; ils lui infusaient une sève fécondante... Le bonheur était comme le lait nourricier de sa nouvelle vie (*ibid.*, 734) [78].

Dans *Le Lys*, Madame de Mortsauf remplit ce double rôle auprès de Félix : « La comtesse m'enveloppait dans les nourricières protections, dans les blanches draperies d'un amour tout maternel » (VIII, 850). Trois autres images du même roman dotent d'une aura mystique le désir charnel inassouvi et sublimé : « L'abstinence a des épuisements mortels que préviennent quelques miettes tombées une à une de ce ciel qui, de Dan à Sahara, donne la manne au voyageur » (859) [79]. Ici, l'incorporation mystique établit indirectement entre l'amour humain et l'amour divin

(71) Cf. Oegger, *Le vrai Messie*, Paris, 1829, p. 30.
(72) Durand, p. 278.
(73) Vingt et un.
(74) Quatre exemples.
(75) Cf. *ibid.*, 509, 519, 575.
(76) Gam, IX, 469, traduit l'extase musicale.
(77) Cf. 695.
(78) Cf. F30, II, 751.
(79) Cf. aussi 800, 857.

une équivalence justifiée en partie par le destin de Mme de Mortsauf. A ce titre, les exemples du *Lys* offrent un caractère de transition entre ceux de *Séraphîta*, qui font explicitement de l'amour humain une étape vers l'amour divin, et ceux qui confondent purement et simplement amour divin et amour humain [80]. Ces derniers n'opèrent pas une simple substitution où l'être humain évincerait la divinité, mais plutôt une fusion dans le goût romantique :

> — ... Si tu savais ce qu'il y a de miel et de profondeur dans un baiser presque timide qui se donne au milieu de cette sainte nature... C'est à croire que Dieu ne nous a faits que pour le prier ainsi (MJM, I, 304) [81].

Dans tous les cas, l'incorporation mystique est un phénomène bénéfique.

b) *L'ivresse.*

Les états d'ivresse, qui ne sont pas sans parenté avec les états mystiques, présentent sous une forme très atténuée une composante négative qui illustre l'ambivalence originelle de l'image. Ce groupe mineur [82] se limite à deux sources, le vin et l'opium [83]. Son contenu est plus physiologique et prolonge les vues exprimées dans *Le Traité des excitants modernes*, *Le Dôme des Invalides* ou certains développements de *La Comédie humaine*. Décrivant les moments d'exaltation ou d'extase provoqués par l'absorption de certaines substances, il introduit une parenté entre états mystiques et états organiques. En général, si la griserie exalte, elle endort en même temps les facultés de défense et la démarche introjection-projection ne va pas sans un danger parfois mortel. Tel est le cas chez Valentin s'avançant à la rencontre de son destin :

> ... Il entra chez le marchand de curiosités d'un air dégagé, laissant voir sur ses lèvres un sourire fixe comme celui d'un ivrogne. N'était-il pas ivre de la vie, ou peut-être de la mort ? (PCh, IX, 22) ;

chez Balthazar Claës, « ivre de carbone... » (RA, IX, 576) ; chez César Birotteau, sur le point d'être terrassé par l'excès de bonheur :

> C'est trop, dit le philosophe à l'amoureux Anselme, il ne pourra jamais porter tout le vin que tu lui verses (V, 590) [84].

L'opium est vu de façon plus positive. En endormant les facultés physiques, il favorise les états seconds et les moments d'extase. Le thériaki, terme qui désigne un malade sous l'influence d'un médicament opiacé, suggère l'extase mystique [85] ou sentimentale : « Le père Goriot avait le sourire fixe d'un thériaki en voyant, en écoutant cette jolie querelle »

---

(80) Cf. RA, IX, 627-628.

(81) Cf. AS, I, 820. Les contenus de la métaphore religieuse développent en détail le rapport de l'homme à Dieu.

(82) Vingt et un exemples.

(83) Respectivement douze et neuf exemples relevés.

(84) Cf. aussi PCh, IX, 161 ; S & M, V, 911 ; Be, VI, 260 ; MD, IV, 63 ; Pay, VIII, 26.

(85) MR, IX, 307 ; cf. aussi 292.

(II, 1024) [86], ou bien encore l'extase musicale [87]. Les prestiges de la loterie deviennent « l'opium de la misère » (R, III, 902). L'opium, comme la *spécialité*, faculté mystique décrite dans *Séraphîta*, « endort la nature corporelle, dégage l'esprit de ses liens, le laisse voltiger sur le monde, le lui montre à travers un prisme, et lui en extrait la pâture qui lui plaît le plus » (X, 491).

Comme le vin, il décrit donc des cas de possession sans recéler le même danger. Il suscite des expériences souhaitables en elles-mêmes, mais qui présentent l'inconvénient d'échapper au contrôle de la volonté. On sait que, selon le récit de Gautier, Balzac se refusa à absorber de l'opium, pour ne pas courir le risque d'amoindrir sa force vitale. L'ivresse, dans le texte métaphorique, offre la même double signification que dans le *Traité des excitants modernes* : d'une part signal d'alarme ; d'autre part, lors même qu'elle semble dissocier l'esprit de la matière, référence à l'origine physiologique de nombreux états mentaux [88]. En grande partie bénéfique, elle nécessite pourtant un dosage délicat.

c) *Peinture de l'amour charnel* [89].

Ce contenu de la métaphore de nutrition interprète toute jouissance charnelle comme une recherche, une répétition, un épanouissement de la jouissance primitive du sein. Il développe l'identification entre nutrition et sexualité, deux fonctions qui se confondent dans la première étape de la vie [90]. Tout ce groupe a donc une base métonymique, et repose sur une relation de contiguïté spatiale et temporelle.

L'amour, et nommément le désir physique, c'est la faim et la soif. Mais, dans le domaine érotique, la faim prédomine [91]. Si l'eau du désir apparaît, c'est dégagée de toute attache mystique. Steinbock, pendant les années où il en est réduit à la contemplation de la cousine Bette, la regarde parfois « comme un voyageur altéré, qui, traversant une côte aride, doit regarder une eau saumâtre » (VI, 198). Réciproquement, Gaston de Nueil est « largement abreuvé d'amour pendant neuf années » (FA, II, 246). L'eau suggère facilement une tendance à la perversion :

> Ils [les hommes à passion selon Vautrin] n'ont soif que d'une certaine eau prise à une certaine fontaine, et souvent croupie ; pour en boire, ils vendraient leurs femmes, leurs enfants ; ils vendraient leur âme au diable (PG, II, 885).

(86) Cf. R, III, 993.

(87) CP, VI, 551.

(88) Cf. inversement, l'hallucination de Lucien juste avant son suicide, comparée aux effets de l'opium, du haschich et du protoxyde d'azote (S & M, V, 1010).

(89) 72 exemples.

(90) Jean LAPLANCHE clarifie la terminologie de ces concepts freudiens, en spécifiant que seule la nutrition est une *fonction*, qui satisfait l'*instinct* de la faim, et qui sert à étayer la *pulsion* sexuelle (Cf. *Vie et mort en psychanalyse*, Paris, Flammarion, 1970, p. 30 sq.).

(91) La métaphore aquatique donne à l'eau un sens érotique qu'elle a très rarement dans la métaphore alimentaire : huit exemples seulement, auxquels on peut ajouter quelques images liquides opposant le vin à l'eau, c'est-à-dire l'érotisme au mariage. La soif a le plus souvent un sens mystique.

Plus concrètes, les nourritures solides prédominent universellement dans l'expression de la sexualité. La variété à laquelle se prêtent les préparations culinaires n'y est sans doute pas étrangère non plus. Nous reviendrons bientôt sur ce dernier point. L'amant a faim, l'amour est un repas, la satiété peut aller jusqu'à l'indigestion. Ce thème constant apparaît dès la *Physiologie du mariage* [92].

Réciproquement, la faim exprime l'insatisfaction sexuelle avec encore plus d'intensité que la soif. Deux romans, *Le Lys dans la vallée* et *Le Cousin Pons*, mettent en œuvre le potentiel négatif de la métaphore. Dans *Le Lys*, le thème de la nourriture mystique [93] a pour corollaire celui de l'inanition charnelle dont meurt Mme de Mortsauf. L'image assigne à sa maladie et à sa mort une signification qui ne ressort pas aussi nettement de l'histoire, bien que celle-ci en contienne aussi les indices. Une inanition prolongée est la cause physique et immédiate de la mort, dont Félix, le narrateur, tout au long de la dernière partie, s'accuse d'être le vrai responsable : son infidélité a livré Mme de Mortsauf au désespoir et elle meurt de chagrin. La scène de l'agonie est axée sur la peinture physique et métaphorique de l'inanition : déjà, par un glissement de l'histoire au discours, la lande que traverse Félix à son dernier retour lui apparaît semblable à un squelette [94]. De même Mme de Mortsauf :

> Ses tempes creusées, ses joues rentrées montraient les formes intérieures du visage, et le sourire que formaient ses lèvres blanches ressemblait vaguement au ricanement de la mort (VIII, 1003 et *passim*).

La suite de la description associe à plusieurs reprises la faim, sous sa forme instinctuelle la plus brutale, à la privation de toute jouissance amoureuse :

> ... C'était le quelque chose sans nom de Bossuet qui se débattait contre le néant, et que la faim, les désirs trompés poussaient au combat égoïste de la vie contre la mort (*ibid.*, et *passim*).

Poursuivant le déplacement métonymique du cadre au personnage (l'eau de l'Indre, le dîner des vendangeuses), l'image établit un parallèle explicite entre l'impossibilité où se trouve l'héroïne d'absorber toute nourriture et le repentir de sa résistance passée :

> Ils croient que ma plus vive douleur est la soif. Oh ! oui, j'ai bien soif, mon ami. L'eau de l'Indre me fait bien mal à voir, mais mon cœur éprouve une plus ardente soif. J'avais soif de toi (1005).

En proie à l'amer regret de son sacrifice, elle voit sa mort à l'image de sa vie. Toute la scène de l'agonie du *Lys* développe ce parallélisme :

> Ses lèvres décolorées se tendirent alors sur ses dents affamées pour essayer un de ces sourires forcés sous lesquels nous cachons également l'ironie de la vengeance, l'attente du plaisir, l'ivresse de l'âme et la rage d'une déception (1003).

---

(92) Cf. X, 633, et *supr.*, p. 70.
(93) Cf. *supr.*, p. 247.
(94) VIII, 1000 Cf. *supr.*, p. 78.

Le repas dont elle perçoit les apprêts au dehors, et auquel il est trop tard pour participer, lui apparaît, avec l'eau de l'Indre, comme le symbole de sa vie manquée :

> Félix ! les vendangeuses vont dîner, et moi, moi, dit-elle d'une voix d'enfant, qui suis la maîtresse, j'ai faim. Il en est ainsi de l'amour, elles sont heureuses, elles ! (*ibid.*, 1005) [95].

Nous retrouvons dans cette analyse le même processus que dans celle du *Cousin Pons* [96] : déplacement de la sexualité à la nutrition, qui se manifeste autant par le détail symbolique des vendanges que par l'emploi de la métaphore de nourriture ; identification entre inanition et chasteté, où la première n'est que le déguisement — la forme décente, sinon figurée — de la seconde. Mme de Mortsauf ne meurt pas d'un cancer, elle meurt de faim.

La faim, beaucoup plus fréquente que la soif dans la peinture de l'amour charnel, se satisfait aussi plus souvent :

> Si à table un mets ne vous semble pas bon, il n'en faut dégoûter personne, mon enfant, reprit la vieille avec bonhommie, surtout lorsque, depuis Eve jusqu'à nous, le mariage a paru chose si excellente... (F30, II, 698).

Au désir succède normalement un dénouement heureux :

> ... Il avait atteint moralement et physiquement à cette phase particulière aux passions satisfaites, aux bonheurs assouvis, et que tous les volatiles engraissés par force représentent parfaitement quand, la tête enfoncée dans leur gésier qui bombe, ils restent sur leurs pattes, sans pouvoir ni vouloir regarder le plus appétissant manger (Pay, VIII, 29) [97].

Cette veine de sensualité optimiste se diversifie en s'attardant sur la qualité des mets, sur leurs propriétés respectives. Le repas se fait *banquet*, *festin*, *petits soupers*, *ambigu* [98]. Les séducteurs professionnels peuvent fournir sur commande toutes les variétés qui ont cours :

> Eclectiques par excellence en amour, ils vous servent une passion comme une femme peut la vouloir ; leur cœur ressemble à une carte de restaurant, ils ont mis en pratique, sans le savoir et sans l'avoir lu peut-être, le livre *De l'Amour* par Stendhal ; ils ont la section de l'amour-goût, celle de l'amour-passion, l'amour-caprice, l'amour cristallisé, et surtout l'amour passager (PrB, VI, 824).

---

(95) Cf. aussi 963, 1016. On se rendra compte, dans l'étude de l'agressivité cannibalique, de la parenté entre inanition et autophagie.

(96) Nous avons déjà vu que la gastrolâtrie de Pons suscite la métaphore féminine (*supr.*, p. 239 et CP, VI, 537, 571). Comparés et comparants sont interchangeables dans l'expression de l'équivalence entre nutrition et sexualité, de même que de l'équivalence entre thésaurisation et digestion.

(97) Cf. aussi, pour les termes généraux de faim et de nutrition, B, II, 456 ; H, II, 291-292, 314.

(98) Cf. respectivement CA, IV, 406 ; MJM, I, 241, 261 ; VF, IV, 221 ; UM, III, 274.

Mais en général, c'est la femme elle-même, *friandise* de choix, que l'on sert au banquet de l'amour : chez les non-cannibales, les « façons de manger deviennent des manières de parler au sujet des façons de coucher [99] ».

> ... Libertin et gourmand, il se trouvait relativement aux femmes dans la situation d'un pâtissier qui aimerait les friandises. Ses habitudes vicieuses étaient devenues chez lui la nature même (S & M, V, 754) [100].

Mademoiselle Cormon, « vieille fille » exceptionnelle, offre la promesse de robustes jouissances :

> Cette grasse personne offrait à un jeune homme perdu de désirs, comme Athanase, la nature d'attraits qui devait le séduire. Les jeunes imaginations, essentiellement avides et courageuses, aiment à s'étendre sur ces belles nappes vives. C'était la perdrix dodue, alléchant le couteau du gourmet (VF, IV, 255).

Les douceurs et les plats du dessert obtiennent de loin la préférence. Lousteau, de retour à Paris, se vante en ces termes de la conquête de Mme de la Baudraye :

> J'ai rendu service à trois braves provinciaux... qui tournaient depuis dix ans, autour d'une de ces cent et une dixièmes Muses qui ornent les départements, sans y plus toucher qu'on ne touche à un plat monté du dessert, jusqu'à ce qu'un esprit fort y donne un coup de couteau (IV, 153).

Les filles du père Goriot « veulent aujourd'hui le plaisir, comme elles voulaient autrefois du bonbon » (II, 1071) et Valérie Marneffe est pour Crevel « blanche et douce comme du sucre ! » (Be, VI, 312) [101]. Le *fruit* [102], évocateur des courbes féminines, prend souvent un relief et une couleur palpables :

> Elle ressemblait à ces beaux fruits coquettement arrangés dans une belle assiette et qui donnent des démangeaisons à l'acier du couteau (Be, VI, 289).

L'interprétation sexuelle du couteau, dans trois des exemples ci-dessus, renforce l'équivalence nutrition-amour charnel, surtout si le couteau est associé à des plats du dessert : il y a là cumul dans l'expression de la sensualité. Le fruit couronne et surpasse en délices la somptuosité du premier dessert :

---

(99) Jean Pouillon, *op. cit.*, p. 22.

(100) Une première version de cette image apparaissait dans *Valentine et Valentin* qui contient une ébauche du personnage de Peyrade : « Quant aux femmes, il se trouvait dans la situation d'un pâtissier friand de gâteaux et de tartelettes » (XI, 73). Balzac l'a enrichie d'une généralisation psychologique. Autres images de friandise, avec un sens identique ou apparenté : AEF, III, 229 ; DL, V, 200.

(101) Cf. MD, IV, 151.

(102) Signalons quelques allusions au fruit défendu : « — Vous ne savez pas combien les actes arbitraires sont difficiles à commettre. C'est, pour un roi constitutionnel, comme une infidélité pour une femme mariée. C'est son adultère. — Son péché mignon, dit le duc de Grandlieu. — Le fruit défendu ! reprit Diane en souriant. Oh ! comme je voudrais être le gouvernement ! car je n'en ai plus, moi, de ce fruit, j'ai tout mangé » (S & M, V, 1098) ; Cf. Lys, VIII, 800.

> Quand l'œil se promène sur une femme parée qui montre une magnifique poitrine, ne croit-on pas voir le dessert monté de quelque beau dîner ; mais le regard qui se coule entre l'étoffe froissée par le sommeil embrasse des coins friands, et s'en régale comme on dévore un fruit volé qui rougit entre deux feuilles sur l'espalier (E, VI, 1010).

Tavelé, il invite à des dépravations raffinées :

> Les observateurs comprendront alors que la Péchina, chez qui la passion sortait par tous les pores, réveillât en des natures perverses la fantaisie endormie par l'abus ; de même qu'à table l'eau vient à la bouche à l'aspect de ces fruits contournés, troués, tachés de noir que les gourmands connaissent par expérience, et sous la peau desquels la nature se plaît à mettre des saveurs et des parfums de choix (Pay, VIII, 176).

Mais, proche de la nature, il est aussi un symbole de bonheur achevé. Dans un passage très caractéristique de *La Cousine Bette*, il concrétise exceptionnellement le choix amoureux de la jeune fille, choix instinctif, donc en harmonie avec les impératifs mystérieux de la nature :

> Les passions vraies ont leur instinct. Mettez un gourmand à même de prendre un fruit dans un plat, il ne se trompera pas et saisira, même sans voir, le meilleur. De même, laissez aux jeunes filles bien élevées le choix absolu de leurs maris, si elles sont en position d'avoir ceux qu'elles désigneront, elles se tromperont rarement. La nature est infaillible. L'œuvre de la nature, en ce genre s'appelle : aimer à première vue. En amour, la première vue est tout bonnement la seconde vue (VI, 214).

La portée de ce jugement, dans la leçon morale et sociale de *La Comédie humaine*, se limite au domaine de l'accord physique entre époux. L'exemple d'Hortense Hulot en est d'ailleurs la preuve immédiate.

La sensualité du dessert demeure le plus souvent assez simple chez Balzac, ce qui n'exclut ni la gourmandise, ni l'intensité de la jouissance, car la force des termes est frappante. C'est plutôt dans l'évocation de mets qui se prêtent à des préparations culinaires à la fois plus douteuses et plus piquantes que se déploie le thème de la recherche érotique. Une trentaine d'autres images, réparties à toutes les époques de composition de *La Comédie humaine*, opposent le pain sec et la gastronomie, la cuisine et la salle à manger, le mariage et les aventures extra-conjugales, le besoin physique et la sensualité. La *Physiologie du mariage* amorce l'antithèse, qui persistera jusque dans plusieurs exemples de *La Cousine Bette* et de *Petites misères de la vie conjugale. Les Secrets de la princesse de Cadignan* en font un réseau thématique qui double celui de la métaphore théâtrale, dans un registre nettement moins relevé. C'est dire qu'on la trouve, assez naturellement, quand l'œuvre traite des problèmes du mariage ou de l'opposition entre deux formes d'amour : ainsi dans *Le Lys*, *Une fille d'Eve*, *Béatrix*, *Mémoires de deux jeunes mariées.*

D'entrée de jeu, l'opposition est longuement développée :

> L'amour physique est un besoin semblable à la faim, à cela près que l'homme mange toujours, et qu'en amour son appétit n'est pas aussi soutenu ni aussi régulier qu'en fait de table.
>
> Un morceau de pain bis et une cruchée d'eau font raison de la faim de tous les hommes ; mais notre civilisation a créé la gastronomie. L'amour a son morceau de pain, mais il a aussi cet art d'aimer, que nous appelons la coquetterie, mot charmant qui n'existe qu'en France, où cette science est née. Eh ! bien, n'y a-t-il pas de quoi faire frémir tous les maris s'ils viennent à penser que l'homme est tellement possédé du besoin inné de changer ses mets, qu'en quelque pays sauvage où les voyageurs aient abordé, ils ont trouvé des boissons spiritueuses et des ragoûts ? Mais la faim n'est pas si violente que l'amour ; mais les caprices de l'âme sont bien plus nombreux, plus agaçants, plus recherchés dans leur furie que les caprices de la gastronomie... (Phy, X, 631) [103].

Elle met en contraste deux conceptions de l'amour. D'Arthez, qui est un objet de commisération pour ses amis, se contente d'une maîtresse assez vulgaire :

> ... En vantant les délicieuses dépravations de pensée qui constituent la coquetterie parisienne, ces deux corrupteurs plaignaient d'Arthez, qui vivait d'un aliment sain et sans aucun assaisonnement, de n'avoir pas goûté les délices de la haute cuisine parisienne, et stimulaient vivement sa curiosité (SPC, VI, 26) [104].

Les servitudes matérielles de l'état matrimonial font, plus que tout, obstacle aux raffinements de la sensualité. Au mieux, les premières années de vie conjugale sont pour l'épouse un apprentissage à la vie amoureuse : ainsi, Marie de Vandenesse, dans *Une fille d'Eve*, est décrite par Rastignac et Blondet comme « cuite à point par le mariage pour être dégustée par l'amour » (II, 94). Au pire, la vertu que doit pratiquer la bonne épouse l'empêche précisément de l'emporter sur ses rivales plus légères. Cette idée est au centre de l'intrigue de *La Cousine Bette*, avec d'un côté la baronne Hulot et sa fille Hortense, toutes deux belles, honnêtes et malheureuses, et de l'autre Valérie Marneffe, belle, perverse, triomphante. Les « boissons spiritueuses » et les « ragoûts » de la *Physiologie du mariage* s'agrémentent de condiments et d'épices, d'alcool servi « dans des coupes d'or curieusement ciselées » (Lys, VIII, 950) :

> La femme est le potage de l'homme, a dit plaisamment Molière par la bouche du judicieux Gros-René. Cette comparaison suppose une sorte de science culinaire en amour. La femme vertueuse et digne serait alors le repas homérique, la chair jetée sur les charbons ardents. La courtisane, au contraire, serait l'œuvre de Carême avec ses condiments, avec ses épices et ses recherches. La baronne

---

(103) Cf. *ibid.*, 648 ; SPC, VI, 27 ; Be, VI, 335.

(104) Cf. aussi VF, IV, 232 et *Œuvres diverses*, *Physiologie gastronomique*.

> ne pouvait pas, ne savait pas *servir* sa blanche poitrine dans un magnifique plat de guipure, à l'instar de madame Marneffe (Be, VI, 394) [105].

Les *dragées de sel* éclipsent ainsi la fadeur du *miel*, le *pâté de Ruffec* celle du *pâté d'anguille*, des *pilules digestives* et autres ingrédients auxquels l'épouse aigrie de *Petites misères de la vie conjugale* se trouve assimilée [106].

Dans *Béatrix* aussi, l'opposition entre l'uniformité conjugale et la recherche érotique se traduit en métaphores culinaires. Sabine, l'épouse négligée, s'écrie amèrement :

> Si j'avais comme *elle* dit : — Je t'aime ! dans toutes les langues de l'Europe, on me consolerait, on me plaindrait, on m'adorerait, et je servirais le régal macédonien d'un amour cosmopolite ! (II, 567).

Les mets piquants, image de plaisirs illicites — ici, le jeu de mots du « régal macédonien » — possèdent en même temps, selon la croyance populaire, des propriétés aphrodisiaques. Dans ce domaine, l'épouse amoureuse se met à l'école de la maîtresse, et la métaphore se prolonge dans l'histoire, acquérant une signification littérale. Sabine, ne pouvant rivaliser avec Béatrix dans « les régions secrètes de l'amour », espionne la cuisinière de celle-ci et « finit par donner à Calyste la même chère et meilleure ». Cependant, Calyste fait « de nouvelles façons » :

> Que manque-t-il donc ? ... demanda-t-elle. — Rien, répondit-il en cherchant sur la table un objet qui ne s'y trouvait pas. — Ah ! s'écria Sabine le lendemain en s'éveillant, Calyste voulait de ces hannetons pilés, de ces ingrédients anglais qui se servent dans des pharmacies en forme d'huiliers, madame de Rochefide l'accoutume à toutes sortes de piments ! Elle acheta l'huilier anglais et ses flacons ardents ; mais elle ne pouvait pas poursuivre de telles découvertes jusque dans toutes les préparations inventées par sa rivale (*ibid.*, 564-65).

Le même contraste entre Lady Dudley et Mme de Mortsauf s'affirmait presque dans les mêmes termes :

> Elle voulait du poivre, du piment pour la pâture du cœur, de même que les Anglais veulent des condiments enflammés pour réveiller leur goût (VIII, 945) [107].

Une nuance de blâme perce ici, due au caractère antipathique du personnage. On la retrouve dans *Mémoires de deux jeunes mariées*, où elle reflète la thèse particulière du roman, fondée sur la nécessité de l'équilibre conjugal :

---

(105) Cf. 332.

(106) Cf. respectivement Phy, X, 725 ; PCh, IX, 149-150 ; PMV, X, 930 ; X, 995, Dans six images, le piquant de l'esprit s'oppose de même à la fadeur de l'ennui : FA. II, 209 ; IG, IV, 17 ; MD, IV, 62 ; IP, IV, 540, 786 ; S&M, V, 660. Autres oppositions, entre le vice et la vertu : Lys, VIII, 979 ; FE, II, 80, 81 ; IP, IV, 498, 504.

(107) Cf. 950.

> Les choses qui ne nous fatiguent point, le silence, le pain, l'air, sont sans reproche parce qu'elles sont sans goût ; tandis que les choses pleines de saveur, en irritant nos désirs, finissent par les lasser (I, 309).

Dans cet ordre d'idées, il convient de citer ici un éloge du solide bonheur conjugal que doit assurer à Popinot, dans *César Birotteau*, le succès de l'huile « Césarienne ». Le commis-voyageur Gaudissart, décidé à faire ce succès, le prédit avec un de ces jeux de mots dont il est friand :

> Elle brillera, elle s'allumera, cette huile, elle sera sur toutes les têtes. Ah ! votre mariage ne sera pas un mariage en détrempe, mais un mariage à la barigoule ! (CB, V, 423) [108].

Les artichauts à la barigoule, où l'huile ne fait pas non plus défaut, sont un symbole à la fois honnête et attrayant de la félicité conjugale que vaudra à Popinot la vente de l'huile « Césarienne », nommée d'après sa fiancée.

Ces trois exceptions mises à part, Balzac accorde constamment la supériorité à la « haute cuisine parisienne ». Mais ce ne sont pas des délices purement physiques qui distinguent celle-ci de la pauvre matérialité du mariage. Rappelons-nous que l'appétit amoureux se soutient par « les caprices de l'âme », par « l'art », par « la poésie des sens », par de « délicieuses dépravations de pensée [109] ». De telles expressions suggèrent que l'amour vrai est inséparable de la « gastronomie », c'est-à-dire de la recherche érotique :

> Les *Quinze cents francs et ma Sophie*, ou la passion dans la chaumière, sont des propos d'affamés auxquels le pain bis suffit d'abord, mais qui, devenus gourmets s'ils aiment réellement, finissent par regretter les richesses de la gastronomie (Fer, V, 61).

Précisément, d'Arthez accède à la gastronomie quand il tombe réellement amoureux de la princesse de Cadignan. La réciproque est d'ailleurs fausse, et Balzac exalte souvent la « poésie des sens » à l'exclusion d'un véritable amour : Valérie Marneffe, de Marsay et la fille aux yeux d'or, Diane de Maufrigneuse dans *Le Cabinet des antiques*, en sont des exemples connus.

Balzac a cru ou voulu trouver en Mme Hanska la réunion des qualités incompatibles chez ses héroïnes. On dit qu'il a écrit à son intention plusieurs passages de *La Cousine Bette*, dont le plus explicite offre une forme assez condensée :

> L'amour, cette immense débauche de la raison, ce mâle et sévère plaisir des grandes âmes, et le plaisir, cette vulgarité vendue sur la place, sont deux faces différentes d'un même fait. La femme qui satisfait ces deux vastes appétits des deux natures, est aussi rare, dans le sexe, que le grand général, le grand écrivain, le grand artiste, le grand inventeur, le sont dans une nation. L'homme

(108) *Mariage en détrempe* (familier au XVIIe siècle, puis populaire) : « union illégitime qui doit se rompre à brève échéance », cf. DAGNEAUD, *op. cit.*, p. 76.

(109) Cf. respectivement Phy, X, 631 ; *ibid.*, 648 ; VF, IV, 232, SPC, VI, 26.

> supérieur comme l'imbécile, un Hulot comme un Crevel, ressentent également le besoin de l'idéal et celui du plaisir ; tous vont cherchant ce mystérieux androgyne, cette rareté, qui, la plupart du temps, se trouve être un ouvrage en deux volumes (VI, 385) [110].

L'androgyne qui réunit l'idéal et le plaisir en une union mystique ne fait donc pas fi de la gastronomie. En amour, le chemin de l'idéal passe par l'art érotique, qui remplit la fonction commune à tous les arts — cuisine ou poésie : perfectionner la matière première offerte par la nature. L'amour et le plaisir sont « deux faces différentes d'un même fait ». Cette formule fait écho à l'une des phrases clés de *Louis Lambert* : « Peut-être les mots matérialisme et spiritualisme expriment-ils les deux côtés d'un seul et même fait » (X, 379).

Mais cet effort, persistant chez Balzac, de conciliation des contraires, traduit, s'agissant de la sexualité, un souci d'ordre et de réglementation non moins constant chez lui. De même qu'il n'est pas de cannibalisme « sauvage » dans les sociétés où l'homme est objet de consommation, de même le mariage obéit partout à des lois sociales et sexuelles bien définies [111]. En opposant tantôt mariage et érotisme, tantôt amour vrai et plaisir, Balzac exprime à la fois l'impossibilité de renoncer à la structure matrimoniale et la nécessité, en toutes circonstances, des « manières de lit » : car rien de plus ritualiste, en un sens, que les règles compliquées de la gastronomie qu'il essaie de faire coïncider avec celles du mariage ou de l'amour vrai.

II. *Haine.*

Le groupe positif de la métaphore alimentaire constitue un ensemble appréciable. Cependant, numériquement parlant, le groupe de l'agressivité est le plus important [112].

Il illustre, parfois avec un degré de précision surprenant, l'interprétation kleinienne de la convoitise et de l'envie, selon laquelle le sujet, dominé par ses pulsions agressives et destructives, s'identifie au mauvais sein, au mauvais objet, par les fantasmes d'introjection et d'incorporation que nous avons décrits [113]. Dans cette forme négative de l'identification, la convoitise devient excessive, elle l'emporte sur la gratitude et sur l'amour, et le nouveau-né souhaite dans ses fantasmes s'emparer par la préhension du sein, qu'il perçoit comme un ennemi et veut dévorer. Ici intervient la distinction kleinienne entre convoitise et envie. Quand la seconde se manifeste avec trop de virulence, de nouveaux fantasmes d'agression

---

(110) Cf. *ibid.*, p. 333 ; 394-395 ; 459.

(111) Jean Pouillon, *op. cit.*, p. 22-23.

(112) 162 exemples.

(113) Le texte métaphorique n'apporte aucun élément au débat sur la réalité de la pulsion de mort. C'est pourquoi nous parlons le plus souvent, dans ce dernier chapitre, de pulsion d'agression (tournée vers l'extérieur) et de pulsion de destruction (soit tournée vers l'extérieur, soit tournée sur le sujet) : cf. Laplanche et Pontalis, p. 363-364. Nous parlons de pulsion de mort quand nous nous référons directement à l'un des tenants de l'hypothèse, ou bien quand nous avons recours, sur le plan théorique, aux notions complémentaires de pulsion de vie et pulsion de mort.

apparaissent. Non content d'introjecter le sein ennemi pour le détruire, le nouveau-né en proie à l'envie essaie dans ses fantasmes de projeter à sa place des substances mauvaises qu'il tirerait de lui-même.

C'est plus particulièrement ce processus de l'envie qui rend compte de la formation d'images d'aliments déplaisants et de poisons dans le psychisme humain. La nutrition y cède la place au dégoût, et l'on peut y discerner la démarche introjective-projective. Quant à la convoitise, elle est à la source du large groupe du cannibalisme, d'où l'envie ne disparaît pourtant pas tout à fait.

a) *Métaphores de dégoût* [114].

1. *Aliments déplaisants.*

Le sous-groupe des aliments déplaisants joue un rôle de transition. Il s'agit d'un ensemble réduit [115]. Il comprend, dans la description des situations, des clichés qui nous paraissent peu significatifs, mais dont l'origine archétypale ne fait pourtant aucun doute. Quant aux comparaisons qui s'appliquent directement aux personnages, elles reproduisent plus clairement la démarche introjective-projective.

Situations d'abord : l'intensité d'un désir, d'un vœu, se traduira par la promptitude à ingurgiter les pires substances :

> Le sublime cuirassier d'Essling eût lapé la boue du pont Royal pour être reçu chez les Navarrein, les Lenoncourt, les Grandlieu, les Maufrigneuse, les d'Espard, les Vandenesse, les Chaulieu, les Verneuil, les d'Hérouville, etc. (Pay, VIII, 115) [116].

Le méridional Théodose de La Peyrade craint encore moins l'exagération pour dépeindre son amour à Mme Colleville : « Mais, voyez-vous, vous me feriez lécher des lépreux, avaler des crapauds vivants... » (Bou, VII, 161) [117]. Une variation satirique sur le cliché « avaler une couleuvre » s'en prend à l'action délétère de l'enfer parisien :

> Ah ! comme disait Chamfort, il faut commencer par avaler une vipère tous les matins pour supporter la vie à Paris (CSS, VII, 46) [118].

Autres nourritures amères qui traduisent l'inconfort moral et le déplaisir : le pain d'orge, le sel, le vinaigre et le lait mélangés [119].

Pour les personnages, c'est leur description physique qui offre les exemples les plus frappants d'aigreur et de répugnance, ainsi Hector Merlin, journaliste sans cœur et sans scrupules, avec sa « petite figure chafouine, claire comme un blanc d'œuf mal cuit » (IP, IV, 666), Mme Poiret — l'ancienne demoiselle Michonneau — « petite vieille blanche et ridée comme un ris de veau » (S & M, V, 973). Mme Cibot offre des « tons de

(114) Cinquante exemples.
(115) Vingt-trois exemples.
(116) PG, II, 913, présente exactement le même emploi de la même image.
(117) Cf. PG, II, 1022, 1068.
(118) Cf. Col. II, 1141 : « se nourrir de fiel, boire un calice d'amertume ».
(119) Cf. respectivement, B, II, 563 ; PMV, X, 907 ; CP, VI, 559.

chair [qui peuvent] se comparer aux appétissants glacis des mottes de beurre d'Isigny » (CP, VI, 562) [120]. Robespierre, Corentin et Fraisier du *Cousin Pons* ont un air de parenté qui semble provenir de leur sécheresse de cœur et de leur impitoyable détermination. Assonances et allitérations formant couplage et paronomase rehaussent l'avidité du premier : « Un petit monsieur pincé, propret, poupin, et qui a l'air d'avoir bu du verjus » (Cath, X, 285). Quant à Corentin, Balzac a pris soin d'établir chez lui une continuité physique autant que morale, des *Chouans* [121] à *Une ténébreuse affaire* :

> ... Ce jeune muscadin dont la figure ressemble à une carafe de limonade, qui a du vinaigre sur les lèvres et du verjus dans les yeux (VII, 469).

Fraisier est doté de « cette voix d'emprunt qu'on appelle vulgairement *petite voix*, mais qui restait aigre et clairette comme un vin de pays » (CP, VI, 674) [122]. Dans ces trois derniers exemples surtout, l'incorporation de substances déplaisantes est inséparable d'une menace d'agression tournée vers l'extérieur et qui peut se concrétiser avec ou sans provocation. L'image ébauche la problématique du Même et de l'Autre qui va se trouver développée dans les groupes suivants.

2. *Poisons* [123].

L'image de poison évoque les fantasmes d'incorporation du mauvais sein. Comme les aliments déplaisants, mais avec une précision plus grande, elle reproduit la démarche projective de l'envie, en adoptant le point de vue de l'agresseur. Ou bien, adoptant le point de vue de la victime, elle montre les pulsions de destruction comme inséparables du sujet et se retournant contre lui, par un phénomène d'identification où s'efface la distinction entre le Même et l'Autre.

Les variations des mots-thèmes confirment cette différence des points de vue : pour le premier [124], *venin*, qui exprime une plus forte dose d'agressivité, se substitue cinq fois à poison [125], tandis qu'il n'est pas employé quand l'image adopte le point de vue de la victime : poison domine alors [126], souvent accompagné de l'épithèse de *subtil*. La distinction ne va pas plus loin : *vipère* et *vénéneux* sont présents dans les deux sous-groupes.

Quand l'image décrit l'agressivité du sujet vis-à-vis d'autrui, elle illustre régulièrement la théorie de l'idée qui tue, de l'assassinat moral. Félix aura causé la mort de Mme de Mortsauf parce qu'elle se refusait à lui : son désir trompé (introjection négative) est devenu délétère pour la femme qui en était l'objet (projection). Il s'en accuse en ces termes :

---

(120) Cf. CM, III, 202 ; E, VI, 966. J.-P. Richard attribue des connotations positives à cette image (*op. cit.*, p. 58). On peut en douter pourtant, car tout le portrait décerne à Mme Cibot des éloges quelque peu ironiques.

(121) VII, 823.

(122) Cf. MR, IX, 272.

(123) Vingt-sept exemples.

(124) Neuf exemples.

(125) Deux exemples.

(126) Neuf exemples.

> Pourquoi la vie heureuse, pourquoi l'estime au meurtrier qui verse goutte à goutte le fiel dans l'âme et mine le corps pour le détruire ? (Lys, VIII, 995) [127].

Dans les autres cas, l'envie se fait plus banale, et ne répète pas aussi exactement le schéma kleinien que met en évidence la relation quasi-maternelle de Félix et de Mme de Mortsauf, mais elle en découle. Le sujet envie ce qu'il n'a pas et, faute de se l'approprier, cherche à le détruire, le plus souvent par la médisance et la calomnie. On en trouve des exemples dans *Ursule Mirouet* et dans *Les Paysans*, deux œuvres où une partie importante de l'intrigue repose sur les menées de personnages venimeux : Goupil dans la première, les paysans et les bourgeois dans la seconde. Goupil, méprisé par Ursule, « sans rien savoir de cette constitution délicate comme celle d'une fleur, avait trouvé, par l'instinct du méchant, le poison qui devait la flétrir, la tuer » (III, 436). A plusieurs reprises dans le portrait de Goupil, les dérivations sémantiques mettent en lumière l'origine physiologique et concrète du poison synecdochique, en l'associant au corps même de l'agresseur — son regard : « Mais je paierai, dit Goupil en lançant à Zélie un regard fascinateur qui rencontra le regard impérieux de la maîtresse de poste. Ce fut comme du venin sur de l'acier » (III, 401), et surtout son sang :

> Quand vous me tueriez en duel ou autrement, à quoi vous servirait mon sang ? Le boiriez-vous ? il vous empoisonnerait en ce moment (444 ; cf. 449).

C'est de son propre corps que l'envieux tire les substances mauvaises destinées à autrui [128] et, dans cette relation intersubjective, il transforme l'autre en lui-même.

Les images où l'action destructrice d'un agent extérieur est présentée du point de vue de la victime [129] se distinguent des précédentes par deux traits complémentaires : la victime est vulnérable par nature, et l'agresseur, bien souvent, involontaire [130]. Le poison ne peut agir que sur une constitution prédisposée, mal armée pour résister à l'absorption de certaines substances qui, pour d'autres, resteraient inoffensives. Seul l'amoureux réagit au poison de l'objet aimé : ainsi Calyste du Guénic « aspirant la senteur, *pour lui* charmante quoique vénéneuse, de la poésie composée par Béatrix » ; Jacques Collin après le suicide de Lucien : « en relisant avec Jacques Collin la lettre de Lucien, cet écrit suprême paraîtra ce qu'il fut *pour cet homme*, une coupe de poison » ; Honorine, blessée par le narrateur qui lui rappelle sans le vouloir la perte de son enfant, « froidie par une attaque nerveuse dont le premier frémissement, doux comme tout ce qui *émanait d'elle*, avait ressemblé, dit-elle plus tard, à l'envahissement du plus subtil des poisons » ; Louise de Chaulieu en proie aux affres de la jalousie : « A chaque pas, des milliers de *pensées*, presque visibles... me

---

(127) Cf. 996 et CM, III, 160.
(128) Cf. Pay, VIII, 252-253 et 257.
(129) Onze exemples.
(130) Sauf dans trois exemples : Col, II, 1141 ; B, II, 541-542 et 554.

sautaient à l'âme, ayant chacune un dard, un venin différent »[131]. Tous ces personnages se livrent à une espèce d'auto-destruction où prédomine la démarche introjective, concrétisée par des images de poison[132]. L'idée qui tue est encore au centre de ces exemples, mais elle se retourne sur le sujet[133]. Il peut même arriver que toute cause accidentelle disparaisse, ce qui rend le phénomène d'auto-destruction encore plus évident[134]. Tel est le cas dans *La Peau de chagrin*, où toutes les catégories d'images s'adaptent au thème de l'usure des forces vitales :

> Semblable en ses caprices à la chimie moderne qui résume la création par un gaz, l'âme ne compose-t-elle pas de terribles poisons par la rapide concentration de ses jouissances, de ses forces ou de ses idées ? (IX, 28)[135].

Chez Fraisier, du *Cousin Pons*, l'image se généralise. Il ne s'agit plus à proprement parler d'autodestruction, car il est le poison incarné :

> Fraisier, en cravate blanche, en gants jaunes, en perruque neuve, parfumé d'eau de Portugal, ressemblait à ces poisons mis dans du cristal et bouchés d'une peau blanche dont l'étiquette, et tout jusqu'au fil, est coquet, mais qui n'en paraissent que plus dangereux (VI, 698).

L'incorporation du mauvais objet est ici totale et exclusive, et la démarche projective en sera le complément inévitable.

Quelles que soient les oscillations entre projection et introjection, et que le motif soit l'envie, la convoitise, ou un autre sentiment, la substance mauvaise est assimilée soit par la victime, soit par l'agresseur, ou, les confondant ainsi, par les deux à la fois. Il arrive que l'image d'ingestion, comme dans les autres métaphores alimentaires, souligne cette intimité entre l'être et le poison. Mais cette fonction est remplie de préférence par l'assimilation que suggère l'image entre le poison et l'une des humeurs du corps — sang ou, plus souvent, fiel — qui peut passer d'un être à l'autre. Toutefois, si l'on rapproche les métaphores de dégoût de celles de maladie et de mort, on constate que Balzac cultive assez peu le domaine du malsain, à l'expression duquel ces trois catégories se prêteraient particulièrement. Les métaphores de dégoût décrivent des forces actives, aussi pernicieuses soient-elles, et non pas en voie de décomposition.

---

(131) Respectivement, B, II, 541-542 ; S & M, V, 1035 ; H, II, 293 ; MJM, I, 316-317.

(132) Seul Calyste est en même temps victime de l'envie propre à Béatrix.

(133) Cf. *infr.*, le groupe de l'autophagie, en part. p. 264 sq. et 273 sq.

(134) Cinq exemples.

(135) Valérie Marneffe peut se ranger dans ce groupe. Punie de ses crimes par la terrible maladie qui va l'emporter, elle est ainsi exécutée par Hortense Hulot : « Cette venimeuse créature se sera mordue, elle est en décomposition » (Be, VI, 503). Cette sentence fait ressortir la cohérence interne de l'œuvre. Comme tant de personnages balzaciens, Valérie est punie par où elle a péché. Plus encore que de l'intervention opportune d'Asie (VI, 475, 477), qui répond aux exigences des motivations romanesques, elle meurt de son mal spécifique.

b) *Métaphores de cannibalisme* [136].

Le cannibalisme dévorateur prend tout son sens à la lumière de la théorie kleinienne de la convoitise et de l'envie [137]. D'une part, l'image exprime le caractère insatiable de la convoitise. Aux jouissances du goût et aux vertus mystiques de la nutrition, elle substitue, souvent avec une extrême virulence, l'instinct captatif et la voracité, inaptes à l'assouvissement durable. Sur le plan anthropologique, on se trouve au stade du croquage et de la légende de l'ogre [138]. L'homme est un loup pour l'homme : la métaphore animale double de plus en plus souvent la métaphore alimentaire, accentuant la brutalité du tableau. En même temps, les connotations organiques augmentent : l'image met en parallèle avec la fonction digestive le renouveau perpétuel du désir d'incorporation, et l'incorporation prend un caractère de plus en plus concret.

L'analyse kleinienne de l'envie conserve son utilité quand l'image décrit les rapports affectifs et passionnels entre individus. Enfin, convoitise et envie coexistent aussi dans les équivalences directes ou indirectes entre l'argent et la nourriture.

1. *Passions dévoratrices* [139].

La voracité humaine se nourrit d'autrui, de ses malheurs, de sa faiblesse, et elle se nourrit de soi, par un phénomène d'autophagie qu'alimente l'ardeur des passions. Parallèlement à la convoitise, l'envie kleinienne sous-tend ces deux attitudes : les processus d'introjection et de projection obéissent à la même pulsion négative, et sont non seulement complémentaires, mais circulaires, suivant les circonstances. Ou bien le mal fait à l'autre sous l'empire de l'envie alimente la convoitise du sujet, ou bien c'est faute de pouvoir atteindre l'autre que le sujet retourne sur lui-même sa démarche dévoratrice. Et, de même que toute attaque contre soi est une attaque contre l'espèce, on ne détruit pas autrui impunément.

Il est parfois possible de distinguer entre ceux qui font servir autrui et sa souffrance à quelque autre but, et ceux pour lesquels le malheur d'autrui a une valeur absolue. Les premiers obéissent à diverses formes d'avidité et d'envie : soif de plaisir :

> Aussi s'amusa-t-il de cette fille avec la malicieuse avidité d'un enfant qui, après avoir exprimé le jus d'une cerise, en lance le noyau (MR, IX, 295) [140] ;

haine [141] ; calomnie et médisance, mises au service de la conquête amoureuse :

> D'Arthez rebaisa la main de cette sainte femme qui, après lui avoir servi une mère hachée en morceaux..., se mettait elle-même

(136) 104 exemples.
(137) Cf. *supr.*, p. 257.
(138) Cf. *supr.*, p. 245.
(139) 38 exemples.
(140) Cf. 272.
(141) PG, II, 1043.

> en capilotade et se donnait des torts, afin de se donner aux yeux du candide écrivain cette virginité que la plus niaise des femmes essaie d'offrir à tout prix à son amant (SPC, VI, 54) ;

ambition — l'ambition napoléonienne de Wilfrid, se « repaissant d'hommes comme un fléau vorace [142] » ; amour dévorant, chez Louise de Chaulieu, l'insatiable « mangeuse d'hommes » :

> Je ressemble à cette belle princesse italienne qui courait comme une lionne ronger son amour dans quelque ville de Suisse, après avoir fondu sur sa proie comme une lionne *(sic)* (MJM, I, 289) [143] ;

ou chez la vieille fille insatisfaite, dont l'abstinence suscite chez Balzac plus d'ironie et de dégoût que de sympathie [144]. Madame de la Baudraye satirise les Sancerrois envieux de Paris tout en projetant son propre dégoût des vertus provinciales, en une image qui réunit cannibalisme et aliment déplaisant :

> Nous attaquons alors de nos dents acérées comme des dents de mulot, les terribles passions de Paris. Nous avons ici des puritaines à contre-cœur qui déchirent les dentelles de la coquetterie et rongent la poésie de vos beautés parisiennes, qui entament le bonheur d'autrui en vantant leurs noix et leur lard rances, en exaltant leur trou de souris économe... (MD, IV, 88).

Il y a aussi ceux pour qui faire souffrir est une fin en soi : Gobseck, « l'escompteur, le jésuite de l'or, n'en savourant que la puissance et dégustant les larmes du malheur, à savoir quel est leur cru » (Pay, VIII, 202). Il cumule d'ailleurs, car les malheurs d'autrui lui assurent la richesse indispensable à son bonheur. Mais il semble presque humain si on le compare aux Rogron :

> Il faudrait avoir été, comme Nabuchodonosor, quelque peu bête sauvage et enfermé dans une cage du Jardin des Plantes, sans autre proie que la viande de boucherie apportée par le gardien, ou négociant retiré sans commis à tracasser, pour savoir avec quelle impatience le frère et la sœur attendirent leur cousine Lorrain (P, III, 687).

Quant à la cousine Bette, du moins l'esprit de vengeance explique-t-il la cruauté dont elle fait preuve envers toute sa famille : « Quelques larmes vinrent dans les yeux d'Hortense, et Bette les lapa du regard comme une chatte boit du lait » (VI, 317). La mort de Goriot « alimente » la conversation des pensionnaires, et suscite quelques jeux de mots macabres, où la métaphore cannibalique signale la source agressive de l'insensibilité du public :

> Oh ! il est bien mort, dit Bianchon en descendant. — Allons, messieurs, à table, dit madame Vauquer, la soupe va se refroidir...

---

(142) Ser, X, 566 ; cf. 565.
(143) Cf. aussi 261 et PM, I, 999 ; FM, II, 57.
(144) P, III, 737.

> — Il ne flairera plus son pain comme ça, dit un pensionnaire en imitant la grimace du bonhomme. — Sacrebleu, messieurs, dit le répétiteur, laissez donc le père Goriot, et ne nous en faites plus manger, car on l'a mis à toute sauce depuis une heure (II, 1081) [145].

Tourné contre lui-même, l'instinct destructeur de l'homme est non moins malfaisant. Vingt-trois exemples illustrent le phénomène de l'autophagie. Le mot-thème de *pâture* se fait de plus en plus fréquent et sa banalité n'en atténue guère la force expressive. Dans *La Peau de chagrin*, le simple acte de vivre entraîne cette usure de soi [146]. La métaphore s'applique le reste du temps à des cas moins généraux. L'envie y est la grande responsable, et dépasse toujours en virulence ses possibilités de réalisation, établissant une fois de plus l'écart des forces mises en jeu dans le désir et dans sa satisfaction. C'est dans ces cas que se dégage le mieux la circularité des démarches introjective et projective : le cœur brûlant de passion se dévore faute d'objet. Béatrix est « un ange qui flambe et se dessèche. Enfin, ses yeux ont soif » (II, 397). Modeste Mignon, chassée hors des royaumes du rêve, « rampe » « dans des tristesses mornes en ne se trouvant plus de pâture pour la Fantaisie tapie en son cœur » (I, 395) [147]. Même en présence d'un objet autre, l'autophagie se substitue à l'équilibre de la nutrition. Dans *Le Lys*, Félix, sevré d'amour physique, en fait le reproche à Mme de Mortsauf :

> Privé de la nourriture qui le doit alimenter, le cœur se dévore lui-même... Non, je n'ai pas aimé, mais j'ai eu soif au milieu du désert (VIII, 962).

Si le bonheur répond à l'attente, les bornes du désir ne font que reculer, et il vient toujours un moment où le décalage reparaît entre les élans du cœur et leur satisfaction. Ainsi, dans *La Maison du chat-qui-pelote*, le peintre Sommervieux, après son mariage, n'a trouvé que pour un temps chez sa femme la réponse à toutes ses aspirations [148]. A ses deux passions insatiables — amour et connaissance — Louis Lambert rencontre les deux limites de l'impuissance et de la folie :

> Pour exister, ne lui fallait-il pas jeter sans cesse une pâture à l'abîme qu'il avait ouvert en lui ? Semblable à certains êtres des régions mondaines, ne pouvait-il périr faute d'aliments pour d'excessifs appétits trompés ? N'était-ce pas la débauche importée dans l'âme... (X, 807) [149].

Dans *Melmoth réconcilié*, l'autophagie [150] fait suite au cannibalisme [151] : Melmoth, puis Castanier, personnages fantastiques, réunissent eux aussi dans l'excès deux formes d'expérience — passion de la connaissance et

---

(145) Cf. deux autres métaphores de croquage, p. 847-848 et 1021, avec le même sens.
(146) IX, 47, 163.
(147) Cf. MJM, I, 209 ; F30, II, 839 ; Lys, VIII, 957 ; et la jalousie dans MM, I, 584.
(148) I, 51 ; cf. 50.
(149) Cf. 397, 406, 427-428, 437 et VF, IV, 237.
(150) Trois exemples.
(151) Cf. *supr.*, p. 262 et IX, 272, 295.

de la sensation : « ... Sa langue happait pour ainsi dire toutes les saveurs d'un coup » (IX, 297). Mais bientôt Satan n'est plus assez fort pour assouvir la soif d'absolu de Castanier :

> La puissance infernale lui avait révélé la puissance divine. Il avait plus soif du ciel qu'il n'avait eu faim des voluptés terrestres si promptement épuisées (303).

Remarquons au passage la distinction entre soif mystique et faim maténelle. Au moment de la conversion, la divinité s'empare de l'être et l'absorbe par la combustion : « Il fut tout à coup dévoré par l'Esprit saint comme le feu dévore la paille » (303) [152]. La possession divine se traduit par l'anéantissement du moi, de même que Balthazar Claës en mourant croit trouver l'absolu [153].

L'autophagie a donc son principe et sa cause dans le désir d'absolu qui possède les natures avides ou passionnées. L'envie, sublimée ou non, qui l'inspire, trouve son expression inscrite dans la métaphore alimentaire [154].

2. *Equivalence indirecte argent-nourriture.*

La rencontre de la nourriture, objet primordial du désir, et de l'argent, équivalent général de tous les objets du désir et symbole du principe vital, donne lieu aux développements les plus significatifs de la métaphore alimentaire. Les fantasmes dévorateurs auxquels elle renvoie se rattachent non seulement au stade oral, mais encore aux stades anal et phallique. On va voir en effet que la relation de comparant à comparé s'étend à l'arène sociale, réintroduit la peinture de l'avarice au premier plan des rapports intrasubjectifs et, dans le domaine intersubjectif, englobe les rapports d'argent des enfants avec les parents et, surtout, avec la figure paternelle.

Le cliché de *cuisine* [155], dans son sens figuré d'intrigue, politique ou autre, se révèle comme une de ces « preuves linguistiques » qui introduisent le thème principal. La corruption sociale force l'homme à se nourrir aux dépens d'autrui, et la préparation culinaire joue son rôle dans le protocole de l'opération. L'étude de l'avoué Derville contient des rangées de cartons sur lesquels se lisent « les noms des gros clients dont les affaires juteuses se cuisinaient en ce moment » (Col, II, 1089). Lucien de Rubempré, dans *Illusions perdues*, fait connaissance avec « la cuisine de la gloire » (IV, 719). Le cliché se développe en exprimant la nécessité vitale des intrigues louches

---

(152) Cf. 272, où il s'agit de possession satanique.

(153) On voit que l'image, en rejoignant celle de combustion, s'adapte aisément à l'expression de la théorie unitaire. Le critique Claude Vignon y a recours pour décrire une incompatibilité, qu'il croit inévitable, entre le talent et le sentiment : « Le génie est une horrible maladie. Tout écrivain porte en son cœur un monstre qui, semblable au toenia dans l'estomac, y dévore les sentiments à mesure qu'ils y éclosent. Qui triomphera ? La maladie de l'homme ou l'homme de la maladie ? Certes, il faut être un grand homme pour tenir la balance entre son génie et son caractère. Le talent grandit, le cœur se dessèche » (IP, IV, 873). Cf. *infr.*, métaphores de maladie, p. 291, et *supr.*, p. 124.

(154) Cf. *infr.*, autophagie et avarice, p. 272-273.

(155) Dix exemples.

qui entraînent infailliblement la cruauté. Le sens de la déformation est clair dans les exemples qui suivent, et rapproche nettement la cuisine et le cannibalisme. Dans *Les Employés*, des Lupeaulx, qui vit de la cuisine politique et permet à ses maîtres, par ses conseils habiles, de se maintenir au pouvoir, récolte

> la science en véritable et infatigable abeille politique... Il ne rapportait pas toutes les opinions sans conclure, il avait le talent de la mouche et tombait droit sur la chair la plus exquise, au milieu de la cuisine (VI, 887).

Et Rabourdin, dans une caricature destinée à faire sentir le « danger » de son projet de réforme, qui éliminerait un grand nombre d'employés, devient le *boucher* de la cuisine administrative :

> Il faudrait représenter Rabourdin habillé en boucher, mais bien ressemblant, chercher des analogies entre un bureau et une cuisine, lui mettre à la main un tranche-lard, peindre les principaux employés des ministères en volailles, les encager dans une immense souricière sur laquelle on écrirait : Exécutions administratives, et il serait censé leur couper le cou un à un (VI, 965) [156].

Ces variations renchérissent largement sur le cliché initial de *cuisine* au sens d'intrigue malpropre. Le « croquage », image fondamentale, constitue un pôle d'attraction qui annexe les images contiguës.

L'argent se dessine derrière les diverses entreprises et tractations décrites par la métaphore cannibalique, et qui sont de simples avatars de la soif de richesse à laquelle l'humanité est en proie. Dans la plupart des cas, il est montré comme le principe de toute nourriture. Quand l'équivalence argent-nourriture n'est pas explicite [157], on s'aperçoit que, de toute façon, elle peut facilement se déduire. Dans *Une fille d'Eve*, pauvreté et richesse sont évoquées par une métonymie culinaire, du *fromage de Brie* aux *beignets d'ananas* (II, 104). La gloire, la réussite sociale feront l'objet d'une métaphore alimentaire [158], et l'argent est bien entendu la condition de leur existence. Des clichés tels que le *festin du pouvoir* ou *de la civilisation, la coupe de la gloire* [159] reprennent souvent leur sens plein grâce à un jeu de mots ou à une substitution inattendue [160]. Dans *Le Père Goriot*, ces mêmes clichés inspirent le tableau que Vautrin fait miroiter aux yeux de Rastignac :

> Vous ne formeriez pas un désir qu'il ne fût à l'instant comblé, quoi que vous puissiez souhaiter : honneur, fortune, femmes. On vous réduirait toute la civilisation en ambroisie (II, 980).

La vie, c'est l'acquisition des bénéfices sociaux et de la richesse qui les accompagne ou les favorise, grâce à l'intrigue malhonnête. Ce raccourci est inévitable selon Vautrin, qui sermonne Rastignac en ces termes :

---

(156) Cf. aussi 922.
(157) Dix-huit exemples.
(158) Sept exemples.
(159) Cf. respectivement, FE, II, 134-135 ; IG, IV, 37 ; B, II, 488.
(160) Cf. « le *pudding* que nous allons cuisiner » (CM, III, 206).

> Voilà la vie telle qu'elle est. Ca n'est pas plus beau que la cuisine, ça pue tout autant, et il faut se salir les mains si l'on veut fricoter ; sachez seulement vous bien débarbouiller : là est toute la morale de notre époque (PG, II, 837).

Une telle attitude ne pouvant s'exercer qu'aux dépens d'autrui, treize autres exemples mettent en relief l'égoïsme et la cruauté où conduisent la soif de l'or ou la simple nécessité de subsister : l'homme y apparaît à la fois comme la proie et le dévorateur de l'homme, dans ses rapports privés aussi bien que dans ses rapports sociaux. Le public, rôti, fait les frais des spéculations financières des percepteurs

> qui, vivant de leurs recettes, [le] lardent d'idées nouvelles, le bardent d'entreprises, le rôtissent de prospectus, l'embrochent de flatteries, et finissent par le manger à quelque nouvelle sauce... (IG, IV, 17).

Ou bien c'est le futur mari qui tombe victime de la mère et de la fille, « hyènes qui, selon le Psalmiste, cherchent une proie à dévorer » (CM, III, 146). Chez La Peyrade, pour qui la philanthropie envers la classe pauvre correspond à un calcul d'ambitieux, « le cœur ressemble à ces boîtes à compartiments où l'on met les dragées par sorte » (Bou, VII, 109), la classe pauvre, victime de sa charité, constituant ses dragées préférées. Même phénomène dans *Les Paysans*, où le bien-être des paysans est un prétexte mis en avant par les bourgeois, et surtout par Rigou, leur maître à tous, pour couvrir leurs entreprises intéressées :

> — Il saura bien nous défendre, dit Tonsard à un groupe de femmes et d'enfants attroupés autour de lui. — Il pense à vous, comme un aubergiste pense aux goujons en nettoyant sa poêle à frire, répliqua Fourchon (VIII, 218) [161].

Annonçant à Rastignac l'Evangile de la nouvelle société, Vautrin exprimait déjà cette vérité calquée à rebours de l'*Aimez-vous les uns les autres :*

> Il faut vous manger les uns les autres comme des araignées dans un pot, attendu qu'il n'y a pas cinquante mille bonnes places (PG, II, 936).

3. *Equivalence directe argent-nourriture.*

L'accent se déplace dans les exemples un peu plus nombreux [162] qui établissent directement l'équivalence argent-nourriture. Aux avantages diffus, donc moins concrètement assimilables, offerts par la fortune, ils substituent l'argent, substance unique et susceptible d'une parfaite souplesse d'emploi. Ainsi s'affirme encore mieux le phénomène d'incorporation. La démarche qui permet à l'homme d'assurer sa subsistance ou de l'améliorer illustre deux proverbes connus : *Il faut manger pour vivre*, et *L'appétit vient en mangeant*, ou, comme le dit Léon de Lora, l'amateur de jeux de mots : « *La pépie vient en mangeant* » (R, III, 1116) [163].

---

(161) Cf. 172.

(162) 34. Cf. *supr.*, métaphore d'argent, p. 200-202, et *infr.*, p. 271.

(163) Ecartons au préalable une œuvre qui seule présente avec quelque suite une modification de ce schéma de base. Dans *La Recherche de l'Absolu*, Balthazar Claës

L'or, par l'intermédiaire de la métaphore cannibalique, conserve ses propriétés abstraites [164] et apparaît le plus souvent comme dissocié du luxe et des avantages moraux qu'il peut dispenser. Même quand la connaissance de l'intrigue permet de dire qu'il ne sert que de moyen, l'image lui donne une valeur absolue et décrit une attitude captative. Ainsi, la première réaction de Rastignac et de Valentin, devant une aubaine inespérée, est cannibalique d'instinct :

> Il me montra son chapeau plein d'or, le mit sur la table, et nous dansâmes autour comme deux Cannibales ayant une proie à manger, hurlant, trépignant, sautant, nous donnant des coups de poing à tuer un rhinocéros (PCh, IX, 148).

Pourtant, tous deux vont courir dépenser en luxe et en débauches l'argent que Rastignac vient de gagner au jeu. Mais ils font durer le partage de l'or, « distillant » *(ibid.)* leur joie. La passion de l'or se suffit à elle-même, au moins temporairement. Elle est la source d'un plaisir en soi, distinct du plaisir que l'or achète. Citons dans le même sens un exemple de transition emprunté au *Père Goriot*. L'auteur y compare d'abord le plaisir de l'étudiant pauvre à une nourriture hâtivement happée par un chien affamé, puis la possession de l'argent à un plaisir lentement savouré, établissant ainsi un triple parallèle entre plaisir, argent et nourriture :

> L'étudiant sans argent happe un brin de plaisir comme un chien qui dérobe un os à travers mille périls, il le casse, en suce la moelle, et court encore ; mais le jeune homme qui fait mouvoir dans son gousset quelques fugitives pièces d'or déguste ses jouissances, il les détaille, il s'y complaît, il se balance dans le ciel, il ne sait plus ce que signifie le mot misère (II, 927-928).

La deuxième moitié de la phrase substitue en quelque sorte l'argent au plaisir. La possession de l'or, promesse de jouissance, est aussi une jouissance par elle-même. A partir du moment où elle autorise les raffinements de l'attente, elle s'accompagne d'une attitude de repli. Exceptionnellement ici, ce repli ne se traduit pas par une métaphore d'ingestion, mais, simplement, par l'accent mis sur la sensation gustative.

Il semble que cet emploi de l'image s'affirme — et il persistera — autour de 1835, année où Balzac ajoute à *Gobseck* son développement sur l'or, qui « contient tout en germe, et donne tout en réalité » (II, 629) [165].

« dévore » la fortune de sa famille sans se l'approprier : il la dilapide. De la sorte, la richesse présente sa fonction la plus rare de *moyen* et non de *fin*. D'ailleurs, les quelques emplois du cliché sont tous mis dans la bouche des domestiques et du notaire, personnages incapables de comprendre la passion de Claës. Ils offrent tous un côté caricatural : « Il n'y a pas de mère qui puisse voir de sang-froid un père s'amuser à fricasser une fortune comme celle de monsieur, pour en faire des os de boudin » (IX, 552). Balthazar « a bon appétit. Il a, de la première bouchée, avalé [les] bois ». Bientôt, « tout sera fricassé » (591). Cf. aussi 590, 600, 601.

(164) Cf. *supr.*, métaphore d'argent.

(165) Cf. *supr.* métaphore d'argent, p. 226. L'identification s'esquissait pourtant déjà à l'époque des *Chouans*. Elle concerne les chauffeurs qui torturent l'avare d'Orgemont pour lui faire avouer où il cache son argent, ne songeant, sans aller plus loin, qu'à se l'approprier : « ... Les quatre Chouans contemplaient si froidement d'Orgemont qui se tortillait et hurlait, qu'ils ressemblaient à des voyageurs attendant devant la cheminée

Il suscite un réseau thématique dans *Le Contrat de mariage* et dans *Le Père Goriot*, œuvres dont la composition se situe précisément vers 1834-1835. Dans la première, le contrat est préparé par les deux notaires, qui ont pour métier, comme le dit la future belle-mère, « de concilier les intérêts sans que nous nous en mêlions, comme les cuisiniers sont chargés de nous faire faire bonne chère » (III, 108). Chaque famille doit apporter sa part de victuailles au banquet de la vie conjugale :

> Nous avons également à compter le mobilier de nos deux maisons et celui du château de Lanstrac, estimés quatre cent cinquante mille francs. Voilà la table, la nappe et le premier service. Qu'apportez-vous pour le second service et pour le dessert ? (*ibid.*, 117).

L'image s'attache ensuite à dépeindre la ruine de celui des deux conjoints — en l'occurrence le mari — qui doit être croqué par l'autre : « Mais si vous avez mangé de si bon appétit quand vous étiez fille, vous dévorerez quand vous serez femme » (118-119). Le mari et ses biens ne font qu'un : la ruine de Paul marque son éclipse finale en rendant la liberté à sa femme :

> Ce pauvre enfant que j'ai vu naître sera-t-il donc plumé vif par sa belle-mère, rôti par l'amour et dévoré par sa femme ? Moi qui ai si bien soigné ces belles terres, les verrai-je fricassées en une seule soirée ? (129) [166].

Nous avons déjà cité plusieurs exemples importants du *Père Goriot* qui se rattachaient à ce réseau cannibalique où presque toutes les images font de l'argent, au moins indirectement, une substance vitale que le sujet absorbe. Les plus nombreuses et les plus nettes expriment ce phénomène directement. Elles sont centrées sur l'ambition naissante de Rastignac, laquelle passe obligatoirement par la quête de l'or. Après sa première visite chez Mme de Beauséant, « le démon du luxe le mordit au cœur, la fièvre du gain le prit, la soif de l'or lui sécha la gorge » (II, 903) [167]. Mais c'est Vautrin lui-même qui décrit dans les termes les plus crus l'instinct d'égoïsme auquel Rastignac voudrait obéir sans l'appeler par son nom. Le cliché bénin qu'utilise Goriot en arrivant à la pension Vauquer : « Je ne suis pas à plaindre, j'ai sur la planche du pain de cuit pour longtemps » (862), s'il introduit le réseau thématique, n'indique guère sa tonalité dominante. Le voici repris et métamorphosé par Vautrin, qui annonce à Rastignac l'imminence du duel Taillefer :

> Le four est chaud, la farine est pétrie, le pain est sur la pelle ; demain nous en ferons sauter les miettes par-dessus notre tête en y mordant ; et nous empêcherions d'enfourner ?... non, non, tout cuira ! Si nous avons quelques petits remords, la digestion les emportera (998).

---

d'une auberge si le rôt est assez cuit pour être mangé » (VII, 942). Le cadre constitue une source contingente (métaphore diégétique par contiguïté spatiale), mais les dérivations développent déjà l'équivalence argent-nourriture. Cf. *supr.*, p. 79 et note 220.

(166) La métaphore culinaire cannibalique constitue le quatrième réseau thématique consacré à la peinture du contrat. Nous avons déjà rencontré les métaphores du militaire, du théâtre, du jeu.

(167) Cf. *infr.*, p. 274, pour les rapports parents-enfants dans *Le Père Goriot*.

Dans les autres exemples, la métaphore animale concourt à la brutalité de l'expression [168]. L'homme en proie au désir de l'or est un chien (927-928) selon le narrateur ; une araignée (936), un dogue, un loup, selon Vautrin. Il se repaît d'une nourriture insuffisante,

> dans un trou de ville où le gouvernement [lui] jettera mille francs d'appointements, comme on jette une soupe à un dogue de boucher (934).

Devenu loup, il lui faut passer à l'attaque :

> Nous avons une faim de loup, nos quenottes sont incisives, comment nous y prendrons-nous pour approvisionner la marmite ? *(ibid.)*.

Ce n'est pas un hasard enfin si le dernier tableau du roman traduit le défi de Rastignac à la société par une image de nourriture et d'ingestion :

> Il lança sur cette ruche bourdonnante un regard qui semblait par avance en pomper le miel, et dit ces mots grandioses : — A nous deux maintenant ! (1085).

L'identification argent-nourriture ne suscite plus par la suite un réseau thématique aussi unifié que dans *Le Père Goriot*. Mais elle inspire encore bien des images significatives [169].

La *peinture de l'avarice* et, accessoirement, de la cupidité, suscite quelques images liquides [170], où la soif, sensation plus intense que la faim, exprime fortement la convoitise, malgré le recul des notations digestives. Godain, l'avare sans le sou des *Paysans*, est doté de

> deux yeux jaunes tigrés de filets verts à points bruns, par lesquels la soif du bien à tout prix s'abreuvait de concupiscence, mais sans chaleur (VIII, 191) [171].

---

(168) Sauf peut-être dans le passage où Vautrin, qui vient de promettre un million à Rastignac, est comme attendri par la naïve convoitise de celui-ci : « En entendant ce mot-là, vous êtes comme une jeune fille à qui l'on dit : A ce soir, et qui se toilette en se pourléchant comme un chat qui boit du lait » (933). Le trait féminin l'emporte ici et il éclaire les motivations de Vautrin plus que celles de Rastignac.

(169) Cf. l'homme *à idées*, comparé à un cochon, s'affairant à dénicher les truffes au profit de l'homme d'argent et lui-même réduit à se nourrir de pommes de terre : « Figurez-vous un cochon qui vague dans un bois à truffes ! Il est suivi par un gaillard, l'homme d'argent, qui attend le grognement excité par la trouvaille... Le cochon est chambré sous son toit avec des pommes de terre, et les autres se chafriolent dans les billets de banque » (CB, V, 524) ; les affres du commerçant aux abois : « En commerce, il est des instants où il faut pouvoir se tenir devant le monde trois jours sans manger, comme si l'on avait une indigestion, et le quatrième on est admis au garde-manger du Crédit » (*ibid.*, 534). *La Cousine Bette* associe encore métaphore animale et métaphore alimentaire. Lisbeth Fisher et Valérie Marneffe mettent en pratique les préceptes de Vautrin : « Oui... vous voulez que cette madame Marneffe abandonne la proie qu'elle a dans la gueule ! Et comment feriez-vous lâcher à un tigre son morceau de bœuf ? Est-ce en lui passant la main sur le dos et lui disant : minet !... minet !... » (VI, 462). Cf. *ibid.*, 226, 273.

(170) Sept exemples.

(171) Cf. CP, VI, 720.

L'ivrognerie du père Séchard, le bien nommé, n'est que l'expression littérale de son avidité irrépressible [172]. L'eau, mieux que la nourriture solide, évoquera aussi la rapidité d'absorption qui résulte d'une convoitise intense [173]. Le plus bel exemple, qui reflète la parenté originelle de la thésaurisation avec les pulsions destructrices, s'en trouve dans *Le Cousin Pons*, où les exploiteurs sociaux de toute sorte pompent jusqu'aux morts et à leur famille :

> On ne se figure pas le nombre de gens pour qui la mort est un abreuvoir. Le bas-clergé de l'Eglise, les pauvres, les croque-morts, les cochers, les fossoyeurs, ces natures spongieuses se retirent gonflées en se plongeant dans un corbillard (VI, 774).

En revenant aux nourritures solides, on constate que l'incorporation prend un caractère de plus en plus physiologique quand l'analogie s'applique à la description de l'avarice [174], ou bien à celle des rapports entre parents et enfants. Ce développement résulte de la coïncidence plus étroite qui existe dans ces cas entre le domaine comparé et le sens originel de la métaphore. Nous avons déjà parlé assez longuement, en étudiant la métaphore d'argent, de la signification de l'image alimentaire associée à l'image de l'or ou de la richesse, et nous avons cité des exemples qui se rattachent simultanément à ces deux catégories respectives [175]. Que l'or soit comparant ou comparé, la portée de l'image d'ingestion ne change pas. Citons à nouveau l'exemple des *Aventures d'une idée heureuse*, le plus ancien (1834) de la série :

> Cet effroyable type de malheur social, long comme un tœnia, ressemblait aux sacoches de la Banque... quand elles en partent pour revenir enceintes d'écus. Mais elle était partie de la Banque depuis soixante-dix ans sans y rentrer, cette pauvre sacoche, en quête de ses millions, et la gueule béante comme un boa qui rampe à jeun (X, 1161).

Ici la faim, ou plutôt le jeûne, attribué au boa, symbole de voracité par excellence, associe la digestion à la gestation, elle-même évoquée par « enceintes d'écus ». Le phénomène de la gestation, nous l'avions dit, double et renforce celui de l'alimentation et illustre la confusion entre le sexuel et le digestif. Les deux plus grands avares de *La Comédie humaine*, Gobseck et Grandet, inspirent à plusieurs reprises l'analogie argent-nourriture. Gobseck, au nom symbolique, l'établit lui-même aves sa lucidité coutumière, en l'appliquant à quelques-uns de ses confrères usuriers :

> Vous venez à moi, répondit froidement l'usurier, parce que Girard, Palma, Werbrust et Gigonnet ont le ventre plein de vos lettres de change (II, 646).

L'image se fait plus brutale quand le narrateur décrit Gobseck : « Il se leva, alla au jour, tint les diamants près de sa bouche démeublée, comme

(172) IP, IV, 467.
(173) Cath, X, 273.
(174) Onze exemples de nourriture solide.
(175) Cf. Ch, VII, 874 ; AIH, X, 1161 ; MM, I, 367 ; et *supr.*, métaphore d'argent, p. 201-202.

s'il eût voulu les dévorer » (648). Et n'oublions pas la fin du récit, qui fait passer la métaphore sur le plan de l'histoire. L'usurier, devenu incapable avec l'âge et la maladie de contenir sa passion, sinon dans les limites de la raison, du moins dans celles du pratique, s'abandonne à la manie de l'accumulation. Les cadeaux qu'il reçoit de ses clients à titre d'escompte sont pour une part importante constitués par des victuailles, qu'il laisse se corrompre pour ne pas les revendre à vil prix. « Insatiable boa », il se dit lui-même atteint de *carphologie :*

> Personne ne savait ce que devenaient ces présents faits au vieil usurier. Tout entrait chez lui, rien n'en sortait. — Foi d'honnête femme, me disait la portière, vieille connaissance à moi, je crois qu'il avale tout sans que cela le rende plus gras, car il est sec et maigre comme l'oiseau de mon horloge (II, 669).

A défaut d'or, sa prédilection va donc aux aliments, substitut de choix, qu'il entasse ne pouvant les absorber. Dans ce cas, la démarche de la convoitise retrouve son objet originel, c'est-à-dire la nourriture [176]. Homologue de l'impuissance sexuelle propre aux avares de *La Comédie humaine*, l'impossibilité de *consommer* cantonne la relation d'objet au même niveau d'abstraction que quand elle a l'argent pour but.

Beaucoup plus tard (1843-1844), une image isolée des *Petits-Bourgeois* mentionnera encore le serpent. Elle place à nouveau au premier plan la lenteur de la digestion : l'avare, être replié sur lui-même, entretient et couve sa voracité grâce à la méditation et aux calculs à longue échéance. A ce titre, La Peyrade, qui prépare sa réussite par une entreprise louche et délicate, se range dans la catégorie des Grandet et des Gobseck :

> Il obtint ce qu'il voulait avec le plus d'ardeur, le mépris de ses vrais antagonistes, il s'en fit un manteau pour cacher sa puissance. Il eut, pendant quatre mois, la figure engourdie d'un serpent qui digère et englutine sa proie (VII, 186-187) [177].

Cette lenteur soit dans l'absorption, soit dans la digestion, facteur essentiel de jouissance ou d'incorporation, est concomitante de la prédominance des aliments solides dans tout le réseau de la métaphore cannibalique. Car tous ces exemples, où le ventre digestif éclipse l'image strictement alimentaire, tendent vers l'équivalence bien connue argent-excrément [178].

Le portrait de Grandet, à ses derniers instants, n'en reste pas plus que celui de Gobseck au stade du discours métaphorique. Dans le cours

---

(176) On a pu proposer une explication sociologique de la maigreur de Gobseck. Selon Sylvère LOTRINGER, « si Gobseck devient... " un insatiable boa ", sans que cela le rende plus gras, c'est que dans cet ultime potlatch que sanctionne la mort, après avoir tout reçu, il lui faudra tout rendre ». (« Mesure de la démesure », *Poétique*, 1972, n° 12, p. 491). Dans la relation psychanalytique argent-nourriture, la maigreur de Gobseck est motivée par le cannibalisme, qui recouvre lui-même une forme d'autophagie. Cf. *infr.*, p. 273.

(177) *Englutiner*, mot forgé par Balzac, ne semble pas avoir été adopté. « Néologisme expressif créé, semble-t-il, à partir d'*engluer* et de *déglutir* », écrit M. Picard en note de l'édition Garnier des *Petits-Bourgeois*, p. 180. Il nous semble qu'*engloutir* n'est pas non plus étranger à cette trouvaille de Balzac.

(178) Cf. *supr.*, *thésaurisation*, en particulier p. 202.

du roman, la démarche dévoratrice et digestive de son avarice, où le boa reparaît, est minutieusement décrite par Balzac, non sans humour :

> Financièrement parlant, monsieur Grandet tenait du tigre et du boa : il savait se coucher, se blottir, envisager longtemps sa proie, sauter dessus ; puis il ouvrait la gueule de sa bourse, y engloutissait une charge d'écus, et se couchait tranquillement, comme le serpent qui digère, impassible, froid, méthodique (EG, III, 486).

La comparaison avec le boa se poursuit quelques pages plus loin : « Le beau marquisat de Froidfond fut alors convoyé vers l'œsophage de monsieur Grandet » (491). L'avarice, péché capital, est l'exact contraire de la charité chrétienne, — vérité que Balzac éclaire en une image saisissante :

> Oh ! qui a bien compris l'agneau paisiblement couché aux pieds de Dieu, le plus touchant emblème de toutes les victimes terrestres, celui de leur avenir, enfin la Souffrance et la Faiblesse glorifiées ? Cet agneau, l'avare le laisse s'engraisser, il le parque, le tue, le cuit, le mange et le méprise. La pâture des avares se compose d'argent et de dédain (557).

On notera l'espèce de chiasme que présente la dernière phrase et qui confirme l'acuité du diagnostic. Le dédain auquel il est fait allusion est sans aucun doute celui qu'éprouve l'avare, comme l'indique l'emploi du verbe mépriser dans la phrase précédente. La démarche introjective par laquelle l'avare absorbe tout ce qui lui tombe sous la main culmine quand elle se retourne sur elle-même. L'avare se nourrit aussi de son propre dédain : non content de dévorer les autres, il se dévore lui-même. Rien n'est plus en accord avec le physique émacié de Grandet et des autres avares de *La Comédie humaine*, à l'exception du père Séchard. L'équivalence introduite par la phrase entre l'argent, principe externe, et le dédain, principe interne, dévoile le processus par lequel l'avare identifie l'argent à sa propre substance. Le complexe de l'argent tend à attribuer « à ce qui n'est pas la nourriture les vertus propres à la nourriture. Selon la formule succincte de Freud, l'excrément devient aliment » [179] : c'est précisément à cette confusion que s'adonnent constamment les avares dépeints par la métaphore cannibalique. Le complexe anal rejoint le complexe oral [180], comme dans l'image du ténia des *Aventures d'une idée heureuse*. En ce sens, le circuit de la nourriture chez Gobseck est un circuit intime, et, finalement, autophagique : « Tout entrait chez lui, rien n'en sortait ».

Le dernier geste de Grandet, plus discret que la manie d'accumulation de Gobseck, est pourtant aussi un geste cannibalique. Déjà, pendant ses jours d'agonie, il demande à sa fille de mettre de l'or devant lui :

> Eugénie lui étendait des louis sur la table, et il demeurait des heures entières les yeux attachés sur les louis, comme un enfant

(179) Norman Brown, *op. cit.*, « Filthy Lucre », 3. Utility and Uselessness, p. 257 qui renvoie à Freud, *Collected papers*, II, p. 48, note.

(180) Cf. *ibid.*

> qui, au moment où il commence à voir, contemple stupidement le même objet ; et, comme à un enfant, il lui échappait un sourire pénible. — Ça me réchauffe ! disait-il quelquefois en laissant paraître sur sa figure une expression de béatitude (626).

Le caractère compulsif de la monomanie éclate au moment de la mort :

> Lorsque le prêtre lui approcha des lèvres le crucifix en vermeil pour lui faire baiser le Christ, il fit un épouvantable geste pour le saisir, et ce dernier effort lui coûta la vie *(ibid.)*.

Ce mouvement de préhension, pour saisir l'or du crucifix qui s'approche de ses lèvres, est une réplique de l'image du boa et ressemble fort à un dernier fantasme dévorateur.

La peinture des rapports d'argent entre parents et enfants surdétermine la métaphore cannibalique. On en trouve quelques exemples, où prédomine exceptionnellement la succion vampirique, dans le réseau argent-nourriture qui parcourt *Le Père Goriot*. Quand Rastignac, assoiffé d'or, fait appel à ses parents, les liens du sang qui les unissent suscitent plusieurs images organiques qui doublent l'image d'ingestion : « Ma chère mère, vois si tu n'as pas une troisième mamelle à t'ouvrir pour moi » (II, 916). Au reçu de l'argent demandé, Rastignac éprouve quelque remords :

> Il avait trop bien éprouvé leur prédilection pour ne pas craindre d'avoir aspiré leurs dernières gouttes de sang (922).

En aspirant ce sang, le lait de cette « troisième mamelle » qui doit alimenter son ambition, Rastignac risque en effet de réduire sa propre famille à l'inanition, comme le lui prouve le précédent de Goriot, dont les filles, « le citron bien pressé, ... ont laissé le zeste au coin des rues », après avoir reçu, « pendant vingt ans, ses entrailles, son amour, ... sa fortune » (961).

Dans la troisième partie d'*Illusions perdues*, le vieux Séchard, père dénaturé, refuse à son enfant au bord de la faillite le droit légitime de revenir puiser aux sources de la vie :

> — Si je laissais à mon fils la liberté de mettre la main à mes lèvres, au bord de ma caisse, il la plongerait jusqu'au fond de mes entrailles, et il viderait tout, s'écria-t-il. Les enfants mangent tous à même dans la bourse paternelle (IV, 932).

Ce trait, qui met dans la bouche du personnage le diagnostic inconscient de son propre mal, adopte le point de vue du père. Celui-ci, redoutant d'être dévoré par son fils, choisit de l'affamer. Freud rapporte toujours au père (à tort) la crainte de la dévoration, et cite « le mythe de Chronos à l'appui [181] ». Ce mythe, comme notre exemple, reflète un stade tardif des fantasmes cannibaliques. Les filles Goriot et Rastignac aspirent le sang et les entrailles de leurs parents. Le vieux Séchard, pélican à rebours, formule une identification absolue, qui rappelle en plus fort « la gueule de la bourse » de Grandet, entre sa bouche et sa bourse, et entre ses entrailles et son argent. C'est dans le cas du père *avare* que l'image atteint son

---

(181) André GREEN, *op. cit.*, p. 42.

maximum de force : en effet, elle cumule en identifiant explicitement l'argent incorporé à la nourriture parentale [182].

Ainsi s'explique l'analogie dans la peinture de ces deux situations au moyen de la métaphore alimentaire. L'avare fait de l'argent sa nourriture fondamentale, les enfants grandis continuent à attendre la subsistance de leurs parents, c'est-à-dire, dans l'âge adulte, une aide financière. Le père sera vu comme dénaturé si, en proie à une monomanie qui le détourne de l'amour paternel, il refuse toute aide. Mais les enfants n'échappent pas à la condamnation si, comme les filles Goriot, ils font preuve d'exigences excessives. On se hâterait trop pourtant d'en conclure à une leçon d'équilibre. Il ressort au contraire de ces quelques exemples que la balance penche en faveur des enfants : Balzac est indulgent pour Rastignac auquel, on le sait, il s'identifie fortement dans ses débuts à la pension Vauquer.

La métaphore alimentaire dans *La Comédie humaine* est le point de rencontre de multiples facteurs qui s'exercent simultanément et se transforment les uns les autres. La référence intertextuelle se manifeste dans l'attention accordée au détail des préparations culinaires. Cet élément pittoresque renvoie à une longue tradition culturelle et reflète aussi l'influence de l'actualité, tout en relevant d'une explication anthropologique en rapport avec le souci de réglementation qui détermine manières de table et manières de lit. — La prédominance de la sensualité du dessert renvoie peut-être à l'homme Balzac, mais elle représente incontestablement un second trait culturel. — La veine comique ressortit elle aussi en partie à l'intertextualité. La table et le lit appellent la plaisanterie. Pour les images nutritives, on peut parler d'une veine littéraire rabelaisienne, qui trouve d'ailleurs un écho personnel chez Balzac. Mais la qualité du comique change tout à fait dans la seconde division. Il s'agit d'un comique de détente qui prend par moments la forme d'un véritable humour noir. Il est notable que ce rire, même grinçant, disparaisse dans la peinture des rapports d'argent entre parents et enfants. — La prédominance des aliments solides, caractéristique non moins répandue dans la culture de relais, présente elle aussi une double signification selon qu'elle apparaît dans le groupe positif ou dans le groupe négatif. Dans le premier, elle sert à concrétiser, mieux que les liquides, les jouissances de la sensation gustative ; dans le second, elle est le corollaire obligé du phénomène de la digestion, qui passe au premier plan pour traduire l'incorporation destructrice.

Plusieurs remarques s'imposent à propos de la supériorité numérique du groupe négatif. Elle suscite une double question. Est-il possible de déceler la marque du facteur individuel — du moi balzacien — dans le tableau des relations inter- et intrasubjectives ? Et, en conséquence, dans la peinture sociale, les « métaphores obsédantes » déterminent-elles le choix des domaines comparés, ou est-ce plutôt l'inverse ?

Si cannibalisme et nutrition sont les deux démarches universelles de l'alimentation, nombre de psychanalystes et d'anthropologues pensent que la tendance auto-destructrice et agressive de l'homme est la plus prononcée et qu'elle constitue une donnée première et irréductible. La

---

(182) Pour un exemple isolé du même ordre, quoique moins significatif, cf. PCh, IX, 51.

question a tourmenté Freud et explique son recours, dans sa dernière période, à l'hypothèse d'une pulsion de mort [183]. Ferenzci va jusqu'à expliquer les organisations sexuelles du corps humain — orale, anale, génitale — comme des créations de la pulsion de mort. Dans *La Comédie humaine*, le cas précis de l'équivalence argent-nourriture, processus dévorateur et non pas nutritif qui relève des stades oral et anal, en fournit peut-être une illustration, cependant que les connotations positives qui caractérisent la peinture de l'amour charnel semblent plutôt contredire cette théorie. Il est vrai qu'elles n'excluent pas la boulimie. Peut-on alors déceler une spécificité individuelle dans l'emploi que fait Balzac de la métaphore alimentaire ? Il semble que oui, mais de façon assez limitée et avec toutes ces réserves préalables.

Un seul élément atténue les résultats négatifs fournis par la confrontation des deux groupes. Nous venons d'y faire allusion. Il s'agit du caractère plus souvent nutritif que dévorateur des liens sexuels, du moins quand ils sont décrits du point de vue masculin, ce qui est presque toujours le cas. On peut y voir une identification positive de la part de l'auteur.

Au contraire, à l'intérieur du groupe négatif, l'envie kleinienne, plus agressive encore que la convoitise, s'affirme jusque dans les équivalences argent-nourriture. Chez Grandet, la victime est non seulement dévorée, mais honnie. « La pâture des avares se compose d'argent et de dédain », c'est-à-dire que, chez eux, la démarche introjective est tout aussi pernicieuse que la démarche projective.

De toute façon, on est frappé par la démesure qui s'attache aussi bien à la jouissance charnelle qu'à la convoitise destructrice. En ce sens, il n'y a aucune rupture entre le discours métaphorique de *La Comédie humaine* et telle confidence de Balzac, âgé de vingt-deux ans, dans une lettre à sa sœur Laure :

> Qu'ai-je besoin de la fortune et de ses jouissances quand j'aurai soixante ans... Un vieillard est un homme qui a dîné et qui regarde ceux qui arrivent en faire autant. Or mon assiette est vide, elle n'est pas dorée, la nappe est terne, les mets insipides. J'ai faim et rien ne s'offre à mon avidité ! Que me faut-il ?... des ortolans, car je n'ai que deux passions, l'amour et la gloire et rien n'est encore satisfait et *rien ne le sera jamais* [184].

L'insatisfaction qui guette la boulimie apparaît comme la contrepartie négative de l'amour charnel et en affaiblit les connotations bénéfiques. Quant à la peinture sociale, si la métaphore, par son caractère clinique, en fournit une conception souvent généralisatrice, elle reste suffisamment ancrée dans la réalité contemporaine pour que s'établisse une corrélation inextricable entre nature humaine et nature sociale. Il est certain que les deux éléments convergent pour tracer un tableau fort noir des rapports de force sociaux et familiaux. Dans tous les cas, le dosage reste délicat

---

(183) Cf. *Au-delà du principe du plaisir*, in *Essais de psychanalyse*, Payot, 1963, en particulier Ch. VI et VII, « Dualisme des instincts — Instincts de vie et instincts de mort » et « Principe du plaisir et instincts de mort ».

(184) Lettre du 15 août 1821, *Correspondance* présentée par Roger Pierrot, T. I, Garnier 1960, p. 113.

entre la vision propre à Balzac, le moment historique, et ce qui relève d'une vérité générale. A notre avis, la part du facteur personnel est importante dans cette vision de l'humanité et de la société, surtout si l'on considère le choix et le contenu des autres catégories de métaphores physiologiques, qui constituent un témoignage supplémentaire dans le même sens [185].

Au niveau conceptuel, la théorie du principe unitaire, si elle ne se manifeste pas au premier plan, s'adapte en partie à la polarité nutrition-cannibalisme. Mais le rapport destruction-acquisition qui s'exerce grâce à l'incorporation et qui est la réplique du rapport habituel dépense-conservation, prend des formes plus complexes. C'est dans l'autophagie qu'il se repère le plus facilement. L'analyse a montré la fréquence de ce phénomène qui se dessine même dans le groupe de l'amour et qui n'est que le terme d'une relation intersubjective où l'objet est intériorisé, puis identifié au sujet qui se dévore lui-même en dévorant l'objet. On voit donc que, plus généralement, la démarche introjective-projective met en œuvre une circularité qui fonctionne de sujet à objet et soumet le principe unitaire aux variations du Même et de l'Autre. Cette nouvelle modification de la théorie unitaire, par un processus comparable à celui qu'introduit la notion de spéculation dans la métaphore monétaire, tient à l'origine de la métaphore dans la relation de l'enfant avec le sein. Elle reparaît dans la métaphore d'agression.

L'explication biologique des divers sens de l'image apporte une nouvelle preuve de la vision matérialiste de Balzac. Le facteur congénital assujettit l'homme au déterminisme des pulsions de vie et de mort. L'influence des circonstances extérieures, quelle que soit son importance, ne constitue qu'un déterminisme secondaire.

On retrouve enfin la tentative balzacienne pour dépasser l'antithèse matérialisme-spiritualisme, dans la peinture des états mystiques, dans celle de l'ivresse, dans l'effort pour donner à l'érotisme la dignité de l'art. Cette tentative, réussie ou non, que la référence à l'androgyne élève sur un plan idéal, ne peut être que fragmentaire dans le cas de la métaphore cannibalique. Dans le sous-groupe des passions dévoratrices, la quête de l'être est funeste et reste inassouvie.

La grande division qu'on observe pour les métaphores alimentaires entre un pôle positif, la nutrition, et un pôle négatif, la dévoration, est reproduite par la totalité des métaphores physiologiques. Mais le déséquilibre quantitatif s'accentue : le pôle négatif devient au moins deux fois plus important que le pôle positif. La nature même de l'image alimentaire, qui implique nutrition, ne permettait guère un écart aussi grand, mais, compte tenu de cette donnée de base, l'importance du groupe dévorateur indiquait nettement le sens négatif du processus déformateur.

On se trouve en présence d'un ensemble d'une extrême complexité, d'où se dégagent pourtant deux grandes lignes directrices : tout d'abord, une vue éminemment pessimiste de la nature humaine ; ensuite, une réflexion constante sur les rapports entre la chair et l'esprit, qui aboutit, dans les cas où l'auteur explicite sa théorie, à une vision matérialiste de l'affectivité, de la Pensée au sens balzacien.

---

(185) Voir ci-dessous.

Le côté positif comprend seulement les métaphores organiques exprimant des fonctions de vie : conception, accouchement, etc.[186]. Du côté négatif, par contre, se rangent les groupes des *sensations internes et organiques*, de la *maladie*, de la *mort* et, enfin, de l'*agression et de la blessure*[187].

B. Sensations internes et organiques

Quelques images de poids et d'étouffement[188], centrées sur les mots-thèmes de *cauchemar*, *peser*, *comprimer*, expriment l'angoisse et l'impuissance du sujet en face de forces dont il ne sait comment se défendre. Que ces forces émanent de l'extérieur :

> A l'aspect de ces difficultés, il fut découragé. Le monde social et judiciaire lui pesait sur la poitrine comme un cauchemar (Col, II, 1117)[189],

ou de l'être même, comme chez Louis Lambert, « âme comprimée sous la masse de ses pensées » (X, 408)[190], la métaphore traduit leur intériorisation et leur action pernicieuse sur l'individu : « Il avait soulevé le monde comme un Titan, et le monde revenait plus pesant sur sa poitrine » (RA, IX, 616). Le *Lys* offre l'exemple le plus développé de cette interaction de forces contraignantes à l'intérieur d'un groupe d'individus :

> ... Ces difficultés qui, semblables à des lianes, étouffaient, comprimaient les mouvements et la respiration de cette famille, emmaillottaient de fils légers mais multipliés la marche du ménage (VIII, 852)[191].

Plus nombreuses[192], les métaphores digestives peuvent soit avoir un sens moral nettement péjoratif, soit traduire elles aussi le travail destructeur de l'émotion. Elle n'expriment pas tant l'angoisse de l'impuissance que des bouleversements violents certes, mais le plus souvent passagers. On trouve quelques allusions à des phénomènes digestifs secondaires : Valentin, stigmatisant d'un mot sa vie de débauches, se qualifie lui-même, par synecdoque, d' « appareil à chyle[193] ». Le *fiel* et la *bile* empoisonnent l'existence en prenant possession d'un être par la douleur[194] ou par la méchanceté. Les yeux de Mme Camusot, dans la colère, sont « comme deux fontaines de bile verte » et le malheureux Pons pénètre « tardivement dans les poches de fiel qui composaient le cœur de la présidente[195] ».

(186) 139 exemples que nous n'analysons pas ici en détail, et où seuls les phénomènes respiratoires présentent parfois un sens négatif.

(187) Respectivement 65, 129, 103 et 533 exemples. Nous n'analysons pas ici en détail les métaphores de mort.

(188) Dix exemples.

(189) Cf. F30, II, 782, 797 ; MR, IX, 288 ; IP, IV, 549.

(190) Cf. MJM, I, 311.

(191) Cf. *infr.*, métaphores d'agression : *liens*, p. 317-318.

(192) Vingt-cinq exemples.

(193) PCh, IX, 149. Cf. MJM, I, 173 ; FE, II, 91 ; FYO, V, 274.

(194) EM, IX, 701.

(195) Cf. CP, VI, 602, 734.

On est très proche des phénomènes d'incorporation qui caractérisent la métaphore cannibalique.

Les *entrailles*, le *ventre*, les *viscères* [196] sont le foyer d'où s'élancent et que regagnent les émotions. Les entrailles, qui commandent le fonctionnement physique d'un être, recèlent aussi les mystère de la nature humaine. Ainsi s'explique d'ailleurs la coutume antique d'interroger les viscères :

> Louis ne sentait plus l'aiguillon de la gloire, il avait, en quelque sorte, abstractivement joui de la renommée ; et après l'avoir ouverte, comme les anciens sacrificateurs qui cherchaient l'avenir au cœur des hommes, il n'avait rien trouvé dans les entrailles de cette chimère (LL, X, 405).

Le corps social fonctionne à l'image du corps humain, et se prête à cette sorte de personnification cénesthésique :

> Dans ce troisième cercle social, espèce de ventre parisien, où se digèrent les intérêts de la ville et où ils se condensent sous la forme dite affaires, se remue et s'agite par un âcre et fielleux mouvement intestinal, la foule des avoués, médecins, notaires, avocats, gens d'affaires, banquiers, gros commerçants, spéculateurs, magistrats (FYO, V, 262) [197].

Quant au mécanisme des sentiments, « ce monde de choses mystérieuses, et qu'il faudrait peut-être nommer les immondices du cœur humain » (P, III, 721), il est lui aussi à l'image de celui du corps.

Les autres métaphores digestives [198], tout en faisant image, décrivent elles aussi, par un déplacement métonymique, les réactions psychosomatiques bien réelles que subit l'individu, et qui se situent dans « les entrailles » sous l'effet du remords, du désespoir, de l'excitation [199], de l'inquiétude amoureuse : « Ah ! quelle femme ! elle me remue autant qu'une colique, quand elle me regarde froidement... » (Be, VI, 306), et même de la simple contagion d'une émotion [200]. Mais c'est, encore plus, l'effroi du surnaturel qui provoque ces manifestations. *Melmoth réconcilié* en présente au moins quatre exemples :

> La plume dont Melmoth s'était servi lui causait dans les entrailles une sensation chaude et remuante assez semblable à celle que donne l'émétique (IX, 273) [201].

Ces exemples confirment les conclusions qui ressortent du tableau de l'avarice tracé par les métaphores monétaire et alimentaire : dissocié de celui de la nutrition, le phénomène de la digestion a un sens constamment négatif.

---

(196) Respectivement onze, deux et un exemples.
(197) Cf. VF, IV, 289 et Be, VI, 501 et *supr.*, *or anal*, p. 202 et note 243.
(198) Treize exemples.
(199) Cf. respectivement PG, II, 924 ; Lys, VIII, 943 ; H, II, 255.
(200) S & M, V, 899.
(201) Cf. 274, 275, 286 et CB, V, 492 ; RA, IX, 532 ; Ser, X, 516.

Il en va de même pour les autres mentions de sensations internes [202], qui perdent d'ailleurs tout caractère métaphorique. Elles traduisent elles aussi des émotions fortes et passagères, mais dont les effets destructeurs peuvent être durables, ainsi que des réactions psychosomatiques qu'on peut également accepter dans un sens littéral. Les points visés seront le *gosier*, sous l'effet de l'angoisse :

> Quand il s'agissait de découvrir mes misères, j'éprouvais au gosier cette contraction nerveuse qui fait croire à nos malades qu'il leur remonte une boule de l'œsophage au larynx (Ath, II, 1158) [203] ;

ou le *crâne :* « ... En ce moment les larmes tombèrent de ses yeux et desserrèrent un peu le bandeau de fer qui lui cerclait le crâne » (CB, V, 473). Le corps entier s'enfièvre [204], subit une commotion [205], ou réunit plusieurs de ces symptômes :

> Paul et madame Evangélista se trouvaient en proie à cette trépidation de nerfs, à cette agitation précordiale, à ces tressaillements de moelle et de cervelle que ressentent les gens passionnés après une scène où leurs intérêts et leurs sentiments ont été violemment secoués (CM, III, 137) [206].

Les sensations de *chaud* et de *froid* [207], soit séparées, soit réunies, forment un ensemble assez cohérent. Le degré de passion s'exprime couramment en termes de température, mais les dérivations concrétisent le potentiel descriptif du cliché ou réactivent son origine médicale : Claudine et La Palférine, la première violemment amoureuse, le second se livrant à un simple caprice, sont « deux caloriques inégaux » (PrB, VI, 833). Le chaud, isolé, suggère une angoisse qui peut être érotique :

> En voyant sa gondole à quelque cent palmes de la mienne, il me semble qu'on me place un fer chaud dans le cœur... (Do, IX, 319) [208].

Le froid, au contraire, évoque chez Mme de Beauséant l'excès de la souffrance et son danger mortel, quand elle reçoit, au lieu d'une visite, une simple lettre de son amant : « Un froid inconnu tomba de sa tête à ses pieds, en l'enveloppant d'un linceul de glace » (FA, II, 241) [209]. La réunion du chaud et du froid [210], deux principes complémentaires aux effets spécifiques analogues, offre des prolongements plus intéressants. Si, dans *Eugénie Grandet,* elle indique seulement la vivacité de l'émotion : « Cette anxiété

---

(202) Vingt-trois exemples.

(203) Cf. MR, IX, 287-288.

(204) Do, IX, 334.

(205) AS, I, 799 ; Ven, I, 924.

(206) Dans PMV, X, 1034, l'image s'en prend simplement à l'entêtement féminin : « Les femmes, et surtout les femmes mariées, se fichent des idées dans leur dure-mère absolument comme elles plantent des épingles dans leur pelote ».

(207) Quatorze exemples.

(208) Cf. TA, VII, 475.

(209) Cf. Lys, VIII, 971 ; Col, II, 1106.

(210) Sept exemples.

qui glace le cœur ou l'échauffe, le serre ou le dilate suivant les caractères... » (III, 555-556), elle peut aussi illustrer la théorie du principe unitaire :

> Une chaleur intérieure enveloppa la jeune femme de la tête aux pieds, en concentrant la vie au cœur avec tant de violence qu'elle se sentit extérieurement comme dans un bain de glace (EM, IX, 661).

« Les drames glacés » de la pension Vauquer « remuent chaudement le cœur » (PG, II, 855). Ce mouvement de balancier s'accentue et se développe en métaphore de maladie dans *La Rabouilleuse*, où Jean-Jacques Rouget subit la tyrannie de Flore Brazier :

> Ces alternatives de tendresse et de froideur opéraient sur cet être faible, qui ne vivait que par la fibre amoureuse, les effets morbides produits sur le corps par le passage subit d'une chaleur tropicale à un froid polaire. C'était autant de pleurésies morales (III, 990).

L'action nocive du froid et du chaud portés au plus haut degré va jusqu'à empêcher le dévelopement de la vie : ce qui était figuré dans les exemples précédents devient littéral dans *Mémoires de deux jeunes mariées*, où Louise de Chaulieu cherche à expliquer pourquoi ses deux mariages sont restés stériles :

> L'amour pur et violent comme il est quand il est absolu serait-il donc aussi infécond que l'aversion, de même que l'extrême chaleur des sables du désert et l'extrême froid du pôle empêchent toute existence ? (I, 283) [211].

Cette remarque de l'héroïne préfigure en effet la forme de suicide qu'elle élira par la suite, en se donnant une fièvre mortelle, une espèce de phtisie :

> Je me suis rendue poitrinaire en quelques jours... Je me mettais en sueur la nuit et courais me placer au bord de l'étang dans la rosée (*ibid.*, 323) :

encore un exemple de la continuité qui existe entre l'histoire et le discours métaphorique. Dans les cas les plus caractéristiques, la vague de froid ou de chaleur qui envahit l'âme et le corps sous la virulence de l'émotion, en polarisant la force vitale en un seul point, crée le désert ou la dévastation dans le reste de l'être.

C. Maladie

Il existe un lien logique facile à suppléer, et même souvent exprimé, comme dans l'exemple de *La Rabouilleuse* que nous venons de citer, entre les images de sensations internes et organiques, et les métaphores de maladie proprement dites [212]. En outre, celles-ci, malgré leur nature déjà négative, manifestent un processus de déformation pessimiste.

---

(211) Cf. FE, II, 80.

(212) 129 exemples relevés. Cf. les exemples du *Cousin Pons* que nous présentons *infr.*, p. 299 sq.

Tous les domaines d'activité se prêtent à l'emploi de la métaphore de maladie, mais, plus que tous, le domaine inter- et intrasubjectif. Ainsi se poursuit le parallèle entre le côté physique et le côté moral de la nature humaine, qui confirme une fois de plus la position centrale qu'occupe la métaphore physiologique dans la pensée matérialiste de Balzac. Non qu'il faille d'ailleurs sous-estimer les sources mystiques de ce point de vue : on sait que, selon Oegger par exemple, les maladies physiques sont des emblèmes du monde moral.

Les mots-thèmes sont assez peu diversifiés par rapport à l'ampleur du sujet et restent traditionnels. Malade, et maladie viennent en tête, suivis d'assez loin par plaies [213]. La peste et le cancer, le calus, la fièvre, apparaissent plus souvent que l'apoplexie, la gravelle [214], la gangrène, le ténia, le vertige, les écrouelles, la goutte, la lèpre, la pleurésie [215], etc. Parfois, on trouve le remède, désigné par le vocabulaire de la médecine, qui offre peu d'emplois répétés — opération, panser, moxa, guérir, etc.

Les domaines décrits se répartissent entre pauvreté matérielle [216], état physique d'un lieu, d'un objet ou même d'un individu — Raphaël dans *La Peau de chagrin* [217] — état intellectuel [218] ; et, plus fréquemment, états spirituels, amoureux, moraux [219]. La description des vices individuels et sociaux [220] complète le tableau. Comme à l'ordinaire, ces chiffres reflètent la prédominance des états affectifs et moraux. L'importance de la peinture des vices s'explique par la nature même de la métaphore de maladie.

Avant de passer à l'examen des représentations de la maladie, disons un mot des métaphores de médecine [221], qui se rattachent directement aux métaphores pathologiques, tout en mettant l'accent sur des concepts fort différents. La maladie en effet n'y joue qu'un rôle très secondaire, accidentel presque. Ce qui l'emporte, c'est l'intérêt scientifique du médecin ou du chirurgien pour le sujet souffrant. D'où la fréquence des images d'opération. Tout d'abord, n'oublions pas que Balzac se veut non seulement archéologue du mobilier social, mais chirurgien du XIXe siècle, de ses passions individuelles [222] et de ses vices sociaux :

> Les sentiments humains, et surtout l'avarice, ont des nuances si diverses dans les divers milieux de notre société, qu'il restait encore un avare sur la planche de l'amphithéâtre des Etudes de mœurs ; il restait Rigou ! (Pay, VIII, 202).

Plus encore, l'image dépeint l'analyse réciproque ou introspective à laquelle se livrent les personnages romanesques. La curiosité scientifique,

---

(213) Respectivement 15, 29 et 10 exemples.

(214) Respectivement 5, 5, 4, 4, 3 et 2 exemples. La gravelle est mentionnée au moins six fois dans *Le Cousin Pons*, où elle constitue une véritable image-thème.

(215) Respectivement 3, 3, 3, 2, 2, 1, et 1 exemples.

(216) Cinq exemples.

(217) Huit exemples au total.

(218) Six exemples.

(219) Respectivement 14, 33 et 49 exemples.

(220) Trente-cinq exemples.

(221) Dix-neuf exemples.

(222) Cf. F30, II, 770 ; Fir, I, 1027 et MD, IV, 67.

toujours présente, s'y colore de passion, de volonté de puissance, de douleur. Certes, les médecins de *La Comédie humaine* utilisent facilement des images médicales [223]. Mais huit exemples s'appliquent simplement à des individus avides de mieux connaître leurs semblables, soit pour les dominer, soit pour les juger, soit pour les aider :

> Petit-Claude regarda Cérizet. Ce fut un de ces duels d'œil à œil où le regard de celui qui observe est comme un scalpel avec lequel il essaye de fouiller l'âme... (IP, IV, 1043).

Quelques êtres d'élite, Louis Lambert, le comte de Bauvan, Camille Maupin s'efforcent de pénétrer les mystères de leur propre conscience :

> Elle souffrait et analysait sa souffrance, comme Cuvier, Dupuytren expliquaient à leurs amis la marche fatale de leur maladie et le progrès que faisait en eux la mort. Camille Maupin se connaissait en passion aussi bien que ces deux savants se connaissaient en anatomie (B, II, 392) [224].

Venons-en maintenant à l'examen des types de maladies qui font l'objet de cette curiosité scientifique.

Plus qu'un examen exhaustif des domaines décrits, qui sont les mêmes que pour les autres catégories, celui des représentations de la maladie propres au plan métaphorique peut faire progresser notre connaissance du monde balzacien. La place qu'occupe la maladie dans la vie des personnages trouve sa réplique dans le nombre et dans la variété des images. Mais, une fois de plus, il faudra se demander si le plan de l'histoire et le texte métaphorique se rejoignent ou, au contraire, se distinguent l'un de l'autre.

L'image, moins détaillée, malgré sa précision, plus générale d'allure que la description littérale des symptômes, peut renvoyer plus directement que ceux-ci à la conception de la maladie qui en a dicté le choix. Il n'est pas nécessaire que Balzac explicite sa pensée à tout coup. Seule une minorité d'exemples renferme des aperçus théoriques. Il s'agit donc de rechercher à quelles théorie renvoient les différents types de maladie mentionnés, et d'élucider le choix plus ou moins conscient qu'ils révèlent de la part de l'auteur.

Pendant longtemps, historiens et théoriciens ont distingué essentiellement deux points de vue en pathologie, — qui remontent tous deux à l'Antiquité égyptienne et grecque et se sont perpétués jusqu'à nous en s'adaptant aux découvertes médicales de chaque génération. Chez les Egyptiens, la théorie ontologique localisationniste considère la maladie comme un agent extérieur qui s'introduit en l'homme. Cette théorie trouve sa principale justification dans l'existence des maladies microbiennes, infectieuses et parasitaires, et des maladies à préfixe en *a*-. Elle accorde au médecin et aux remèdes le véritable pouvoir thérapeutique. Chez les Grecs, la théorie dynamique totalisante considère la maladie comme une partie intégrante de l'être, qui naît et disparaît sous l'effet de variations

(223) Cf. Ath, I, 1153 ; PG, II, 891 ; In, III, 10.
(224) Cf. Mes, II, 181 ; H, II, 273 ; LL, X, 407.

d'équilibre interne. Les causes et les remèdes extérieurs ne jouent qu'un moindre rôle dans son évolution, même si leur influence n'est pas négligeable. « L'organisme fait une maladie pour se guérir [225] ». Ce deuxième point de vue découle de la vieille croyance à la théorie des humeurs, qui remonte à l'Antiquité. Il s'appuie principalement sur l'existence des troubles endocriniens et des maladies à préfixe en *dys-*. A l'origine, l'état de santé demeure qualitativement distinct, dans les deux cas, du principe morbide, et entre en lutte avec lui. Mais, au cours d'une longue évolution, l'idée s'est de plus en plus imposée que la différence entre le normal et le pathologique ne correspondait qu'à des variations d'ordre quantitatif, lesquelles se marquent, sémantiquement, par l'emploi des préfixes en *hyper* et *hypo*. La croyance en une identité qualitative qui est le corollaire de cette idée a pris force de dogme au XIXe siècle, chez Auguste Comte et chez Claude Bernard, par l'intermédiaire de Broussais [226], dont Balzac connaît les idées [227].

M. Canguilhem note l'optimisme inhérent à ces diverses théories, soit qu'elles fassent confiance à l'intervention de l'homme pour enrayer les progrès du mal, soit qu'elles fassent confiance à la nature pour rétablir l'harmonie interne de l'organisme. Cet optimisme subsiste-t-il chez Balzac ? Quel rôle joue chez lui le concept de guérison ? Quelle que soit la réponse à cette question, il importe de déterminer à quelles théories de la maladie renvoie le contenu des métaphores pathologiques, et selon quelles modifications propres à Balzac [228]. Pour ne pas ramifier à l'excès, nous avons ramené tous les exemples soit à la théorie localisationniste, soit à la théorie totalisante. Nous verrons que, dans la seconde, de nombreux exemples s'orientent vers l'identité du normal et du pathologique. Même quand l'affection porte un nom, son appartenance théorique n'apparaît pas toujours nettement. Certaines maladies se prêtent aux deux explications : la gangrène, par exemple. Ou bien, parfois, elles ne sont même pas nommées. C'est donc assez souvent le contexte qui permet de trancher la question. Ainsi, quand Lucien de Rubempré, « affamé d'affection », s'attache « comme une maladie chronique à d'Arthez » (IP, IV, 651), il est bien certain, abstraction faite de la valorisation comique subie par le cliché, que cette maladie a une provenance extérieure : la métaphore traduit donc un point de vue localisationniste. De même, c'est le contexte qui nous fait classer la gangrène, ou le tétanos, dans le groupe des maladies totalisantes. Les progrès de la science depuis le début du XIXe siècle, et en particulier la découverte du microbe et du bacille [229], rendent indis-

---

(225) Georges CANGUILHEM, *Essai sur quelques problèmes concernant le normal et le pathologique*, *op. cit.*, p. 12.

(226) CANGUILHEM, p. 13-14.

(227) Cf. Henri EVANS, *Louis Lambert et la philosophie de Balzac*, Corti, 1951, p. 85.

(228) Quatorze exemples seulement, sur un total de 129, ne permettent pas d'assigner la maladie mentionnée à l'une ou l'autre théorie. Cette proportion justifie amplement le classement que nous adoptons. Nous ne tenons pas compte de huit exemples du cliché « panser les plaies », qui ne changeraient d'ailleurs en rien la signification de ce pourcentage. L'examen ne nous a permis de relever aucune évolution chronologique du sens.

(229) La croyance à la génération spontanée pouvait facilement s'adapter à la théorie totalisante.

pensable cette méthode pragmatique. Le seul critère de classification valable nous est fourni par les vues de Balzac sur la question, telles qu'elles se manifestent dans son emploi des images.

Le nombre des exemples qui renvoient à chacune des deux théories varie du simple au double [230].

a) *Théorie ontologique localisationniste.*

L'*infirmité* et la *mutilation* peuvent se rattacher à la théorie localisationniste [231], si on les considère comme une sorte de carence. Plus graves que la maladie, elles dictent la suite d'épithètes qui dépeint le mobilier de la pension Vauquer, « vieux, crevassé, pourri, tremblant, rongé, manchot, borgne, invalide, expirant » (II, 851-852). Egoïsme ou souffrance du cœur, stérilité de l'intellect, vide spirituel : autant d'effets et de causes qui frappent la personne humaine. Les exemples de mutilation [232] présentent un caractère encore plus pessimiste : la mutilation, apparentée à la blessure, est plus radicale que l'infirmité, car elle est subie par l'être en pleine force :

> ... Le plus inepte des chirurgiens sait que la souffrance causée par l'amputation d'un membre vivant est plus douloureuse que ne l'est celle d'un membre malade (PM, I, 1011).

Elle tendra donc de préférence à décrire la douleur morale [233]. L'infirmité innée de l'être acéphale, sorte de mutilation, assimile l'homme à une espèce animale rudimentaire et fustige les carences de l'esprit :

> Quelques charlatans, comme Walter Scott, qui pouvaient réunir les cinq sens littéraires, s'étant alors montrés, ceux qui n'avaient que de l'esprit, que du savoir, que du style ou que du sentiment, ces éclopés, ces acéphales, ces manchots, ces borgnes littéraires se sont mis à crier que tout était perdu, ils ont prêché des croisades contre les gens qui gâtaient le métier, ou ils en ont nié les œuvres (MD, IV, 132) [234].

L'aveugle et le sourd [235] présentent des déficiences affectives ou spirituelles moins douloureuses, à cause de leur caractère congénital : l'individu adapte son existence aux seules facultés qui lui ont été dévolues en partage et se crée ainsi plus facilement ses propres normes de vie. Il est alors moins sensible, ou tout à fait insensible, à ce qui lui manque : « La nature, qui fait des aveugles de naissance, peut bien créer des femmes sourdes, muettes et aveugles en amour » (PCh, IX, 112) [236]. Sur le plan spirituel, l'Aveugle s'oppose au Voyant [237].

---

(230) Trente-huit pour la théorie localisationniste, soixante-cinq pour la théorie totalisante.

(231) Seize exemples.

(232) Sept sur seize.

(233) PCh, IX, 221.

(234) Cf. F30, II, 758.

(235) Respectivement six et deux exemples.

(236) Cf. MJM, I, 160.

(237) LL, X, 381 ; Ser, X, 533.

L'orientation pessimiste de ce petit groupe est manifeste du fait qu'infirmité et mutilation sont l'une et l'autre inguérissables, ou peu s'en faut. Pour l'aveugle, la guérison est pourtant mentionnée à deux reprises : réalité assez vague dans l'exemple le plus banal [238], elle reste tout à fait précaire dans le plus intéressant :

> ... Redevenue innocente et vraie, elle pouvait mourir, comme un aveugle opéré peut reperdre la vue en se trouvant frappé par un jour trop vif (S & M, V, 682).

Seul Louis Lambert, comparé à un aveugle, surmonte le caractère irréversible de l'infirmité, au dernier stade de son progrès spirituel, précisément quand il se situe au-delà des normes du monde matériel : s'il semble aveugle, c'est parce qu'il est devenu voyant :

> Hélas ! déjà ridé, déjà blanchi, enfin déjà plus de lumière dans ses yeux, devenus vitreux comme ceux d'un aveugle (X, 445) [239].

On rejoint là le thème de la cécité mystique, qui apparaît dans de nombreuses légendes :

> Le sacrifice de l'œil... est le moyen de *renforcer la vision* et d'acquérir la voyance magique... Une seconde vue, archétypale au sens platonicien de ce terme, vient relayer la vision commune [240].

Les aveugles physiques de *La Comédie humaine*, Facino Cane, Mme Mignon, Mlle du Guénic, possèdent ce don d'intuition :

> ... Elle n'en étudiait pas moins les causes de cette préoccupation, à la manière des aveugles qui lisent comme dans un livre noir où les lettres sont blanches, et dans l'âme desquels tout son retentit comme dans [*sic*] un écho divinatoire (B, II, 341) [241].

Ici, l'infirmité physique est l'indice d'une supériorité spirituelle. Mais, au niveau des figures, elle dénote une vision déterministe et pessimiste, et ceci d'autant plus qu'elle est présentée comme congénitale dans neuf exemples sur quinze.

Passons maintenant au gros des exemples qui illustrent plus clairement la théorie localisationniste. La maladie y est nettement présentée comme un agent importé de l'extérieur, dont les formes et le degré d'intensité peuvent varier. Trois groupes principaux ressortent de l'examen.

1. Tout d'abord, neuf exemples décrivent l'introduction dans l'organisme d'un *principe étranger pathogène* qui se comporte comme un poison. Une fois, d'ailleurs, la phrase associe la métaphore de poison à celle de maladie :

(238) MJM, I, 140.
(239) Cf. 357 et 369.
(240) DURAND, p. 159.
(241) Cf. FC, VI, 72.

> Ce souci rongeur donnait à ce gros petit homme, à sa figure autrefois rieuse, un air sombre et abruti qui le faisait ressembler à un malade dévoré par un poison ou par une affection chronique (Pay, VIII, 190) [243].

Les autres exemples identifient la cause et l'effet : « L'argent sans l'honneur est une maladie [244] ». De même, l'égoïsme, la plaisanterie excessive sont « inoculés [245] ». Le procédé linguistique illustre à son tour la concordance habituelle et peut-être même l'unité des lois physiques, morales et sociales. Ainsi, dans un passage d'*Illusions perdues*, la perte financière, figurée par l'équivoque d'*oxyde d'argent*, se superpose et s'identifie à l'humiliation : toutes deux sont à la fois la cause de la maladie et la maladie elle-même :

> Lousteau, qui perdait ses mille écus, ne pardonna pas à Lucien cette lésion énorme de ses intérêts. Les blessures d'amour-propre deviennent incurables quand l'oxyde d'argent y pénètre (IP, IV, 847-848).

Blessure et maladie (*oxyde d'argent*) se confondent ici. Le jeu de mots d'*intérêts* à *oxyde d'argent* souligne l'action conjuguée du préjudice pécuniaire et moral. Il reparaît plus discrètement dans un exemple de *La fausse maîtresse* :

> L'Anglais mourut à Paris de Paris, car pour bien des gens Paris est une maladie ; il est quelquefois plusieurs maladies (II, 17).

Paris, sans compter les maladies qu'il abrite ou produit, est à lui seul une maladie qui s'attrape et envahit l'organisme pour le détruire. « Notion bien moderne », écrit Pierre Citron, qui rapproche cette phrase d'un passage de *Tropic of Cancer* :

> This Paris, to which I alone had the key, ... it is a Paris that has to be lived, that has to be experienced each day in a thousand different forms of torture, a Paris that grows inside you like a cancer, and grows and grows until you are eaten away by it [246].

Chez Miller, la maladie change de nature : venue de l'extérieur, elle se transforme en partie intégrante de l'être. D'origine localisationniste, elle devient totalisante. La parenté reste frappante entre les deux exemples, mais chez Balzac on ne passe pas aussi facilement d'un point de vue à l'autre.

2. Le groupe le plus nombreux [247] assimile le principe pathogène à quelque *maladie infectieuse* connue de tous. Il contient une forte proportion de clichés qui relèvent nettement de la culture de relais et nous éclairent sur les maladies suffisamment assimilées par la mentalité collective pour

---

(243) Cf. *supr.*, *poison*, p. 259 sq.

(244) EG, III, 568.

(245) EG, III, 577 ; PG, II, 888.

(246) Cf. *La poésie de Paris*, *op. cit.*, t. II, p. 236, note 1. La référence de Miller vient de l'édition Obelisk Press, 1934, p. 185.

(247) Vingt exemples.

devenir des symboles particulièrement craints, donc parlants. Les maladies qui ne sont que contagieuses [248] constituent un sous-groupe assez plat, qui traduit encore soit les sévices moraux, soit la répulsion : « Le monde abhorre les douleurs et les infortunes, il les redoute à l'égal des contagions » (PCh, IX, 220). La maladie de poitrine est comme il se doit débilitante [249], non sans quelque ironie à l'égard du mythe romantique auquel elle s'est prêtée [250]. Seule une image du *Lys* en tire un parti différent :

> Je vécus alors avec l'espèce de rage qui saisit un poitrinaire quand, pressentant sa fin, il ne veut pas qu'on interroge le bruit de sa respiration (VIII, 988).

Les écrouelles, la lèpre [251] ne font l'objet que de clichés. Celui de la lèpre s'appuie sur l'ancienne coutume qui rejetait le lépreux hors de la communauté, illustrant ainsi le remarque de Michel Foucault :

> Ce qui va rester sans doute plus longtemps que la lèpre, et se maintiendra encore à une époque où, depuis des années déjà, les léproseries seront vides, ce sont les valeurs et les images qui s'étaient attachées au personnage du lépreux : c'est le sens de cette exclusion, l'importance dans le groupe social de cette figure insistante et redoutable qu'on n'écarte pas sans avoir tracé autour d'elle un cercle sacré [252].

Par rapport à une telle description, l'emploi du cliché chez Balzac marque un appauvrissement très sensible. Par contre, la maladie vénérienne [253], mal redouté entre tous, et dont Balzac, semble-t-il, a une expérience personnelle, suscite quelques variations intéressantes. Nous avons d'ailleurs pu constater après coup que la lèpre et des maladies vénériennes dans *La Comédie humaine* se classent selon un schéma qui rejoint celui de M. Foucault

> Le relais de la lèpre fut pris d'abord par les maladies vénériennes. D'un coup, à la fin du XVe siècle, elles succèdent à la lèpre comme par droit d'héritage [254].

Qui plus est, malgré quelque originalité de détail, Balzac utilise les secondes dans un sens très traditionnel, à la fois en tant que tare morale et comme un mal susceptible de guérison [255].

La satire morale, chez lui, est dirigée contre la corruption inhérente aux mœurs parisiennes, — politiques et privées. L'image du plaisir et son envers voisinent dans le premier exemple, qui décrit, en une métaphore diégétique, la statue de la pension Vauquer « représentant l'amour » :

---

(248) Douze exemples.
(249) Gam, IX, 460.
(250) MM, I, 409.
(251) Cf. respectivement Dr, IX, 895 ; Phy, X, 601 et LL, X, 421 ; S & M, V, 692.
(252) Cf. *Folie et déraison*, Paris, Plon 1961, p. 6.
(253) Quatre exemples.
(254) Cf. *ibid.*, p. 7.
(255) Cf. *ibid.*, p. 8.

> A voir le vernis écaillé qui la couvre, les amateurs de symboles y découvriraient peut-être un mythe de l'amour parisien qu'on guérit à quelques pas de là (II, 849).

Décrépitude de l'esprit chez Lousteau, dont la plaisanterie est « vieillotte » et la phrase « plus connue qu'un remède secret » (MD, IV, 165) ; tares gouvernementales exploitées par Des Lupeaulx dans *Les Employés* : « Aussi, à son métier de ménagère et d'entremetteur avait-il joint la consultation gratuite dans les maladies secrètes du pouvoir » (VI, 887) ; enfin spectacle du crime tel qu'il se donne à la Conciergerie et qui doit faire redouter la justice humaine,

> de même que la vue d'un cabinet d'anatomie, où les maladies infâmes sont figurées en cire, rend chaste et inspire de saintes et nobles amours au jeune homme qu'on y mène (S & M, V, 1042).

Il s'agit bien là du mal spécifique de Paris [256], l'un des ravages de la vie en société. Comme les écrouelles et la lèpre, l'altération produite par le mal est non seulement issue, mais vue, de l'extérieur. Ce caractère particulièrement concret explique peut-être pourquoi ces cinq images évoquent l'éventualité de la guérison en même temps que la maladie. Dans ce sous-groupe, le point de vue dominant est fortement localisationniste.

Les maladies épidémiques présentent des propriétés légèrement différentes. Elles aussi manifestations de la culture de relais, elles se répartissent entre la peste, le choléra, le typhus [257]. Plus violentes que les simples maladies contagieuses, elles ne se résolvent que dans la mort. C'est la lutte des individus entre eux qui entraîne la catastrophe : « Il faut entrer dans cette masse d'hommes comme un boulet de canon, ou s'y glisser comme une peste » (PG, II, 936). Le typhus met en relief la provenance extérieure du mal :

> L'embonpoint blafard de cette petite femme est le produit de cette vie, comme le typhus est la conséquence des exhalaisons d'un hôpital (PG, II, 852).

Cet exemple est à rapprocher d'un développement de *Louis Lambert* sur les propriétés délétères et contagieuses de la pensée, que suscite la folie du héros, assimilée à une maladie contagieuse. A la fin du récit, le narrateur rend visite à Louis, tombé en catalepsie, et il est effrayé par l'atmosphère que sécrète la chambre :

> Je redoutai de me retrouver dans cette atmosphère enivrante où l'extase était contagieuse. Chacun aurait éprouvé comme moi l'envie de se précipiter dans l'infini, de même que les soldats se tuaient tous dans la guérite où s'était suicidé l'un d'eux au camp de Boulogne. On sait que Napoléon fut obligé de faire brûler ce bois, dépositaire d'idées arrivées à l'état de miasmes mortels. Peut-être en était-il de la chambre de Louis comme de cette guérite ? Ces deux faits seraient des preuves en faveur de son système sur la transmission de la Volonté (X, 455).

---

(256) Comme déjà dans l'exemple de *La fausse maîtresse* (II, 17) cité *supr.*, p. 287.
(257) Respectivement 5, 1 et 1 ex.

Les miasmes et les exhalaisons sécrétés par les maladies non seulement physiques, mais morales, transmettent la contagion et l'épidémie, et se trouvent dotés d'une existence à la fois autonome et concrète, qui se poursuit en dehors du corps humain. C'est là une notion très courante que Balzac a intégrée à son système. En effet, vers le milieu du XVIIIe siècle, est apparue dans les villes la terreur d'une nouvelle contagion, celle qui s'élève des maisons d'internement situées un peu à l'extérieur, souvent aux lieux mêmes des léproseries médiévales :

> Ulcère terrible sur le corps politique, ulcère large, profond, sanieux, qu'on ne saurait imaginer qu'en détournant les regards. Jusqu'à l'air du lieu que l'on sent ici jusqu'à 400 toises, tout vous dit que vous approchez d'un lieu de force, d'un asile de dégradation et d'infortune [258].

La crainte superstitieuse qui s'attache à la folie se trouve renforcée par les connaissances imparfaites de la chimie de l'époque et par la croyance à la génération spontanée :

> ... On prévoit que l'air vicié par le mal va corrompre les quartiers d'habitation... Tout d'abord le mal entre en fermentation dans les espaces clos de l'internement... Ces vapeurs brûlantes s'élèvent ensuite, se répandant dans l'air et finissent par retomber sur le voisinage, imprégnant les corps, contaminant les âmes. On accomplit ainsi en images l'idée d'une contagion du mal-pourriture [259].

Chez Balzac, il est clair que ces émanations, venues du mal des autres, s'emparent de l'être et peuvent en devenir un élément constituant au même titre qu'une maladie produite par l'organisme. Réciproquement, la monomanie du baron Hulot, comparée au choléra, n'est qu'une extension de sa propre nature : quoi d'étonnant donc si, pour la décrire, la distinction entre le point de vue localisationniste et le point de vue totalisant tend à s'effacer par l'introduction de l'adjectif « invétéré » :

> Je respecte les passions invétérées, autant que les médecins respectent les maladies invé... Oh ! ces passions-là, c'est comme le choléra... (Be, VI, 382-383).

3. Ce phénomène de coïncidence entre les deux points de vue se confirme dans le cas des *maladies parasitaires* [260] : si, d'un côté, le parasite, plus encore que les miasmes qui transmettent une épidémie, est une réalité matérielle distincte, de l'autre, il trouve ses conditions d'existence optimales à l'intérieur du corps humain. Et s'il n'est pas sécrété par celui-ci, il ne peut pourtant vivre sans lui. Il ne se confond pas avec la totalité de l'être, il lui reste hétérogène, — mais il en est inséparable. En voici une preuve sur le mode comique :

---

(258) L. S. MERCIER, *Tableau de Paris*, t. VIII, p. 1, cité par FOUCAULT, *op. cit.*, p. 430.

(259) FOUCAULT, *op. cit.*, p. 429-431.

(260) Quatre exemples.

> ... Tu viens de voir le cœur du Gouvernement, il faut t'en montrer les helminthes, les ascarides, le tœnia, le républicain, puisqu'il faut l'appeler par son nom (CSS, VII, 59).

Le gouvernement ne peut se concevoir sans le parasite républicain, non plus que sans un cœur : autant dire que le parasite devient élément organique, sinon nécessité. L'origine du parasite diffère de celle du cancer, mais son action lui ressemble :

> Le génie est une horrible maladie. Tout écrivain porte en son cœur un monstre qui, semblable au tænia dans l'estomac, y dévore les sentiments à mesure qu'il y éclosent. Qui triomphera ? La maladie de l'homme, ou l'homme de la maladie ? Certes, il faut être un grand homme pour tenir la balance entre son génie et son caractère. Le talent grandit, le cœur se dessèche (IP, IV, 873) [261].

Pourtant, même dans cet exemple qui fait si clairement apparaître la similitude entre le parasite et le cancer, la porte reste ouverte à une solution heureuse, quoique rare et peu accessible.

La peinture de la douleur morale est encore plus pessimiste, l'issue ne peut en être que l'absorption totale de l'organisme attaqué :

> Il semble vraiment que les maladies morales soient des créatures qui ont leurs appétits, leurs instincts, et veulent augmenter l'espace de leur empire comme un propriétaire veut augmenter son domaine (Lys, VIII, 826).

Véritable parasite, elle suggère l'image du tournis, qui comporte peut-être la justification du suicide :

> Le suicide me semblait être dans la nature. Les peines doivent produire sur l'âme de l'homme les mêmes ravages que l'extrême douleur cause dans son corps ; or, cet être intelligent, souffrant par une maladie morale, a bien le droit de se tuer au même titre que la brebis qui, poussée par le tournis, se brise la tête contre un arbre. Les maux de l'âme sont-ils donc plus faciles à guérir que ne le sont les maux corporels ? J'en doute encore. Entre celui qui espère toujours et celui qui n'espère plus, je ne sais lequel est le plus lâche. Le suicide me parut être la dernière crise d'une maladie morale, comme la mort naturelle est celle d'une maladie physique ; mais la vie morale étant soumise aux lois particulières de la volonté humaine, sa cessation ne doit-elle pas concorder aux manifestations de l'intelligence ? Aussi est-ce une pensée qui tue et non le pistolet (MC, VIII, 502).

Cet exemple soutient jusqu'au bout, avec plus d'insistance que les autres, la distinction entre la nature morale et la nature physique de l'homme. Cependant cette distinction ne sert qu'à montrer leur fonctionnement similaire. Et la douleur morale aboutit à une destruction physique. Aussi

---

(261) Point de vue qui est à l'opposé de celui que développe la métaphore théâtrale dans *Modeste Mignon* ; cf. *supr.*, p. 124, 127.

peut-on dire que la distinction est surtout rappelée pour être abolie. D'autre part, la maladie décrite ici, le tournis, semble avoir été choisie surtout parce qu'elle s'attaque à l'animal : si, dans la nature, la douleur physique entraîne l'animal à se donner la mort involontairement, la douleur morale justifie le suicide de l'homme, être pensant. Finalement, on doit aussi considérer l'origine parasitaire du tournis : une fois encore, une cause externe est intériorisée et provoque la destruction totale de l'être.

Les images de maladie reflétant la théorie localisationniste apportent donc leur contribution particulière à l'expression du matérialisme balzacien. Le mal, soit physique, soit moral, a de toute façon une influence simultanément physique et morale sur l'organisme humain : le point de vue est celui du monisme matérialiste. Cependant, le mal demeure un principe étranger, distinct à l'origine de l'organisme qu'il attaque : les exemples des miasmes et des exhalaisons en offrent l'illustration la plus nette. D'autre part, on est en présence de deux processus de déformation, le premier plus généralisé que le second. Tout d'abord, une déformation dans un sens pessimiste, manifeste par la rareté des cas qui évoquent la guérison : celle-ci est difficile, précaire, ou encore plus souvent absente. Ensuite, une déformation dans un sens totalisant, décelable dans la métaphore du choléra [262] et dans l'utilisation exceptionnement originale des maladies parasitaires. Ici intervient un facteur qualitatif : l'intérêt des exemples nous incline à leur accorder une attention spéciale. Si de surcroît on considère le grand nombre d'images qui relèvent de la théorie totalisante, on peut déjà supposer que celle-ci va se révéler comme la plus spécifiquement balzacienne.

b) *Théorie dynamique totalisante.*

Les images de maladie qui, chez Balzac, semblent traduire une conception totalisante [263], se réfèrent pour la plupart à des troubles fonctionnels. Parfois, comme l'apoplexie et l'anévrisme, elles semblent suggérer des lésions d'organes. Le classement le plus cohérent, dicté par les types d'affections que Balzac choisit de préférence, consiste à séparer celles-ci en *dérèglements d'organes* et *déséquilibre des composants organiques*, en allant du plus banal au plus spécifique, du plus bénin au plus pernicieux. On se souvient que, dans *La Peau de chagrin*, Balzac satirise le point de vue organiciste, représenté par Brisset (alias Broussais). Mais cette satire est plus nuancée qu'on ne l'a dit parfois. En effet, c'est le médecin vitaliste, lui-même satirisé, qui reproche à Brisset de prendre « l'effet pour la cause », en restreignant le mal aux organes, et en particulier à l'estomac [264]. Or, en réalité, Brisset lui-même vient de déclarer que Valentin est « fatigué... par des excès de pensée » et que « l'action violente du corps et du cerveau a... vicié le jeu de tout l'organisme » (PCh, IX, 214-215).

Broussais mettait d'ailleurs, « parmi les causes de l'altération et de la destruction des organes, " les travaux intellectuels poussés trop loin et les

(262) Be, VI, 382-383, cité *supr.*, p. 290.

(263) 65 exemples.

(264) Théorie chère aux disciples de Broussais, d'après M. Le Yaouanc, *Nosographie de l'humanité balzacienne*, Paris, 1959, p. 203.

passions violentes et surtout continues " [265] ». Et cette étiologie, Balzac la reprend cent fois à son compte dans *La Comédie humaine*. A plus forte raison, le rapport de comparant à comparé attribue forcément une origine morale aux maux organiques.

1. Il serait vain ici encore d'accorder la même importance à toutes les maladies mentionnées, ou à la fréquence avec laquelle elles le sont. Le nombre ici n'est significatif que parce qu'il révèle chez Balzac une prédilection pour le point de vue totalisant. Autrement, surtout dans le sous-groupe des *dérèglements d'organes*, on doit bien reconnaître et tenir compte de la forte proportion de clichés dont le contenu ne semble pas compenser la banalité. Le prurit [266], dans le domaine des sensations externes, traduit l'intensité du désir allant jusqu'à la souffrance — passion du joueur ou passion du peintre — et rappelle leur équivalence avec la passion amoureuse :

> ... Sa barbe taillée en pointe se remua soudain par des efforts menaçants qui exprimaient le prurit d'une amoureuse fantaisie (ChO, IX, 396) [267].

L'impuissance ne sert qu'à évoquer le décalage entre le désir et sa réalisation [268].

Les troubles musculaires offrent, selon diverses formes de contiguïté, le reflet physique de moments de crise dans la vie des personnages. Les convulsions qui agitent l'océan, symbole maternel dans *L'enfant maudit*, évoquent d'abord l'accouchement de la mère d'Etienne et les présages funestes qui l'entourent, puis plus tard la mort de celle-ci :

> C'était un remuement d'eaux qui montrait la mer travaillée intestinement... — Que me veut-elle ? elle tressaille et se plaint comme une créature vivante ! Ma mère m'a souvent raconté que l'Océan était en proie à d'horribles convulsions pendant la nuit où je suis né (IX, 698).

Le tétanos [269], dont Balzac, et pour cause, ne considère pas l'origine bacillaire localisationniste, a des effets encore plus rigoureux :

> Schmucke n'écoutait pas ; il était plongé dans une telle douleur, qu'elle avoisinait la folie. L'âme a son tétanos comme le corps (CP, VI, 762).

La catalepsie enfin, paralysie totale des muscles, abolit tout à fait les sensations externes. Puisqu'on l'observe dans l'hypnose en particulier, sa fonction métaphorique reste faible quand elle décrit la concentration mystique du Voyant [270]. Ni le délire, ni le vertige [271], expression de l'effroi, ne méritent qu'on s'y attarde.

---

(265) Broussais, *De l'irritation et de la folie*, Paris, 1828, p. 285, cit. par Le Yaouanc, p. 56.

(266) Deux exemples.

(267) Cf. PCh, IX, 13 : « le prurit d'un coup de trente-et quarante ».

(268) PCh, IX, 161 et 171.

(269) Un exemple.

(270) Cf. LL, X, 441 ; Ser, X, 491.

(271) Respectivement un et trois exemples.

Le somnambulisme [272] offre des aperçus plus intéressants, dont la signification se rapproche de celle de la catalepsie. Il décrit lui aussi la séparation des deux natures, et les pérégrinations de l'esprit libéré des entraves du corps. Il apparaît à des dates assez tardives, entre 1837 et 1847, et remplit la même fonction, sur le plan métaphorique, que les rêves d'*Ursule Mirouet* sur le plan de l'histoire. Un passage lui compare les spéculations de l'intelligence :

> Andréa s'était soutenu pendant plus d'un quart d'heure dans les plus hautes régions de la métaphysique, avec l'aisance d'un somnanbule qui marche sur les toits (Gam, IX, 431).

Deux exemples du *Cousin Pons* l'associent au don de seconde vue, à propos des transes hypnotiques de la voyante [273]. La chute du dormeur, comme son réveil, peuvent aussi évoquer la perte des illusions [274]. Dans chaque cas, l'image oppose les envols de l'esprit à l'empire de la réalité, et place les deux natures de l'homme en regard de ce contraste.

Le seul exemple de folie qui soit digne d'attention se réfère à l'ancienne pratique d'isoler les aliénés, comme auparavant les lépreux. Félix de Vandenesse conseille Mme de Mortsauf sur la conduite à tenir envers son mari : « ... Renfermez sa maladie dans une sphère morale, comme on renferme les fous dans une loge ». L'asthme, le catarrhe et l'anévrisme [275] ne justifieraient guère un examen détaillé. Ils évoquent soit les contraintes que la nature physique impose à l'accomplissement des désirs — « un amour asthmatique [276] » —, soit des chocs affectifs violents, les « soudaines apoplexies » de l'esprit et du cœur [277].

Ces dérèglements d'organes mentionnés à titre de comparants sont eux-mêmes provoqués dans la réalité par les états affectifs ou nerveux qu'ils ont ici pour fonction de symboliser. Ce phénomène découle d'une des croyances les plus fondamentales de Balzac, en accord avec son époque, quant à l'étiologie de la maladie : l'influence du moral sur le physique [278]. Pour cette raison, le sens des maladies examinées dans ce sous-groupe ne diffère en rien de celui qu'elles présentent sur le plan de l'histoire. Que l'apoplexie ou l'anévrisme soient à proprement parler lésion organique, ou « foudroiement » mystérieux [279], est d'une importance secondaire puisque, dans les deux cas, ils seront soit produits par une émotion brutale, soit chargés de l'évoquer. Et il en va de même pour les autres dérèglements d'organes : une perturbation affective est directement comparée au mal physique que, selon les doctrines médicales les plus acceptées au début du XIXe siècle, elle risque de déclencher. On a donc affaire encore une fois à des métonymies de la cause par contiguïté temporelle.

---

(272) Quatre exemples.
(273) VI, 626, 630.
(274) MM, I, 477.
(275) Respectivement 1, 3 et 1 exemples.
(276) MR, IX, 284 ; cf. Ch, VII, 806.
(277) Gam, IX, 421.
(278) Telle est l'idée maîtresse de la thèse de Moïse Le Yaouanc, *op. cit.*
(279) Cf. *ibid.*, p. 222.

2. Les maladies qui ont pour cause un *déséquilibre des composants organiques* [280] font l'objet d'images beaucoup plus remarquables dans le détail et qui s'organisent en un ensemble beaucoup plus cohérent que les précédents. Ce sont celles qui s'adaptent le mieux à la théorie de la pensée meurtrière, sécrétée par l'homme et facteur de désordre interne. Nous retrouvons sous sa forme la plus claire le concept familier de la répartition de l'énergie vitale et les résultats parfois néfastes que peuvent en causer les fluctuations. Tous les maux évoqués ici décrivent des variations de degré à l'intérieur du corps humain. La différence qualitative s'atténue ou s'efface, et l'on glisse des maladies en *dys* à celles en *hypo* ou *hyper*.

Huit images présentent des vestiges de la théorie des humeurs, laquelle illustre particulièrement bien le mécanisme de l'excès et du défaut. Les maux mentionnés sont la pléthore, l'inflammation, un principe morbifique, la goutte, souvent inséparables d'une thérapeutique qui aide la nature à retrouver son équilibre : saignées, moxas, émollients. La bourgeoisie économise les sommes que les courtisanes dilapident :

> Ces dissipations sont sans doute au Corps Social ce qu'un coup de lancette est pour un corps pléthorique (S & M, V, 837).

Ou bien l'épouse dirige ses élans amoureux hors des sentiers du mariage, et il s'agit de la ramener à son mari :

> En médecine, lorsqu'une inflammation se déclare sur un point capital de l'organisation, on opère une petite contre-révolution sur un autre point, par des moxas, des scarifications, des acupunctures, etc.
> Un autre moyen consiste donc à poser à votre femme un moxa, ou à lui fourrer dans l'esprit quelque aiguille qui la pique fortement et fasse diversion en votre faveur (Phy, X, 721).

Parfois le traitement d'appoint n'apparaît même pas et l'organisme semble se guérir sans aucune aide extérieure :

> Le beau monde bannit de son sein les malheureux, comme un homme de santé vigoureuse expulse de son corps un principe morbifique (PCh, IX, 220).

Quant à la goutte [281], maladie qui doit son nom à la théorie humorale, elle sert d'illustration, dans *Albert Savarus*, à un développement sur le caractère héréditaire et congénital du talent, qui est *en* l'homme, comme la maladie ou le tempérament :

> Dans les familles, les humeurs, les caractères, l'esprit, le génie reparaissent à de grands intervalles absolument comme ce qu'on appelle les maladies héréditaires. Ainsi le talent, de même que la goutte, saute quelquefois de deux générations. Nous avons, de ce phénomène, un illustre exemple dans George Sand, en qui revivent la force, la puissance et le concept du maréchal de Saxe, de qui elle est la petite-fille naturelle (I, 763).

---

(280) Trente-six exemples.
(281) Deux exemples.

Le tempérament moral de l'homme est donc à l'image de son tempérament physique et obéit aux mêmes processus de distribution : trois exemples révèlent une influence, en même temps qu'une interprétation très personnelle, de la théorie des humeurs. Le premier imagine un déplacement d'énergie non pas humoral, mais organique — du cerveau à l'estomac — dans les phénomènes de la digestion et de la pensée, chez les gastrolâtres et les convalescents, qu'il met sur le même plan :

> On sent [dans la digestion] un si vaste déploiement de la capacité vitale, que le cerveau s'annule au profit du second cerveau, placé dans le diaphragme, et l'ivresse arrive par l'inertie même de toutes les facultés... Les malades en convalescence d'une maladie grave, à qui l'on mesure si chichement une nourriture choisie, ont pu souvent observer l'espèce de griserie gastrique causée par une seule aile de poulet (CP, VI, 537).

Ce n'est plus le mécanisme des humeurs qui se trouve faussé, mais celui des fonctions organiques : dans l'ivresse causée par l'absorption excessive de nourriture chez le gastrolâtre ou le convalescent, le cerveau s'abolit au profit de l'estomac. Pour les deux autres exemples, la « pléthore » se manifeste par l'hypertrophie d'un trait moral au détriment de l'harmonie d'ensemble : Louis Lambert est « tout malade de son génie » (X, 376) et

> Madame Mollot, incessamment assise à la fenêtre de son salon, au rez-de-chaussée, était atteinte, par suite de cette situation, d'un cas de curiosité aiguë, chronique, devenue maladie consécutive, invétérée. Madame Mollot s'adonnait à l'espionnage comme une femme nerveuse parle de ses maux imaginaires, avec coquetterie et passion (DA, VII, 700).

Ces trois derniers exemples montrent bien pourquoi Balzac se souvient implicitement de la théorie des humeurs : c'est qu'il peut facilement l'annexer à sa propre théorie du principe de vie unique.

En réalité, Balzac prend son bien où il le trouve, et la théorie des humeurs, dont déjà Paracelse avait démontré l'insuffisance [282], se mêle dans ses images à des théories moins antiques et moins sommaires. Les composants chimiques du corps, que Paracelse avait été le premier à essayer d'identifier, en introduisant la notion de *dosage*, fort comparable à celle d'équilibre, pour expliquer les états de santé et de maladie, jouent le même rôle que les humeurs dans les métaphores de *La Comédie humaine*, comme le prouve un exemple qui réunit le spleen et l'atonie :

> Si donc tu ne faisais partager à ton mari tes occupations mondaines, si tu ne l'amusais pas, vous arriveriez à la plus horrible atonie. Là commence le *spleen* de l'amour (CM, III, 164).

Il n'est pas question de suggérer que Balzac s'inspire directement de Paracelse : on sait l'imprécision des quelques références à son nom qui

---

(282) Cf. pour l'exposé de la doctrine de Paracelse, Henry E. SIGERIST, *Civilisation and Disease*, Phœnix Science Series, U. of Chicago Press 1942-1943 by Cornell University, ch. VII, « Disease and Philosophy », p. 155-160.

parsèment *La Comédie humaine* [283]. Cependant le vitalisme, concept qui date de l'Antiquité et marque la pensée de Paracelse, connaissait un regain d'actualité à la fin du XVIIIe siècle [284] et, si Balzac s'est beaucoup plus intéressé au magnétisme animal, ces deux théories offrent une étroite parenté [285], malgré le spiritualisme de l'une, que Balzac rejette, et le matérialisme de l'autre, qui correspond à ses vues. La brièveté de la métaphore ne s'accommode pas de références trop approfondies ou trop exactes à telle ou telle découverte scientifique : elle se prête beaucoup mieux à l'expression d'une attitude philosophique assez générale. Dans ses grandes lignes donc, l'orientation des métaphores de maladie décrivant des dérangements de la composition organique fait état d'un principe vital qui peut se confondre avec le magnétisme animal, et sujet à des troubles de fonctionnement qui se répercutent sur le dosage des composants organiques. Ce concept s'adapte tout aussi aisément que celui d'équilibre à la théorie de la répartition de l'énergie vitale.

Les diverses combinaisons chimiques caractéristiques des exemples qu'il nous reste à étudier [286] décrivent soit une insuffisance interne généralisée de quelque composant vital [287], soit un excès qui se porte en un point de l'organisme, de façon parfois monstrueuse, et s'accompagne toujours finalement d'un défaut généralisé dans le reste de l'organisme [288], à l'exclusion de tout phénomène de compensation [289]. C'est là qu'on songe le plus aux maladies en *hypo* ou *hyper*. Mais le mal peut aller jusqu'au désordre anarchique ou à la destruction totale.

Examinons d'abord les maladies par défaut. Le colonel Chabert, au sortir de ses épreuves physiques et morales, est « blanc comme un Albinos » (II, 1105). La transplantation de Gaston de Nueil dans le milieu provincial risque d'avoir des conséquences funestes :

> Après les légères souffrances de cette transition, s'accomplit pour l'individu le phénomène de sa transplantation dans un terrain qui lui est contraire, où il doit s'atrophier et mener une vie rachitique (FA, II, 210).

Manque de pigments, de calcium, peu importe : le dosage est faussé et l'organisme vit au ralenti. La carie et la gangrène [290] décrivent un processus de décomposition qui est une forme de défaut aux conséquences plus radicales, puisqu'elles conduisent tôt ou tard à une destruction soit partielle,

---

(283) Cf. aussi la thèse de Madeleine FARGEAUD, *Balzac et la Recherche de l'Absolu*, Hachette, Paris, 1968.

(284) Cf. SIGERIST, *op. cit.*, p. 160.

(285) Cf. M. FARGEAUD, p. 156.

(286) Vingt-huit exemples.

(287) Huit exemples.

(288) Vingt exemples.

(289) Le cliché de la verrue ne trouve pas sa place dans ce réseau : « Voici bientôt quarante ans que le Louvre crie par toutes les gueules de ces murs éventrés, de ces fenêtres béantes : Extirpez ces verrues de ma face » (Be, VI, 179). Cf. Hugo comparant la Cour des Miracles à une « hideuse verrue... à la face de Paris ».

(290) Respectivement deux et deux exemples.

soit généralisée. Comme dans le cas des maladies vénériennes, la corruption, l'hypocrisie qui imprègnent la vie en société, surtout à Paris, servent de cible à de tels maux. Vautrin, le premier, formule dans *Le Père Goriot* l'anathème qu'il répètera dans *Où mènent les mauvais chemins* : « Nous avons moins d'infamie sur l'épaule que vous n'en avez dans le cœur, membres flasques d'une société gangrénée » (II, 1014). Ce pourrissement est la condition du succès : « Tous sont également cariés jusqu'aux os par le calcul, par la dépravation, par une brutale envie de parvenir » (FYO, V, 275). « L'hypocrisie nécessaire à l'homme du monde » risque de « gangrener » même le poète [291]. Ces quelques exemples de maladie par défaut permettent déjà de saisir la complexité accrue qui caractérise les notions de dosage et de désordre par rapport à celles d'équilibre et de déséquilibre. Le principe vital ne saurait à lui seul suppléer les composants affaiblis ou absents, ni enrayer leur décomposition si le processus de dérèglement est trop énergique. Il se montre donc inadéquat et participe à la maladie lui aussi.

Dans les exemples de maladie par excès qui, nous l'avons annoncé, s'accompagent aussi d'un phénomène de défaut dans le reste de l'organisme — soit qu'elles résultent de ce défaut, soit qu'elles le provoquent — le principe unitaire peut à première vue paraître fonctionner selon les normes habituelles de répartition, car nous sommes en présence de deux démarches complémentaires. Mais bien entendu le mécanisme est faussé par définition, puisqu'il s'exprime par une métaphore de maladie. L'âme humaine est trop atteinte au départ, elle ne connaît ni ambivalence harmonieuse, ni monomanie progressive et concentrée, mais une succession de désordres qui vont en empirant et qu'elle ne réussit pas à maîtriser : le principe de répartition de l'énergie vitale, toujours présent, fonctionne de façon erratique, incohérente.

Le développement anormal ou monstrueux qui s'opère peut d'abord affecter un membre ou une partie du corps [292] : il traduit, par l'image d'une tare physique [293], la bassesse morale inhérente à un individu. A l'insuffisance morale répond l'excédent physique :

> Obligés de parler sans cesse, tous remplacent l'idée par la parole, le sentiment par la phrase, et leur âme devient un larynx (FYO, V, 263).

La formule ne manque pas de piquant, mais n'annonce que de loin une trouvaille d'*Ursule Mirouet*. Goupil, le clerc de notaire, personnage particulièrement vil, possède, sans être doté d'une bosse, tous les autres traits que Balzac attribue au bossu : petite taille, buste développé, teint brouillé :

> Aussi son visage semblait-il appartenir à un bossu dont la bosse eût été en dedans. Une singularité de ce visage aigre et pâle [un nez tordu] confirmait cette invisible gibbosité (III, 273) [294].

(291) MM, I, 536.

(292) Trois exemples.

(293) UM, III, 426.

(294) A rapprocher des développements de *Modeste Mignon* sur la supériorité des bossus : « La courbure ou la torsion de la colonne vertébrale produit chez ces hommes,

Plus tard, Balzac le nomme « ce bossu manqué » (444). Cette étonnante « bosse en dedans », espèce de pléthore solidifiée, présente bien la double caractéristique de l'excès et du défaut, elle la présente même deux fois : d'abord parce que Goupil a l'air bossu, ensuite parce qu'il n'est pas vraiment bossu. Il y a du Lavater, revu par Balzac, dans cette bosse absente.

Cet exemple suggère d'ailleurs que la prolifération anarchique est d'autant plus menaçante qu'elle reste invisible : le développement interne de cellules superflues fait l'objet des autres images. Si le manque de cœur, comme nous l'avons vu [295], se traduit par la carie qui décompose les os, il s'exprime aussi, avec l'appoint d'une équivoque, par la maladie de la pierre. Reprenons l'exemple :

> Tous sont également cariés jusqu'aux os par le calcul, par la dépravation, par une brutale envie de parvenir, et s'ils sont menacés de la pierre, en les sondant on la leur trouverait à tous, au cœur (V, 275).

On saisit le mécanisme déréglé de l'excès et du défaut, qui ne se produisent ni l'un, ni l'autre à l'endroit désirable. Indiquons en passant que ces maladies « tartratiques » — la goutte, la pierre — pour lesquelles Balzac semble marquer une certaine prédilection d'après le développement des images, sont précisément celles qui servent à Paracelse de point de départ pour l'élaboration de sa philosophie de la santé et de la maladie [296].

Le Cousin Pons contient, sous forme d'une image reparaissante qui sillonne tout le roman, la mention d'une maladie très voisine de la pierre, la gravelle. Balzac en fait au départ un emploi assez complexe : cette gravelle figure d'un côté, comme la pierre, l'endurcissemment du cœur chez autrui, mais aussi la souffrance du cœur chez ceux qui sont les victimes de cette dureté. L'égoïsme d'autrui — ce grain de sable — est en quelque sorte intériorisé par Pons, et accessoirement par Schmucke, et se métamorphose à ce moment-là en une « gravelle au cœur » qui concrétise les froissements de la sensibilité exacerbée : excès de sentiment si l'on veut, mais en même temps vulnérabilité, manque de défense qui rend l'être incapable de faire face aux modalités et aux exigences de la vie en société. Balzac va chercher sa comparaison assez loin dans l'actualité et l'amorce par des détours un peu laborieux :

> ... Il s'agit de donner une idée de la délicatesse excessive de ces deux cœurs. Empruntons une image aux rails-ways, ne fût-ce que par façon de remboursement des emprunts qu'ils nous font. Aujourd'hui les convois en brûlant leurs rails y broient d'imperceptibles grains de sable. Introduisez ce grain de sable invisible pour les voyageurs dans leurs reins, ils ressentiront les douleurs

---

en apparence disgraciés, comme un regard où les fluides nerveux s'amassent en de plus grandes quantités que chez les autres, et dans le centre même où ils s'élaborent, où ils agissent, d'où ils s'élancent ainsi qu'une lumière pour vivifier l'être intérieur. ... Cherchez un bossu qui ne soit pas doué de quelque faculté supérieure ? soit d'une gaieté spirituelle, soit d'une méchanceté complète, soit d'une bonté sublime » etc. (I, 455-456).

(295) Cf. *supr.*, p. 298.

(296) Cf. SIGERIST, *op. cit.*, p. 155.

> de la plus affreuse maladie, la gravelle ; on en meurt. Eh bien ! ce qui pour notre société lancée dans sa voie métallique avec une vitesse de locomotive, est le grain de sable invisible dont elle ne prend nul souci, ce grain incessamment jeté dans les fibres de ces deux êtres, et à tout propos, leur causait comme une gravelle au cœur (CP, VI, 541) [297].

Mais son insistance trouve une justification dans les rappels répétés et beaucoup plus brefs que le récit contient à cette première analyse et qui jalonnent le destin lamentable des deux amis, atteints de « cette gravelle au cœur, qui gêne tous les mouvements ambitieux » (542). Pour Pons, les graviers sans cesse renaissants ont surtout pour cause les tracasseries de l'inlassable Madame Camusot, sa cousine par alliance, qui l'a fait passer par ses traitements du rang de convive choyé à celui de pique-assiette :

> Eh bien ! je l'accepte, dit en riant la présidente. Cécile, mon petit ange, va donc voir avec Madeleine à ce que le dîner soit digne de notre cousin... La présidente voulait balancer le compte. Cette recommandation faite à haute voix, contrairement aux règles du bon goût, ressemblait si bien à l'appoint d'un paiement que Pons rougit comme une jeune fille prise en faute. Ce gravier un peu trop gros lui roula pendant quelque temps dans le cœur (556).

En une autre occasion, se rendant encore chez sa cousine, Pons éprouve une

> inexplicable émotion... causée uniquement par la question de savoir comment le recevrait la présidente. Ce grain de sable, qui lui déchirait les fibres du cœur, ne s'était jamais arrondi ; les angles en devenaient de plus en plus aigus, et les gens de cette maison en ravivaient incessamment les arêtes (547).

Il finira par en mourir, selon la prédiction formulée dès l'introduction de l'image. Or, Pons meurt atteint d'une hépatite dont les causes morales sont évidentes. M. Le Yaouanc signale les éléments autobiographiques qui peuvent expliquer le choix de cette maladie [298], Balzac ayant souffert d'une jaunisse en 1844. Mais si Pons, à la différence de son créateur, succombe à son hépatite, c'est la formation des calculs dans le foie qui détermine l'issue fatale. Balzac opte ainsi pour la forme la plus hardie, la plus dramatique de la maladie, comme n'a pas manqué de le noter M. Le Yaouanc, et ce phénomène est clairement relié aux persécutions morales qu'exerce contre le cousin Pons la Cibot, sa concierge et garde-malade, qui prend ainsi la relève de Madame Camusot :

> Elle ne le tuerait pas, elle ne lui donnera pas d'arsenic, elle ne sera pas si charitable, elle fera pis : elle l'assassinera moralement, elle lui donnera mille impatiences par jour... le malade sera conduit fatalement jusqu'à l'induration du foie, il s'y forme

(297) Coïncidence ou détour culturel ? VIGNY imagine au contraire dans *La Maison du berger* (1844) qu'il suffirait d'un caillou pour faire dérailler et détruire le « taureau de fer » : « Pour jeter en éclats la magique fournaise / Il suffira toujours du caillou d'un enfant ».

(298) Cf. *op. cit.*, p. 264-270.

> peut-être en ce moment des calculs, et il faudra recourir pour les extraire à une opération qu'il ne supportera pas... (*ibid.*, 705).

Le thème s'amplifie à la fin, puisque l'agonie coïncide avec l'apparition des calculs. A ce moment, le docteur prétend que l'opération sauverait Pons :

> Je vais aller voir ce pauvre monsieur Pons ; il pourrait encore se tirer d'affaire ; il s'agirait de le décider à subir l'opération de l'extraction des calculs qui se sont formés dans la vésicule ; on les sent au toucher, ils déterminent une inflammation qui causera la mort (*ibid.*, 753).

Naturellement, Pons refuse l'opération et ce sont bien les calculs qui provoquent une mort presque foudroyante, peu conforme paraît-il à la vérité médicale [299]. Cette entorse à l'exactitude scientifique, inhabituelle chez Balzac, doit répondre à quelque autre impératif : selon toute vraisemblance, elle est dictée par l'image initiale du gravier, reflet d'une vérité pathologique supérieure. Le gravier métaphorique est ainsi intériorisé sous une forme concrète. Quant à Schmucke, il souffre du mal de Pons, puis de sa mort :

> Schmucke prit le papier, le lut, et en se voyant traité comme il l'était, ne comprenant rien aux gentillesses de la procédure, il reçut un coup mortel. Ce gravier lui boucha le cœur (800) [300].

Les circonstances extérieures ne servent que de prétexte, c'est l'être atteint qui porte en lui les conditions favorables à la croissance de son propre mal. Cette image du gravier illustre avec un relief remarquable le phénomène d'intériorisation que constitue la maladie dans la théorie totalisante.

Les images du calus et du cancer [301] appellent des remarques analogues. Le calus traduit évidemment l'endurcissement : cette fois-ci, l'organisme se défend, à sa manière. Boiste définit le calus en ces termes :

> Nœud des os fracturés, t. d'anatomie ; dureté indolente sur la peau ; v. durillon ; (fig.) endurcissement de l'esprit, du cœur, par une longue habitude (se faire, avoir un — sur le cœur).

La défense de l'organisme est une mort partielle, et les exemples mettent l'accent sur la sclérose qui se manifeste en un point de l'activité ou de la sensibilité. Le premier en date réunit tous les éléments de la définition de Boiste, mais en les situant uniquement *à l'intérieur* du corps, pour expliquer comment s'opèrent les phénomènes similaires de la chasteté chez le prêtre, et de l'insensibilité chez le médecin, le notaire, l'avoué, le militaire :

---

(299) Cf. *ibid.*, p. 269.

(300) Cf. 568.

(301) Respectivement quatre et cinq exemples relevés. Le cliché du *calus* se trouve déjà chez Cicéron dans le même sens : « Le travail fait comme une espèce de calus à la douleur ». Cf. DUMARSAIS, ch. sur la *Métaphore*, I, p. 166. L'article *Métaphore* de l'*Encyclopédie*, qui reprend en grande partie le chapitre de Dumarsais, cite ce passage.

> De ce que les besoins de la civilisation ossifient certaines fibres du cœur et forment des calus sur certaines membranes qui doivent résonner [d'ordinaire], il n'en faut pas conclure que tous les hommes soient tenus de subir ces morts partielles et exceptionnelles de l'âme. Ce serait conduire le genre humain à un exécrable suicide moral (Phy, X, 636).

Formation qui remplit un rôle, mais dont l'utilité ne compense pas véritablement l'action stérilisante : l'excès et le manque continuent à fonctionner à faux et la concentration de l'énergie vitale en d'autres points n'est ni harmonieuse, ni entièrement justifiée. L'excès de spécialisation rétrécit l'intelligence :

> De même qu'un peintre est invariablement enfermé dans la catégorie des paysagistes, (etc.) par le public des artistes, des connaisseurs ou des niais qui... le barricadent dans son intelligence en croyant tous qu'il existe des calus dans toutes les cervelles, ..., de même Popinot eut sa destination, fut cerclé dans son genre (In, III, 22) [302].

Le cancer illustre les mêmes phénomènes. Dans *Le Colonel Chabert*, la comtesse Ferraud est indifféremment atteinte d'un calus ou d'un cancer :

> Il existe à Paris beaucoup de femmes qui, semblables à la comtesse Ferraud, vivent avec un monstre moral inconnu, ou côtoient un abîme ; elles se font un calus à l'endroit de leur mal, et peuvent encore rire et s'amuser (II, 1124).

Ce « monstre moral » figure aussi sous le nom de cancer : « Au milieu de ce triomphe, elle fut atteinte d'un cancer moral » (1123) ;

> Derville avait, sans le savoir, mis le doigt sur la plaie secrète, enfoncé la main dans le cancer qui dévorait madame Ferraud (1125).

Madame Ferraud est « dévorée » ; Esther est « rongée », comme par un cancer, par la douleur d'être infidèle à Lucien [303] ; la vanité est un cancer, qui ronge les parisiens [304]. Toutefois, ce mal est traité avec moins de relief que le calus [305], sans que l'on puisse voir exactement pourquoi.

Les analyses qui précèdent permettent de considérer la description du déséquilibre des composants organiques comme le type le plus authentique de la métaphore de maladie dans *La Comédie humaine*, à cause de son adaptabilité à la théorie du principe unitaire. Nous avons pu observer que c'est ce principe même qui est atteint et qui se montre incapable de régler harmonieusement l'équilibre des humeurs ou le dosage des composants organiques. L'être est donc malade au plus profond de soi : par

(302) La résistance aux épreuves de la vie a endurci Sylvie Rogron : « Les souffrances de la misère, au lieu de lui attendrir le cœur, y avaient fait des calus » (P, III, 729). Cf. IP, IV, 859. Même emploi dans la correspondance (I, 205, III, 337, *op. cit.*). Balzac utilise couramment le cliché.

(303) S & M, V, 818.

(304) FAu, XI, 105.

(305) Cf. en particulier CP, VI, 788.

un premier processus de déformation, Balzac accentue ainsi l'intériorisation de la maladie propre à la théorie totalisante, en la faisant porter directement sur le principe de vie unique. Balzac n'a guère explicité la conclusion qui se dégage alors du contenu de la métaphore. Une seule fois, dans une image, il semble y faire allusion, mais c'est par le biais d'une autre idée, la nécessité de juger sur pièces, empiriquement :

> Je n'ai jamais ouvert le Code, [dit de Marsay dans *Le Contrat de mariage*], mais j'en vois les applications sur le vif du monde. Je suis légiste comme un chef de clinique est médecin. *La maladie n'est pas dans les livres, elle est dans le malade* (III, 90-91).

Formule qui se prête à une double interprétation : chaque malade crée sa propre version de la maladie ; et ainsi la maladie n'est possible que parce que l'organisme l'accepte, la favorise, — la crée peut-être.

Mais de toute façon, la force démonstratrice des exemples est ce qui importe, surtout quand ils ont leur place toute trouvée dans le système de pensée balzacien. Et, une fois de plus, l'influence mystique qui se profile derrière ce système aboutit à un point de vue matérialiste. Selon Swedenborg, la nature, vue comme un organisme vivant, « est un système de fins qui se commandent mutuellement ». En conséquence,

> tout être renferme en germe son évolution ultérieure, y compris les fins qu'il a pour mission de réaliser. Tel est le sens de la doctrine sur l'existence d'une *vis formatrix* existant chez toute créature [306].

« Tout être renferme en soi son évolution ultérieure » : voilà une phrase que Diderot ne renierait pas. Et si la *vis formatrix*, ou principe de vie, est faible dès l'origine, elle renferme le germe de ses maladies futures. Mais là s'arrête la parenté de Balzac avec le vitalisme spiritualiste : sa *vis humana* est d'essence matérielle, et pour ainsi dire palpable. Quant aux « fins » que l'être a pour mission de réaliser, il est clair que Balzac n'a jamais adhéré à cet aspect des théories vitalistes. Bien au contraire, c'est une interprétation déterministe qui ressort de son emploi de la théorie du principe de vie unique. Mais les deux points de vue, spiritualiste comme matérialiste, favorisent l'intériorisation de la maladie, à laquelle Balzac lui-même accorde la préférence : déjà, dans les exemples relevant de la théorie localisationniste, en insistant sur l'infirmité congénitale plus que sur la mutilation [307] et par son interprétation totalisante des maladies parasitaires ; et plus encore en employant deux fois plus d'images qui relèvent de la théorie totalisante.

Que révèle la comparaison systématique avec le plan de l'histoire ? Nous avons vu que la signification métaphorique et littérale des *dérèglements d'organes* est la même, ainsi que celle des maladies mentales : ceci parce que la médecine du temps les considère comme le résultat ou la manifestation d'émotions violentes. Cette remarque ne vaut pas pour les autres maladies métaphoriques, celles qui n'atteignent que rarement les personnages. Cette différence relève de deux sortes d'explication : tout

---

(306) Cf. Martin Lamm, *Swedenborg*, trad. franç., Paris, Stock, 1936, p. 102-103.
(307) Neuf exemples sur quinze.

d'abord, les maladies décrites par les images, expression de la culture de relais, marquent un certain retard par rapport à celles dont souffrent les personnages de *La Comédie humaine*, qui sont au contraire étudiées sous leur aspect le plus moderne : tel est le cas des maladies épidémiques ou de la lèpre, toutes en voie de disparition [308] et donc pratiquement absentes sur le plan de l'histoire. Le cas des maladies humorales est un peu plus complexe : d'une part elles ne satisfont plus aux exigences de la médecine contemporaine et, nommément du moins, s'attaquent fort peu aux créatures romanesques, d'autre part elles s'adaptent particulièrement bien au principe de la répartition de l'énergie vitale, — donc elles jouent un rôle privilégié sur le plan métaphorique. Mais tout n'est pas simple, et il est juste d'ajouter que Balzac, dans l'intrigue, propose à plusieurs reprises des explications qui descendent en ligne directe de la théorie des humeurs : ainsi le fluide vital serait une humeur supplémentaire. Il semble bien souvent fonctionner comme tel, malgré certaines imprécisions [309].

Par contre, les exemples de maladies inoculées ou parasitaires, du gravier et du calus ne se laissent pas réduire aussi facilement. L'assassinat moral est fréquent, on le sait. L'introduction d'un principe pathogène dans l'organisme symbolise les rapports humains délétères. La fonction imagée des maladies parasitaires se prête fort bien à la même explication ; mais pourquoi ces mêmes maladies ne jouent-elles aucun rôle dans l'intrigue romanesque ? La réponse n'est pas évidente. Peut-être faudrait-il la chercher elle aussi dans l'histoire de la médecine contemporaine.

Pour la gangrène, qui a l'air de l'emporter sur le plan métaphorique, M. Le Yaouanc attribue sa place restreinte chez les personnages à son caractère de mal localisé et bien défini [310]. Nous avons vu que l'image en propose une tout autre conception, qui est au contraire totalisante : là réside aussi l'explication de sa présence sous forme métaphorique. Quant à la gravelle, elle manque sans doute des qualités spectaculaires qui justifieraient son examen détaillé dans l'histoire et ne semble affliger aucun représentant de l'humanité balzacienne. Mais nous avons vu le parti qu'en tire Balzac dans *Le Cousin Pons* sur le plan métaphorique, où selon toute vraisemblance l'image du gravier explique le choix de la maladie de Pons : entre la gravelle et les calculs au foie, il existe une bien étroite parenté. Il est donc clair que, s'il apparaît dans *La Comédie humaine* une maladie voisine de la gravelle, elle manifeste le glissement du mal du plan métaphorique au plan de l'histoire.

De la même manière, le calus, mal non seulement peu spectaculaire, mais d'un intérêt médical réduit, n'apparaît pas dans l'histoire, mais trouve une place de choix, avant le cancer, pour illustrer le mécanisme détraqué de l'excès et du défaut. On voit une fois de plus les deux qualités complémentaires qui distinguent la métaphore : être assez évocatrice, donc assez connue, pour faire fonction de signe repérable ; d'autre part se prêter à une interprétation philosophique et morale.

Nous avons déjà dit, à propos des exemples « localisationnistes », que la mention de la *guérison* ou même simplement des soins est relative-

(308) Cf. Le Yaouanc, *op. cit.*, p. 276-277.
(309) Cf. Le Yaouanc, p. 146 et surtout p. 174.
(310) Cf. *op. cit.*, p. 275.

ment rare et qu'on peut voir là un processus de déformation pessimiste. Il en va de même dans l'interprétation de la théorie totalisante, laquelle n'exprime pas, chez Balzac, la confiance qu'on attendrait en la nature et en son pouvoir de guérison [311]. Qui plus est, huit exemples seulement parlent de guérison. Les sept autres ne mentionnent que la médication, et sans grand espoir : ou bien la maladie est chronique, et les soins ne servent au patient qu'à s'y installer plus commodément et à se maintenir en vie, ou bien le traitement est cruel et inutile.

La tendance est claire et corrobore les analyses précédentes. Mais l'intérêt principal de ce sous-groupe réside ailleurs. Il présente à plusieurs reprises un tableau des rapports du malade avec sa maladie, aspect que les images de maladie proprement dites ne développent guère : elles montraient le patient, sinon son organisme, comme passif par définition, subissant son mal, en attendant d'en mourir. Ici, quelques images décrivent une autre relation : soit la lutte désespérée de l'être atteint et qu'il ne faut pas confondre avec la lutte qui se livre dans l'organisme :

> Il est un moment, dans toutes les maladies, où le patient accepte les plus cruels remèdes et se soumet aux opérations les plus horribles (B, II, 497) [312] ;

soit son accoutumance au mal, qui lui permet de le connaître ou même de le maîtriser, et c'est le prétexte d'une réflexion profonde du bossu Butscha :

> Puis, tenez ?... un malade, quand il est longtemps malade, devient plus fort que son médecin, il s'entend avec la maladie, ce qui n'arrive pas toujours aux docteurs consciencieux. Eh ! bien, de même, un homme qui chérit la femme, et que la femme doit mépriser sous prétexte de laideur ou de gibbosité, finit par si bien se connaître en amour, qu'il passe séducteur, comme le malade finit par recouvrer la santé. La sottise seule est incurable (I, 520).

C'est d'ailleurs le seul passage qui exprime ce point de vue optimiste à l'aide d'une métaphore de maladie. Au contraire, deux exemples parviennent à donner même de la guérison une interprétation pessimiste :

> Le colonel ressemblait à cette dame qui, ayant eu la fièvre durant quinze années, crut avoir changé de maladie le jour où elle fut guérie (Col, II, 1104) ;
>
> — Nous causerons de ma situation quand je me serai accoutumé à l'idée de vous en parler. Quand on souffre d'une maladie chronique, ne faut-il pas s'habituer au mieux ? Souvent le mieux paraît être une autre face de la maladie (H, II, 270).

(311) Au total, quinze exemples, sur les 129 métaphores pathologiques, envisagent le traitement : abstraction faite du cliché *panser les plaies*, trois exemples, déjà cités, qui mentionnent des soins ou une médication, appartiennent à la théorie localisationniste, trois autres, déjà cités aussi, à la théorie totalisante, et neuf autres relèvent d'une maladie non spécifiée.

(312) Cf. MCP, I, 57.

Ce *modus vivendi*, optimiste ou désabusé, qui s'établit entre le malade et son état, est aux antipodes de la lutte interne entre l'organisme et le mal que la métaphore pathologique semble impliquer au départ. Le glissement de sens qui s'est opéré dans le cours de notre examen incite à reconsidérer les concepts inhérents aux points de vue localisationniste et totalisant, et nous ramène directement au problème de la définition du normal et du pathologique. En théorie, les concepts de lutte et de différence qualitative présentent un lien logique et suivent une courbe parallèle. En fait, chez Balzac, quelle que soit la conception de la maladie à laquelle se rattachent les exemples, la lutte, par une déformation pessimiste, s'exprime beaucoup moins que la suprématie incontestée du principe morbide ou du déséquilibre interne, qui s'opère par l'usure, par l'anarchie, par le défaut ou l'excès. A partir des applications de la théorie des humeurs, la différence qualitative passe souvent à l'arrière-plan, ou même disparaît, sans que l'antagonisme diminue pour autant. A l'extrême, on en arrive à l'idée d'un accommodement avec la maladie, qui suggère fortement l'identité qualitative du normal et du pathologique. Sans aucun doute, et malgré quelques hésitations, Balzac souscrit à cette idée, qui sous-tend d'ailleurs sa conception de la folie [313]. Un dernier point : la métaphore de maladie exprime rarement la douleur [314]. Ce fait peut d'abord sembler surprenant. Mais il s'explique quand on constate que la métaphore de blessure prend le relais et qu'elle implique presque toujours la douleur. Quand celle-ci est associée à la maladie, c'est que le mal se rapproche de la blessure. Il est brutal, parfois tangible, il tranche à vif : gravelle du cousin Pons, rage de dents du baron Hulot :

> Le baron ressentit en lui-même une de ces douleurs qui produisent dans le cœur l'effet d'une rage de dents, et il faillit laisser voir des larmes dans ses yeux (VI, 361) ;

maladies violentes [315] ; amputation [316] ; tournis, où le parasite semble ronger l'encéphale du mouton. Ces exemples n'offrent pas une base suffisante pour une « physiologie » de la douleur. Cependant, ils expriment un point de vue qui va s'affirmer dans les métaphores de blessure : la douleur morale, que multiplient les forces infinies de la pensée, est d'une intensité supérieure à la douleur physique [317].

D. La Métaphore d'agression : armes et blessures

> « *Une arme est tout ce qui peut servir à blesser, et, à ce titre, les sentiments sont peut-être les armes les plus cruelles que l'homme puisse employer pour frapper son semblable* » (Phy, X, 850).

---

(313) Cf. Francis Pasche, « La métapsychologie balzacienne », *Entretiens sur l'art et la psychanalyse*, Mouton, 1968, p. 258-264, en particulier p. 261.

(314) Onze exemples seulement l'associent à la maladie comme comparant. Quatre autres la mentionnent à propos de l'objet comparé.

(315) B, II, 497.

(316) PM, I, 1011.

(317) MC, VIII, 502 et S & M, V, 1064.

Intensité expressive des comparants, diversité des significations sont les deux caractéristiques générales de la métaphore d'agression [318]. Situons-la d'abord par rapport aux métaphores militaire et pathologique.

Le pourcentage de la métaphore militaire, pour des raisons évidentes, suit parfois une courbe parallèle à celui de la métaphore d'agression [319]. Mais la ressemblance, nous l'avons dit, est surtout extérieure : la comparaison avec un soldat ou une bataille met le plus souvent l'accent sur la stratégie des rapports humains, tandis que l'agression, centrée sur la blessure, se rattache directement aux phénomènes physiologiques.

La parenté est beaucoup plus étroite avec la métaphore de maladie, qui décrit aussi des attaques subies par l'organisme. Mais de l'ensemble des métaphores de blessure se dégage une impression d'immédiateté dans la souffrance. L'homme est atteint plus directement dans sa chair, le coup est instantané. Une autre différence, qui va dans le même sens, réside dans les domaines décrits, où prédominent de plus en plus les relations inter- et intrasubjectives : déjà, dans la métaphore de maladie, le domaine moral et social n'est pas le plus important, mais la blessure, plus encore, concerne le monde des sentiments [320].

La citation que nous avons mise en épigraphe, si elle se justifie par la signification générale de l'image dans *La Comédie humaine*, ne rend compte ni de la complexité des sens de l'arme et de la blessure, ni de leur origine dans la tradition et dans la mythologie. Ces deux caractéristiques ne peuvent ressortir que de l'analyse des mots-thèmes. Chaque mode de blessure suggère une analogie dans le psychisme humain : dans l'univers créé par l'image, l'ampleur et la diversité de l'agression semblent illimitées. Après avoir examiné les mots-thèmes, nous étudierons les différentes formes de rapports que l'image établit entre sujet et objet, victime et agresseur.

I. *Examen des mots-thèmes.*

La plupart des armes citées [321] sont des armes blanches, — le plus souvent tranchantes, quelquefois contondantes. On trouve aussi les armes à feu. Les blessures évoquent le percement ou la coupure, et ces notions peuvent à leur tour être associées à d'autres armes : ainsi, le pal et les flèches se rattachent au percement. D'autres modes d'agression, comme les griffes et les dents, qui provoquent déchirure et morsure, relèvent à la fois du percement et du tranchage. Quant au broyage, on peut le rapprocher du groupe des instruments contondants. Cette simple énumération laisse pressentir non seulement la variété des formes d'agression,

(318) Nous avons relevé 533 métaphores d'armes et de blessures, en englobant dans cette classification aussi bien les coups de griffes et de dents que les blessures provoquées par des armes plus conventionnelles.

(319) Cf. *supr.*, p. 181.

(320) Statistiquement, dans 90 % des cas.

(321) 79 exemples, axés sur des termes généraux, font souvent passer la blessure au premier plan, précisément parce qu'ils ne mentionnent pas le type d'arme (58 ex. contre 21). Signalons les mots-thèmes principaux. Du côté de l'agression : *assaut, combat, s'attaquer, viser, armes, armé.* Du côté de la blessure : *blessure, plaie, coups, stigmates, cicatrices.*

mais aussi leur caractère de plus en plus dégradé, à mesure qu'elles s'éloignent du prototype de l'arme blanche.

a) *Armes blanches* [322].

Ce groupe, qui joue un rôle déterminant dans la signification de toutes les métaphores d'agression, est dominé par le symbolisme mixte de l'épée, arme noble, à lame tranchante mais à pointe acérée, emblème de liberté, de force spirituelle et, surtout quand elle est réunie à la lumière, de purification [323].

Qu'elle évoque le tranchage ou le percement, l'arme blanche relève de schèmes ascensionnels : l'instrument de la lutte ne peut guère se concevoir autre que vertical et dynamique [324]. De ce symbolisme à l'origine positif et sacré, il subsiste de nombreuses traces chez Balzac, surtout dans le sous-groupe du tranchage. Les sens négatifs n'en constituent que des formes dégradées. Cette polarité, inhérente à l'image, ne peut servir de critère de classification, car elle intervient dans de multiples exemples. Pour respecter la complexité des contenus, il est nécessaire de suivre l'enchaînement des sens, du religieux au profane, jusqu'au point où l'idée de destruction l'emporte complètement. Gilbert Durand explique en ces termes l'alliance primordiale de la transcendance et de l'agressivité :

> Schèmes et archétypes de la transcendance exigent un procédé de dialectique : l'arrière-pensée qui les guide est arrière-pensée qui les affronte à leurs contraires. L'ascension est imaginée *contre* la chute et la lumière *contre* les ténèbres... Le dynamisme de telles images prouve facilement un belliqueux dogmatisme de la représentation. La lumière a tendance à se faire foudre ou glaive, et l'ascension à piétiner un adversaire vaincu [325].

Si, dans le domaine sacré, destruction et création coexistent — l'accomplissement n'étant possible qu'aux dépens d'un contraire —, nous verrons qu'à un niveau dégradé, le potentiel destructeur de l'image domine.

1. *Le tranchage.* L'*épée* [326] elle-même, dans les exemples, penche du côté du tranchage, que la *hache* et le *glaive*, signes de la puissance lumineuse [327] évoquent sans ambiguïté. D'autres mots-thèmes se rattachent aux armes nobles : *lame*, *décoller*, *blessure tranchée* [328], *sabre*, *entaille*. Ils s'opposent à des armes vulgaires qui ne gardent aucune trace de symbolisme ascensionnel : *couteau*, *guillotine*, *couteau de la Grève* [329]. La punition est représentée par *fléau* [330], *fouet*, *verges*, *flagellation* [331], et la mort par la *faux*.

---

(322) 212 exemples.

(323) Cf. CIRLOT, *Dictionary of Symbols*, art. « Sword », p. 307-309.

(324) Cf. DURAND, p. 165-176.

(325) *Op. cit.*, p. 165.

(326) Vingt exemples.

(327) Vingt et cinq exemples. Cf. CIRLOT, art. « Axe », p. 20-21.

(328) Respectivement quatre, un, quatre exemples.

(329) Respectivement quinze, trois, un exemples. Cf. *trancher* et apparentés (7 ex.), *couper à blanc*, *cassure*.

(330) Cinq exemples.

(331) Douze exemples.

Un premier sous-groupe gravite autour des sens de *pureté* et de *purification* [332]. Dans le portrait d'un vieux noble breton, l'image accumule les signes de liaison entre arme et spiritualité :

> Il sortait sa pensée de son cœur, comme son épée du fourreau, *éblouissante* de *candeur*, comme était dans son écusson la main gonfalonnée d'*hermine* (B, II, 334-335).

Quelques cas très caractéristiques, dans la description du paysage, associent la lumière à la coupure de l'arme. Cette alliance est sans nul doute en accord avec l'atmosphère d'*Une passion dans le désert*, où tout concourt à créer une impression d'infini, de mystère et de majesté divine. Tour à tour cathédrale, océan, lac et mer,

> les sables noirâtres du désert s'étendaient à perte de vue dans toutes les directions, et ils étincelaient comme une lame d'acier frappée par une vive lumière... Enfin l'horizon finissait, comme en mer, quand il fait beau, par une ligne de lumière aussi déliée que le tranchant d'un sabre (VII, 1073).

Les dernières pages de la nouvelle précisent le sens de cette image. Pour le vieux grognard qui raconte son histoire, le souvenir du désert est une expérience religieuse, qu'il revit dans ses moments de tristesse. C'est là qu'il a été le plus proche de l'absolu :

> Dans le désert, voyez-vous, il y a tout, et il n'y a rien... — Mais encore expliquez-moi ? — Eh bien, reprit-il en laissant échapper un geste d'impatience, c'est Dieu sans les hommes (*ibid.*, 1084) [333].

Déjà, le héros a frôlé la mort dans son aventure au désert. La coupure purificatrice n'est pas sans parenté avec la seconde naissance de l'initiation, laquelle doit être précédée d'une mort. On trouve chez Balzac quelques traces de ce symbolisme sacré. Aux grandioses projets de conquête de Wilfrid, qui lui offre de l'associer à ses ambitions et de régner avec lui, Séraphîta oppose la force divine supérieure dont elle est l'agent :

> J'ai déjà régné, dit Séraphîta. Ce mot fut comme un coup de hache donné par un habile bûcheron dans le pied d'un jeune arbre qui tombe aussitôt (X, 566).

Dans le contexte immédiat, cette comparaison dépeint avant tout la déception et la colère de l'amant dédaigné. Mais le dédain de Séraphîta, sous lequel il se sent écrasé et comme mort à la vie humaine, prélude à sa conversion et lui ouvrira bientôt la voie vers la vraie vie. La hache destructrice opère une rupture bénéfique entre le monde matériel et le monde spirituel, entre le mal et le bien [334], ou, sur un plan plus profane, entre le malheur et le bonheur. Dans *Le Lys*, l'union mystique du narrateur et de l'héroïne marque le partage entre la souffrance passée et le bonheur gagné, qui inaugure une vie nouvelle :

---

(332) Neuf exemples.

(333) Cf. DF, I, 925 ; EG, III, 573, pour des emplois plus profanes.

(334) Cf. CV, VIII, 632.

> Ma voix retentit comme la hache des bûcherons dans une forêt. Devant elle tombèrent à grand bruit les années mortes, les longues douleurs qui les avaient hérissées de branches sans feuillages (VIII, 829).

Dans la description des derniers moments de Pons, l'accès à un état supérieur se fait plus ardu, sans que disparaisse totalement la résolution bénéfique :

> La Mort est comme un assassin invisible contre lequel lutte le mourant ; dans l'agonie il reçoit les derniers coups, il essaie de les rendre et se débat... Tout à coup, Pons, atteint dans sa vitalité par cette dernière blessure, qui tranche les liens du corps et de l'âme, recouvra pour quelques instants la parfaite quiétude qui suit l'agonie, il revint à lui, la sérénité de la mort sur le visage... (VI, 756) [335].

Le même glissement du pôle positif au pôle négatif s'observe quand la mention de l'arme introduit l'idée complémentaire de *puissance* [336]. D'abord, dans les *Etudes philosophiques*, puissance divine. La foi met aux mains du Croyant « une épée flamboyante avec laquelle il tranche, il éclaire tout », « épée victorieuse » [337]. Œuvre à sujet religieux, *Sur Catherine de Médicis* fait un usage curieux de l'image, où l'exercice du pouvoir ne se distingue pas des luttes religieuses qu'il suscite : « Faites de l'hérésie une hache ! » dit Albert de Gondi à la reine en lui conseillant d'utiliser les Huguenots pour se débarrasser de ses rivaux politiques, « vous n'aurez pas l'odieux des supplices » (X, 94) [338]. C'est aussi la coupure purificatrice qui propage puissance divine et connaissance [339]. L'image évoque « ces épées lumineuses appelées la vue et l'ouïe » ; le « glaive de l'Analyse » ; la faux de la « Sagesse ivre » ; la « hache à double tranchant » du Doute et de la Sagesse [340]. Même chez Vautrin-Lucifer, dont le regard perspicace lit la vérité dans les cœurs, on peut retrouver l'origine sacrée de l'image :

> Rastignac fut alors sanglé comme d'un coup de fouet par un regard profond que lui lança Vautrin (PG, II, 928) [341].

Dans le domaine humain, le pouvoir l'emporte sur la connaissance, à propos d'êtres d'exception : Richelieu, pour qui le sceptre est une hache,

---

(335) Dans PCh, IX, 232, l'évocation du coup de hache qui a l'air d'avoir séparé les rochers préfigure la mort imminente et brutale de Valentin. La lumière, bien qu'associée à l'arme, n'est pas élément spiritualisant mais vivifiant.

(336) Onze exemples.

(337) Ser, X, 579. Cf. MR, IX, 299, seul exemple qui évoque la *pointe* de l'épée. Les clichés de l'*épée de Damoclès*, *trancher le nœud gordien*, relèvent de ce sens : FE, II, 139 ; B, II, 508 ; PG, II, 961 ; UM, III, 296 ; Fer, V, 87 ; Lys, VIII, 830 ; PMV, X, 935 (cliché renouvelé).

(338) Cf. *ibid.*, 201, 267. Vu le très faible pourcentage d'images de *Cath*, les métaphores d'armes semblent dictées par les éléments occultes ou religieux propres au sujet.

(339) Six exemples.

(340) Respectivement UM, III, 322 ; LL, X, 392 ; PCh, IX, 52 ; Ser, X, 544.

(341) Cf. pour un emploi physiognomonique tout à fait profane, DL, V, 228.

Wilfrid aux ambitions napoléoniennes, se « repaissant d'hommes comme un fléau vorace [342] », la panthère d'*Une passion dans le désert*, aux « ongles recourbés comme des damas » (VII, 1079). Le danger passe au premier plan chez les êtres qui n'usent de leur force qu'au service d'une passion dévastatrice :

> Son plaisir ressemblait au coup de hache du despotisme, qui abat l'arbre pour en avoir les fruits (MR, IX, 297).

La cousine Bette, follement éprise de Wenceslas, lui fait chèrement payer chaque preuve d'amour :

> Elle ne concevait le sacrifice à faire à son idole qu'après y avoir écrit sa puissance à coups de hache (VI, 197).

Pureté et pouvoir se combinent dans le troisième sens fondamental de la métaphore d'arme tranchante, celui de *justice* [343], qui, plus complexe, s'oriente aussi davantage vers le pôle négatif. A l'origine, la justice de l'arme tranchante peut aussi bien purifier que châtier :

> Adieu, vous ne toucherez point à ma hache, écrit la duchesse de Langeais à Montriveau ; la vôtre était celle du bourreau, la mienne est celle de Dieu ; la vôtre tue, et la mienne sauve (DL, V, 205) [344].

Mais le plus souvent, la rupture entraîne la destruction [345], et déclenche la justice aux armes sans pitié — le « glaive de Dieu », « les fléaux de sa colère » [346].

Les punitions réciproques que s'infligent les personnages, parfois sous couleur de jugement moral [347], entraînent la satire vengeresse. Le fouet traditionnel peut faire place au « knout d'une satire affilée [348] », au « fil d'une lame qui n'a pas encore servi [349] », au « tranchelard [350] ». Détourné de son objet normal, le vocabulaire du châtiment justicier s'adapte à l'expression de la vengeance pure et simple. La plupart des exemples révèlent une approbation implicite du point de vue vengeur, qui est la contre-partie de la notion de crime moral si importante dans *La Comédie humaine*. De même que ce genre de crime échappe à la justice officielle, de même le châtiment doit prendre la forme de la vengeance privée :

> La fantaisie de Raoul unissait comme par un anneau la comédienne à la comtesse ; horrible nœud qu'une duchesse trancha,

(342) Cf. respectivement PCH, IX, 230-231 et Ser, X, 566.
(343) Vingt-six exemples.
(344) Cf. In, III, 57.
(345) Cf. Dr, IX, 894.
(346) F30, II, 780 ; DF, I, 979. Cf. S & M, V, 1103 ; AEF, III, 234 et *infr.*, *auto-punition*, p. 333 sq.
(347) MD, IV, 165.
(348) MI, X, 1130. Cf. PG, II, 859 ; CM, III, 128 ; Do, IX, 362 ; LL, X, 414.
(349) Lys, VIII, 892 ; cf. IG, IV, 17.
(350) E, VI, 965.

> sous Louis XV, en faisant empoisonner la Lecouvreur, vengeance très concevable quand on songe à la grandeur de l'offense (FE, II, 113) [351].

Il ne reste aucune trace des idées de justice et de purification dans le dernier sous-groupe de l'arme tranchante [352], qui traduit la seule action destructrice, hors de toute justification morale, même la plus déformée. Ce sens, qui se situe entièrement sur le plan humain, n'est pas particulier à l'arme tranchante [353].

2. *Le percement.* Les noms d'armes vulgaires augmentent dans le groupe du percement. Si l'on trouve encore une majorité d'armes nobles, comme les *flèches*, le *dard*, le *poignard* [354] et, accessoirement, le *javelot*, la *lance* et les *hallebardes* [355], beaucoup d'autres manquent totalement de dignité, comme les *pointes*, le *croc*, les *aiguilles*, *épingles*, *clous* et *pal* [356]. Et même parmi les armes nobles, les emplois dégradés se multiplient.

Quelques emplois illustrent le même symbolisme ascensionnel que celui de l'arme tranchante : le dard de l'intelligence [357], les flèches médiatrices [358] :

> A ces paroles, tombées comme des lèvres d'une autre Agar dans le désert, mais qui, arrivées à l'âme, la remuaient comme des flèches lancées par le Verbe enflammé d'Isaïe... (Ser, X, 579) [359].

Le poignard, arme tranchante qui opère par le percement, se rapproche particulièrement de l'épée [360] quand, allié à la lumière, il traduit une connaissance divinatoire :

> S'agit-il de ton mariage ? dit-elle en plongeant un de ses regards fascinateurs et brillants comme la lame d'un poignard dans les yeux bleus de Lucien (S & M, V, 740) [361].

Mais ce même sens, quoique présent, manifeste un glissement négatif dans bien d'autres exemples :

---

(351) Cf. CM, III, 189-190 ; DL, V, 205.

(352) Trente-quatre exemples.

(353) Cf. *infr.*, p. 321 sq.

(354) Dix-neuf, dix et trente-deux exemples.

(355) Un, deux et un exemples.

(356) Trente-sept exemples en tout. Sept images sans mention d'armes relèvent du percement. Nous examinerons les plus caractéristiques en les rattachant aux mots-thèmes dont elles se rapprochent le plus.

(357) LL, X, 386.

(358) Cf. Durand, p. 137.

(359) Cf. 585. Sans nul doute, le cliché *s'élancer comme une flèche* présente une version dégradée de ce sens. Cf. « Guidée par un pressentiment qui répandit dans son âme la poignante clarté d'un éclair, elle franchit les escaliers, sans lumière, sans bruit, avec la vélocité d'une flèche, et vit son père qui s'ajustait le front avec un pistolet (RA, IX, 611).

(360) Dans huit exemples sur trente-deux.

(361) Cf. Ven, I, 907.

> Amants de la vérité, les magistrats sont comme les femmes jalouses, ils se livrent à mille suppositions et les fouillent avec le poignard du soupçon comme le sacrificateur antique éventrait les victimes... Une femme interroge un homme aimé comme le juge interroge un criminel (S & M, V, 984).

Le désir de savoir s'identifie au soupçon et ce dernier devient une arme agressive et destructrice :

> J'échange avec ma femme un regard d'une immense profondeur, et la moindre de nos paroles est un poignard qui traverse notre vie de part en part (Phy, X, 878) [362].

Le poignard se distingue donc de l'épée du fait que sa justice est non seulement divinatoire, mais jalouse. De même, sa vengeance est non seulement cruelle, mais délectable : dans *Illusions perdues*, Lucien, pour se venger des humiliations subies, compose

> à petites plumées l'article terrible promis à Blondet contre Châtelet et madame de Bargeton... Il goûta pendant cette matinée l'un des plaisirs secrets les plus vifs des journalistes, celui d'aiguiser l'épigramme, d'en polir la lame froide qui trouve sa gaine dans le cœur de la victime, et de sculpter le manche pour les lecteurs (IV, 793).

Jusque là, Balzac semble s'identifier avec Lucien, amant et poète offensé. Mais dans la suite de l'image, il se dissocie de Lucien, qui est aussi critique littéraire, donc membre d'une confrérie à laquelle il garde une vive rancune :

> Le public admire le travail spirituel de cette poignée, il n'y entend pas malice, il ignore que l'acier du bon mot altéré de vengeance barbote dans un amour-propre fouillé savamment, blessé de mille coups.

Et la phrase finale condamne le caractère déloyal et malsain de l'activité du critique, dont le sadisme suggère une satisfaction auto-érotique :

> Cet horrible plaisir, sombre et solitaire, dégusté sans témoins, est comme un duel avec un absent, tué à distance avec le tuyau d'une plume... *(ibid.)*.

On est très loin ici de l'image justicière initiale, et, de ce duel à distance, le journaliste vindicatif sort déconsidéré.

C'est une opposition fondamentale qui explique cette différence d'emploi entre armes de percement et de tranchage. Elle réside dans la durée et, surtout, la répétition du coup. On appréciera, par rapport à la coupure brutale, tranchée, définitive et pouvant aller jusqu'à la mutilation, la plus ou moins grande cruauté du poignard qui s'enfonce dans le cœur :

---

(362) Cf. PCh, IX, 188 ; Ser, X, 474 ; et *infr.*, p. 324, pour l'étude du regard poignard.

> Ce mot entra dans l'entendement de la pauvre fille comme un coup de poignard dans un cœur (Do, IX, 386) [363] ;

s'attarde savamment dans la blessure :

> Aussitôt qu'un malheur nous arrive, il se rencontre toujours un ami prêt à venir nous le dire, et à nous fouiller le cœur avec un poignard en nous en faisant admirer le manche (PG, II, 912) [364] ;

ou s'acharne à coups redoublés :

> Cependant il y a tant d'espoir dans le cœur des femmes qui aiment ! il faut bien des coups de poignards pour les tuer, elles aiment et saignent jusqu'au dernier (FA, II, 241) [365].

Autrement dit, la multiplicité de l'arme de percement s'oppose au caractère unitaire de l'arme tranchante [366]. Balzac rejoint là aussi un symbolisme très général, qui représente l'erreur, la dispersion du moi, la fragmentation, l'anarchie, tandis que l'unité — le centre — est un symbole bénéfique [367]. Un exemple des *Proscrits* illustre ce sens avec une fidélité toute particulière. Le retour à l'existence terrestre, après une extase mystique, y est associé à la mention de percements multiples :

> Les deux proscrits, les deux poètes tombèrent sur terre de toute la hauteur qui nous sépare des cieux. Le douloureux brisement de cette chute courut comme un autre sang dans leurs veines, mais en sifflant, en y roulant des pointes acérées et cuisantes (Pro, X, 351) [368].

Dans plus d'une image, la force de l'agression provient du caractère multiple de l'arme : « langue à triple dard » de Lady Dudley [369], regard de feu de Melmoth qui se transforme en un nombre indéfini de « pointes métalliques par lesquelles Castanier se sentait pénétré, traversé de part en part, et cloué » (MR, IX, 288). Quant à la flèche [370], par définition elle va rarement seule, et la plupart des images tirent parti de cette propriété :

> Diane lançait trois flèches dans un mot : elle humiliait, elle piquait, elle blessait à elle seule comme dix Sauvages savent blesser quand ils veulent faire souffrir leur ennemi lié à un poteau (CA, IV, 409).

Elle confère à la blessure une certaine mesquinerie, un peu comme l'épingle, épuisante par les récidives plus que par la violence :

---

(363) Cf. MM, I, 537 ; PG, II, 907 ; PCh, IX, 188 ; Phy, X, 878.

(364) Cf. MM, I, 585.

(365) Cf. MM, I, 483-484 ; PG, II, 1069 ; Lys, VIII, 959.

(366) Il y a quelques exceptions, mais les coups répétés sont très rares dans le groupe du tranchage.

(367) Cf. Cirlot, art. « Multiplicity », p. 212-213.

(368) Cf. Ser, X, 486-487.

(369) Lys, VIII, 991, 995.

(370) Dix-neuf exemples.

> Quoiqu'il eût le sang fouetté par ces petites phrases en forme de flèches, bien aiguës, bien froides, bien acérées, décochées coup sur coup, Montriveau devait aussi cacher sa rage (DL, V, 195) [371].

Inversement, la pointe unique n'est qu'un mal relatif dans cet univers accidenté [372].

On voit déjà que c'est surtout pour évoquer la torture, subie ou infligée, que le percement multiple emprunte le registre vulgaire. Que les armes soient plurielles ou le coup répété, c'est à cet effet que s'exercent pointes, aiguilles, épingles, clous [373]. L'accumulation des noms d'armes dans un même exemple concourt au même résultat. Le collier, emblème de servitude, est garni de pointes, de même que le harnais :

> Le prêtre et le magistrat ont un harnais également lourd, également garni de pointes à l'intérieur. Toute profession a d'ailleurs son cilice et ses casse-tête chinois (S & M, V, 985) [374].

Non seulement la pointe se multiplie, mais elle se recourbe [375]. Les *grapins*, le *hameçon lancéolé* sont pourvus de plusieurs branches [376]. Ils décrivent la blessure captative par laquelle un être s'en attache un autre :

> Une passion semblable [celle d'Esther pour Lucien] cache, entre mille attraits, un hameçon lancéolé qui pique surtout l'âme élevée des artistes (S & M, V, 683) [377].

Le croc fait remonter les aveux :

> Confondu par la subtilité du juge, épouvanté par sa cruelle adresse, par la rapidité des coups qu'il lui avait portés en se servant des fautes d'une vie mise à jour comme de crocs pour fouiller sa conscience, Lucien était là semblable à l'animal que le billot de l'abattoir a manqué (S & M, V, 991) [378].

A la longueur du croc correspondent la difficulté de l'extraction et la durée du refoulement, à sa pointe recourbée la blessure anarchique, le désordre jeté dans l'organisation du mensonge.

---

(371) En ce sens, les flèches ne se limitent pas à la peinture des pointilleries féminines : cf. AS, I, 835 ; B, II, 481 ; PG, II, 945-946 ; Lys, VIII, 954. Signalons l'antithèse des clichés *poignard-épingle*, *poignard-pointillerie*, *épée-épingle* qui illustre bien les deux registres, noble et vulgaire, de l'image de percement. Une phrase du *Lys* cumule les mots-thèmes et les clichés : « C'était les inexplicables pointilleries insupportables aux natures nerveuses qui ne reculent pas devant un coup de poignard et meurent sous l'épée de Damoclès » (VIII, 830). Cf. DV, I, 621 ; DF, I, 976 ; Ma, IX, 830 ; PMV, X, 935.

(372) Six exemples, PG, II, 936, etc.

(373) Cf. PMV, X, 935 ; MM, I, 566 ; MJM, I, 269 ; PG, II, 941 ; CT, III, 800 ; MR, IX, 288. Dans le supplice du pal, la durée remplit la même fonction : cf. PG, II, 1097 ; Be, VI, 487.

(374) Cf. B, II, 543 et 563 ; EG, III, 495 ; JCF, IX, 263.

(375) Cinq exemples.

(376) Trois exemples.

(377) Cf. B, II, 419. Pour Grandet, les millions de sa fille ne servent que « de harpons pour pêcher » (III, 505).

(378) Cf. *ibid.*, 905.

La multiplicité ne caractérise pas la dernière forme de torture associée à une arme de percement : le *fer rouge* [379] ne se rattache d'ailleurs que très indirectement à l'arme blanche. La chaleur du feu peint le désir de la possession [380], l'intensité de la souffrance et son caractère surnaturel [381]. Mais surtout, la marque au fer rouge implique la sélection. Comme le tatouage, elle est à l'origine le signe de l'initiation par le sacrifice. Chez Balzac, ce sens mystique n'apparaît pas à l'état pur. Mais on peut le discerner dans un exemple qui, malgré son contexte profane, présente la mort précoce comme un signe d'élection :

> N'est-ce pas un fait remarquable et digne également de l'attention des philosophes et de celle des indifférents, que la perfection séraphique des jeunes filles et des jeunes gens marqués en rouge par la Mort dans la foule, comme de jeunes arbres dans une forêt ? Qui a vu l'un de ces morts sublimes ne saurait rester ou devenir incrédule. Ces êtres exhalent comme un parfum céleste, leurs regards parlent de Dieu... (P, III, 775).

Le reste du temps, l'image exprime encore l'idée d'appartenance, mais elle est entièrement infléchie par sa parenté avec le fer rouge du condamné :

> ... Marqués maintenant par le fer chaud de la politique, nous allons entrer dans ce grand bagne et y perdre nos illusions (PCh, IX, 46) [382].

L'idée de torture peut même passer au premier plan :

> Cette phrase frappa Birotteau comme si le bourreau lui avait mis sur l'épaule son fer à marquer, il perdit la tête (CB, V, 496) [383].

3. *Armes contondantes* [384]. Ce sous-groupe, infime par le nombre, est le dernier de la catégorie des armes blanches. Au sens strict, les mots-thèmes incluent la *massue*, le *marteau*, le *casse-tête*, les *coups de barre* et d'*assommoir* [385]. On peut leur adjoindre le *choc* et les *meurtrissures*.

Plusieurs mythologues opposent la massue punitive et destructrice et l'épée purificatrice [386]. Gilbert Durand s'inscrit en faux contre cette distinction de base, qu'il interprète au contraire comme une différenciation tardive. A son avis, les armes, toutes instruments de percussion, ne pré-

(379) Quatorze exemples.

(380) B, II, 455 ; Lys, VIII, 850.

(381) MR, IX, 289.

(382) Cf. Ma, IX, 792.

(383) Cf. Gb, II, 667 ; PCh, IX, 76 ; Cor, IX, 950. Les fagots et la chemise de soufre (Be, VI, 380) ; la chaudière d'huile bouillante (CM, III, 121) ; le gril de saint Laurent (In, III, 54) ; les charbons ardents (AR, IX, 969) relèvent tous de la torture par le feu.

(384) Vingt-six exemples.

(385) Respectivement 6, 6, 1, 1, 1 exemples.

(386) Cf. CIRLOT, *op. cit.*, p. 308 et 352 ; et Paul DIEL, *Le symbolisme dans la mythologie grecque*, Paris, 1952, p. 176-178 et 187, cité par DURAND, *op. cit.*, p. 170.

sentent, quel que soit leur type, que des différences culturelles et technologiques [387]. La fonction de l'image dans l'ensemble de *La Comédie humaine* pourrait en partie servir à confirmer cette thèse dans la mesure où, comme nous le verrons, des formes d'armes et de blessure très variées se confondent ou se renforcent les unes les autres. Pourtant, il ne fait aucun doute que la diversité des armes correspond à des registres de pensée entièrement distincts. Si nous avons pu voir que les sens dégradés des armes de tranchage et, plus encore, de percement, évoluaient tous vers l'idée de destruction, il n'en demeure pas moins que leur signification originelle était tout autre et se retrouve dans un certain nombre d'exemples. De même, les emplois métaphoriques de l'arme contondante dans *La Comédie humaine* la situent en dehors des schèmes ascensionnels et suggèrent bien son opposition fondamentale avec l'épée purificatrice. Ils expriment toujours l'anéantissement, ou en tout cas l'attaque, et parfois la punition [388]. Quelques exemples ne manquent pas de vigueur :

> Cette fureur à la Roland, cet esprit qui cassait, brisait tout, en se servant de l'épigramme comme d'une massue, enivra Marie... (FE, II, 120) [389].

La répétition est souvent associée au coup de bâton, de marteau, ou de barre :

> — Se sa-cri-fi-er ! reprit le comte, en faisant de chaque syllabe un coup de barre sur le cœur de sa victime (Lys, VIII, 966) [390].

La violence du *broyage* [391], qu'on peut considérer comme une annexe des armes contondantes, n'est atténuée, parfois, que par l'usure du cliché. Citons seulement un exemple :

> Pour avoir une idée de cette lutte..., il faudrait vous figurer le lys auquel mon cœur l'a sans cesse comparée, broyé dans les rouages d'une machine en acier poli (Lys, VIII, 848) [392].

b) *Autres modes d'agression.*

Les origines mythologiques de l'image continuent à s'estomper, sans disparaître tout à fait, à mesure qu'on s'éloigne davantage de l'arme exemplaire.

De toute façon, la confrontation reste utile, en particulier pour le sous-groupe de l'*enserrement* [393]. Primitivement, les divinités lieuses sont

---

(387) Cf. p. 171.

(388) Cf. IP, IV, 716 ; Ch, VII, 882-883.

(389) Cf. CM, III, 206 ; AEF, III, 223 ; UM, III, 410 ; VF, IV, 307, etc.

(390) Cf. B, II, 425 ; MD, IV, 126 ; IP, IV, 712 ; TA, VII, 620 ; Do, IX, 358.

(391) Quinze exemples.

(392) Cf. B, II, 398, 474-475 ; PG, II, 848 ; LL, X, 419 ; Ser, X, 566.

(393) Vingt-six exemples. Mots-thèmes *filet* (4), *piège* (5 : Cf. Col, II, 1140-1141 ; IG, IV, 16 ; S & M, V, 867 ; Be, VI, 146), torture par *enserrement* (5), étouffement par l'*étreinte corps-à-corps* (6), *torsion* (2), *pression* dans les griffes (4).

maléfiques et funèbres. Les liens représentent la maladie et la mort qui enserrent les vivants [394]. Mais il s'agit d'un symbolisme particulièrement complexe, puisque les liens peuvent aussi servir d'arme contre les monstres [395]. Ce rôle ambivalent qu'on observe déjà dans la mythologie est particulièrement apte à caractériser les forces internes, ou intériorisées, — les monstres dont l'homme est la proie. C'est bien ce sens que revêt l'image dans *La Comédie humaine* :

> La Volupté l'enserrait de ses rets, le désir l'agitait sans répandre en son cœur cette chaude essence éthérée que lui infusait un regard ou la moindre parole de la Cataneo (Do, IX, 322-323) [396].

Enumérons le plus brièvement possible les autres formes d'attaques qui s'exercent sur l'humanité balzacienne, et dont le nombre n'a d'égal que la variété.

Les coups, non spécifiés, les soufflets, coups de poing, coups de pied [397], malgré la banalité du cliché, se développent en image reparaissante dans *Le Père Goriot*, et illustrent autant la brutalité de ton propre à Vautrin que le double sujet de la mêlée sociale et de l'écrasement de Goriot [398]. Les attaques à coups de *dents* et de *griffes* peuvent porter la trace d'un symbolisme justicier [399], mais le plus souvent, elles expriment le sadisme ou la ténacité de l'animal dévorant [400]. Par hyperbole, la griffe se fait d'acier : « Chacun dans Saumur n'avait-il pas senti le déchirement poli de ses griffes d'acier ? » (EG, III, 486) [401].

Les *épines* [402], *morsure, déchirure, fibre, lambeau, brisure* [403] attribuent à l'atteinte un caractère plus organique. En particulier, *morsure, ronger, sillon* suggèrent la blessure ouverte : « Pour elles, l'habitude de m'ouvrir les entrailles à ôté du prix à tout ce que je faisais » (PG, II, 1071-1072) [404]. Sur le mode redoublé, on lui adjoint le verbe *ronger* : « Le pauvre homme prétend avoir dans la tête des animaux qui lui rongent la cervelle » (AR, IX, 982) [405]. La jalousie fait « une large brèche », creuse « des sillons dans le cœur » [406]. Le cliché *déchirer le cœur* [407] suscite des renouvellements expressifs : « Cependant ces gouttes d'eau furent comme une lueur qui

---

(394) Cf. ELIADE, *Images et symboles*, p. 134.

(395) Cf. CIRLOT, art. « Net » et DURAND, p. 173-174. Par exemple, le dieu védique Varuna vient à bout des démons lieurs en les liant : Cf. ELIADE, *ibid.*, Ch. III *passim.*

(396) Cf. MJM, I, 281 ; PG, II, 970 ; S & M, V, 691 ; Lys, VIII, 971, 849, 996-997 ; RA, IX, 507 ; Cor, IX, 953 ; Ser, X, 524.

(397) Douze exemples.

(398) Huit exemples. Cf. II, 914, 927, 948, 1048, 1057, 1070.

(399) « Les dents aiguës » du remords (MM, I, 392) : Cf. DURAND, 79-80.

(400) SPC, VI, 58 ; IP, IV, 1035.

(401) Cf. PG, II, 942 ; Dr, IX, 886 ; Cor, IX, 953.

(402) Cinq exemples, souvent associés à la protection : cf. *infr.*, p. 320.

(403) Quarante-huit exemples en tout.

(404) Cf. *ibid.*, 884, et encore 1071, 1072.

(405) Cf. VF, IV, 308.

(406) Lys, VIII, 1021 ; B, II, 562.

(407) Lys, VIII, 959, 967, 970 ; PCh, IX, 173 ; LL, X, 425.

lui déchira la cervelle » (Fer, V, 69) [408]. Le *lambeau* [409], le *déchiquetage* [410] et enfin l'*écartèlement* marquent le point extrême de la déchirure :

> Les régicides qu'on tenaillait, qu'on tirait à quatre chevaux, étaient sur des roses comparés à moi, car on ne leur démembrait que le corps, et j'ai le cœur tiré à quatre chevaux (Be, VI, 398).

L'*arme à feu* [411] remonte à un passé déjà suffisamment ancien pour être assimilée par la culture de relais. Toutefois, c'est sans doute à cause de sa modernité relative que le feu dévorant ne joue aucun rôle dans son symbolisme [412]. Ce groupe tire son unité de la capacité destructrice de l'arme, qui l'emporte sur les raffinements de la cruauté. Le coup de *pistolet* [413] est précis, souvent mortel, tiré au cœur, à bout portant. L'attaque brutale s'exprime par le boulet, le coup de canon, la bombe, le mortier [414]. L'espion

> ... marche à son but comme un animal dont la carapace solide ne peut être entamée que par le canon ; mais aussi, comme l'animal, il est d'autant plus furieux quand il est atteint, qu'il a cru sa cuirasse impénétrable. Le coup de cravache sur les doigts fut pour Corentin, douleur à part, le coup de canon qui troue la carapace (TA, VII, 526) [415].

L'arme lourde s'accommode mieux que les autres de la plaisanterie :

> Il arrivait impétueusement pour lui déclarer son amour, comme s'il s'agissait du premier coup de canon sur un champ de bataille (DL, V, 170) [416].

Le pluriel, ou l'arme collective, réintroduisent l'idée de multiplicité [417] :

> Depuis deux mois surtout, la position de Théodose acquérait une force de fort détaché. Dutocq et Cerizet tenaient sous leur esquif un amas de poudre, et la mèche était sans cesse allumée ; mais le vent pouvait souffler dessus et le diable pouvait noyer la poudrière (VII, 192) [418].

L'invention et même, parfois, le caractère technique du détail dénotent une certaine prédilection de la part de l'auteur :

---

(408) Cf. PCh, IX, 111 ; Ser, X, 483.
(409) Lys, VIII, 882, 969 ; PG, II, 1043.
(410) PCh, IX, 86.
(411) Quarante-neuf exemples.
(412) On trouve seulement *aller au feu* (Be, VI, 175) ; le *feu de l'ennemi* (P, III, 725) ; *le feu des batteries* (PG, II, 929 ; SPC, VI, 63).
(413) Douze exemples.
(414) Treize exemples.
(415) Cf. PG, II, 936, 947 ; Lys, VIII, 832.
(416) Cf. Col, II, 1105 ; B, II, 505 ; CM, III, 134 ; MD, IV, 157 ; IP, IV, 527 ; Bou, VII, 176.
(417) Neuf exemples.
(418) Cf. F30, II, 731 ; P, III, 725 ; Be, VI, 175 ; Lys, VIII, 909 ; Gb, II, 634 ; S & M, V, 655-656.

> Plaider à chaque instant le faux pour savoir le vrai, le vrai pour découvrir le faux ; changer à l'improviste la batterie, et enclouer son canon au moment de faire feu... (Phy, X, 820) [419].

Deux derniers sous-groupes se rattachent à la blessure, l'un directement, l'autre indirectement : le sang et les images d'armure protectrice.

Un très petit nombre d'exemples comporte la mention explicite du *sang* [420] qui peut, en introduisant une nuance physiologique plus marquée, souligner le caractère viscéral des conflits d'argent entre parents et enfants :

> S'il ne s'agissait que de mon sang, je vous le rendrais, s'écria-t-elle, mais puis-je laisser égorger par la Science mon frère et ma sœur ? (RA, IX, 610) [421],

ou simplement concrétiser la saignée de la perte au jeu :

> Paris s'enorgueillit de son Palais-Royal, dont les agaçantes roulettes donnent le plaisir de voir couler le sang à flots, sans que les pieds du parterre risquent d'y glisser (PCh, IX, 13) [422].

La rareté de telles notations, en dépit de leur force expressive, ne peut provenir que de l'incompatibilité qui existe entre le caractère dynamique de l'écoulement de sang et le caractère statique de la blessure. L'image de sang décrit un mouvement tourné vers l'extérieur, actif par définition, alors que, dans la complémentarité blessure-agression, c'est l'agression qui polarise le mouvement actif. Un exemple du *Lys*, qui décrit les moments où la sensibilité s'exerce à vide, tire parti de ces propriétés contradictoires de l'image :

> Jeux accablants dans lesquels notre puissance s'échappe tout entière sans aliment, comme le sang par une blessure inconnue. La sensibilité coule à torrents (VIII, 821).

Les images d'*armure* [423] ont leur place ici dans la mesure où elles sous-entendent l'attaque que le sujet cherche à parer [424] ou, en même temps, à payer de retour :

> Ces hommes extraordinaires sous l'armure damasquinée de leurs vices et le casque brillant de leur froide analyse, il les trouvait

---

(419) Cf., pour l'artillerie : DF, I, 952 ; FE, II, 88, 91 ; PG, II, 929 ; CM, III, 137 ; UM, III, 358 ; S & M, V, 830 ; SPC, VI, 63.

(420) Dix-sept exemples, dont deux ne sont que des synecdoques : EG, III, 516 et Cath, X, 188.

(421) Cf. PG, II, 922.

(422) Cf. E, VI, 1053 ; Lys, VIII, 874, 878, 963. C'est peut-être le sang sacrificiel qui est évoqué à propos du « Christ de la Paternité » : « Ses yeux bleus si vivaces prirent des teintes ternes et gris-de-fer, ils avaient pâli, ne larmoyaient plus, et leur bordure rouge semblait pleurer du sang » (PG, II, 870).

(423) Treize exemples.

(424) Attaques de l'ardeur amoureuse : PM, I, 996 ; MJM, I, 158 ; MM, I, 425, 499 ; B, II, 430, 567 ; DL, V, 173 ; Phy, X, 855. Du chagrin : DV, I, 615 ; AEF, III, 215-216.

> supérieurs aux hommes graves et sérieux du Cénacle (IP, IV, 741) [425].

L'armure défensive peut se transformer tout à fait en arme offensive :

> Pendant cette courte conversation, madame de Cadignan était protégée par madame d'Espard, dont la protection ressemblait à celle des paratonnerres qui attirent la foudre (SPC, VI, 62).

Mais il est bien évident que ce n'est pas dans la catégorie de l'agression, même sous cette forme euphémisée [426], que se situent de préférence les refuges de l'imaginaire.

On remarquera, au terme de cet examen, que, de schèmes ascensionnels, on est passé à des schèmes descendants. Cette évolution suit en gros le passage du sacré au profane, et s'observe déjà dans les significations successives de l'arme tranchante. Primitivement, les armes du héros sont le symbole de la lutte contre le mal. Transposées dans le domaine humain, elles représentent d'abord la résistance que l'être oppose aux démons venus de l'extérieur ou à ceux qu'il porte en lui. Et peu à peu, l'arme en vient à désigner presque exclusivement l'action ou le triomphe de forces destructrices. Le plan mystique tend à se confondre avec le plan psychologique : une contamination s'opère entre les concepts de crime et châtiment, et celui de destruction pure et simple, qui s'identifie à la pulsion d'agression. Les autres types d'armes reproduisent la même courbe avec plus de netteté. Déjà le percement représente un stade plus dégradé de l'image. Et plus on s'éloigne de l'arme blanche, plus les sens négatifs prédominent.

II. *Relations inter- et intrasubjectives.*

Selon que l'image met l'accent sur la blessure ou sur l'agression, elle adopte le point de vue de la victime ou du bourreau [427]. A la complémentarité blessure-agression, passivité-activité répond en psychanalyse la polarité féminin-masculin, castré-phallus, qui désigne non pas le sexe d'un individu, mais une situation considérée comme caractéristique de la féminité ou de la masculinité, du masochisme ou du sadisme. Il va sans dire que nombre de victimes sont des hommes, et nombre de tortionnaires des femmes. Mais la définition psychanalytique s'adapte tout particulièrement au rôle de la métaphore dans l'expression de la conquête ou de la souffrance amoureuse, et surtout dans l'identification entre victime et agresseur. Ce sont ces aspects que l'examen des mots-thèmes ne nous a pas permis de considérer, et qu'il convient maintenant d'étudier.

Le point de vue de l'agresseur l'emporte tout d'abord dans les domaines qui gardent encore une trace, même dégradée, du sens primitif de l'image : châtiment, vengeance, culpabilité ; lutte sociale et conquête

---

(425) Cf. AS, I, 763.

(426) Expression de Gilbert Durand, *op. cit.*, p. 116-117.

(427) L'étude qui suit laisse de côté 54 exemples qui ne peuvent se rattacher ni de près, ni de loin, à la peinture de rapports d'agression.

amoureuse ; satire et ironie — tous domaines où l'agression est au service de l'esprit d'entreprise ou de répression et où l'adversaire ne vaut pas toujours mieux que l'agresseur [428]. La plupart de ces exemples présentent donc une triple convergence : prédominance de l'arme noble ; supériorité du point de vue actif ; survivance du sens primitif.

Quand on considère les images où le sens destructeur se manifeste à l'état pur, le point de vue passif, celui de l'être blessé, bien souvent innocent, peut passer au premier plan [429]. Cependant, dans le cas de l'assassinat moral, le point de vue actif apparaît deux fois plus souvent [430]. — En résumé, quand l'agressivité, aussi dangereuse soit-elle, peut se justifier par l'esprit de conquête ou de revanche, l'image adopte de préférence le point de vue de l'agresseur. Quand au contraire l'agressivité semble obéir à des passions totalement égoïstes et dévastatrices, l'image peut adopter aussi le point de vue de la victime et cette différence va de pair avec la multiplication de types d'arme autres que l'arme blanche pour traduire la destruction. Mais il n'en demeure pas moins que, statistiquement, la démarche agressive prédomine [431].

De toute façon, la personnalité respective de l'agresseur et de la victime détermine l'effet de la blessure. Un passage du *Père Goriot* met l'accent sur cette corrélation essentielle :

> Sans doute les idées se projettent en raison directe de la force avec laquelle elles se conçoivent, et vont frapper là où le cerveau les envoie, par une loi mathématique comparable à celle qui dirige les bombes au sortir du mortier. Divers en sont les effets. S'il est des natures tendres où les idées se logent et qu'elles ravagent, il est aussi des natures vigoureusement munies, des crânes à remparts d'airain sur lesquels les volontés des autres s'aplatissent et tombent comme les balles devant une muraille ; puis il est encore des natures flasques et cotonneuses où les idées d'autrui viennent mourir comme des boulets s'amortissent dans la terre molle des redoutes. Rastignac avait une de ces têtes pleines de poudre qui sautent au moindre choc (II, 928-929).

a) *Point de vue de l'agresseur* [432] *: aspects spécifiques.*

Deux *procédés d'intensification* très voisins apparaissent volontiers pour souligner la virulence de l'agressivité. Ils comparent directement à une arme soit l'agresseur, soit une partie de sa personne — traits du visage, regard, voix. Tous deux accentuent l'inégalité du rapport de force qui existe entre l'agresseur et sa victime.

---

(428) Force, justice et vengeance, respectivement 19 dans le groupe de l'agresseur et 10 dans celui de la victime ; lutte sociale 42 et 30 ; conquête amoureuse 28 et 5 ; satire et ironie 17 et 11 : au total, 106 exemples contre 56.

(429) 118 exemples contre 78.

(430) 30 exemples contre 14.

(431) 214 exemples contre 188 au total.

(432) 195 exemples.

L'identification totale de l'être [433] avec l'arme est la plus frappante et concerne des personnages particulièrement nuisibles : la mère de Mme de Mortsauf [434] ; Goupil [435] ; Brigitte Thuillier, version adoucie de la cousine Bette [436] ; Fraisier, personnage assez proche de Goupil, dans *Le Cousin Pons* :

> Dans son cabinet, tel qu'il s'était montré aux yeux de la Cibot, c'était le vulgaire couteau avec lequel un assassin a commis un crime ; mais à la porte de la présidente, c'était le poignard élégant qu'une jeune femme met dans son petit dunkerque (VI, 698) [437].

Tout aussi expressive apparaît l'identification au second degré, quand l'agresseur, ajoutant le calcul à l'insensibilité, se sert d'un autre être comme d'une arme [438], telle Diane de Maufrigneuse se servant de ses amants pour exciter la colère de son mari et de sa mère :

> Vous comprenez... que les hommes avec lesquels j'étais soupçonnée de légèreté avaient pour moi la valeur de ce poignard dont on se sert pour frapper son ennemi (SPC, VI, 52) ;

telle surtout, dans un registre beaucoup plus sombre, la cousine Bette :

> Madame Marneffe était la hache, Lisbeth était la main qui la manie, et la main démolissait à coups pressés cette famille (Be, VI, 278).

Crevel, Grandet, Mme d'Espard, Canalis [439], tous personnages sans cœur et intrigants, recourent aux mêmes conduites.

L'identification partielle peut concerner le cœur, qui symbolise l'être entier par synecdoque :

> Je te prendrai par le chignon du cou, madame la duchesse, et je t'y ferai sentir un fer plus mordant que ne l'est le couteau de la Grève. Acier contre acier, nous verrons quel cœur sera plus tranchant (DL, V, 205) [440].

Unissant de façon saisissante l'agresseur extérieur à l'arme intérieure, un exemple de la *Physiologie du mariage* montre comment la sensibilité du mari sera utilisée contre lui par l'épouse tortionnaire qui est l'un des types de cette œuvre :

> Chacun des sentiments les plus doux que la nature a mis dans votre cœur deviendra chez elle un poignard. Percé de coups à

(433) Sept exemples.
(434) Lys, VIII, 848, 892.
(435) UM, III, 444.
(436) Bou, VII, 84.
(437) Cf. aussi PG, II, 936, 947.
(438) Six exemples.
(439) Cf. respectivement Be, VI, 303 ; EG, III, 505 ; In, III, 44 ; MM, I, 566.
(440) Cf. Be, VI, 146.

> toute heure, vous succomberez nécessairement, car votre amour s'écoulera par chaque blessure (X, 851).

On verra que la stratégie par laquelle l'agresseur ne fait qu'utiliser les faiblesses de sa victime est à la source des exemples où victime et agresseur ne font qu'un.

La fonction physiognomonique de la métaphore d'arme, quoique plus vague, va dans le même sens [441]. La bouche du fermier Violette « aux lèvres bleuâtres, fendue comme si quelque chirurgien l'eût ouverte avec un bistouri » ainsi que ses rides, empêchent « le jeu de la physionomie dont les contours seulement » parlent et suggèrent une véritable correspondance avec son caractère :

> ... Les lignes dures, arrêtées, paraissaient exprimer la menace... Il voulait le mal du prochain et le lui souhaitait ardemment. Quand il y pouvait contribuer, il y aidait avec amour (TA, VII, 463).

La plaie de la bouche semble suggérer un manque chez le personnage en même temps que la blessure qu'il est toujours disposé à infliger. Autre exemple, le visage du médecin Halpersohn qui unit curieusement l'arme et la blessure, grâce à « un nez hébraïque long et recourbé comme un sabre de Damas » et à une « bouche, fendue comme une blessure, [qui] ajoutait à cette physionomie sinistre tout le mordant de la défiance » (EHC, VII, 387). Agressif et cupide, mais doté de plusieurs traits qui le rachètent — pénétration, originalité, amour du métier — Halpersohn a donc le physique de son personnage. La physiognomonie est fondée sur la croyance en l'unité des deux natures — matérielle et morale. En ce sens, l'image appliquée aux traits du visage est encore un procédé qui souligne la totalité de l'engagement dans l'action agressive.

Cela est vrai à plus forte raison de l'œil — organe de l'âme, de la pensée, de la force vitale — et accessoirement de la voix, qui traduit en mots cette pensée [442]. Nous avons montré ailleurs [443] que l'image d'espace, en se conjuguant avec la peinture du regard, traduisait un rapport entre l'être et le monde, rapport extrême qui se situe en deçà ou au-delà de la communication. Grâce à son potentiel dynamique, la métaphore d'arme appliquée au regard remplit une fonction complémentaire. Et, comme l'image d'espace, elle prend une intensité accrue en s'associant au regard. Certes, elle conserve ses sens habituels : pouvoir surnaturel ou connaissance divinatoire, blessure infligée dans l'âme par toutes les formes de l'amour ou de la haine. Mais il faut souligner le phéno-

---

(441) Même « le visage en lame de couteau » (PCh, IX 75,) du père de Raphaël, simple cliché, est en harmonie avec la dureté de son comportement.

(442) Respectivement trente-quatre et sept exemples. Cf. EHC, VII, 381 et 383 : « L'âme, le mouvement et la vie s'étaient concentrés dans le regard et dans la voix... Jusqu'alors, Godefroid avait ignoré la puissance de la voix et des yeux, lorsqu'ils sont devenus toute la vie, etc. »

(443) Cf. notre article « Espace et regard dans *La Comédie humaine* », *Année balzacienne 1967*, p. 325-338.

mène de convergence qui existe entre comparé et comparant, quand celui-ci s'applique sans intermédiaire à la psyché, dont le regard est le véhicule direct. L'image tranchante, dans son incohérence descriptive, traduit bien ce rapport d'âme à âme : le regard de Lady Dudley, plein d'un « mépris anglais », fait fuir Mme de Mortsauf :

> Vite à Clochegourde ! s'écria la comtesse, pour qui cet âpre coup d'œil fut comme un coup de hache au cœur (Lys, VIII, 975) [444].

Cette incohérence disparaît dans l'emploi des termes généraux [445], moins précis et d'ailleurs trop souvent banals. Un bel exemple, pourtant, dépeint dépit et défi altiers dans les yeux de Valérie Marneffe :

> ... Elle vint au Brésilien, et le regarda si fièrement que ses yeux étincelèrent comme des armes (Be, VI, 495).

Le mouvement agressif se précise avec les armes de percement et les armes à feu qui sont les plus nombreuses et les plus spécifiques [446]. *Béatrix* offre une variation sur la flèche « mythologique », pour exprimer l'agitation des désirs. Le jeune Calyste laisse entendre, par « un de ces regards qui font mollir la raison des mères », qu'il ne veut pas se marier encore, sans oser dire tout haut ses rêves d'amour :

> La baronne vit toutes ces pensées plus claires, plus belles, plus vives que l'art ne les fait à celui qui les lit ; elle les embrassa rapides, toutes jetées par ce regard comme les flèches d'un carquois qui se renverse (II, 411, 412).

Peut-être contaminée par le cliché de *darder un regard* [447], la comparaison du regard avec un *poignard* [448] est de beaucoup la plus percutante. Le poignard y manifeste tantôt la puissance divinatoire, tantôt la destruction, ou les deux à la fois. Arme courte, à la fois tranchante et effilée, il traduit la justesse du coup, l'intimité du rapport d'agression. Charles Mignon jette sur le prétendant de sa fille un regard qui pénètre « dans les yeux du jeune homme comme un poignard dans sa gaine » (MM, I, 485) [449]. L'image s'applique à la voix avec les mêmes effets :

> Oses-tu dire que tu ne l'aimes pas ? dit-il d'une voix qui entrait dans le cœur comme un poignard (Ser, X, 474) [450].

---

(444) Cf. PG, II, 928 et *supr.*, p. 285.

(445) Six exemples.

(446) Dix-neuf et sept exemples.

(447) Six exemples relevés. Quelques renouvellements expressifs : « Ses yeux dardaient la pensée » (LL, X, 386) ; « ... Elle jetait des regards fauves et rapides par lesquels les vieilles filles semblent vouloir darder du venin sur les hommes » (Cor, IX, 945). Cf. MM, I, 541 ; AS, I, 799 ; Gam, IX, 418 ; RA, IX, 539 ; EM, IX, 679-680.

(448) Sept exemples.

(449) Cf. S & M, V, 740 ; MR, IX, 272.

(450) Cf. MM, I, 585 ; Lys, VIII, 959 ; Phy, X, 878.

Le potentiel néfaste des passions [451] se transforme en haine sauvage dans les yeux de la cousine Bette, quand elle apprend le mariage d'Hortense avec Wenceslas :

> Elle s'arrêta brusquement et plongea dans les yeux bleus de madame Marneffe un regard noir qui traversa l'âme de cette jolie femme, comme la lame d'un poignard lui eût traversé le cœur (Be, VI, 226) [452].

Nous avons vu que le pistolet [453] possède les mêmes caractéristiques : précision du tir, et proximité relative, auxquelles s'ajoute peut-être un risque de désastre plus étendu, comme dans la rencontre de Jacques Collin et de Bibi-Lupin à la Conciergerie :

> De part et d'autre, chacun resta sur ses pieds, et le même regard partit de ces deux yeux *(sic)* si différents, comme deux pistolets qui, dans un duel, partent en même temps (S & M, V, 1127-1128) [454].

Mais c'est au canon que doit faire appel l'image dans un exemple qui s'applique à Valérie Marneffe :

> Au mot Hulot, et aux deux cent mille francs, Valérie eut un regard qui passa, comme la lueur du canon dans sa fumée, entre ses longues paupières (Be, VI, 408).

La peinture du sentiment amoureux, quand elle est faite du point de vue exclusif de l'agresseur [455], exige quelques remarques.

Dans la conquête, la femme fait preuve d'une agressivité égale à celle de l'homme, qu'il s'agisse de la comtesse Laginska, de Camille Maupin, Louise de Chaulieu, Mademoiselle Cormon [456] ou de la marquise de San Réal, dont le portrait physique, il est vrai, préfigure peut-être le rôle agressif qu'elle joue dans sa liaison avec la fille aux yeux d'or :

> Une taille cambrée, la taille élancée d'une corvette construite pour faire la course, et qui se rue sur le vaisseau marchand avec une impétuosité française, le mord et le coule bas en deux temps (FYO, V, 279).

On sait que le bateau est souvent un symbole de la femme — le mot est d'ailleurs féminin en anglais — et la métaphore a déjà ici un sens sexuel assez marqué. La contre-partie masculine de la conquête amoureuse se trouve du côté des armes à feu. De Marsay avertit en ces termes Savinien

(451) FC, VI, 69-70.

(452) Cf. CSS, VII, 34, pour une version comique de cet emploi.

(453) Six exemples.

(454) Cf. AS, I, 856 ; P, III, 754 ; IP, IV, 849 ; CP, VI, 713 ; E, VI, 1026.

(455) Ce qui est rare : 37 exemples.

(456) Cf. respectivement FM, II, 49 ; B, II, 482 ; MJM, I, 145 ; VF, IV, 298 *(déguisée jusqu'aux dents, arsenal, armée de toutes pièces, duel... canon du pistolet... couché en joue).*

de Portenduère qui veut séduire Emilie de Kergarouët : « Mon petit, tu n'as pas assez de poudre pour faire sauter ce rocher-là » (UM, III, 358) [457]. Même après la conquête, l'aventure demeure périlleuse, car l'amant ou la maîtresse peut facilement se transformer d'adversaire en ennemi :

> Faire passer votre amante à l'état de confidente est une opération aussi périlleuse que, dans notre métier, le passage d'une rivière sous le feu de l'ennemi (P, III, 725) [458].

De toute façon, l'amour blesse, soit par la « flèche mythologique [459] », soit par le dard.

L'arme de percement acquiert parfois un symbolisme sexuel plus précis. Suggérant au mari l'expédient d'une grossesse pour maintenir sa femme dans le droit chemin, le moraliste de la *Physiologie du mariage* écrit :

> La Providence n'a oublié personne : si elle a donné à la seppia (poisson de l'Adriatique) cette couleur noire qui lui sert à produire un nuage au sein duquel elle se dérobe à son ennemi, vous devez bien penser qu'elle n'a pas laissé un mari sans épée ; or, le moment est venu de tirer la vôtre (X, 720).

De même, conseillant à Rastignac d'épouser Victorine, Vautrin déclare : « Vous épouserez. Poussons chacun nos pointes ! La mienne est en fer et ne mollit jamais, hé, hé ! » (PG, II, 982). Parfois l'allusion est moins explicite, et le sens plus vague :

> ... Comment alors oser parler à cette malade de l'amour qu'elle inspirait ? Armand comprenait déjà qu'il était ridicule de tirer son amour à brûle pourpoint sur une femme si supérieure (DL, V, 171).

La flèche, lancée par l'amoureux, traduira l'ardeur du désir :

> Je l'aimais d'un double amour qui décochait tour à tour les mille flèches du désir, et les perdait au ciel où elles se mouraient dans un éther infranchissable (Lys, VIII, 850).

Dans le langage vulgaire d'Asie, l'image de l'artillerie a un sens sexuel tout à fait clair :

> Si je décide madame à se montrer comme votre maîtresse, à se compromettre..., vous me croirez bien capable de l'amener à vous livrer le passage du Grand Saint-Bernard. Et c'est difficile, allez !... il y a là, pour faire passer votre artillerie, autant de tirage que pour le premier consul dans les Alpes (S & M, V, 830).

---

(457) Cf. CM, III, 134 ; P, III, 690 ; DL, V, 170 ; Bou, VII, 176.
(458) Cf. Be, VI, 175 ; Ch, VII, 882-883.
(459) R, III, 980 ; Cf. Do, IX, 383 ; EM, IX, 729.

On a vu que le couteau peut avoir le même sens :

> Elle ressemblait à ces beaux fruits coquettement arrangés dans une belle assiette et qui donnent des démangeaisons à l'acier du couteau (Be, VI, 289) [460].

On le retrouve dans une image beaucoup plus hardie qui évoque les blessures amoureuses qu'a provoquées le bras de Mme Cibot,

> un bras potelé, rond, à fossettes, et qui, tiré de son fourreau de mérinos commun, comme une lame est tirée de sa gaine, devait éblouir Pons, qui n'osa pas le regarder trop longtemps. — Et, reprit-elle, qui [a] ouvert autant de cœurs que mon couteau ouvrait d'huîtres (CP, VI, 645).

Peut-être y a-t-il quelque rapport entre le tempérament, le bras agressif et la « beauté virile » de Mme Cibot qui, à quarante-huit ans, est obligée de se faire la barbe [461].

b) *Point de vue de la victime* [462] *: aspects spécifiques.*

Même quand l'arme et l'agresseur sont encore nommés, de nombreux exemples font passer au premier plan le point de vue de la victime et tracent du comportement masochiste un tableau peut-être plus fouillé que celui de sa contre-partie sadique.

On définira le masochisme comme la recherche de la souffrance, ou le plaisir dans la souffrance, accompagnée ou non de satisfaction sexuelle [463]. En fait, une nuance de plaisir est perceptible dans les images de blessure douloureuse. Cette remarque s'applique tout particulièrement aux amants platoniques du *Lys dans la vallée*, entre lesquels la souffrance consentie par et pour l'être aimé tient lieu de rapport amoureux. Tous deux font l'expérience de ces plaisirs détournés. Chez Félix, la blessure se fait active pour aller toucher au cœur de Mme de Mortsauf :

> En retour de ma chair laissée en lambeaux dans son cœur, elle me versait les lueurs incessantes et incorruptibles de ce divin amour qui ne satisfaisait que l'âme (VIII, 882).

Un échange analogue s'opère quand la comtesse déchiffre le symbolisme des bouquets que Félix compose pour elle :

> Elle me jeta l'un de ces regards incisifs qui ressemblent au cri d'un malade touché dans sa plaie : elle était à la fois honteuse et ravie (855).

---

(460) Cf. MD, IV, 153 et *supr.*, mét. alimentaire, p. 252.

(461) *Ibid.*, 562. Cf. *supr.*, p. 61 et 94.

(462) 180 exemples.

(463) Au sens strict, auto- et hétéro-agression ne sont pas sexuelles, tandis que masochisme et sadisme présentent une composante sexuelle. Cf. Jean LAPLANCHE, *op. cit.*, Ch. V, « Agressivité et sado-masochisme ».

Madame de Mortsauf discerne d'ailleurs la nature de sa propre souffrance :

> Si plus tard je me suis complaisamment offerte à vos coups, aujourd'hui je meurs atteinte par vous d'une dernière blessure ; mais il y a d'excessives voluptés à se sentir brisée par celui qu'on aime (1017) [464].

c) *Réseaux thématiques.*

Les points de vue de l'agresseur et de la victime se combinent non seulement à l'intérieur d'une même image, mais plus encore dans les œuvres où la métaphore constitue un réseau thématique — auquel cas elle présente toujours son sens le plus négatif. Seule alors demeure présente l'action destructrice de l'arme, qui s'exerce en dehors de toute intention spiritualisante, moralisatrice, ou même vengeresse. On blesse parce que la nature humaine est avide et cruelle, la société injuste et l'homme en proie à des passions délétères. Ce sont toutefois les rapports individuels qui suscitent les images les plus nombreuses et les plus virulentes.

Nous avons déjà vu que la bataille sociale, animée par la soif du lucre et l'ambition, se présente souvent comme une entreprise d'assassinat, légal ou non [465]. Elle suscite aussi le réseau thématique de l'agression, dans *Le Père Goriot, Le Contrat de mariage, Ursule Mirouet, La Cousine Bette, Le Cousin Pons* [466]. Les blessures du sentiment, et surtout du sentiment familial, complètent le réseau du *Père Goriot* [467]. Dans cette œuvre, même la duchesse de Langeais emprunte, à la suite de Rastignac, le langage de Goriot pour évoquer le mariage de la fille, événement qui brise le cœur des parents et tranche dans la chair :

> Quand cet homme [le gendre] nous l'aura prise, il commencera par saisir son amour comme une hache, afin de couper dans le cœur et au vif de cet ange tous les sentiments par lesquels elle s'attachait à sa famille (II, 910).

Dans *La Peau de chagrin* [468], l'image traduit le destin fatal de Raphaël et ses souffrances amoureuses, et, dans *Béatrix* [469], elle est surtout centrée sur la peinture de la jalousie. Enfin, dans *La Cousine Bette* [470], elle reflète les passions homicides des personnages respectifs : rage vengeresse de Crevel [471] ; tendances sadiques de Bette [472] ; souffrances de la baronne Hulot [473].

---

(464) Cf. un exemple isolé dans Be, VI, 168 : « ... C'est un Polonais tellement fait au knout que Bette lui rappelle cette petite douceur de sa patrie ». Cf. *infr.*, identification victime-bourreau, pour d'autres illustrations du masochisme.

(465) Cf. métaphore criminelle, p. 166-167.

(466) Cf. par exemple PG, II, 1024-1025 ; CM, III, 129, 160.

(467) *Le Père Goriot* comporte quarante-huit métaphores d'agression.

(468) Vingt-deux exemples.

(469) Vingt-huit exemples.

(470) Vingt exemples.

(471) VI, 278, 303, 486.

(472) VI, 168.

(473) VI, 398, 459.

Mais c'est *Le Lys* qui vient largement en tête [474]. Plus encore que Félix, qui connaît sa part de souffrance, Madame de Mortsauf est la victime d'élection de toute *La Comédie humaine*. Constamment exposée dès l'enfance aux blessures que lui infligent ses proches — mère, mari, enfants, amant, elle lutte vaillamment avant de succomber [475].

On observe une corrélation très nette entre l'alternance des points de vue passif et actif dans le contenu de l'image et le procédé narratif propre à ce roman qui, rappelons-le, prend la forme d'une longue lettre dans laquelle Félix relate l'histoire de son amour pour Mme de Mortsauf. Le point de vue actif domine pour décrire tous les agresseurs autres que l'amant narrateur [476]. La mère :

> Elle ressemble au fer qui, battu, peut se joindre au fer, mais qui brise par son contact tout ce qui n'a pas sa dureté (VIII, 892) [477] ;

le mari, qui s'acharne sur Mme de Mortsauf avec une férocité aussi terrible qu'inconsciente :

> ... Il croyait triompher de sa femme, et l'accablait alors d'une grêle de phrases qui répétaient la même idée, et ressemblaient à des coups de hache rendant le même son (905) ;
>
> ... Il maniait donc le fléau, abattait, brisait tout autour de lui comme eût fait un singe ; puis, après avoir blessé sa victime, il niait l'avoir touchée (921) [478].

La maîtresse de Félix, Lady Dudley, persifle Mme de Mortsauf « comme un sultan qui, pour prouver son adresse, s'amuse à décoller des innocents » (980) [479].

Au contraire, le point de vue de la victime prédomine [480] chaque fois que l'agresseur n'est autre que l'amant qui cherche, dans son récit, à atténuer sa propre responsabilité, soit qu'il se présente comme victime au même titre que Mme de Mortsauf :

> Vous me blessez avec intention évidente de me briser le cœur, je puis encore être heureux (969) [481],

soit qu'il montre Mme de Mortsauf victime des coups qu'il lui a portés, tout en restant lui-même en retrait :

> C'est l'incurable résultat d'un chagrin, comme une blessure mortelle est la conséquence d'un coup de poignard (995).

---

(474) Avec 74 métaphores d'agression.
(475) Cf. *supr.*, métaphore militaire, p. 183-184.
(476) Neuf exemples.
(477) Cf. 830, 848.
(478) Cf. 954, 966.
(479) Cf. 975.
(480) Dix-sept exemples.
(481) Cf. 931 et *supr.*, p. 328.

d) *Identification de la victime et de l'agresseur* [482].

La blessure morale atteint son paroxysme quand elle fait de l'être son propre bourreau. Si la provocation extérieure existe, elle n'est qu'un prétexte, et l'arme semble maniée, ou même forgée, par la conscience du sujet. Tel est le cas de Louis Lambert se livrant par avance à l'amour en imagination : « Chaque plaisir est comme une flèche ardente, il me perce et me brûle ! » (X, 437) ; ou de Félix en proie au désir contrarié :

> ... Mon amour, séraphique en sa présence, devenait loin d'elle mordant et altéré comme un fer rouge... (Lys, VIII, 850) [483].

Parfois l'agression, tout en conservant sa provenance extérieure, se trouve, grâce à l'image, concrètement assimilée à l'organisme. Dans trois exemples, les cheveux se métamorphosent en pointes agressives. Le voiturier Pierrotin, à qui il manque mille francs pour payer sa nouvelle diligence, se sent « dans la tête autant de pointes qu'il y a de pièces de cent sous dans mille francs ! » (DV, I, 629). Chez les complices de Trompe-la-Mort, la terreur s'exprime dans les mêmes termes :

> Où sont les sept cent *cinquante* mille francs ? leur demanda le *dab*, en plongeant sur eux un de ces regards fixes et clairs qui troublaient si bien le sang de ces âmes damnées, quand elles étaient en faute, qu'elles croyaient avoir autant d'épingles que de cheveux dans la tête (S & M, V, 1121).

Les tortures de la jalousie, et le mal physique qui s'ensuit, suscitent la même image : « Ses cheveux devinrent dans sa tête autant d'aiguilles rougies au feu des névroses » (B, II, 554). Un tel procédé met en lumière l'origine subjective de la blessure.

Certains exemples décrivent un retournement des pulsions négatives : le sujet réintériorise sa propre agressivité que, dans une étape intermédiaire, il avait dirigée vers l'extérieur. Cette démarche ne va pas sans rappeler celles de la projection et de l'introjection qu'illustre la métaphore cannibalique. Ici, le sujet donne lui-même les coups qui l'achèveront :

> Broyée dans les rouages de la machine qu'elle mettait en mouvement, Camille était forcée de veiller sur elle-même (B, II, 474-475) [484] ;
>
> Nous sommes sorties de Blois parées de toute notre innocence et armées des pointes aiguës de la réflexion : les dards de cette expérience purement morale des choses se sont tournés contre toi ! (MJM, I, 190).

L'oisiveté favorise la culture attentive de la douleur morale :

> Envieux, pauvres, souffrants, quand vous voyez aux bras des femmes ces serpents d'or à têtes de diamant, ces colliers, ces

---

(482) Quatre-vingt-dix-neuf exemples.
(483) Cf. PG, II, 1077 ; S & M, V, 905 ; Be, VI, 487 ; Do, IX, 322-323 ; LL, X, 443.
(484) Cf. LL, X, 419.

> agrafes, dites-vous que ces vipères mordent, que ces colliers ont des pointes venimeuses, que ces liens si légers entrent au vif dans ces chairs délicates. Tout ce luxe se paie... Et avec quelle fureur contenue une femme ne se jette-t-elle pas sur les pointes rouges de ces supplices de Sauvage ? (B, II, 563).

La passion contrariée, la jalousie, privées de leur objet d'amour, se transforment en auto-destruction [485]. Il en va de même de l'instinct de possession. Quand il cesse de se projeter en entreprises extérieures, il se pervertit en une avarice qui, à l'extrême, se retourne contre elle-même. Maître Cornélius est

> rongé... par les angoises renaissantes du duel qu'il avait avec lui-même, depuis que sa passion pour l'or s'était tournée contre elle-même ; espèce de suicide inachevé qui comprenait toutes les douleurs de la vie et celles de la mort. Jamais le vice ne s'était mieux étreint lui-même (Cor, IX, 953).

Le même retournement caractérise une conception tout aussi pervertie du remords, de la culpabilité et de la vengeance, où la crainte du jugement d'autrui se transforme en auto-punition.

Le remords est rarement bénéfique, il blesse ou tue sans purifier : « Le pauvre homme prétend avoir dans la tête des animaux qui lui rongent la cervelle » (AR, IX, 982).

> — Vois donc comme l'argenterie étincelle, et chacun de ces rayons brillants serait pour lui un coup de poignard ? (PCh, IX, 50) [486].

Par contre, la blessure du repentir prépare au rachat :

> Le repentir le livrait insensiblement à cette grâce qui broie tout à la fois doucement et terriblement le cœur (MR, IX, 304) [487].

Mais nul exemple ne fait mieux sentir la démarche à la fois projective et introjective du remords que cette analyse du baron Hulot. Projective d'abord :

> — Je vous suis odieux ! dit le baron en laissant échapper le cri de sa conscience. Nous sommes tous dans le secret de nos torts. Nous supposons presque toujours à nos victimes les sentiments haineux que la vengeance doit leur inspirer ;

puis introjective, retournant contre elle-même les sentiments agressifs qu'elle attribue aux autres :

---

(485) Cf. aussi S & M, V, 691 ; Lys, VIII, 849, 956, 1016 ; PCh, IX, 150.
(486) Cf. MM, I, 392 ; Gb, II, 633 ; H, III, 302 ; Lys, VIII, 996-997 ; Cor, IX, 935.
(487) Pour l'expression du scrupule de conscience avant la faute, cf. MM, I, 418 et AR, IX, 969.

et, malgré les efforts de l'hypocrisie, notre langage ou notre figure avoue au milieu d'une torture imprévue, comme avouait jadis le criminel entre les mains du bourreau (Be, VI, 367) [488].

L'auto-punition est une forme plus poussée et plus développée de remords. Chez Birotteau, le scrupule va si loin qu'il se transforme en un masochisme inconscient. C'est ce que lui suggère son oncle, qui lui reproche de s'exposer à des coups inutiles en voulant continuer le commerce après sa faillite :

Je conçois la guillotine !... En un instant tout est fini. Mais avoir une tête qui renaît et se la sentir couper tous les jours, est un supplice auquel je me serais soustrait (CB, V, 543).

Quelques exemples d'auto-punition associent la blessure à la faute sexuelle. Le sentiment de culpabilité est si fort que le sujet se châtie par la pensée, comme César Birotteau. Mais, en outre, il existe une parenté visible entre la nature de la faute et la forme de châtiment à laquelle l'imagination a recours. Ne pouvant satisfaire impunément la tendance sexuelle, on la mortifie. Ainsi s'explique la frigidité. Balzac peut lui assigner pour cause un sentiment de culpabilité, même si c'est facétieusement qu'il écrit à propos d'une épouse rebelle au devoir conjugal qu'elle

regarde un mari comme un instrument de Dieu, comme un mal dont les flagellations lui évitent celles du purgatoire (DF, I, 974).

Le masochisme de Mme de Mortsauf ne fait guère de doute, comme nous l'avons déjà vu [489]. Elle retourne contre elle-même, pour s'en torturer avec une délectation morose, toute l'ardeur de ses désirs amoureux, et donne ses enfants pour prétexte à sa chasteté :

Oh ! oui, mes enfants sont mes vertus ! Vous savez si je suis flagellée par eux, en eux, malgré eux (Lys, VIII, 971).

Dans ces deux premiers exemples, qui s'appliquent à des femmes, le rapport de cause à effet entre sexualité et culpabilité s'exprime clairement, quoiqu'avec mesure.

Dans les deux passages suivants, qu'unit une parenté visible malgré l'écart des œuvres et des années, le fantasme et son explication se font beaucoup plus précis. Emilio, dans *Massimilla Doni*, est accablé de honte en revoyant sa maîtresse de cœur après une infidélité physique. Le baron Hulot, dans *La Cousine Bette*, est surpris par la police, à son réveil, auprès de sa maîtresse endormie. Dans les deux cas, la honte d'être surpris sur le fait ou peu s'en faut — d'être vu — s'allie à l'évocation d'un cauchemar, que chaque personnage vit à l'état de veille. Dans le premier, le prince a le sentiment, à tort, que Massimilla lit en lui, qu'elle voit sa honte :

Le prince éprouva, tout éveillé, les sensations de ce cruel rêve qui tourmente les imaginations vives et dans lequel, après être

(488) Cf. métaphore criminelle, p. 161.

(489) Cf. *supr.*, p. 328.

> venu, dans un bal plein de femmes parées, le rêveur s'y voit tout à coup nu, sans chemise ; la honte, la peur le flagellent tour à tour, et le réveil seul le délivre de ses angoisses (Do, IX, 332).

Déjà ici, le sujet projette son agressivité dans le regard d'autrui, pour s'en frapper aussitôt. Le second exemple intensifie la présence du regard sadique comme symbole de culpabilité et instrument de punition. Le baron Hulot, lui, est sur le point d'être réellement vu, dans une situation sans honneur, et la réalité de l'expérience accroît l'angoisse du cauchemar. Le châtiment évoqué n'est rien moins que celui de la guillotine :

> Peu d'hommes ont éprouvé réellement dans leur vie la sensation terrible d'aller à la mort, ceux qui reviennent de l'échafaud se comptent ; mais quelques rêveurs ont vigoureusement senti cette agonie en rêve, ils en ont tout ressenti, jusqu'au couteau qui s'applique sur le cou dans le moment où le Réveil arrive avec le Jour pour les délivrer... (VI, 379).

Et, comme dans *Massimilla Doni*, c'est l'angoisse d'être vu qui est associée à l'instrument du châtiment. En effet, l'image identifie le couperet de la guillotine, perçu en rêve, au regard du commissaire de police qu'Hulot découvre posé sur lui à son réveil :

> Eh bien ! la sensation à laquelle le Conseiller d'Etat fut en proie à cinq heures du matin, dans le lit élégant et coquet de Crevel, surpassa de beaucoup celle de se sentir appliqué sur la fatale bascule, en présence de dix mille spectateurs qui vous regardent par vingt mille rayons de flamme... Le baron ne vit pas, comme le condamné à mort, vingt mille rayons visuels, il n'en vit qu'un seul dont le regard est véritablement plus poignant que les dix mille de la place publique *(ibid.)*.

Le caractère fantasmatique de l'image paraît d'autant plus indiscutable que c'est à travers une porte fermée qu'Hulot distingue, on se demande comment, l'œil du commissaire fixé sur lui :

> Le baron resta, toujours horizontalement, exactement baigné dans une sueur froide. Il voulait douter, mais cet œil assassin babillait ! Un murmure de voix susurrait derrière la porte... La porte s'ouvrit. La majestueuse loi française, qui passe sur les affiches après la royauté, se manifesta sous la forme d'un bon petit commissaire de police... *(ibid.)*.

Le phénomène n'est pas expliqué autrement qu'en image : à demi éveillé seulement par le bruit des voix derrière la porte, Hulot croit sans doute découvrir dans son rêve un œil qui le regarde par le trou de la serrure, reflet anticipé de sa honte imminente, projection de son violent sentiment de culpabilité. Il éprouve cette sensation « en plein plaisir » *(ibid.)*, alors qu'il s'éveille à peine et que Valérie dort encore. Le rêve d'auto-punition serait-il en même temps un rêve érotique ? Ce n'est pas impossible, étant donné la fréquente utilisation des contraires dans la symbolique du rêve : on sait avec quelle régularité les rêves de décapitation sont en réalité des rêves de castration [490]. Cette longue image semble refléter des fantasmes associés à une situation de culpabilité sexuelle. Quoi qu'il en soit, on ne retrouve ni le même développement, ni la même corrélation entre la faute et le châtiment quand la métaphore justicière décrit d'autres formes de culpabilité.

D'autres exemples, au contraire, en soulignant l'identité entre l'arme et la pensée subjective, semblent considérer la pulsion de destruction seulement à l'intérieur du sujet, et dirigée exclusivement contre lui [491]. Non que, là encore, les circonstances ne jouent aucun rôle, mais l'image suggère une agressivité qui reste purement interne.

L'exemple le plus circonstancié s'en trouve dans *Louis Lambert*, et rapproche deux passages du roman assez éloignés l'un de l'autre. Lors d'une représentation théâtrale à laquelle il assiste seul, Louis voit dans la loge voisine de la sienne une jeune femme inconnue et décolletée, accompagnée de son amant. Il subit alors « un effet d'instinct bestial » et son désir prend la forme d'une jalousie meurtrière qu'il éprouve aussitôt vis-à-vis du jeune homme. Si intense est son émotion qu'il doit quitter le théâtre pour ne pas joindre le geste à la pensée :

> ... N'était-ce pas le coup de couteau imaginaire ressenti par l'enfant, devenu chez l'homme le coup de foudre de son besoin le plus impérieux, l'amour ? (X, 408).

Ce coup de couteau auquel est ici comparé son « désir presque invincible » *(ibid.)* de tuer le jeune homme est une allusion à un épisode réel de l'enfance de Louis au collège. A cette époque-là, il parvenait, en se représentant la lame d'un canif entrant dans sa chair, à ressentir la même douleur que s'il s'était vraiment coupé : « Une idée causer des souffrances physiques ?... Hein ! qu'en dis-tu ? » (379). Ainsi, dans l'épisode du théâtre, le désir et la jalousie — idées ou pensées en termes balzaciens — prennent l'acuité physique du coup de couteau. Ce rappel métaphorique d'une expérience d'enfant singulièrement révélatrice éclaire bien l'insignifiance des circonstances extérieures pour celui qui porte en lui ses propres monstres. La pensée meurtrière de Louis est tournée contre lui bien plus que contre le jeune homme inconnu.

---

(490) Peut-être pourrait-on voir une trace du même symbolisme dans cette remarque : « ... J'aime mieux un coup de hache à la tête que l'ornement du mariage à mon front » (Cor, IX, 940). Même corrélation, suggérée par un autre déplacement, entre la faute et le châtiment imaginé par Félix qui se sent responsable de la mort de Mme de Mortsauf : « Je tâchai de me détacher moi-même de cette force par laquelle je vivais ; supplice comparable à celui par lequel les Tartares punissaient l'adultère en prenant un membre du coupable dans une pièce de bois et lui laissant un couteau pour se le couper, s'il ne voulait pas mourir de faim : leçon terrible que subissait mon âme, de laquelle il fallait me retrancher la plus belle moitié » (VIII, 1006-1007). Cf. Peter Brooks, « Virtue Tripping : Note on *Le Lys dans la vallée* », *Yale French Studies, Intoxication and Literature*, 1974, p. 160-161.

(491) Trente exemples.

De même, la femme jalouse est sans défense contre « la lame froide et cruelle du soupçon [492] » qu'elle porte en elle, malgré la fidélité de l'homme qu'elle aime. L'homme est le plus cruel bourreau de soi, et la sensibilité se torture elle-même :

> A chaque pas des milliers de pensées, presque visibles, voltigeant en langues de feu sous mes yeux, me sautaient à l'âme, ayant chacune un dard, un venin différent (MJM, I, 316-317) [493].

L'ardeur de vivre est un « vautour ardent qui ronge le cœur », « la pensée est un glaive », le soupçon un poignard qui creuse « des sillons dans le cœur », la terreur « un fer chaud », l'amour est « entaillé dans l'âme comme dans le corps une cicatrice qu'il faut garder durant toute la vie [494] ». Ce phénomène est le même que celui qui s'exprime par l'autophagie dans la métaphore alimentaire : tout sentiment ancré dans l'être porte avec lui sa contre-partie de blessure :

> O mon Dieu ! par quelles douleurs attachez-vous l'enfant à sa mère ? Quels clous vous nous enfoncez au cœur pour qu'il y tienne ! (MJM, I, 269) [495]

et de destruction :

> ... Essentiellement dissipatrices, les premières passions, de même que les jeunes gens, coupent leurs forêts à blanc au lieu de les aménager (Lys, VIII, 987).

Un exemple de *Béatrix* met en relief le caractère unilatéral de la cristallisation amoureuse, qui s'opère grâce à la seule imagination du sujet :

> Ses pensées capricieuses étaient autant de grappins qui s'enfonçaient dans son cœur et y attachaient la marquise (II, 419) [496].

Parfois, l'adversaire s'incarne réellement dans ce conflit en champ clos. Le dédoublement intérieur qu'implique l'auto-agression peut prendre la forme du duel [497] ou de la personnification [498]. On rejoint le symbolisme des monstres que nous avons signalé à propos des mots-thèmes de l'*enserrement* [499] : « Arrachez vous-même de votre cœur les restes du javelot qu'y a planté l'esprit du Mal » (CV, VIII, 726) ; « Le démon m'avait imprimé son ergot au front » (PCh, IX, 156), se plaint Raphaël, aveugle à sa responsabilité, mais il est plus lucide quand il analyse la joie délétère

(492) MJM, I, 217.

(493) Cf. B, II, 425 ; TA, VII, 620.

(494) Cf. respectivement VF, IV, 308 ; F30, II, 750 ; MJM, I, 281 ; B, II, 562 ; TA, VII, 620 ; Cor, IX, 902.

(495) Cf. PCh, IX, 16.

(496) Il s'agit des propres pensées et du propre cœur de Calyste.

(497) Trois exemples.

(498) Neuf exemples.

(499) Cf. *supr.*, p. 317.

qu'il éprouve en gagnant au jeu avec l'argent de son père, « une de ces joies armées de griffes et qui s'enfoncent dans notre cœur... » (76) [500].

En général, la dualité est tout à fait intériorisée. A moins de fuite [501], la volonté humaine est vaincue dans sa lutte avec la passion et la défaite apparaît comme une sorte de suicide — « le bonheur, je l'ai étouffé de mes étreintes insensées ! » (MJM, I, 281) — suicide au cours duquel la partie négative du moi finit par absorber toute la personne. On rencontre pourtant un cas où la volonté est plus forte que les monstres contre lesquels elle se bat :

> Il était de ces esprits qui, s'étant pris avec les passions, s'étant trouvés plus forts qu'elles, n'ont plus rien à presser dans leurs serres (Ser, X, 524).

Wilfrid, être exceptionnel, élu pour recevoir la parole de Séraphîta, réussit à vaincre ses démons. Raphaël se rapproche de lui sans l'égaler, quand il étreint corps à corps la Débauche, « ce monstre admirable avec lequel veulent lutter tous les esprits forts » (PCh, IX, 46). S'il ne triomphe pas, il n'est pas non plus vaincu par sa soif de sensations :

> Pour l'homme privé, pour le Mirabeau qui végète sous un règne paisible et rêve des tempêtes, la débauche comprend tout, elle est une perpétuelle étreinte de toute la vie, ou mieux, un duel avec une puissance inconnue, avec un monstre : d'abord le monstre épouvante, il faut l'attaquer par les cornes, c'est des fatigues inouïes... (*ibid.*, 151).

Tout en reproduisant le symbolisme de l'arme du héros aux prises avec les monstres, ce dédoublement des forces en lutte à l'intérieur de l'être illustre avec une clarté toute spéciale la coexistence des pulsions de vie et de mort dans le psychisme humain. Les déformations sont pourtant assez apparentes : en particulier, la volonté, qu'on peut identifier à la pulsion de vie, à la partie positive du psychisme, ne se signale pas par l'endurance [502]. C'est la partie destructrice la mieux armée. A plus forte raison, quand le dédoublement ne s'exprime pas, c'est elle la seule armée. Et ce qui frappe le plus, à cet égard, c'est que, dans cette troisième forme de la complémentarité blessure-agression, qui confond la victime et l'agresseur, le point de vue de l'agresseur domine [503].

Il peut y avoir deux raisons à cela : l'une externe, l'autre interne. La première vient du symbolisme de l'arme, symbolisme actif par définition, dans lequel la blessure n'est que subsidiaire. Nous avons pu remarquer que, quand l'agressivité s'exerce d'un être à l'autre, les points de vue actif et passif s'équilibrent plus ou moins par le nombre. Toutefois dans le groupe de la victime, ils peuvent coexister, ce qui donne déjà une certaine

(500) Cf. S, VI, 109.
(501) Lys, VIII, 971.
(502) Cf. *infr.*, p. 341.
(503) Environ 19 exemples seulement sur les 99 mettent la blessure au premier plan.

supériorité quantitative au point de vue de l'agresseur, que la simple mention de l'arme brandie suffit à évoquer. La métaphore d'arme entraîne donc par sa nature même la vision d'une humanité avide de détruire. Mais la seconde raison est plus importante. Dans l'univers de Balzac, l'homme n'a pas de plus grand ennemi que lui-même, il est l'agent de sa destruction, soit collective, soit individuelle. Et c'est pourquoi le point de vue de l'agresseur prédomine tout particulièrement dans les exemples où il ne fait qu'un avec la victime. Ce troisième groupe de l'agressivité prolonge ceux de l'autophagie, dans la métaphore alimentaire, et de la théorie totalisante, dans la métaphore pathologique. Les armes du héros passent aux mains des monstres, elles détruisent l'être au lieu de le sauver.

* * *

Quelle est la place de la métaphore d'agression dans l'ensemble des métaphores physiologiques ? Statistiquement, elle représente déjà le groupe négatif le plus important, réduisant définitivement à un pourcentage infime l'expression des phénomènes de vie dans le domaine métaphorique. Sur le plan de l'histoire, les armes et les blessures ne sont représentées que dans une proportion insignifiante, se distinguant ainsi des autres phénomènes physiologiques, surtout de la maladie, qui jouent un large rôle dans la réalité romanesque [504].

Globalement, la métaphore d'agression est plus proche du pôle négatif que la métaphore alimentaire — où la nutrition représente un groupe important — tout en conservant quelques traces d'une démarche dynamique et spiritualisante totalement absente de la métaphore de maladie. Par contre, elle exprime souvent une atteinte plus violente, une souffrance plus aiguë que la métaphore de maladie.

Nous avons déjà noté à propos de cette dernière [505] qu'elle sous-entend rarement la douleur. Les métaphores de sensations internes, toujours déplaisantes, la suggèrent déjà davantage. Mais les citations que nous avons données tout au long de notre étude prouvent assez que la blessure, par définition, implique la douleur. De nombreux termes la mentionnent ou la suggèrent : *douleur*, *souffrance*, *acéré*, *aigu*, *sentir*, *cuisant*, *mordant*, etc. : les énumérer tous, ce serait reprendre la plupart des mots-thèmes de la métaphore d'agression. Balzac ne s'intéresse pas aux aspects fonctionnels de la douleur, du moins en tant que signal, d'ailleurs imparfait, d'un état pathologique : c'est pourquoi sans doute elle apparaît si peu dans la métaphore de maladie. On peut établir un *modus vivendi* avec la maladie. Mais quand la douleur semble intolérable, elle suscite une image beaucoup plus vigoureuse. Autrement dit, la douleur n'est pas un symptôme, mais se confond avec le mal lui-même : elle est terme comparé avant d'être comparant :

---

(504) De même, les *Scènes de la vie militaire* sont restées inachevées.
(505) Cf. *supr.*, métaphores de maladie, p. 306.

> Ce n'est plus par la douleur que la maladie est définie, c'est comme maladie que la douleur est présentée [506].

Deux idées, qui reparaissent dans plusieurs passages, complètent cette conception : d'une part celle de la supériorité de la douleur morale sur la douleur physique, d'autre part celle de l'accoutumance à la douleur. Nous avons déjà signalé la première dans l'étude des métaphores de maladie à propos d'un passage du *Médecin de campagne* qui justifie le suicide comme choix de la volonté humaine en réponse à la douleur morale, de même que la brebis, « poussée par le tournis, se brise la tête contre un arbre [507] » sous l'effet de la douleur physique. La fin de *Splendeurs et Misères* reprend la même idée encore plus clairement :

> Entre la solitude et la torture il y a toute la différence de la maladie nerveuse à la maladie chirurgicale. C'est la souffrance multipliée par l'infini. Le corps touche à l'infini par le système nerveux... (V, 1064).

Paradoxalement si l'on veut, seule l'image de blessure physique est assez virulente pour traduire cette douleur morale qui la dépasse [508].

Quant à l'idée de l'accoutumance à la douleur, elle se greffe sur une autre théorie de Balzac, non moins importante que celle de la supériorité de la pensée sur l'acte. Déjà dans *La Maison du chat-qui-pelote*, reprenant le mot de Chamfort, « Dans ces grandes crises, le cœur se brise ou se bronze » (I, 68), il évoquait le caractère permanent de la première blessure qu'inflige la douleur morale. Décrivant une situation analogue — la première déception amoureuse chez la femme — il reprend ce thème dans une image de *Béatrix* :

> La douleur, de même que le plaisir, a son initiation. La première crise, comme celle à laquelle Sabine avait failli succomber, ne revient pas plus que ne reviennent les prémices en toute chose. C'est le premier coin de la question du cœur, les autres sont attendus, le brisement des nerfs est connu... (II, 562).

Mais c'est un passage de *La femme de trente ans* qui donne à cette théorie son expression la plus complète :

> La marquise souffrait véritablement pour la première et pour la seule fois de sa vie peut-être. En effet, ne serait-ce pas une erreur de croire que les sentiments se reproduisent ? Une fois éclos, n'existent-ils pas toujours au fond du cœur ? Ils s'y apaisent et s'y réveillent au gré des accidents de la vie ; mais ils y restent,

---

(506) Cf. Georges CANGUILHEM, *op. cit.*, p. 53. Cette page résume les thèses de Leriche sur la douleur, et la formule de Canguilhem s'applique excellement à la conception de la douleur que révèle la métaphore de blessure chez Balzac.

(507) VIII, 502. Cf. *supr.*, p. 291.

(508) Cf. F30, II, 777-778 : « Elle souffrait ou pensait. Or, qui prophétise plus sûrement la mort chez ces créatures en fleur ? est-ce la souffrance logée au corps, ou la pensée hâtive dévorant leurs âmes, à peine germées ? »

> et leur séjour modifie nécessairement l'âme. Ainsi, tout sentiment n'aurait qu'un grand jour, le jour plus ou moins long de sa première tempête. Ainsi, la douleur, le plus constant de nos sentiments, ne serait vive qu'à sa première irruption... (II, 739).

Il faut lire toute la page, qui est sans doute l'une des méditations les plus riches de *La Comédie humaine* sur « ces peines et beaucoup d'autres semblables [qui] sont, en quelque sorte, des coups, des blessures » *(ibid.)*. La blessure est permanente. Les sentiments « une fois éclos » existent « toujours au fond du cœur ». Cette idée n'est pas sans parenté avec la notion freudienne de *frayage*. Le frayage entraîne une diminution permanente de la résistance [509] (donc de la douleur, mais aussi de la force) et il est lié à une définition de la mémoire comme « aptitude [pour le tissu nerveux] à être altéré d'une manière durable par des événements qui ne se produisent qu'une fois ». « C'est parce que le frayage fracture, écrit Derrida, que, dans l'*Esquisse*, Freud reconnaît un privilège à la douleur. D'une certaine manière, il n'y a pas de frayage sans un commencement de douleur et " la douleur laisse derrière elle des frayages particulièrement riches " [510]. » De façon plus simpliste, la réflexion de Balzac met elle aussi l'accent sur le caractère concret de la blessure, et même, métaphoriquement, sur sa localisation physique, et c'est là l'important, qui nous ramène à l'idée de l'existence autonome et matérielle de la pensée.

La blessure morale entraîne la mort physique. Le déterminisme matérialiste qu'exprime inlassablement le contenu de toutes les métaphores physiologiques accorde à la pensée la suprématie sur l'action dans la dépense énergétique :

> La pensée est plus puissante que ne l'est le corps [écrit Balzac dans *Les Martyrs ignorés*], elle le mange, l'absorbe et le détruit ; la pensée est le plus violent de tous les agents de destruction, elle est le véritable ange exterminateur de l'humanité, qu'elle tue et vivifie, car elle vivifie et tue (MI, X, 1149).

Cette remarque associe exceptionnellement le potentiel créateur de la pensée, qui « vivifie et tue », à sa puissance destructrice, et nous rappelle que l'énergie peut être utilisée à des fins bénéfiques.

Un passage de la *Physiologie du mariage* développe une autre face de la même thèse, en mettant l'accent sur l'usure du désir :

> Buffon et quelques physiologistes prétendent que nos organes sont beaucoup plus fatigués par le désir que par les jouissances les plus vives. En effet, le désir ne constitue-t-il pas une sorte de possession intuitive ? N'est-il pas à l'action visible ce que les accidents de la vie intellectuelle dont nous jouissons pendant le sommeil sont aux événements de notre vie matérielle ? Cette

---

(509) Cf. Laplanche et Pontalis, p. 172.

(510) Freud, *Esquisse d'une psychologie scientifique*, 1895, cité et commenté par Derrida, *L'Ecriture et la différence*, *op. cit.*, p. 298 et 301.

> énergique *appréhension* des choses ne nécessite-t-elle pas un mouvement intérieur plus puissant que ne l'est celui du fait extérieur ? Si nos gestes ne sont que la manifestation d'actes accomplis déjà par notre pensée, jugez combien des désirs souvent répétés doivent consommer de fluides vitaux ? Mais les passions, qui ne sont que des masses de désirs, ne sillonnent-elles pas de leurs foudres les figures des ambitieux, des joueurs, et n'en usent-elles pas les corps avec une merveilleuse promptitude ? (X, 769).

« Vouloir nous brûle », dira plus succinctement l'antiquaire de *La Peau de chagrin*. Il est vrai qu'il ajoute « et pouvoir nous détruit », considérant ainsi les deux dépenses comme équivalentes. De toute façon, la combustion n'est qu'une autre forme de l'auto-destruction.

La pensée ne nous élève-t-elle au-dessus de l'existence physiologique que pour nous y faire retomber plus brutalement par l'usure du corps ? Les commentaires théoriques de Balzac se conjuguent avec le contenu des métaphores physiologiques pour aboutir à cette conclusion. Le phénomène d'intériorisation qui caractérise la maladie dans la théorie totalisante ; la fréquente virulence des métaphores d'autophagie et d'auto-agression ; et surtout la prédominance du point de vue actif dans toute la catégorie de l'agression reflètent la hiérarchie établie par Balzac entre la dépense des actes et la dépense du désir qui exige « un mouvement intérieur plus puissant que ne l'est celui du fait extérieur ».

« Je suis convaincu que la durée de la vie est en raison de la force que l'individu peut opposer à la pensée ; le point d'appui est le tempérament [511] », ajoute le texte des *Martyrs ignorés*. Cette remarque réintroduit l'éventualité d'une force vitale assez active pour neutraliser les forces de mort, mais qui ne se manifeste guère dans le contenu des métaphores physiologiques. Cette « volonté », dont la résistance tient peu de place à côté des ravages de la pensée, est à rapprocher des forces que, selon Freud, le moi peut opposer aux instincts hostiles dans son effort pour les maîtriser, et qui sont souvent tout aussi inadéquates que dans la vision balzacienne : même point de vue quantitatif, et même pessimisme chez les deux auteurs [512].

En mettant au premier plan le principe de la lutte, les métaphores des jeux et du patriarcat exprimaient un déterminisme au second degré qui se conciliait par moments avec l'illusion d'une certaine liberté. Mais la vision déterministe qui se dégage de certains aspects de la métaphore d'argent et de l'ensemble des métaphores physiologiques ne se prête pas à ces adoucissements, si minimes soient-ils. Ce n'est pas dans les catégories du réel que l'image ira puiser une vision plus exaltante. Les maux inhérents à l'état social et le développement biologique actuel de l'être humain mettent presque exclusivement en œuvre le potentiel destructif de la Pensée.

---

(511) MI, X, 1149.

(512) « Une fois de plus nous sommes confrontés à l'importance du facteur quantitatif, et une fois de plus nous constatons que l'analyse ne peut s'appuyer que sur des quantités définies et limitées d'énergie qui doivent être mesurées contre les forces hostiles. Et il semble qu'en général la victoire soit du côté des gros bataillons » (Freud, *Analysis Terminable and Interminable*, V, in *Complete Works*, *op. cit.*, t. 23, p. 240).

CONCLUSION

Chaque jour voit la publication d'une nouvelle étude sur la métaphore [1]. Toute conclusion théorique ne représente qu'un jalon dans les recherches actuelles.

Du moins en savons-nous davantage sur les rapports possibles entre l'image et la forme romanesque. Nous voyons mieux aussi les divers mécanismes mentaux qui sous-tendent métaphore, métonymie et synecdoque, et déterminent leur apparition, leur superposition et leur enchaînement, qu'elles renvoient au code culturel, au contexte ou à un référent extra-linguistique.

De là découle une conséquence théorique importante. Grâce à la fonction explicative de l'image, à l'ampleur de son développement et à la récurrence des mêmes catégories dans le roman, notre étude confirme l'appartenance de nombreuses métaphores du discours au langage psychanalytique et, plus généralement, l'identité des mécanismes associatifs mis en jeu dans ces deux modes d'expression. Nous avons vu que les associations par similarité, contiguïté et inclusion, et les processus de déplacement et de condensation qu'elles entraînent, sont communs à la structure interne de l'image dans le texte comme dans le rêve. Les métaphores d'argent et de nourriture, qui renvoient à un lieu physiologique, illustrent ce phénomène jusqu'à l'évidence, en rapprochant les catégories mêmes que l'inconscient associe et identifie : argent-phallus, nourriture-sexualité, d'autres encore. Le couple sado-masochiste se continue dans la complémentarité de l'arme et de la blessure. Ces associations ne sont particulières ni à Balzac, ni à la littérature. Elles se retrouvent dans d'autres systèmes de représentation, tels que mythologie ou arts visuels.

Un autre facteur, omniprésent, et qui trouve celui-ci un développement exceptionnel chez Balzac même en dehors du domaine physiologique, contribue à resserrer les liens entre le texte métaphorique et le point de vue psychanalytique : il s'agit de la théorie unitaire énergétique qui est exposée dans toute *La Comédie humaine*. La plupart des catégories d'images que nous avons étudiées finissent toujours par représenter l'énergie centralisatrice et ses ramifications dans la Pensée. C'est la métaphore monétaire qui analyse en détail le caractère quantitatif de cette énergie, mais le même point de vue économique informe également le contenu des autres caté-

---

(1) Citons au moins l'ouvrage de Paul Ricœur, *La métaphore vive* (Paris, Seuil, 1975), paru trop tard pour que nous puissions nous y référer.

gories. Balzac n'a pas inventé cette théorie. Elle a des sources anciennes et composites, comme l'a montré Moïse Le Yaouanc, et elle est défendue par les plus grands noms de la médecine du temps [2]. Mais *La Comédie humaine* en fournit une interprétation et une démonstration qui donnent une place à Balzac parmi les précurseurs de la conception freudienne de l'énergie psychique. Le rapprochement avec la psychanalyse répond à un principe interne de l'œuvre, qui déborde le champ de l'image.

L'expression du point de vue quantitatif assigne certaines particularités au problème de la métaphore dans *La Comédie humaine.* Tout d'abord, on se demande si l'image peut contribuer à l'élaboration du personnage en tant qu'identité définie. La réponse varie selon les catégories. Nous avons dit [3] que les multiples images auxquelles le nom d'un personnage sert de point de rencontre véhiculent des sèmes qui, ainsi rapprochés, ne constituent pas une totalité véritablement intégrée. A cela il est maintenant possible d'ajouter que le personnage est vu, du moins par le moyen de l'image, comme le *lieu* d'un conflit ou d'un échange *énergétiques.* En est-il toujours ainsi ? Seule, parmi les catégories retenues dans ce livre, la métaphore théâtrale aborde la question d'une conscience du moi, d'ailleurs sans la résoudre, puisqu'elle montre le sujet incertain de sa propre identité et de la nature du vrai. La métaphore de jeu, qui présuppose l'identification entre personnage et personne, est détournée vers une interprétation énergétique. Pourtant, il en va différemment des catégories que nous n'avons pas étudiées ici. La majeure partie de la métaphore religieuse, celle de l'expérience mystique et érotique, est consacrée à la genèse de la prise de conscience et à l'instauration (ou à la perte) du moi. D'autres catégories gravitent, en tout ou en partie, autour de la question de l'identité du sujet [4]. En fait, l'ensemble du texte métaphorique accorde une importance égale aux aspects quantitatif et qualitatif de la personnalité. Mais le point de vue économique monopolise presque entièrement le domaine des métaphores sociales et physiologiques, parce que celui-ci s'y prête, et parce que tel est le propos de Balzac.

En second lieu, ce principe unitaire qui régit le monde de Balzac cristallise en même temps une tension inhérente à la mise en œuvre de la métaphore dans *La Comédie humaine.* D'une part, la démarche métaphorique est atemporelle, du moins par tradition, et les catégories fondamentales utilisent le langage comme un moyen de créer une image de l'homme éternel : sous cet angle, la conception d'une énergie quantifiable et centralisatrice, dont la métaphore décrit l'économie, renvoie à l'idée d'une nature humaine immuable. D'autre part, une grande partie des métaphores décrit une société déterminée par le moment historique à laquelle elle appartient : certains critiques établissent une interdépendance absolue entre le thème de l'usure des forces tel qu'il découle de la théorie unitaire et le type de

---

(2) CABANIS et BROUSSAIS entre autres. Nous avons déjà signalé l'influence du second sur Balzac, *supr.*, p. 292. Cf. *Nosographie...*, *op. cit.*, p. 53-61 et 153-175.

(3) Cf. *supr.*, p. 94-95.

(4) Une partie des métaphores végétales et aquatiques, d'après nos analyses préliminaires, évoque, comme certaines métaphores religieuses, la fusion panthéiste du moi. La métaphore lumineuse, par contre, identifie étroitement lumière et énergie (cf. notre étude dans *RSH* 1966).

société que Balzac a entrepris de décrire. Pierre Barbéris fait sienne la remarque d'un « contemporain de Balzac », selon lequel « l'électrique et le galvanique chez l'auteur de *La Peau de chagrin* s'expliquaient par la société, par son rythme absurde et fou ». Et il trouve dans l'état social la raison du « vouloir-vivre auto-destructif [5] ».

L'étude des métaphores sociales et physiologiques apporte un certain renfort à ce point de vue, sans permettre de considérer l'univers de *La Comédie humaine* comme une simple réplique de la réalité contemporaine, ce que d'ailleurs Barbéris ne dit pas. On peut difficilement soutenir, en effet, que le bourgeois acquéreur de biens et l'aristocrate oisif ou ambitieux brûlent réellement plus d'énergie, sous la Monarchie de Juillet, que le serf attaché à sa glèbe (comme dirait Balzac) dans le système de production médiéval. La même remarque s'impose à propos d'un Rastignac ou d'une Mme Camusot tendus vers le succès, par rapport à leurs ancêtres littéraires en proie à la passion, et cela malgré les affirmations contraires de Balzac. D'ailleurs, Balzac lui-même ne limite pas toujours à la nouvelle société l'opposition plus vaste que, revenant à l'homme éternel, il établit entre les rapports sociaux qui consument et la vie retirée qui conserve. Cette opposition s'explique chez lui, dans les deux cas, par la thèse de la supériorité destructrice du désir sur l'acte.

Cela dit, il est juste de voir une corrélation entre les bouleversements contemporains et le « vouloir-vivre auto-destructif » de l'être balzacien, ce qui ne veut pas dire que les héros de *La Princesse de Clèves* ou de Racine ne soient pas eux aussi consumés par la passion. Nul besoin de postuler une parfaite correspondance référentielle entre l'univers de *La Comédie humaine* et la société de 1830. Mais l'analyse en termes énergétiques coïncide avec une conception de l'homme inscrite dans l'Histoire, dans sa rencontre avec le Balzac désirant cannibalique. Il est de fait que la théorie des conséquences délétères de la dépense intellectuelle et affective — de l'idée qui tue — est adoptée par la médecine contemporaine. Son extension à l'époque peut avoir plusieurs causes. L'une d'entre elles est certainement le progrès de la pensée matérialiste depuis deux siècles. Mais le texte métaphorique balzacien en propose une seconde, par la filiation qu'il établit entre l'avènement de l'argent, équivalent général qui agrandit démesurément le champ du désir, et la suprématie du désir sur l'acte comme consommateur d'énergie. La métaphore présente ainsi ce *type* d'économie, où prédominent les notions de quantification et de désir auto-destructeur, comme le produit des *types* de forces qui caractérisent l'époque. Cela n'implique pas que l'hypothèse énergétique soit moins recevable en d'autres temps : même s'il n'est pas possible en dernier ressort de définir la nature de l'énergie, elle représente un substrat irréductible. Mais elle connaît dans *La Comédie humaine* un développement unique, parce que son action non seulement destructrice, mais créatrice, peut refléter le fonctionnement de l'argent et de la spéculation.

Voilà qui n'éclaire qu'en partie la position ambiguë de la métaphore entre l'homme éternel et l'homme historique. Il est possible de la préciser quelque peu en examinant de plus près la signification de l'image, suivant

(5) *B., une mythologie réaliste*, *op. cit.*, p. 280, 279.

les domaines comparés. Dans la description de la lutte sociale, l'image établit une corrélation évidente entre les rapports de force et l'époque où ils se jouent. Ce point se vérifie jusque dans le groupe de la métaphore cannibalique consacré à l'argent, et cela malgré son caractère fortement physiologique. Nous avons étudié en détail, à propos des stéréotypes de situations sociales, le processus de « temporalisation » qui affecte le rapport de comparant à comparé. Ce processus est le même dans les autres catégories, mais il a une fonction moins critique dans la mesure où elles échappent plus facilement à la fixité du stéréotype. Cependant, cette corrélation exprimée par l'image entre le point de vue énergétique et le moment historique n'assigne pas automatiquement à l'état social la responsabilité de l'usure des forces. Nous avons vu au contraire que la métaphore tend parfois à faire de la « nature humaine » la cause première de la situation sociale, et que ce point de vue n'est pas en contradiction avec certaines des vues politiques exprimées par Balzac [6]. De même, sa vision historique et sa mythologie se situent dans le prolongement l'une de l'autre.

A plus forte raison, quand la métaphore montre le mécanisme de l'échange et de la combustion directement à l'œuvre dans les rapports inter- et intra-subjectifs, il n'y a aucune contradiction entre la démarche métaphorique généralisatrice et le domaine comparé. Au contraire, tous deux se conjuguent pour tracer le tableau d'une nature humaine où les seules déterminations sont biologiques, où les passions se jouent en champ clos et hors du temps : « La passion est toute l'humanité. Sans elle, la religion, l'histoire, le roman, l'art seraient inutiles [7] », dit Balzac.

En résumé, on trouve d'un côté des groupes entiers de métaphores qui ne séparent pas l'économie de l'existence du moment historique, tout en s'appuyant pourtant sur une infrastructure qui renvoie à une conception de l'homme éternel, de l'autre des groupes non moins importants qui renvoient directement à cette vision archétypale de l'humanité. On peut dire que le théâtre, le jeu et le patriarcat illustrent davantage le premier cas, et que les métaphores physiologiques se partagent à peu près entre les deux.

Quant aux catégories très importantes qui ne sont pas considérées dans cette étude, et qui reprennent inlassablement la question d'une conscience du moi, elles introduisent une perspective différente. En se plaçant à l'écart des contingences historiques, elles contribuent elles aussi à la définition d'un être atemporel. Mais, en exprimant un point de vue qualitatif, elles montrent également que cet être porte en lui son propre principe de développement.

La faculté d'évolution ainsi impartie au sujet au cœur même de la démarche atemporelle a pour homologue, dans toutes les catégories, la distance sémantique que Balzac cultive entre comparant et comparé, les dérivations nouvelles qu'il introduit et qui révèlent la même tentative pour dépasser les références familières. Nulle subversion dans cette entreprise, mais désir de progrès. Balzac n'anticipe pas Lautréamont. Chez lui, tout rapport nouveau, énoncé, s'éternise.

---

(6) Cf. *supr.*, situations sociales, p. 158-161, 193-195, et *passim.*

(7) *Avant-propos* de 1842, I, 12.

Pour le lecteur d'aujourd'hui, le texte métaphorique balzacien dessine avec une force étonnante les mythes d'une époque, dont certains sont encore ceux de notre époque, il éclaire des vérités qui paraissent fondamentales, il ébauche parfois des rapports nouveaux. S'il reflète la tension entre l'homme historique et l'homme éternel, il peut aussi, nous venons de l'indiquer, esquisser une synthèse entre eux. Rien d'étonnant à cela, puisque cette synthèse, Balzac l'a rêvée par ailleurs, et non pas dans l'homme social. En 1842, tout en affirmant que la société rend l'homme meilleur, il prétend toujours ne pas croire au progrès social. Mais, comme en 1832, il affirme sa croyance « aux progrès de l'homme sur lui-même » et il espère l'avènement de l'*être compréhensif*. Il croit que l'homme est « une créature finie, mais douée de facultés perfectibles », grâce à l'action de son *être intérieur*, qui s'exerce par les prodiges de la *volonté* — toujours l'énergie [8]. Le présent est sombre, mais Balzac ne renonce pas à l'espérance que recèle l'hypothèse évolutionniste. Si la pensée tue, elle vivifie aussi. Autrement dit, le devenir de l'homme n'est pas social, il est biologique.

Chez Balzac, sans fin l'être doit se créer. La métaphore définit une nature, en approfondit la connaissance, participe à son progrès.

---

(8) *Avant-propos*, I, 12 ; *Lettre à Charles Nodier* (1832), in *Œuvres complètes*, Calmann Lévy, t. XX, p. 563 et 559. Cf. le commentaire de Pierre Barbéris *in Balzac et le mal du siècle*, Gallimard, 1970, t. II, p. 1747-1758, et Arlette Michel, « Balzac et " la logique du vivant " », *AB 1972*, p. 224-237.

BIBLIOGRAPHIE

I. ŒUVRES DE BALZAC

Œuvres complètes.

Œuvres complètes de Honoré de Balzac, texte révisé et annoté par Marcel Bouteron et Henri Longnon, Paris, Louis Conard, 1912-1940, 40 vol.

L'Œuvre de Balzac, publiée sous la direction d'Albert Béguin et de Jean-A. Ducourneau, Paris, le Club Français du Livre, 1949-1953, 16 vol.

Œuvres complètes de Balzac, Edition nouvelle établie par la Société des études balzaciennes [sous la direction de Maurice Bardèche], Paris, Club de l'Honnête Homme, 1956-1963, 28 vol.

Œuvres complètes illustrées, publiées sous la direction de Jean-A. Ducourneau, Paris, Les Bibliophiles de l'Originale, 1967-1974, 25 vol. parus.

La Comédie humaine.

La Comédie humaine, texte établi et préfacé par Marcel Bouteron, Paris, Gallimard (Bibliothèque de la Pléiade), 1956-1959, 11 vol.

La Comédie humaine, Préface de Pierre-Georges Castex, Présentation et notes de Pierre Citron, Paris, Seuil (Coll. l'Intégrale), 1965-1966, 7 vol.

Correspondance.

Correspondance, éd. Roger Pierrot, Paris, Garnier, 1960-1968, 5 vol.

Lettres à Madame Hanska, éd. Roger Pierrot, Paris, Bibliophiles de l'Originale, 1967-1971, 4 vol.

Editions séparées et éditions critiques.

Voir ci-après aux noms de MM. Adam, Allem, Mme Bérard, MM. Bertault, Bouteron, Castex, Citron, Donnard, Gauthier, Germain, Laubriet, Le Yaouanc, Milner, Picard, Pommier et Regard.

Œuvres de jeunesse, éd. Bibliophile de l'Originale, Paris, 1965, 15 vol. *(Jean-Louis, L'Héritière de Birague, Le Vicaire des Ardennes, Clotilde de Lusignan, La dernière fée, Annette et le criminel, Wann-Chlore).*

II. Ouvrages cités ou consultés

ABRAHAM, Pierre, *Créatures chez Balzac*, Paris, Gallimard, 1931.

ADAM, Antoine, Ed. crit. Balzac :
Illusions perdues, Paris, Garnier, 1956.
Splendeurs et misères des courtisanes, Paris, Garnier, 1958.

ADANK, Hans, *Essai sur les fondements psychologiques et linguistiques de la métaphore affective*, Genève, 1939.

ALLEM, Maurice, Ed. crit. Balzac : *La Peau de chagrin*, Paris, Garnier, 1967.

ALLEMAND, André, *Unité et structure de l'univers balzacien*, Paris, Plon, 1965.

AMAR, Marisol, « Le néologisme de type hapax chez Balzac », *L'Année balzacienne 1972*, p. 339-345.

L'Année balzacienne [*AB*] *1960-1974*, Paris, Garnier.

ANTOINE, Gérald, « Pour une méthode d'analyse stylistique des images », *Actes* du VIIIe Congrès de la Fédération internationale de langues et littératures modernes [FILLM], Liège, 1961.

AUERBACH, Erich, *Mimesis*, trad. angl., Doubleday Anchor Books, New York, 1953.

BALDENSPERGER, Fernand, *Orientations étrangères chez Honoré de Balzac*, Paris, Champion, 1927.
« Une suggestion anglaise pour le titre de la *Comédie humaine* », *Revue de Littérature Comparée*, oct.-déc. 1921.

BARBÉRIS, Pierre, *Aux sources de Balzac. Les romans de jeunesse*, Paris, les Bibliophiles de l'Originale, 1965.
Balzac et le mal du siècle, Paris, Gallimard, 1970, 2 vol.
Balzac. Une mythologie réaliste, Paris, Larousse, 1971.
Le Monde de Balzac, Paris, Arthaud, 1973.
Mythes balzaciens, Paris, Armand Colin, 1972.

BARDÈCHE, Maurice, *Balzac romancier. La formation de l'art du roman chez Balzac jusqu'à la publication du Père Goriot (1820-1835)*, Paris, Plon, 1940.
Une lecture de Balzac, Paris, les Sept couleurs, 1964.

BARTHES, Roland, *Mythologies*, Paris, Seuil, 1957.
Sur Racine, Paris, Seuil, 1963.
Système de la mode, Paris, Seuil, 1967.
S/Z, Paris, Seuil, 1970.

BÉGUIN, Albert, *Balzac visionnaire*, Genève, Skira, 1945 ; réimprimé dans *Balzac lu et relu*, Paris, Seuil, 1965.

BENVENISTE, Emile, *Problèmes de linguistique générale*, t. I, Paris, Gallimard, 1966.

BÉRARD, Suzanne, *La Genèse d'un roman de Balzac : « Illusions perdues »*, Paris, Armand Colin, 1961, 2 vol.

« Une énigme balzacienne : la *spécialité* », *L'Année balzacienne 1965*, p. 61-82.

BILODEAU, François, *Balzac et le jeu de mots*, Montréal, les Presses de l'Université, 1971.

BLACK, Max, *Models and Metaphors*, Cornell University Press, 1962.

BOISTE, P. C. B., *Dictionnaire universel de la langue française*, 8e éd. revue par Charles Nodier, Paris, 1834.

BOULOISEAU, Marc, voir *Histoire générale des civilisations.*

BOUTERON, Marcel, Ed. crit. : *Louis Lambert* (avec Jean Pommier), t. I, Paris, Corti, 1954.

BOUVEROT, Danièle, « Comparaison et métaphore », *Le Français moderne*, 1969.

BOUVIER-AJAM, Maurice, « Les Opérations financières dans *La Maison Nucingen* », *Europe*, jan.-fév. 1965, p. 28-51.

BRETON, André, *Manifestes du Surréalisme*, Paris, Pauvert, 1962.

BROOKE-ROSE, Christine, *A Grammar of Metaphor*, London, 1958.

BROOKS, Peter, « Virtue Tripping : Note on *Le Lys dans la vallée* », *Yale French Studies, Intoxication and Literature*, 1974, p. 150-162.

BROUSSAIS, *De l'irritation et de la folie*, Paris, 1828.

BROWN, Norman, *Life Against Death* (titre français *Eros et Thanatos*), New York, Vintage Books, 1959.

BRUNOT, Ferdinand, *Histoire de la langue française*, t. XII, *L'Epoque romantique*, par Charles Bruneau, Paris, Armand Colin, 1948.

BURTON, J. M., *H. de Balzac and His Figures of Speech*, Princeton, 1921.

CAILLOIS, Roger, *Les jeux et les hommes*, Paris, Gallimard, « Idées », 1958.

CANGUILHEM, Georges, *Essai sur quelques problèmes concernant le normal et le pathologique*, Publications de la Faculté des Lettres de l'Université de Strasbourg, Clermont-Ferrand, 1943.

CASTEX, Pierre-Georges, « L'Ascension de M. Grandet », *Europe*, jan.-fév. 1965.

« Aux sources d'*Eugénie Grandet* », *Revue d'Histoire Littéraire de la France*, jan.-mars 1964.

« Balzac et Charles Nodier », *L'Année balzacienne 1962.*

Le Conte fantastique en France de Nodier à Maupassant, Paris, Corti, 1951.

Nouvelles et Contes de Balzac (Cours de Sorbonne), Paris, C.D.U., 1961, 2 fasc.

« Quelques aspects du fantastique balzacien », *Balzac. Le Livre du Centenaire*, Paris, Flammarion, 1952.

« Scrupules et défaillances du réalisme balzacien », *Etudes balzaciennes*, nouvelle série, mars 1960, nº 10, p. 395-403.

— Ed. crit. Balzac :

Le Cabinet des Antiques, Paris, Garnier, 1958.

Honoré de Balzac, Falthurne. Manuscrit de l'abbé Savonati, traduit de l'italien par M. Matricante, instituteur primaire, texte inédit, établi et présenté par P.-G. Castex, Paris, Corti, 1950.

Eugénie Grandet, Paris, Garnier, 1965.

Histoire des Treize, Paris, Garnier, 1956.

La Maison du chat-qui-pelote, La Vendetta, La Bourse, Paris, Garnier, 1961.

Le Père Goriot, Paris, Garnier, 1960.

La vieille fille, Paris, Garnier, 1957.

CHAMBERS, Ross, « L'Art sublime du comédien, ou le regardant et le regardé : autour d'un mythe baudelairien », *Saggi e ricerche di letteratura francese*, vol. XI, 1971, p. 191-260.

CHANCEREL, André, « Quelle année vit naître le titre de *La Comédie humaine* ? », *Revue d'Histoire Littéraire de la France*, oct.-déc. 1952.

CHEVALIER, Jean, *Dictionnaire des symboles*, Paris, PUF, 1969.

CHEVALIER, Louis, « *La Comédie humaine*, document d'histoire ? », *Revue historique*, juil.-sept. 1964, t. CCXXXII, p. 27-48.

CIRLOT, J. E., *Dictionary of Symbols*, trad. de l'espagnol, Philosophical Library, New York, 1962.

CITRON, Pierre, Ed. crit., introduction et notes : *La Comédie humaine*, coll. l'Intégrale, Paris, Seuil, 1965-1966, 7 vol.

« Du nouveau sur le titre de *La Comédie humaine* », *Revue d'Histoire littéraire de la France*, 1959, p. 91-93.

La Poésie de Paris de Rousseau à Baudelaire, Paris, Editions de Minuit, 1961, 2 vol.

« Sur deux zones obscures de la psychologie de Balzac », *Année balzacienne 1967*, p. 3-27.

COHEN, Jean, « Poétique de la comparaison : essai de systématique », *Langages*, Didier-Larousse, déc. 1968.

Structure du langage poétique, Paris, Flammarion, 1966.

« Théorie de la figure », *Communications* nº 16, 1970, p. 3-25.

CONNER, Wayne, « Les titres de Balzac », *Cahiers de l'Association internationale des Etudes françaises*, nº 15, 1963, p. 283-294.

CURTIUS, Ernst Robert, *Balzac*, trad. de Henri Jourdan, Paris, Grasset, 1933.

La Littérature européenne et le moyen-âge latin, trad. Ed. de Places, Paris, PUF, 1956.

DAGNEAUD, Robert, *Les Eléments populaires dans le lexique de « La Comédie humaine »*, Thèse pour le Doctorat-ès-lettres présentée à la Faculté des Lettres de l'Université de Paris, 1954.

DAILLANT DE LA TOUCHE, *Abrégé des ouvrages d'Emmanuel Swedenborg*, Stockholm et Strasbourg, Treuttel, 1788.

DELATTRE, Geneviève, *Les opinions littéraires de Balzac*, Paris, PUF, 1961.

DELÉCLUZE, E. J., *Souvenirs de soixante années*, Paris, Michel Lévy, 1862.

DERRIDA, Jacques, *De la grammatologie*, Paris, Editions de Minuit, 1967.
L'Ecriture et la différence, Paris, Seuil, 1967.

DIDEROT, Denis, *Paradoxe sur le comédien*, in *Œuvres esthétiques*, éd. Vernière, Paris, Garnier.

DIEL, Paul, *Le Symbolisme dans la mythologie grecque*, Payot, Paris, 1952.

DONNARD, Jean-Hervé, *Les Réalités économiques et sociales dans « La Comédie humaine »*, Paris, Armand Colin, 1961.

DUBOIS, Jacques *et al.*, *Rhétorique générale*, Paris, Larousse, 1970.

DUCROT, Oswald et TODOROV, Tzvetan, *Dictionnaire encyclopédique des sciences du langage*, Paris, Seuil, 1972.

DUCHET, Claude, « *La fille abandonnée* et *La bête humaine*, éléments de titrologie romanesque », *Littérature*, nº 12, déc. 1973.

DUMARSAIS, *Les Tropes*, Genève, Slatkine Reprints, 1967, intr. de Gérard Genette (1re éd. 1730).

DURAND, Gilbert, *L'Imagination symbolique*, Paris, PUF, 1964.
Les Structures anthropologiques de l'imaginaire, Paris, PUF, 1963.

DURRY, Marie-Jeanne, « A propos de la *Comédie humaine* », *Revue d'Histoire littéraire de la France*, jan.-mars 1936, p. 96-98.

ECO, Umberto, « Sémantique de la métaphore », *Tel Quel*, nº 55, automne 1973, p. 25-46.

ÉLIADE, Mircéa, *Images et symboles*, Paris, Gallimard, 1952.
Le Sacré et le profane, Paris, Gallimard, « Idées », 1965.

ENCYCLOPÉDIE (L'), art. *Comparaison* (Marmontel), *Métaphore* (Beauzée-Dumarsais), *Métonymie* (Dumarsais), *Synecdoque* (Dumarsais, commentaire de Beauzée).

ERHMANN, Jacques, « L'homme en jeu », *Critique*, juil. 1969.

EVANS, Henri, « A propos de *Louis Lambert*. Un illuminé lu par Balzac : Guillaume Œgger », *Revue des Sciences humaines*, janv.-juin 1950, p. 37-48.
Louis Lambert et la philosophie de Balzac, Paris, Corti, 1951.

FARGEAUD, Madeleine, *Balzac et la Recherche de l'Absolu*, Paris, Hachette, 1968.

FERENCZI, Sandor, *Thalassa. Psychanalyse des origines de la vie sexuelle*, Paris, Payot, 1969 (1re éd. 1924).

FESS, G.-M., *Correspondence of Physical and Material Factors With Characters in Balzac*, Philadelphie, 1924.

FONTANIER, Pierre, *Les Figures du discours*, intr. de Gérard Genette, Paris, Flammarion, 1968 (1re éd. 1821-1827).

FORTASSIER, Rose, *Les Mondains de la « Comédie humaine »*, Paris, Klincksieck, 1974.

« Un procédé cher à Balzac ou le jeu des analogies », *Année balzacienne 1970*, p. 307-315.

FOUCAULT, Michel, *Folie et déraison. Histoire de la folie à l'âge classique*, Paris, Plon, 1961.

Les Mots et les choses, Paris, Gallimard, 1966.

FRAPPIER-MAZUR, Lucienne, « Balzac et l'androgyne. Personnages, symboles et métaphores androgynes dans *La Comédie humaine* », *Année balzacienne 1973*, p. 253-277.

« Balzac et les images reparaissantes : Lumière et flamme dans *La Comédie humaine* », *Revue des Sciences humaines*, janv.-mars 1966, p. 45-80.

« Espace et regard dans *La Comédie humaine* », *Année balzacienne 1967*, p. 325-338.

« Les métaphores de jeu dans *La Comédie humaine* », *Année balzacienne 1969*, p. 31-45.

« La métaphore théâtrale dans *La Comédie humaine* », *Revue d'Histoire littéraire de la France*, janv.-fév. 1970, p. 64-89.

FREUD, Sigmund, *Au-delà du principe du plaisir*, in *Essais de psychanalyse*, Paris, Payot, 1963.

Collected Papers, éd. J. Rivière et J. Strachey, 5 vol. (International Psycho-Analytical Library, n° 7-10, 37), New York, London, The International Psycho-Analytical Press, 1924-1950.

Complete Psychological Works, Standard Edition, London, The Hogarth Press, 1953-1966, 24 vol. (Volumes consultés : vol. 17 : *From the History of an Infantile Neurosis* ; vol. 23 : *Analysis Terminable and Interminable*).

Esquisse d'une psychologie scientifique (1895), in *La naissance de la psychanalyse, lettres à Wilhelm Fliess, notes et plans*, Paris, PUF, 1956, p. 307-396.

L'interprétation des rêves, Paris, PUF, 1967.

Trois essais sur la théorie de la sexualité, Paris, Gallimard, « Idées », 1923.

GARY-PRIEUR, Marie-Noëlle, « La notion de connotation (s), *Littérature*, n° 4, déc. 1971, p. 96-107.

GAUTHIER, Henri, « La Dissertation sur l'homme » (texte établi par), *Année balzacienne 1968*, p. 61-93. Commentaire, p. 94-103.

GENAILLE, Jeanne, « Pouvoir d'un prénom, Théodore », *Année balzacienne 1972*, p. 386-392.

GENETTE, Gérard, « Avatars du cratylisme : I. Peinture et dérivation ; II. L'idéogramme généralisé ; III. Langue organique, langue poétique », *Poétique*, n° 11, 1972, n° 13 et n° 15, 1973.

« L'éponymie du nom », *Critique*, n° 307, déc. 1972.
Figures, Paris, Seuil, 1966.
Figures II, Paris, Seuil, 1969.
Figures III, Paris, Seuil, 1972.
« Métonymie chez Proust », *Poétique* n° 2, avr. 1970 (repris dans *Figures III*).
« La rhétorique restreinte », *Communications*, n° 16, 1970 (repris dans *Figures III*).
Voir à Dumarsais et Fontanier.

GERMAIN, François, Ed. crit. : *L'enfant maudit*, Paris, PUF, 1965.

GOLDMANN, Lucien, *Pour une sociologie du roman*, Gallimard, « Idées », 1964.

GOUX, Jean-Joseph, *Freud, Marx. Economie et symbolique*, Paris, Seuil, 1973.

GRANDVILLE, *Les fleurs animées*, Paris, 1846.

GREEN, André, « Cannibalisme : réalité ou fantasme agi », *Nouvelle Revue de Psychanalyse*, n° 6, *Destins du cannibalisme*, automne 1972, p. 27-52.

GREIMAS, A. J., *Sémantique structurale*, Paris, Larousse, 1966.

GUIRAUD, Pierre, *Les caractères statistiques du vocabulaire*, Paris, PUF, 1954.
Essais de Stylistique, Paris, Klincksieck, 1969.
— et KUENTZ, Pierre, *La Stylistique, Lectures*, Paris, Klincksieck, 1970.

GUYON, Bernard, *La Création littéraire chez Balzac. La Genèse du Médecin de campagne*, Paris, Armand Colin, 1951.
La Pensée politique et sociale de Balzac, Paris, Armand Colin, 1947.
Ed. crit. : *Un inédit de Balzac : Le Catéchisme social précédé de l'article « Du gouvernement moderne »*, Paris, La Renaissance du Livre, 1933.

HATZFELD, Helmut, *Bibliografia Critica de la nueva estilistica (1900-1955)*, Biblioteca Romanica Hispanica, Editorial Gredos, Madrid, 1955.
A Critical Bibliography of the New Stylistics Applied to the Romance Languages (1953-1965), Chapel Hill, University of North Carolina Press, 1966.
— et LE HIR (Yves), *Essai de bibliographie critique de stylistique française et romane (1955-1960)*, Paris, PUF, 1961.

HEMMINGS, F. W. J., « Balzac's "Les Chouans" and Stendhal's "De l'Amour" » : voir Hunt, *B. and the Nineteenth Century.*

HENRY, Albert, *Métonymie et métaphore*, Paris, Klincksieck, 1971.

Histoire générale des civilisations, Paris, PUF :
T. V, *Le XVIIIe siècle (1715-1815)*, par Roland MOUSNIER et Ernest LABROUSSE, avec la collaboration de Marc BOULOISEAU, 3e éd., 1959.
T. VI, *Le XIXe siècle (1815-1914)*, par Robert SCHNERB, 3e éd., 1961.

HOFFMANN, Léon-François, « Balzac et les Noirs », *Année balzacienne 1966*, p. 297-308.
« Eros en filigrane », *Année balzacienne 1967*, p. 89-105.
« Les métaphores animales dans *Le Père Goriot* », *Année balzacienne 1963*, p. 91-105.

« Mignonne et Paquita », *Année balzacienne 1964*, p. 181-186.
Répertoire géographique de la « Comédie humaine », Paris, Corti : T. I. *L'Etranger*, 1965 ; T. II, *La Province*, 1968.

HUBERT, H. Voir MAUSS.

HUGO, Victor, *William Shakespeare*, in *Œuvres complètes*, 45 vol., Paris, Albin Michel, éd. Ollendorf.

HUIZENGA, J., *Homo Ludens*, Paris, 1951 (1re publication 1938).

HUNT, Herbert J., *Balzac's Comédie humaine*, University of London, The Athlone Press, 1959.
(In honour of —), *Balzac and the Nineteenth Century*, Ed. by D. G. CHARLTON, Jean GAUDON and Anthony R. PUGH, Leicester University Press, 1972.

JAKOBSON, Roman, *Essais de linguistique générale*, Paris, Seuil, 1963.

KLEIN, Mélanie, *Envy and Gratitude*, Basic Books Inc., New York, 1957.
Essais de psychanalyse, Paris, Payot, 1967.
Our Adult World and its Roots in Infancy, Basic Books Inc., New York, 1963.

KOFMAN, Sarah, *Nietzsche et la métaphore*, Paris, Payot, 1972.

KONRAD, Hennig, *Etude sur la métaphore*, Paris, Vrin, 1958.

KUENTZ, Pierre, voir GUIRAUD, Pierre.

LABROUSSE, Ernest, voir *Histoire générale des civilisations.*

LACAN, Jacques, *Ecrits I*, Paris, Seuil, « Points », 1966.

LALANDE, Bernard, « Les états successifs d'une nouvelle de Balzac : *Gobseck* », *Revue d'Histoire littéraire de la France*, 1939 et 1947.

LAMM, Martin, *Swedenborg*, trad. franç., Paris, Stock, 1936.

LAPLANCHE, Jean, *Vie et mort en psychanalyse*, Paris, Flammarion, 1970.
— et PONTALIS, J.-B., *Vocabulaire de la psychanalyse*, Paris, PUF, 1967.

LARTHOMAS, Pierre, « Sur une image de Balzac », *Année balzacienne 1973*, p. 301-326.

LAUBRIET, Pierre, *L'Intelligence de l'art chez Balzac*, Paris, Didier, 1961.

LAVATER, *L'Art de connaître les hommes par la physionomie...* Nouvelle édition... augmentée des recherches ou des opinions de La Chambre, de Porta, de Campes, de Gall, sur la physionomie d'une histoire anatomique et physiologique de la face, etc., par M. Moreau (de la Sarthe)..., Paris, Depélafol, 1820, 10 tomes en 5 vol.

LE GUERN, Michel, *Sémantique de la métaphore et de la métonymie*, Paris, Larousse, 1973.

LEHTONEN, Maija, *L'Expression imagée dans l'œuvre de Chateaubriand*, Helsinki, 1964.

LE HIR, Yves, voir HATZFELD.

LEVIN, Harry, *The Gates of Horn*, New York, Galaxy, 1966 (1re éd. 1963).

LEVIN, S. R., *Linguistic Structure in Poetry*, S. Gravenhague, *Humanities*, 1962.

LE YAOUANC, Moïse, « Autour de *Louis Lambert* », *Revue d'Histoire littéraire de la France*, oct.-déc. 1956, p. 516-634.

Ed. crit. : *Le Lys dans la vallée*, Paris, Garnier, 1966.

Nosographie de l'humanité balzacienne, Paris, L. Maloine, 1959.

LOCK, Peter, « Hoarders and Spendthrifts in *La Comédie humaine* », *Modern Language Review*, janv. 1966, p. 29-41.

LOTRINGER, Sylvère, « Mesure de la démesure », *Poétique*, nº 12, 1972, p. 486-494.

LOVEJOY, Arthur, *The Great Chain of Being*, Harper, New York, 1965 (1re éd. 1936).

LOVENJOUL, Charles Spoelberch, Vicomte de, *Histoire des œuvres de H. de Balzac*, 2e éd., Paris, Calmann-Lévy, 1886.

LUKACS, Georg, *Balzac et le réalisme français*, Paris, Maspéro, 1967.

MACHEREY, Pierre, *Pour une théorie de la production littéraire*, Paris, Maspéro, 1966.

MANNONI, O., *Clefs pour l'imaginaire*, Paris, Seuil, 1969.

MARX, Karl, *Le Capital*, Paris, Garnier-Flammarion, 1969, éd. Louis Althusser.

Fondements de la critique de l'économie politique, Paris, Anthropos, 1967.

MATORÉ, Georges, *La méthode en lexicologie*, Paris, Didier, 1953.

MAURON, Charles, *Des métaphores obsédantes au mythe personnel. Introduction à la psychocritique*, Paris, Corti, 1963.

MAUSS, Marcel, *Manuel d'ethnographie*, Paris, Payot, 1947.

— et HUBERT, *Sacrifice : Its Nature and Function*, trad. de W. D. HALLS, Chicago, University of Chicago Press, 1964 (titre français : « Essai sur la nature et la fonction du sacrifice », *L'Année sociologique*, 1898).

Sociologie et anthropologie, Paris, PUF, 1950.

MAUZI, Robert, « Ecrivains et moralistes du XVIIIe siècle devant les jeux de hasard », *Revue des Sciences humaines*, avr.-juin 1958, p. 219-256.

MENDELSON, David, « Balzac et les échecs », *Année balzacienne 1971*, p. 11-36.

MERCIER, L. S., *Tableau de Paris*, t. VIII, Amsterdam, 1782-1788, 12 vol.

MESCHONNIC, Henri, *Pour la poétique*, t. I et II, Paris, Gallimard, 1970 et 1973.

MESPOULET, Marguerite, *Images et romans. Parenté des estampes et du roman réaliste de 1815 à 1865*, Paris, « Les Belles Lettres », 1938.

MICHEL, Arlette, « Balzac et la " logique du vivant " », *Année balzacienne 1972*, p. 224-237.

MILNER, Max, *Le diable dans la littérature française de Cazotte à Baudelaire*, Paris, Corti, 1960.
Ed. crit. : *Massimilla Doni*, Paris, Corti, 1964.
« La poésie du mal chez Balzac », *Année balzacienne 1963*, p. 321-334.
« Le sens " psychique " de *Massimilla Doni* et la conception balzacienne de l'âme », *Année balzacienne 1966*, p. 157-169.

MITTERAND, Henri, « A propos du style de Balzac », *Europe*, janv.-fév. 1965, p. 145-161.

MOLINO, Jean, « La connotation », *La Linguistique I*, Paris, PUF, 1971, nº 7, p. 5-30.

MOREAU, Pierre, *Amours romantiques*, Paris, Hachette, 1963.
Ames et thèmes romantiques, Paris, Corti, 1965.
Le Romantisme, Paris, Del Duca, 1957.

MOUSNIER, Roland : voir *Histoire générale des civilisations.*

MULLER, Charles, *Initiation à la linguistique statistique*, Paris, Larousse, 1968.

NAUMANN, Walter, « Hunger und Durst als Metaphern bei Dante », *Romanische Forschungen*, 1940, p. 13-36.

NODIER, Charles, « De la palingénésie humaine », *La Revue de Paris*, 1832, t. XXXVIII.
Dictionnaire raisonné des onomatopées françaises, Paris, 1808.
Voir BOISTE.

NYKROG, Per, *La Pensée de Balzac dans « La Comédie humaine »*, Copenhague, 1965.

ŒGGER, J. G. E., *Essai d'un dictionnaire de la langue de la nature, ou Explication de huit cents images hiéroglyphiques...*, Paris, Delaunay, 1831.
Le vrai Messie, ou l'Ancien et le Nouveau Testaments examinés d'après les principes de la langue de la nature..., Paris, F. Locquin, 1829.

PASCHE, Francis, « La métapsychologie balzacienne », in *Entretiens sur l'art et la psychanalyse*, La Haye, Mouton, 1968, s. la dir. d'A. Berge *et al.*

PECKHAM, Morse, « Metaphor : A Little Plain Speaking on a Weary Subject », *Connotation I*, 1962, II, p. 29-46.

PICARD, Raymond, Ed. crit. : *Les Petits Bourgeois*, Paris, Garnier, 1960.

POMMIER, Jean, « Comment Balzac a nommé ses personnages », in *Cahiers de l'Association internationale des Etudes françaises*, juil. 1953.
« Le Créateur », *Balzac. Le Livre du Centenaire*, Paris, Flammarion, 1952.
Créations en littérature, Paris, Hachette, 1955.
« Deux moments dans la genèse de *Louis Lambert* », *Année balzacienne 1960.*
« Genèse du premier *Louis Lambert* », *Revue d'Histoire littéraire de la France*, oct.-déc. 1953.

L'Invention et l'écriture dans « La Torpille » d'Honoré de Balzac, avec le texte inédit du manuscrit original, Genève, Droz, et Paris, Minard, 1957.
Ed. crit. : *L'Eglise,* Paris, Droz, 1947.
Louis Lambert (avec M. BOUTERON), t. I, Paris, Corti, 1954.

PONCIN-BAR, Geneviève, « La vision fantastique des personnages dans *La Comédie humaine* », *Année balzacienne 1973*, p. 279-299.

PONTALIS, J.-B. : Voir LAPLANCHE.

POUILLON, Jean, « Manières de table, manières de lit », *Nouvelle Revue de Psychanalyse,* nº 6, *Destins du Cannibalisme,* automne 1972, p. 9-25.

POULET, Georges, *Etudes sur le temps humain,* Paris, Plon, 1950 ; II. *La Distance intérieure,* Plon, 1952.
Les Métamorphoses du cercle, Paris, Plon, 1961.

PROPP, Vladimir, *Morphologie du conte,* Paris, Seuil, 1970.

PROUST, Marcel, *Contre Sainte-Beuve,* Paris, Gallimard, « Idées », 1954.

RASER, George B., *A Guide to Balzac's Paris,* Union College-Schenectady, New York, 1962.

REBOUL, Jeanne, « Balzac et la " vestignomonie " », *Revue d'Histoire littéraire de la France,* 1950, p. 210-233.

REGARD, Maurice, Ed. crit. : *Béatrix,* Paris, Garnier, 1960.
Les Chouans, Paris, Garnier, 1957.
L'Envers de l'histoire contemporaine, Paris, Garnier, 1959.
Gambara, Paris, Corti, 1964.
Physiologie du mariage, Paris, Garnier-Flammarion, 1968.

RICHARD, Jean-Pierre, *Etudes sur le Romantisme,* Paris, Seuil, 1971.

RICHARDS, I. A., *The Philosophy of Rhetoric,* New York, 1936.

RICŒUR, Paul, *Le Conflit des interprétations,* Paris, Seuil, 1969.
La métaphore vive, Paris, Seuil, 1975.

RIFFATERRE, Michael, « Dynamisme des mots : les poèmes en prose de Julien Gracq », *L'Herne,* nº 20, 1973.
Essais de stylistique structurale, Paris, Flammarion, 1971.
« La métaphore filée dans la poésie surréaliste », *Langue française,* nº 3, 1969.
« Modèles de la phrase littéraire », in *Problèmes de l'analyse textuelle,* Ottawa, Didier, 1971.
« Le poème comme représentation », *Poétique* nº 4, 1970.
« Système d'un genre descriptif », *Poétique* nº 9, 1972.

ROQUES, Mario, « La langue de Balzac », in *Le Livre du Centenaire,* Paris, Flammarion, 1952.

ROUSSET, Jean, *L'Intérieur et l'extérieur,* Paris, Corti, 1968.

ROYCE, W. H., *A Balzac bibliography*, Chicago, University of Chicago Press, 1929-1930, 2 vol.

SAINTE-BEUVE, Charles-Augustin, *Causeries du lundi*, « M. de Balzac », Garnier frères, 12 vol.

SCHNERB, Robert : voir *Histoire générale des civilisations.*

SIGERIST, Henry E., *Civilisation and Disease*, Phœnix Science Series, University of Chicago Press, 1962, 1943 by Cornell University.

STAROBINSKI, Jean, « Les anagrammes de Ferdinand de Saussure », *Mercure de France*, fév. 1964.

Les mots sous les mots, Paris, Gallimard, 1971.

STEINMETZ, Jean-Luc, « L'Eau dans *La Comédie humaine* », *Année balzacienne 1969*, p. 3-29.

STENDHAL, *Histoire de la peinture en Italie*, 1817.

De l'Amour, 1822.

SWEDENBORG, Emmanuel, *Abrégé des principaux points de doctrine de la vraie religion chrétienne*, d'après les écrits de Swedenborg, par Robert Hindmarsch, Paris, Treuttel et Würtz, 1820.

Du Ciel et de ses merveilles, et de l'enfer, d'après ce qui y a été entendu et vu..., trad. du latin par J. P. Moët..., et publié par un ami de la vérité, J. A. T. (Tulk), Bruxelles, impr. de J. Maubach, 1819.

Swedenborg Concordance, par John Faulkner Potts, London, Swedenborg Society, 1890.

TODOROV, Tzvetan, « Les anomalies sémantiques », *Langages* n° 1, mars 1966.

Introduction à la littérature fantastique, Paris, Seuil, 1970.

« Introduction à la symbolique », *Poétique* n° 11, 1972.

Poétique (Qu'est-ce que le structuralisme ?), Paris, Seuil, « Points », 1973.

« Synecdoques », *Communications*, n° 16, p. 26-35, 1970.

Voir DUCROT.

UITTI, Karl, *Linguistics and Literary History*, Princeton University Press, 1969.

ULLMANN, Stephen, *The Image in the Modern French Novel*, New York, 1963.

« L'Image littéraire. Quelques questions de méthode », *Langue et Littérature. Actes* du VIIIe Congrès de la Fédération Internationale de Langues et Littératures modernes, Liège, 1961.

VANNIER, Bernard, *L'Inscription du corps. Pour une sémiotique du portrait balzacien*, Paris, Klincksieck, 1972.

VIATTE, Auguste, *Les Sources occultes du romantisme*, Paris, Champion, 1931, 2 vol.

« Les Swedenborgiens en France », *Revue de littérature comparée*, juil.-sept. 1931.

VIVIER, Robert, « Balzac ou la tragédie dans le roman », *Marche romane*, oct.-déc. 1952.

WELLECK, René et WARREN, Austin, *Theory of Literature*, New York, 1942.

WURMSER, André, *La Comédie inhumaine*, Paris, Club du livre progressiste, 1964, et Paris, Gallimard, 1964.

YÜCEL, Tahsin, *Figures et messages dans « La Comédie humaine »*, Paris, Mame, « Univers sémiotique », sous la direction de A. J. Greimas, 1972.

INDEX

Les noms, termes ou titres qui figurent dans plusieurs notes de la même page ne font l'objet que d'une seule mention dans l'index, par exemple : *p. 10, n.* peut renvoyer à une ou plusieurs notes de la page 10.

I. Œuvres de Balzac

II. Noms de personnes ou titres d'ouvrages

III. Termes et notions

La première mention de page renvoie le plus souvent à une définition du terme.

TABLE DES MATIÈRES

Achevé d'Imprimer
1er trimestre 1976
par les Presses du Palais Royal
65, Rue Sainte-Anne, Paris 2e
n° d'Impression 4583

Groupement Économique France-Gutenberg